JN186936

改訂第2版

医療安全管理実務者

標準テキスト

監修◉一般社団法人 日本臨床医学リスクマネジメント学会

編集◉日本臨床医学リスクマネジメント学会
テキスト改訂編集委員会

へるす出版

改訂第２版 医療安全管理実務者標準テキストの発行によせて

待望の『医療安全管理実務者標準テキスト』の改訂第２版をここにお届けすることができました。初版の発行から４年半を経て，医療安全全般にわたり，最新の制度や注目の話題を今回の改訂により提供できることに，まずは胸をなで下ろしております。

このテキストブックは，医療機関において必要とされる医療安全管理者を養成し，認定するための厚生労働省が定める通算40時間以上または５日程度の研修会として，日本臨床医学リスクマネジメント学会が毎年主催する医療安全セミナー（研修会）の公式テキストであり，その初版は2016年８月に上梓されました。その完成に至る心意気については，経緯，実際の使用にあたっての注意事項など，初代理事長の吉田謙一先生が書き記した初版の「はじめに」（次ページに掲載）をもう一度読んで，ご確認いただければと思います。

今回の改訂作業が進んでいる間に，世界中で新型コロナ肺炎が猛威を振るい，多くの方が罹患して医療機関へ押し寄せ，それに対処するためにわれわれ医療スタッフも，短期間で大きな変革を余儀なくされてきました。患者さんだけでなく，自分自身，家族，そして組織を守るために，感染制御の知識と技術は絶対に必要です。そして，それを正しく活かすためにも，基本となる医療安全の知識は欠かせません。ウイルスだけでなく，どんなに備えていても必ず起こるいろいろなトラブルに対して，常に怖がらずに毅然と対処できるよう，今，正に最前線で医療安全のために身体を張って頑張っている皆さんにお願いして，改訂版を執筆していただきました。

人が集まって議論する講習会の開催が制限される中で，われわれが毎年主催する医療安全セミナーで好評の“演習”の質を落とすことなく，さまざまな技術を動員して，安全なセミナーの開催を目指して準備を進めています。それまで，このテキストを熟読していただき，新型コロナウイルスだけでなく，あらゆるリスクを安全にマネジメントできるよう知識を深めておいていただけると幸いです。

令和３年１月

一般社団法人 日本臨床医学リスクマネジメント学会 理事長
帝京大学医学部附属病院 高度救命救急センター長／帝京大学医学部 救急医学講座 教授
三宅　康史

はじめに（初版）

平成 27（2015）年，「事故調査」丸はこれまで走ってきた航路から大きく舵を切りました。第 6 次改正医療法は，WHO ドラフトガイドラインに記載された 2 つの事故調査システムのうち，「説明責任を目的としたシステム」でなく「学習を目的としたシステム」に向かうことになったのです。今後は，訴訟等の法的活動と一線を画した「医療事故調査」が，医療機関において，支援センターと第三者機関である「医療事故調査・支援センター」の助けを借りて展開されます。また，小規模機関を含む全医療機関に事故調査等の義務が生じます。すべての医療機関管理者が，医療安全管理者とともに，チーム医療に携わる多職種の医療関係者に対してリーダーシップを発揮しなければなりません。そして，医療従事者一人ひとりに，医療安全の担い手としての「現場実践力」が求められます。このテキストは，この大きな情勢変化に対応して，すべての医療従事者に活用していただけることを目指しています。

日本臨床医学リスクマネジメント学会は，日本予防医学リスクマネジメント学会を引き継いだ医療安全の推進に貢献する学術団体であり，今年で 14 年目を迎えます。一昨年の学術総会の期間中，櫻井淳先生から，「医療安全にかかわる多職種の初学者が現場で見て実践できるテキストが欲しい」という熱い想いを伝えられました。一方，当学会は，夏に医療安全講習会を開催してきました。講習会は，医療を取り巻く状況の変化に応じた「現場実践力」の習得を目指し，初学者でも医療安全に必要な方法がマスターできる「演習」が好評です。加えて，医療事故が起こらない日常診療体制の構築を目指すレジリエンス・エンジニアリング等，最新の考え方や方法を現場で実践できる力の習得を目指してきました。研修会を開くたびに，「講習会の内容がテキストになったら……」という声が聞かれました。このような状況の下，学会内の議論を経て，平成 26（2014）年 11 月以来，櫻井編集委員長の下，数回の編集会議における熱い議論を経て，テキスト作製が一気に加速しました。

このテキストは，最新の考え方・手法を含む代表的な医療安全の手法を紹介するガイドブックであるとともに，医療安全の全般を俯瞰しながら，そのなかに各手法を位置付けているガイドマップであります。ある有害事象が起こったときに，病院長，当事者医師・看護師，医療安全管理者，および各専門職種の各々が，誰と連携して，どのように動くかが具体的にわかるようにつくられています。また，院内災害や大規模災害にも対応できます。まさに，本書は，現時点において，医療現場，および取り巻く社会の実情に迅速・的確に対応できる「現場実践力」を習得するための「マップ付き最新版ガイドブック」であるといえます。

本書を手に現場で実践していただき，ご批判を学会のテキスト作成委員会にお寄せください。一方，編集委員会では，制度や現場の実情の変化を分析しながら，次のテキスト改訂に備えたいと思います。

平成 28（2016）年 6 月

日本臨床医学リスクマネジメント学会
理事長　吉田　謙一

改訂第2版 医療安全管理実務者標準テキストの編集にあたって

このテキストは，医療安全管理の実務者が，所属する医療機関の規模や機能，彼らがおかれている立場や状況に応じて，医療安全に関する基本的事項を学べるように作られた。特に，初めて医療安全管理の実務者になった者が，すぐにでも職務を遂行できるようなガイドマップであることを目指して，「標準テキスト」と名付けられた。

初版の発刊から4年が経過し，この間医療事故調査制度の運用もそれなりに進みつつあり，医療事故調査・支援センターによる「医療事故の再発防止に向けた提言」も出されてきた。また，医療法をはじめとした法令の改正があり，特定機能病院における医療事故の教訓から，第7次・第8次医療法改正で，医療法人のガバナンスの強化や特定機能病院の承認要件の見直しなど，医療安全管理体制の充実が図られている。この改訂版では，これらの最新の動向を盛り込むようにした。また，初版は「テキスト」であろうとするあまり，重要な語句や図が筆者ごとに繰り返し説明されているきらいがあった。そのため，この改訂第2版は，繰り返し出てくる語句や図は，「用語の解説」でまとめて解説し，総ページ数を減らしてより読みやすくするというコンセプトのもとで編集された。章立ても変更し，総論では，「医療安全マニュアルの作成とその改訂」「産業界の安全管理の歴史」「診断エラー」が新たに加えられた。また，各論の第1章「医療安全管理者の実務」と第2章「医療事故防止に対する院内の取り組み」では，医療安全管理実務者が平時・有事に行うであろう項目を解説し，第3章「病院内の医療安全（部署別管理者の注意点）」，第4章「状況別医療安全」，第5章「重大事故発生後の対応と再発防止」では，初版でも取り上げた部署別や状況別の医療安全，重大事故発生後の対応と再発防止について，それぞれの項目を増やして解説した。第6章「災害時におけるリスクマネジメント」では，災害が起こったときにどのように対応すればよいか，医療安全管理実務者にとって，特に必要な知識に絞って解説した。

今回も初版と同様，現在わが国の第一線で活躍している医療安全の研究者，実務者の皆さまに執筆いただくことができた。そのため，読者は，どの項目を読んでも，医療安全のセミナーを受講したかのような知識の充実や刷新を感じていただけると思う。まさに，改訂版も「標準テキスト」であると言えよう。

本テキストが，現在のこの困難な状況においてなお，医療安全の実務を担っておられる実務者の皆さまにとって，業務の一助となれば幸いである。

2021年1月

日本臨床医学リスクマネジメント学会
テキスト改訂編集委員会
委員長　浦松　雅史

『医療安全管理実務者標準テキスト』発行にあたって（初版）

医療事故発生後に医療安全管理室の実務者は，何が起こったのか，患者は大丈夫であろうかと不安な心持ちで，とにかく病棟を訪れるであろう。そして，そこにいるすべての職員と協同して再発防止に向けて心を合わせることになる。医療事故とは医療従事者の不注意のみで起こるわけでもないし，病院の管理体制の不備のみが原因で起こるわけではない。悪しき結果は最高の医療システムをもち最良の医療スタッフで医療を行ったとしても決してなくならない。だからこそ，医療事故を減少させるシステムをつくることとともに，医療事故が発生したあとに対処するシステムを創設し，医療事故は医療行為にあらかじめ含まれていることを容認したうえで再発防止を考える文化の醸成が必要であると考えられる。

医療機関で医療安全管理の実務者となる多くの医療者は，最初は医療安全の専門家ではない。病院長となったとき，師長となったとき，部門の責任者となったときに初めて医療安全管理を行う責任を負うこととなる。また，人事異動の結果，医療安全管理者としてある日突然指名を受けて慣れた職場から医療安全管理室に移動することとなる。さらには，重大な医療事故に直面してその当事者となり，いや応なく医療安全の世界と直面せざるを得ないこととなった医療従事者は数多くいると考えられる。医療安全の実務者とは，狭い定義では医療安全管理室に所属する医療安全管理者であるが，広くはすべての医療従事者であると考える。

実務者となり医療安全管理とかかわりをもち学習を深めていくと，その多面性に呆然とすることとなる。平時と有事，職位（経験年数）や職種，組織全体と個人，部門，医療法（安全，感染，医薬品，医療機器，その他等），医療法第 25 条 3 項の立入検査，病院機能評価の項目，災害時の危機管理，学問領域（法，経営，教育，工学，基礎医学，臨床医学，倫理）などかかわる立場や状況によってさまざまな面が立ち現れてくる。医療安全の実務者が全体を俯瞰して学ぶことができる必要性を痛感した。これを，日本臨床医学リスクマネジメント学会で述べたところテキスト作成が必要であるということとなり，学会の事業として本テキストの作成が開始された。

医療安全管理の多面性を鑑み，本テキストの最初の部分に本書を利用する際に，目的に合わせて使えるようなナビゲーションを付けている。また，1 つの項目で 1 冊の本に相当するような本テキストのみでは語り尽くせない部分があり，その学習を深めたい方のために各稿ごと参考文献の項目を配し案内文を記している。火事や災害といった病院の危機的な状況に対処することも医療安全であると考え医療機関の危機管理の項を立てている。医療事故調査委員会の部分は，現在〔平成 27（2015 年）〕国家を上げて討議中であり流動的な部分があるため補遺として本テキストの最後の部分に配している。

本テキストが医療安全管理実務者の業務に役に立つことにより，1 つでも多くの医療事故を防ぐことができること，起こってしまった医療事故の再発防止のための情報源となること，医療機関がいかなる状況（重大医療事故発生時，災害等）でも継続できることを祈念する。

2016 年 6 月

日本臨床医学リスクマネジメント学会
テキスト作成委員会
委員長　櫻井　淳

改訂第2版 医療安全管理実務者標準テキスト

監　修

一般社団法人 日本臨床医学リスクマネジメント学会

編　集

日本臨床医学リスクマネジメント学会テキスト改訂編集委員会

担当理事：	櫻井　　淳	日本大学
委 員 長：	浦松　雅史	東京医科大学
委　　員：	奥津　康祐	山梨 OQT
	上拾石哲郎	上拾石・中村法律事務所
	古川　力丸	医療法人弘仁会 板倉病院
	駒木根由美子	東京都看護協会
	澤野　　誠	埼玉医科大学
	堤　　晴彦	埼玉医科大学
	中島　　勧	埼玉医科大学
	中村　京太	大阪大学
	中村　俊介	横浜労災病院
	藤田　眞幸	慶應義塾大学
	三木　　保	東京医科大学
	水谷　　渉	駒込たつき法律事務所
	三宅　康史	帝京大学

執筆者一覧（執筆順）

丹正　勝久　日本大学
浦松　雅史　東京医科大学
水谷　　渉　駒込たつき法律事務所
古笛　恵子　コブエ法律事務所
澤　　　充　澤眼科医院／公益財団法人一新会
中島　　勧　埼玉医科大学
大谷　典生　聖路加国際病院
三宅　康史　帝京大学
河野龍太郎　株式会社 安全推進研究所
上拾石哲郎　上拾石・中村法律事務所
中島　和江　大阪大学医学部附属病院
綿貫　　聡　東京都立多摩総合医療センター
奥津　康祐　山梨 OQT
遠山　信幸　自治医科大学附属さいたま医療センター
須田喜代美　一般財団法人竹田健康財団 竹田綜合病院
栗原　博之　公益財団法人日本医療機能評価機構
森安　恵実　北里大学病院
種田憲一郎　国立保健医療科学院
志賀　　隆　国際医療福祉大学
中根　香織　昭和大学病院
杉山　良子　パラマウントベッド株式会社
田中　健次　電気通信大学
古川　力丸　医療法人弘仁会 板倉病院
長尾　能雅　名古屋大学
吉池　昭一　社会医療法人財団慈泉会 相澤病院
吉田　清司　医療法人道南勤労者医療協会 函館稜北病院
筑間晃比古　東京医科大学病院
山舘　周恒　元日本大学医学部附属板橋病院
南　　　茂　大阪大学医学部附属病院
三神　敬弘　東京大学医学部附属病院
瀧本　禎之　東京大学
蒔田　　覚　蒔田法律事務所
植田耕一郎　日本大学
小林　智美　日本看護協会
並木　浩信　日本大学医学部附属板橋病院
原田　典子　コミュニティプレイス生きいき
海渡　　健　東京慈恵会医科大学
澤野　　誠　埼玉医科大学
河内　正治　帝京大学
坂本　哲也　帝京大学
吉田　謙一　大阪府監察医事務所
髙村　有加　日本大学病院
大澤　一記　忠弥坂法律事務所
渡邊　両治　東京都済生会中央病院
藤田　眞幸　慶應義塾大学
野口　英一　戸田中央医科グループ
中尾　博之　岡山大学

目　次

第 3 章　病院内の医療安全（部署別管理者の注意点）—— 112

テキストの使い方 ―ナビゲーション―

本書は，初めて医療安全を学ぶ初心者から，医療安全管理者，病院長等管理的な立場の方まで読んでいただけるというコンセプトで，医療安全管理の実務者向けの標準テキストとして作られている。「標準」テキストであるから，医療安全管理の実務者の皆様には，全体をよく読み，医療安全管理に対する理解を深めていただきたい。しかし，医療安全管理の実務者の日々の忙しさを考えると，本書を通読する時間を取ることは困難であることが容易に想像できる。そこで，読者の立場と，置かれた状況に応じて，最低限読んでいただくことで実務に役立つと思われる項目を「ナビゲーション」として示すこととした。

なお，ナビゲーションに示された項目以外にも，読者自身の立場，置かれた状況で役立つ項目が数多く含まれているので，最終的には本書を通読していただく必要がある。

＜読者の立場による分類＞

どの立場においても，「医療安全管理とは」と「医療安全の歴史」は必須とした。とかく，これまでの経緯といったものは軽視されやすいが，平成 11 (1999) 年に本格化したと言われるわが国の医療安全への取り組みの流れを知ることは，歴史から学ぶ，あるいは，過去の事故を風化させないという意味において，重要なことである。

初学者には，あまり細かいことにとらわれず，まずは医療安全に関する全体像を把握する必要があるため，必須項目は絞った。部署の責任者には，初学者の知識に加え，「院内医療安全研修」「医療事故防止に対する院内の取り組み」「個別の医療事故の防止（状況別医療安全）」等の項目が加えられている。

病院の管理者には，法律上，①指針の整備，②委員会の開催，③職員研修の実施，④事故報告等の医療にかかる安全の確保を目的とした改善のための方策を講じることが求められている（医療法第 6 条の 12 の規定に基づく医療法施行規則第 1 条の 11)。「医療安全の組織」の項目を読んでいただくことはもちろんだが，医療事故調査制度にもあるように「事故を個人の責任のみに帰責しない」という概念を深く理解するためにも「医療事故発生のメカニズムとアプローチ」「インシデント・アクシデントレポートの収集と解析」「M&M カンファレンス」などについても読む必要がある。

医療安全管理者は，医療機関の管理者から権限を委譲され，医療機関内の安全管理を行う者であり，その業務は，①安全管理体制の構築，②医療安全に関する職員への教育・研修の実施，③医療事故を防止するための情報収集，分析，対策立案，フィードバック，評価，④医療事故への対応，⑤安全文化の醸成と多岐にわたる（厚生労働省「医療安全管理者の業務指針および養成のための研修プログラム作成指針」令和 2 年 3 月改定）。必須項目が多くなっているが，必須項目のみならず，早い時期に全体に目を通していただきたい。

＜状況による分類＞

本書を利用しやすくするために，立場による分類とは別に，医療安全の実務を平時（研修，医療監視）と有事（ヒヤリハット発生，医療事故）に分け，それぞれナビゲーションをしようと試みた。有事には，本書を精読する時間的余裕はないため，読むべき項目をできるだけ絞るように努めた。一方，平時，特に研修については，医療安全管理者がこれを行う場合が多いことから，医療安全管理者に対するナビゲーションと類似しており，項目も多い。

日常の診療の合間，あるいは事故が発生した際の実務の助けとなるように，各立場，状況によって読むべき項目を次ページにナビゲーションとして示した。ナビゲーションをきっかけに読み始め，最終的に本書全体をお読みいただければ幸いである。

ナビゲーション（◎必須，○推奨）

<ナビゲーション項目>

	章	節	項目	読者の立場による分類				状況による分類			
				医療安全について初めて学ぶとき	部署の医療安全の責任者になったとき	施設の医療安全の責任者になったとき	管理者になったとき	医療安全の研修を行うとき	外部評価を受けるとき（機能評価を含む）	ヒヤリ・ハット事例が起こったとき	影響度3b以上の医療事故が起こったとき
総論	1		**医療安全管理とは**	◎	◎	◎	◎				
	2		**医療安全に関する用語の解説**	◎	◎	◎	◎	◎			
	3		**医療安全管理の歴史**	◎	◎	◎	◎				
	4		**医療事故の法的責任**		○	◎	◎	○		○	◎
	5		**医療安全の組織**								
		1	総論	◎	◎	◎	◎	○	◎		
		2	病院・診療所			◎	◎		◎		
		3	医療スタッフの労働環境		○	○	◎				
	6		**医療安全マニュアルの作成とその改訂**			◎	○		◎		
	7		**医療事故発生のメカニズムとアプローチ**	◎	◎	◎		◎		◎	
	8		**産業界の安全管理の歴史―他の産業から学ぶ医療安全管理の手法**			○	◎				
	9		**医療安全への新しいアプローチ**								
		1	レジリエンス・エンジニアリング理論に基づく安全マネジメントへの統合的アプローチ			○				○	
		2	診断エラー			○	◎				
各論	1		**医療安全管理者の実務**								
		1	医療安全管理者の役割			◎	○		○		
		2	インシデント・アクシデントレポートの収集	○	○	◎		◎	◎	○	○
		3	インシデント・アクシデントレポートの分析		○	◎		○	◎	◎	◎
		4	院内巡視			○	○		◎		
		5	院内医療安全研修			◎	◎	◎	◎		
			医療事故防止に対する院内の取り組み								
		1	医薬品安全管理			○	○		○		
		2	RRS・コードブルー（code blue）			○	◎	○			
		3	チーム医療		◎	◎		○			
		4	チームSTEPPS―エビデンスに基づいた「チーム医療2.0」―		○	○		○			
		5	M&Mカンファレンス			◎	◎		○	◎	◎
		6	環境改善（5S）	○	◎			○	○		
		7	KYT	○	○	◎		○		◎	
		8	FMEA（故障モードと影響解析）			○				◎	◎
		9	警報学概論―医療現場で医療機器アラームを有効活用するために―		○						
	3		**病院内の医療安全（部署別管理者の注意点）**								
		1	施設管理者（病院長，医院長）				◎				

<ナビゲーション項目>

				読者の立場による分類				状況による分類			
	章	節	項　目	医療安全について初めて学ぶとき	部署の医療安全の責任者になったとき	施設の医療安全の責任者になったとき	管理者になったとき	医療安全の研修を行うとき	外部評価を受けるとき（機能評価を含む）	ヒヤリ・ハット事例が起こったとき	影響度3b以上の医療事故が起こったとき
各論	3	2	救急外来	自分の部署は○	自分の部署は○						
		3	薬局			○			○		
		4	放射線部門			○			○		
		5	臨床検査部門								
		6	臨床工学部門			○			○		
		7	リハビリテーション部門								
		8	患者・家族の相談・苦情対応	○	○	◎	◎	○	◎	○	◎
	4		**状況別医療安全**								
		1	ダブルチェック	○	○	○					
		2	患者取り違え	○	○	◎		○	○		
		3	転倒・転落		○	○					
		4	身体拘束			○	○		○		
		5	チューブトラブル	○							
		6	誤嚥防止	○	○						
		7	誤薬防止	○	○	◎		○	○		
		8	皮膚障害		○						
		9	異型輸血		○						
		10	在宅医療			○					
	5		**重大事故発生後の対応と再発防止**								
		1	重大事故発生後の院内対応（病院管理者）				◎				◎
		2	重大事故発生後の院内対応（当事者・対応者）		○	◎			○	○	◎
		3	院内事故調査委員会			◎	◎	○	◎		◎
		4	死因究明―解剖の種類と役割―					○	○		○
		5	異状死体の届け出				◎	○	○		○
		6	医療事故後のメンタルヘルス支援			◎	◎				○
		7	コンフリクトマネジメントの概念―重大事故が発生した際の対応として―			○					
		8	医療メディエーション	○	○	○					○
		9	重大事故発生後の対応における注意点			○	○	○	○		○
	6		**災害におけるリスクマネジメント**								
		1	病院火災発生時の実践的初動対応について				◎				
		2	病院のBCP・HICS				◎				
		3	電子カルテシステム障害への対応と準備				◎				

I 総論

第1章 医療安全管理とは

はじめに

米国医学研究所（Institute of Medicine；IOM）が1999年に公表した有名な報告書『To Err Is Human』（邦訳：人は誰でも間違える）[1)]の表題に代表されるように，医療の現場においてヒューマンエラー（インシデントおよびさまざまな医療事故）をなくすことは困難である。IOMの報告によると，米国において，入院患者の約3％が有害事象（医療事故）に遭遇しており，このうちの約10％が死亡に至ったという。これは米国内において年間4万4,000人もの患者が医療事故により死亡しているという驚くべき報告であった。特に，複雑なシステムのなかで「高い専門性」を求められる医療においては，このようなヒューマンエラーによる重大事故や診療行為関連死を完全に0（ゼロ）にすることも残念ながら困難であろう。このような医療事故を可能な限り防ぐために医療安全管理を欠かすことはできない。

良好な医療安全管理を達成するためには重要な幾つかのポイントがある。まず大切なことは，「人はエラーを犯すもの」であるとの認識をもつことであり，医療者が引き起こすヒューマンエラーを完全になくすことは困難であると知ることである。また，医療現場においてこのようなヒューマンエラーを引き起こす人間の特性（ヒューマンファクター）を知り，理解することにより，エラーに基づく医療事故を可能な限り防ぐためのアプローチが可能となる（ヒューマンファクターズ・アプローチ）。同時に，組織として，ヒューマンエラーを重大な医療事故につなげないための「システム」を構築することが必要となる（システム・アプローチ）。これらのアプローチに基づいて，エラーを減じ，また，重大な事故を防ぐ管理システムを構築することが医療安全管理の第一の目的である。

また，起こってしまったヒューマンエラーや医療事故に対してわれわれがなさなければならないことは，個人の責任追及や司法の介入などではなく，「失敗から学び，将来のより良い医療安全向上のために失敗を活用すること」，および「失敗に対する説明責任を果たすこと」である。そのためには，何が起こったのかを明確にし，発生した有害事象は正確に報告・説明され，分析・査定を受け，その結果はすべての医療者間で共用される必要がある。すなわち，失敗を将来の医療安全管理の向上に生かし，常に改善を続けていくことがもう一つの医療安全管理の重要な目的である。そしてこれらのアプローチによって，後述する「医療機関における安全文化の醸成」を達成することが最終的な目標となる。

安全管理は医療に限らずあらゆる分野において最重要となる問題の一つであり，常に改善を続けるべき大きな課題である。

医療安全管理という用語は，平成14（2002）年4月に厚生労働省がまとめた「医療安全推進総合対策」において，「医療安全管理」と「リスクマネジメント」を同義語とし，リスクマネジメントは，医療に内在するリスクを管理するとともに患者および医療者の安全を確保するという意味で用いられている[2)]。すなわちこれらが医療安全管理，リスクマネジメントの本来の目的とするところであるが，リスクマネジメントという用語はしばしば組織防衛を目的とし用いられることがあり，この場合は患者および医療者の安全確保とは目的が異なる。このため，医療のリスク管理と患者および医療者の安全確保を目的とする場合に限って「セーフティーマネジメント」の語が用いられることもある。

Ⅰ 医療安全管理の具体的方策

医療安全管理の目的を達成するためには，医療機関内に安全対策のための組織体制を構築するとともに，安全管理に必要な幾つかの体制を組織のシステムとして構築する必要がある[2)]。すなわち，①安全管理体制の構築，②医療安全に関する職員への教育・研修，③医療安全の改善を目的とした各種の情報収集と分析，対策立案，フィードバック，評価，④医療事故発生時の対応，の4つの体制（組織のシステム）である。

このような医療安全管理体制は，医療者個人の対応のみでなく，組織全体として取り組んで構築しなければ達成できない重要なシステムである。この安全管理システムを医療機関内に根付かせ機能させることで医療機関内における「安全文化の醸成」[3]を達成することが，医療安全管理の目指す具体的な目的である。

次にこの手順について詳細を述べる。

Ⅱ 医療機関における安全管理組織体制の構築[2)]

1. 安全管理体制の構築

医療機関内に医療安全管理を統括する医療安全管理者を置く。また，医療安全管理を担当する職種横断的な安全管理部門や医療安全管理委員会を設置し，以下の項目(2.～4.)で述べる医療安全管理活動を実施，支援するとともに評価・調整を行う。さらに，これら医療安全管理の方針，行動計画等をまとめて文書化した「医療安全管理指針」を策定し，組織構成員全員にその内容を周知させておく必要がある。

2. 医療安全に関する教育・研修の実施

定期的に，組織構成員を対象とした職種横断的な，あるいは部門ごとの職種限定的な医療安全に関する教育・研修を行うことが必要である。その内容としては，医療にかかわる安全管理のための基本的考え方および具体的な方策について周知徹底を図ることにより，個々の医療者の安全に対する意識の向上を図るものであることが望まれる。医療事故等の具体的事例を取り上げて行うことも重要である。

3. 医療安全の改善を目的とした各種の情報収集と分析，対策立案，フィードバック，評価

医療安全管理の最も重要な部分の一つである。インシデント・アクシデント報告（ヒヤリ・ハット報告）等の医療安全に関する情報，また，医療現場において発生するさまざまなエラーや有害事象についての情報の収集はきわめて重要である。これらの情報は，医療安全管理を改善していくための基盤を形成し，医療安全改善に欠かすことのできないものである。

収集した情報については，分析を行い（情報収集・分析），分析結果に基づいて改善のための対策を立て（対策立案），立案した対策を医療現場に伝達，現場は周知して実施する（フィードバック）。また実施後にその実績評価を行い（評価），評価に基づいた改善・再発防止につなげる。この4段階の手順をふむ一連の作業によって，これらの情報を医療事故防止と医療安全の改善につなげることが可能となる。

4. 医療事故への対応

患者あるいは医療者に何らかのケアを必要とする医療事故が発生した場合については，事故発生前の対策，事故発生時の対応，発生後の原因調査と再発防止の3つの対応がある。事故発生前の対策として，あらかじめ事故発生時の手順を定めた対応マニュアルを作成し各部署に周知させておく。事故発生時には，何よりも被害者への対応を優先するとともに，責任者への報告，事故記録，患者・家族への説明，医療事故に関与した職員への精神的ケア等のサポートを行う。最終的には，医療事故調査によって，事故の原因を可能な限り明確にするとともに，再発防止および将来の医療安全改善につなげることが重要である。平成26（2014）年6月に成立した第6次医療法改正（平成27年10月1日施行）では，新たな医療事故調査制度が法的に整備され，医療事故調査の方策が明確になった。

5. 安全文化の醸成

以上の基本的事項について，医療に携わるすべての医療者がみずからのこととして考え，医療安全に積極的に取り組む姿勢を養成できる組織体制を構築することによって初めて，組織の「安全文化の醸成」を達成することが可能となる。

組織の安全文化を醸成するうえで，Reason[3]は4つの基本となる組織文化を挙げている。すなわち，①インシデント・アクシデント報告や過去の事例などの報告に基づいて医療安全の改善を続けていくことのできる組織の文化（報告する文化：reporting culture），②医療安全に関連する情報収集，研修によって常に学習を続けていく文化（学習する文化：learning culture），③さらに，チームで医療を行う際，医療のさまざまな状況変化への対応能力を高める（レジリエンスを高める）ことを目的に，すべての決定をリーダー（医師）がマニュアル通り行う「縦割り官僚型組織構造」から，必要に応じて多職種スタッフの意見を柔軟に受け入れることのできる「円環型（水平型）専門職組織構造」への変換を可能とする組織文化（柔軟な文化：flexible culture），④起こってしまったことから「学習」し，安全性を高める対策を行うと同時に，被害者や社会に対する「説明責任」を果たすという，異なった2つの目的を実現することのできる組織文化（公正な文化：just culture），以上の4つの組織文化である。

起こってしまった失敗を正しく報告することは評価されるべきであり，ヒューマンエラーそのものは罰則の対

表I-1-1 医療事故影響度レベル

	レベル	障害の継続性	障害の程度	内 容
インシデント	レベル0	—	—	エラーや医薬品・医療用具の不具合がみられたが患者には実施されなかった
	レベル1	なし	—	患者への実害はなかった（何らかの影響を与えた可能性は否定できない）
	レベル2	一過性	軽度	処置や治療は行わなかった（患者観察の強化，バイタルサインの軽度変化，安全確認のための検査などの必要性を生じた）
	レベル3a	一過性	中等度	簡単な処置や治療を要した（消毒，湿布，皮膚の縫合，鎮痛剤の投与など）
アクシデント	レベル3b	一過性	高度	濃厚な処置や処置を要した（バイタルサインの高度変化，人工呼吸器の装着，手術，入院日数の延長，外来患者の入院，骨折など）
	レベル4a	永続的	軽度～中等度	永続的な障害や後遺症が残ったが，有意な機能障害や美容上の問題は伴わない
	レベル4b	永続的	中等度～高度	永続的な障害や後遺症が残り，有意な機能障害や美容上の問題は伴う
	レベル5	死亡	—	死亡（原疾患の自然経過によるものを除く）
	その他	—	—	医療に関する患者からの苦情，施設上の問題，医療機器の不具合・破損，麻薬・劇薬・毒薬の紛失

国立大学附属病院医療安全管理協議会が定めた「影響度分類」に準ずる。

象とはならない。罰則の対象となるのは事実の隠蔽や捏造などの作為的な行為であり，「公正な文化」とは許容できる行為と許容できない行為の境界を明確に理解することでもある。

近年は，医療における「失敗の原因」と「成功する原因」はいずれも異なったものではないと考えられるようになり，起こってしまった「失敗」だけを医療安全改善のための学習材料とするのではなく「成功」した事例も含め，医療におけるレジリエンスを高める（状況の変化に応じた対応能力を高める）ことが医療安全にとって重要な因子であると考えられるようになってきている。すなわち，「報告する文化」の前提として，「公正な文化」が必要であるとともに，医療におけるさまざまな変化への対応能力（レジリエンス能力）をもつ「柔軟な文化」が加わって初めて「学習する文化」を形づくることができるのである。

III インシデント・アクシデント報告，良好な報告システム

医療安全管理を行ううえで最も重要なことの一つが，医療機関のなかで生じる各種のインシデント・アクシデントについての報告システムを確立することであることは既に述べた。ここでは，インシデント・アクシデント報告の意義および良好な報告システムの条件について述べる。

1. インシデントとは，アクシデントとは，医療事故とは

前項で述べたように，医療安全管理の基盤をなすものは，医療現場で発生する種々のヒューマンエラーや医療事故の報告およびその分析に基づく医療安全の改善である。報告の際，発生したエラーの影響度の大きさ（国立大学附属病院医療安全管理協議会によるインシデント影響レベル分類に準ずる）[4]（表I-1-1）によって，それぞれインシデント報告，アクシデント報告と「報告様式」が異なるのが普通である。医療安全管理者はこれらの報告を同一に取り扱うのではなく，影響度の大きいものについてはその事例について個別に原因究明，再発防止の検討を行う必要がある。

「インシデント」「アクシデント」および「医療事故」の基本用語については，定義として統一されていない面があり，医療現場でこれらの語を用いる際に多少の混乱があるが，代表的な用いられ方について以下に示す。

1）厚生労働省による定義

厚生労働省医療安全対策検討会議による「医療安全推進総合対策～医療事故を未然に防止するために～」（平成14年4月17日）で用いられる「医療事故」とは，「医療に関わる場所で医療の全過程において発生する人身事故一切を包含し，医療従事者が被害者である場合や廊下で転倒した場合なども含む。一方，医療事故の発生の原因に，医療機関・医療従事者に過失があるものを医療過誤という」と定義されている。また，「アクシデント」は通常，「医療事故」に相当する用語として用い，「インシデント」は，日常診療の場で，誤った医療行為などが実施されたが，結果として患者に影響を及ぼすに至らなかったものをいう。インシデントの同義として「ヒヤリ・ハット」が用いられる。

2) 日本医療機能評価機構による，「医療事故」「ヒヤリ・ハット」の用語の用いられ方（それぞれの事例の範囲について）

日本医療機能評価機構が行う「医療事故情報収集等事業」において「医療事故」として報告する事例の範囲は，「1. 誤った医療または管理を行ったことが明らかであり，その行った医療または管理に起因して，患者が死亡し，もしくは患者の心身に障害が残った事例または予期しなかった，もしくは予期していたものを上回る処置その他の治療を要した事例。2. 誤った医療または管理を行ったことは明らかではないが，行った医療または管理に起因して，患者が死亡し，もしくは患者の心身に障害が残った事例または予期しなかった，もしくは予期していたものを上回る処置その他の治療を要した事例（行った医療または管理に起因すると疑われるものを含み，当該事例の発生を予期しなかったものに限る）」とされている。また，「ヒヤリ・ハット」として報告する事例の範囲は，「1. 医療に誤りがあったが，患者に実施される前に発見された事例。2. 誤った医療が実施されたが，患者への影響が認められなかった事例または軽微な処置・治療を要した事例。3. 誤った医療が実施されたが，患者への影響が不明な事例」としている。

3) 医療法に基づく定義

改正医療法に新たに盛り込まれた医療事故調査制度（平成 27 年 10 月 1 日施行）で用いられる「医療事故」の定義は，「すべての病院，診療所（歯科を含む。）又は助産所に勤務する医療従事者が提供した医療に起因する（又は起因すると疑われる）死亡又は死産であって，当該管理者が当該死亡又は当該死産を予期しなかったものとして厚生労働省令で定めるものをいう」（医療法第 6 条の 10 第 1 項）としている（医療事故調査制度の詳細については他項を参照）。

通常，医療の現場においては，1) あるいは 2) が用いられることが多く，医療に起因した予期しない患者の死亡が発生し，医療事故調査が行われる事例については 3) の定義が用いられる。

2. インシデント，アクシデント影響度分類[4]

インシデント，アクシデントは，その影響度によってレベル 0~5 までの 5 段階に分類され，レベル 3 と 4 はそれぞれ a，b のさらに 2 段階に分類される[4]（表 I -1-1）。影響分類レベル 3a 以下をインシデント，レベル 3b 以上をアクシデントとする医療施設が多いが，レベル 2 までをインシデント，レベル 3a 以上をアクシデントとする施設もある。

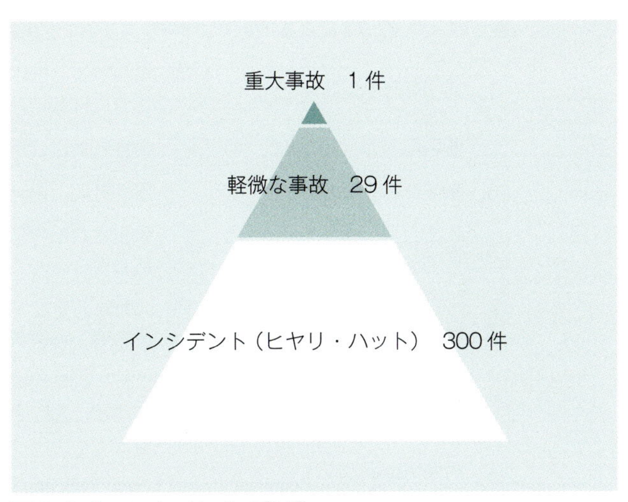

図 I -1-1　ハインリッヒの法則
重大事故を未然に防止するためには，インシデント（ヒヤリ・ハット）報告や，軽症のアクシデント報告によってリスクをあらかじめ把握し，対策を立てることが重要である。

3. インシデント（ヒヤリ・ハット）報告の意義

1 件の重大事故の背景には 29 件の軽微な事故と 300 件のインシデント（ヒヤリ・ハット）事象が存在しているという（図 I -1-1）。これは「ハインリッヒの法則」といわれ，1929 年に米国の Herbert William Heinrich（1886～1962）が，労働災害の統計学的調査の結果をもとに発表した論文に記載した有名な法則である。医療事故もこれと同様であり，重大事故は，結果としてほんの氷山の一角であって，その事故の背景には多くのインシデント事例や軽微なアクシデント事例が存在していることを意味している。したがって，重大事故を未然に防ぐためには，インシデント報告，アクシデント報告によって小さなリスクの事象を十分把握し，重大事故予防の対策を立てることが医療安全管理上の重要ポイントである。

4. アクシデント（医療事故）報告の意義

影響度の高い重大事故については，基本的に，調査委員会等を設置してその原因調査と再発防止策の策定を行う必要がある。起こってしまった医療事故に対してわれわれがなすべきことは，個人の責任追及や司法の介入などではなく，「失敗から学び，医療安全の向上のために失敗を活用すること」，「失敗に対する説明責任を果たすこと」である。そのために，何が起こったのかを明確にし，すべての発生した事象は正確に報告され，説明され，また，分析・査定され，共用されなければならない。司法の介入によるヒューマンエラーの「犯罪化」や「責任追及」はこれらの前向きな行為に逆向するものであり，近年はこれらを抑制しようとする動きが大きくなり，平成 27 年 10 月 1 日，改正医療法に基づく新たな「医療事故調査制度」が施行された。

表Ⅰ-1-2 WHOによる「良好な報告システム」を構築するための重要項目

1. 罰則を適用しない	最も需要な要件である。報告することによって罰せられることがあれば誰も正直には報告しない
2. 匿名化	報告者および患者名等を第三者に対して匿名化することが望ましい
3. 報告システムの独立性	原因究明，再発防止を目的とした報告システムと司法は完全に分離する
4. 専門的分析	報告された内容は専門家により遅滞なく分析を受け査定されることが必要である
5. 迅速なフィードバック	分析・査定された結果（原因・再発防止策等）は遅滞なく，その結果を必要としている医療現場にフィードバックあるいは通達されることが必要である
6. システムエラーに焦点を当てる	エラーの原因究明および再発防止策は個人の行為以上に組織全体のシステムの問題に焦点を当てることが重要である
7. 再発防止策の履行	フィードバック・通達を受けた医療現場では，その内容（再発防止策など）を履行しなければならない

5. より良好な報告のために

エラーを起こした医療者が「報告」をためらう理由は，失敗の報告が本人の危険になり得るからであり，また，報告にどのような意義があるか十分理解できないからである。

WHO（World Health Organization：世界保健機関）は，これらの問題点をクリアする「良好な報告システム」を構築するための重要な条件として７項目を挙げている[5),6)]（表Ⅰ-1-2）。すなわち，報告を罰則の対象としないこと，そのためには可能であれば第三者に対する匿名化が望ましいこと，報告は専門家によって遅滞なく分析・査定されること，再発防止策は遅滞なく出され，それを必要としている部署に通達（フィードバック）されること，原因究明・再発防止策は個人の行為よりも医療機関・組織全体のシステムの問題に焦点を当てること，通達を受けた部署はその結果を履行すること，の７項目である。これらの項目に沿った報告システムを構築することが医療安全管理を行ううえで重要であり，成功する良好な報告システムを構築する基盤となると思われる。

文 献
1) Committee on Quality of Health Care in America, Institute of Medicine：To err is human；Building a Safer Health System. L. T. Kohn, J. M. Corrigan, M. S. Donaldson, eds, National Academy Press, Washington, D. C., 2000.
2) 厚生労働省医療安全対策検討会議，医療安全管理者の質の向上に関する検討作業部会：医療安全管理者の業務指針および養成のための研修プログラム作成指針；医療安全管理者の質の向上のために．厚生労働省，2007.
3) James Reason：安全文化をエンジニアリングする．塩見弘監訳．組織事故；起こるべくして起こる事故からの脱出，日科技連出版社，東京，2014，pp271-317.
4) 医療安全推進ネットワーク：ガイドラインの作成で事故防止；国立大学附属病院の安全管理対策 Medsafe.Net. http://www.medsafe.net/contents/recent/35guideline.html
5) World Health Organization：WHO draft guidelines for adverse event reporting and learning systems；World alliance for patient safety. 2005.
https://apps.who.int/iris/handle/10665/69797
6) 日本救急医学会 診療行為関連死の死因究明等の在り方検討特別委員会，中島和江監訳：有害事象の報告・学習システムのためのWHOドラフトガイドライン．へるす出版，東京，2011.

（丹正 勝久）

第2章 医療安全に関する用語の解説

はじめに

本章では，医療安全に関する用語のうち，特に本書のさまざまな項で繰り返し登場するものを解説する。原則として，ここで取り上げた語句は，各項においては周知の語として解説なく使用される。また，本章より詳細に説明している項があれば，そこを参照できるように指示する。

I 安全に関する用語

医療安全

「不必要な害のリスクを許容可能な最小限の水準まで減らす行為」と定義している[1]。一般的には，行為というよりも，「不必要な害のリスクが許容可能な水準にあること」をさす場合が多いと考える。

患者安全

医療安全と同義で用いられるが，特に患者に目を向けた用語であり，「医療プロセスから生じる望ましくない転帰または傷害を回避，予防，軽減すること」と定義される[2]。

医療の質

「特定の医療機関が一群の患者に対して実際に提供することのできる医療サービスの割合」のこと。一般的には，安全上の問題は，より大きな質全般の問題に含まれる「切迫した」一部分として理解されることが多いとされる[2]。

医療安全文化（報告，公正，柔軟，学習）

「安全にかかわる諸問題に対して最優先で臨み，その重要性に応じた注意や気配りを払うという組織や関係者個人の態度や特性の集合体」[3]，あるいは，「健康と安全の組織プログラムに対する関与と，プログラムのスタイルと熟達度を規定する個人およびグループの価値観，態度，能力，行動パターンの産物である。良好な安全文化を持つ組織は，相互信頼の上に築かれたコミュニケーション，安全の重要性に関する共通認識，予防対策の有効性への自身によって特徴づけられる」[2]と定義される。Reason は，安全文化の構成要素として，①報告する文化（reporting culture），②正義の文化（just culture），③柔軟な文化（flexible culture），④学習する文化（learning culture）を挙げ，これらが作用し合い情報に立脚した文化（＝安全文化）を形成するとしている[3]。

リスクマネジメント

狭義のリスクマネジメントは，「病院へのリスク，特に訴訟による評判や財務上の労災，セクシャルハラスメントなどの損失をいかに減らすか」を意味する。広義では，「患者へのリスクを減らす」ことも含む[4]。なお，厚生労働省の「医療安全推進総合対策」においては，医療安全管理とリスクマネジメントは同義であるとされている[5]。

セーフティーマネジメント

狭義には，「医療を含まない火災や設備上の災害」を意味していたが，近年，医療行為も含めた事故の管理をさすようになっており，広義のリスクマネジメントと広義のセーフティーマネジメントは同じものであるとされている[4]。つまり，医療安全管理，リスクマネジメント，セーフティーマネジメントという用語は同義であるといえる。

クライシスマネジメント（危機管理）

患者へのリスクを減らす（医療安全管理，リスクマネジメント，セーフティーマネジメント）のみでなく，リスクが顕在化し事故が発生した後の対応，回復等まで含めた管理をさし，さらには，患者に発生した事故のみではなく，災害等による病院組織全体への被害に対する事前・事後の対応全体を含んだものである。

タイムアウト

もともとは，スポーツの試合中などにおける協議などのための中断のこと。転じて，医療を提供するチーム全員が情報を共有するための作業をさす。WHO（World Health Organization：世界保健機関）の手術安全チェックリスト[6]にも含まれており，皮膚切開直前の確認が，タイムアウトとなっている。なお，麻酔導入の前の確認はサインイン，患者が手術室から出る前の確認はサインアウトという。

ノンテクニカルスキル

「テクニカルスキルを補って完全なものとする認知的，社会的，そして個人的なリソースとしてのスキルであり，安全かつ効率的なタスクの遂行に寄与するもの」と定義される[7]。意思決定，状況認識，コミュニケーションなどが含まれる。医療事故は，テクニカルスキルの不具合によるものだけではなく，ノンテクニカルスキルの不具合によるものもある。したがって，事故防止のためには，テクニカルスキルのみでなく，ノンテクニカルスキルの向上が必要となる。

医療安全推進総合対策（平成14年４月　厚生労働省）

厚生労働省に設置された「医療安全対策検討会議」が取りまとめた，今後の医療安全対策の目指すべき方向性と緊急に取り組むべき課題をふまえ，より総合的な医療安全対策の展開を目指した報告書で，現在のわが国の医療安全対策に関する施策のもととなっている。

Ⅱ 事故に関する用語

リスク

「あるインシデントが発生する確率」のこと[1]。

エラー

「計画した活動を意図した通りに実施できないこと，または不適切な計画に基づいた」行動のこと[1]。

ヒューマンエラー

「すべきことが決まっているときに，すべきことをしない，あるいは，すべきでないことをする」こと[8]。

インシデント，アクシデント，ヒヤリ・ハット

※総論第１章「医療安全管理とは」を参照（p.2～）。

To Err Is Human

2000年３月に米国で出版された，米国医学研究所（Institute of Medicine）のLinda T. Kohnらによる著書『To Err Is Human；Building a Safer Health System』のことをさす。「米国では1997年の１年間に，医療事故（原文では“medical errors”）により，入院患者の44,000～98,000人が死亡した」との内容で話題を呼んだ。わが国でも，『人は誰でも間違える―より安全な医療システムを目指して』という邦題で，2000年11月に日本評論社から出版されている。「人はミスを犯す」ことを前提として，システムによる備えが必要であることなどが述べられており，わが国における医療安全の発展に大きく寄与した。

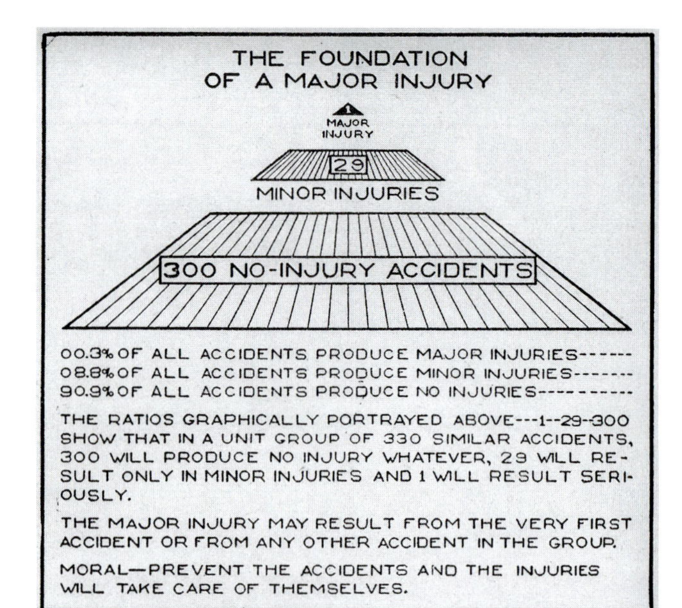

図Ⅰ-2-1　ハインリッヒの原図　〔文献9）より引用〕

ハインリッヒの法則

米国の安全技術者Herbert William Heinrichが産業分野において見い出した（図Ⅰ-2-1），「同種の事故330件を１単位としてみると，300件は傷害のない事故，29件は軽い傷害が生じた事故，１件は重大な傷害または休業災害が生じた事故である」という推定のこと[9]。このことから，ハインリッヒは，傷害そのものよりも事故に注意を払うべきであると述べている。

医療事故

「当該病院等に勤務する医療従事者が提供した医療に起因し，又は起因すると疑われる死亡又は死産であつて，当該管理者が当該死亡又は死産を予期しなかつたものとして厚生労働省令で定めるもの」（医療法第６条の10第１項）とされる。

同法による定義以前は，平成12（2000）年に当時の厚生省から出された「リスクマネージメントマニュアル作成指針」における，「医療に関わる場所で，医療の全過程において発生するすべての人身事故で，以下の場合を

含む。なお，医療従事者の過誤，過失の有無を問わない。ア　死亡，生命の危険，病状の悪化等の身体的被害および苦痛，不安等の精神的被害が生じた場合。イ　患者が廊下で転倒し，負傷した事例のように，医療行為とは直接関係しない場合。ウ　患者についてだけでなく，注射針の誤刺のように，医療従事者に被害が生じた場合」が定義として使用されていた。

現在「医療事故」という単語が使用される場合に，いずれを意味するのか不明なことがあるため，注意を要する。本書では，医療法上の「医療事故」をさす場合には，「医療事故（医療法）」と記述し，他の意味で使用される「医療事故」は単に「医療事故」と記載する。
※総論第１章「医療安全管理とは」（p.2〜）を参照。

医療過誤

医療事故のうち，人為的ミスが認められ得るもの[10]。

医療事故影響度分類（レベル分類0〜5）

インシデント，アクシデントを，患者への影響度によって分けようというもの。国立大学附属病院医療安全管理協議会が定めた「影響度分類」やそれに準じるものが使用されることが多い。この分類は，事故をレベル0〜5までの5段階に分類し，レベル3と4はそれぞれa，bのさらに2段階に分類している[11]。
※総論第１章「医療安全管理とは」（p.2〜）を参照。

医療事故調査制度

医療事故調査制度は，平成27（2015）年10月1日に施行された改正医療法に盛り込まれた制度で，医療事故が発生した医療機関において院内事故調査委員会を行い，その調査報告を民間の第三者機関（医療事故調査・支援センター）が収集・分析することで再発防止につなげるための医療事故に係る調査の仕組みをいう[12]。

組織事故

「事故において中心的な役割を果たすのは個人の行為と失敗であるが，それらの個人の思考や行動は周囲の労働環境とより広範囲の組織的プロセスから強い影響と制約を受ける」という理解に立ち，「重大なインシデントは，ほぼ必ず長い期間をかけて進行し，何人もの関係者と多数の寄与要因が関与している」と考える，Reasonにより提唱されたモデル[3]。

有害事象

「疾患の過程ではなく医学的管理に起因して発生した意図しない傷害のうち，入院期間の延長や退院時の一時的ないし永続的な機能または身体障害の残存につながるほどの重篤な」事象のこと[2]。

警鐘事例

ある施設で発生した有害事象のなかで，他の施設でも起こり得る可能性があり，かつ，発生したことを学ぶことで防止することができる可能性の高いと考えられる事例のこと。日本医療安全調査機構は，死因調査を行った事例を警鐘事例と捉え，当該事例の報告書概要版を公表している。また，米国でもThe Joint Commissionが，“Sentinel Event Alert”として，警鐘事例を公表している。

ヒューマンファクターズ

「人間とシステムの他の要素との相互作用について考察する科学分野であり，人間の幸福と全体的なシステム効率の最適化を目指して理論，原則，データ・手法をデザインに適用する専門領域」とされる[2]。

医療訴訟

明確な定義はないが，最高裁判所規則第5号医事関係訴訟委員会規則第2条は，「医事紛争事件」を「民事訴訟事件又は民事調停事件のうち争点若しくは証拠の整理又は裁判をするについて医学又は医療の専門的知識経験を必要とするもの」と定めており，「医療訴訟」という言葉も，これをさすと考えられる。

説明責任

医師を含めた専門家が，自分の行為の適否について，依頼人や社会から求められた場合に負うべき釈明として，説明をすべき責任のこと[10]。

産科医療補償制度

平成21（2009）年1月に日本医療機能評価機構を運営組織として運用が開始された制度で，補償の機能と原因分析・再発防止の機能という2つの機能を併せもつ制度である。平成27（2015）年1月に，補償対象基準である出生体重や在胎週数に関し，基準が見直された。

Ⅲ 主な医療事故

横浜市立大学医学部附属病院事件

平成11（1999）年1月，横浜市立大学医学部附属病院において，心疾患と肺疾患の患者を取り違え，心疾患患者へ肺手術を，肺疾患患者に心臓手術を実施し，術後に取り違えに気付いた事件。多くの医療従事者が関与して，幾つものシステム上の不具合が重なり発生した事故であり，医療事故防止は，個人の処罰よりシステムの改善が重要であるとの意識へ変化するきっかけとなった事件といえる。

東京都立広尾病院事件

平成11（1999）年2月，整形外科手術を受けた患者に対して，静脈ルートをロックするためヘパリン生食を使用しようとしたところ，消毒薬であるヒビテングルタールを静脈投与し，患者が死亡した事件。主治医とともに事故対応に当たった病院長が医師法第21条の届け出をさせなかったとして，有罪の判決を受けた。

大野病院事件

平成18（2006）年2月，福島県の産婦人科医師が帝王切開中に癒着胎盤を剝離し，大量出血により患者を死亡させたとして逮捕・勾留された事件。医師は，翌月起訴され，平成20（2008）年8月に無罪判決が出された。刑事，司法における取り扱いに医療界が強く反発した事件。

ウログラフイン誤投与事件

造影剤ウログラフイン®を脊髄に注入したことによる死亡事故。最近では平成26（2014）年に発生している。それ以前にも同様の事例は発生しており，そのたびに，注入した医師が刑事訴追され有罪判決を受けるなどしてきたが，事故は繰り返し発生している。薬剤の配置，使用上の警告，使用についての教育などシステムアプローチによる再発防止策の実施が望まれる。

Ⅳ 医療安全にかかわる人や組織，方法論に関する用語

医療安全管理者

医療安全管理者とは，「各医療機関の管理者から安全管理のために必要な権限の委譲と，人材，予算およびインフラなど必要な資源を付与されて，管理者の指示に基づいて，その業務を行う者」をいう[5]。施設によっては，「リスクマネージャー」「セーフティーマネージャー」などの呼称を利用している。なお，医療安全対策加算の要件を満たす「医療安全管理者」は，「適切な研修を受けた医師，看護師，薬剤師等の医療有資格者」であり〔厚生労働省保険局医療課発「事務連絡」平成18年3月31日），（問15）より〕，「適切な研修」とは，「国及び医療関係団体等が主催する研修であって，医療安全管理者として業務を実施する上で必要な内容を含む通算して40時間以上又は5日程度の研修」をさす（同事務連絡，問16より）。

※総論第1章「医療安全管理とは」（p.2〜）を参照。

医療安全管理責任者

平成28（2016）年6月10に公布，施行された「医療法施行規則の一部を改正する省令」により改正された医療法施行規則で定められた者で，医療安全管理部門，医療安全管理委員会，医薬品安全管理責任者，医療機器安全管理責任者を統括させる責務を負い，医療安全担当副院長をもって充てる。

医薬品安全管理責任者

医療法第6条の12に基づき配置される，医薬品の使用にかかる安全な管理のための責任者のこと（医療法施行規則第1条の11第2項第2号）。その業務は，①医薬品の安全使用のための業務に関する手順書の作成，②従業者に対する医薬品の安全使用のための研修の実施，③医薬品の業務手順書に基づく業務の実施，④医薬品の安全使用のために必要となる情報の収集その他の医薬品の安全確保を目的とした改善のための方策の実施である（医政発第0330010号）。

医療機器安全管理責任者

医療法第6条の12に基づき配置される，医療機器の安全使用のための責任者のこと（医療法施行規則第1条の11第2項第3号）。その業務は，①従業者に対する医療機器の安全使用のための研修の実施，②医療機器の保守点検に関する計画の策定および保守点検の適切な実施，③医療機器の安全使用のために必要となる情報の収集その他の医療機器の安全使用を目的とした改善のための方策の実施である（医政指発第0330001号，医政研発第0330018号）。

日本医療機能評価機構

中立的・科学的な第三者機関として医療の質の向上と信頼できる医療の確保に関する事業を行い，国民の健康と福祉の向上に寄与することを目的とする公益財団法人であり，認定病院患者安全推進事業，産科医療補償制度運営事業，EBM（evidence-based medicine）医療情報事業（医療情報サービスMinds），医療事故情報収集等事業，薬局ヒヤリ・ハット事例収集・分析事業を行っている[13]。

医薬品医療機器総合機構（Pharmaceuticals and Medical Devices Agency；PMDA）

医薬品の副作用や生物由来製品を介した感染等による健康被害に対して，健康被害救済，承認審査，安全対策を通じて，国民保健の向上に貢献することを目的としている[14]。

医療事故調査・支援センター

医療法第6条の15の規定に基づき厚生労働大臣が定めるもので，一般社団法人日本医療安全調査機構が指定された。病院等からの報告により収集した情報の整理および分析をし，医療事故が発生した病院等の管理者または遺族から，当該医療事故について調査の依頼があったときに調査を行う。また，医療事故の再発防止に関する普及啓発なども行う。

支援団体

医療法第6条の11に規定される団体で，病院等が医療事故調査を行うために必要な支援（医療事故の判断に関する相談，調査手法に関する相談・助言，報告書作成に関する相談・助言，院内事故調査委員会の設置・運営に関する支援，解剖，死亡時画像診断に関する支援，院内調査に必要な専門家の派遣など）を行う。職能団体，病院団体等，病院事業者，学術団体などが支援団体となっている。

WHOドラフトガイドライン

WHOが公表した，有害事象の報告・学習システムのためのWHOドラフトガイドラインのこと。成功する報告システムの特性として，①非懲罰性，②秘匿性，③独立性，④専門家による分析，⑤適時性，⑥システム指向性，⑦反応性の7つを挙げており，わが国におけるインシデント報告，分析等に対しても影響を与えている[15]。

『WHO患者安全カリキュラムガイド多職種版2011』[1]

WHOが公表した，患者安全に関するガイド。卒前・卒後教育について「患者安全を基本概念とした知識・技術・態度がすべて医療系学生に教育されるべきである」という方針を打ち出した。また，ガバナンスについて，「患者安全プログラムの実践に必要となるのは，資金ではなく，むしろ安全な実務を実践しようという各自の固い決意である場合が多い」とし，ガバナンスのあり方へ示唆を与えている。

PDCAサイクル

計画（plan），実施（do），点検（check），処置（act）の反復で構成される経営管理の基本的な方法のこと。従来の経営学で「PDS（plan-do-see）」と呼ばれていたサイクルを，William Edwards Deming（1900～1993）や石川馨（1915～1989）（図Ⅰ-2-2）がseeの段階をcheckとactに分けたものである。近年，点検（check）の段階をより進めて，学ぶ（study）に置き換えた，PDSAサイクルが提唱されている。

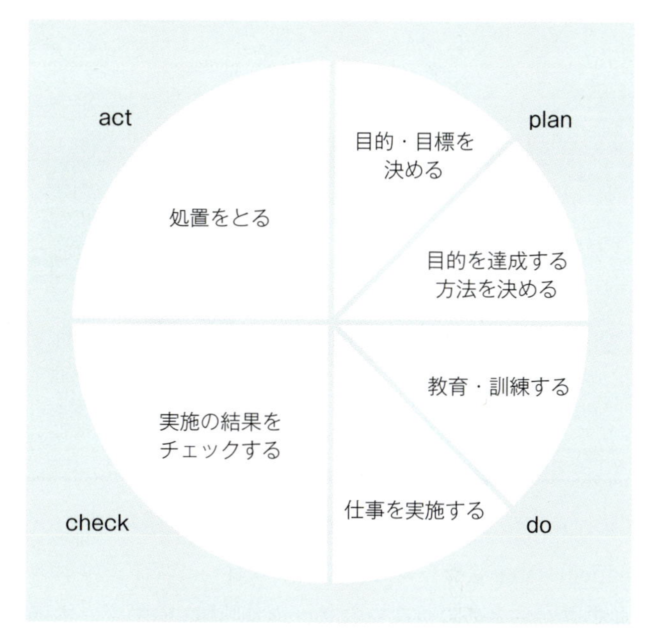

図Ⅰ-2-2　石川馨の「管理サークル」〔石川馨（1981）p.83を引用〕

スイスチーズモデル

Reasonはヒューマンエラーを考える際，パーソンアプローチとシステムアプローとという2つの考え方を示し，それぞれ，ヒューマンエラーの原因や対策が異なることを示した[16]。パーソンアプローチは，古くからある考え方で，エラーの原因を，現場員のエラーや不安全行動に求めるものである。これに対して，システムアプローチは，人はミスをするものであることを前提として，エラーは原因ではなく結果であると捉え，エラーの対策も，人間ではなく，システムによるべきであると考える。このシステムの問題を示すモデルが，スイスチーズモデルである（図Ⅰ-2-3）。システムに備わっている防御は何層にもなっており，理想的には，いずれかの層でエラーは防げるはずである。しかし，実際には，各防御層は，スイスチーズのスライスに似た多くの穴があり，それらの穴は絶えず開いたり，閉じたり，場所を変えたりしている。この各層の穴が並んだ瞬間に事故は起こると説明される。

SHELLモデル

Reasonが提唱した，ヒューマンエラーを考察するためのモデル。ヒューマンエラーは，本人と周囲の環境〔手順（S），ハードウェアー（H），環境（E），他人（L）〕とが相互に影響し合って生じることを示している。河野は，これに患者（P）や管理（m）を加えたPm-SHELLモデルを提唱している[17]。

チームステップス（TeamSTEPPS®）

Team strategies and tools enhance performance and

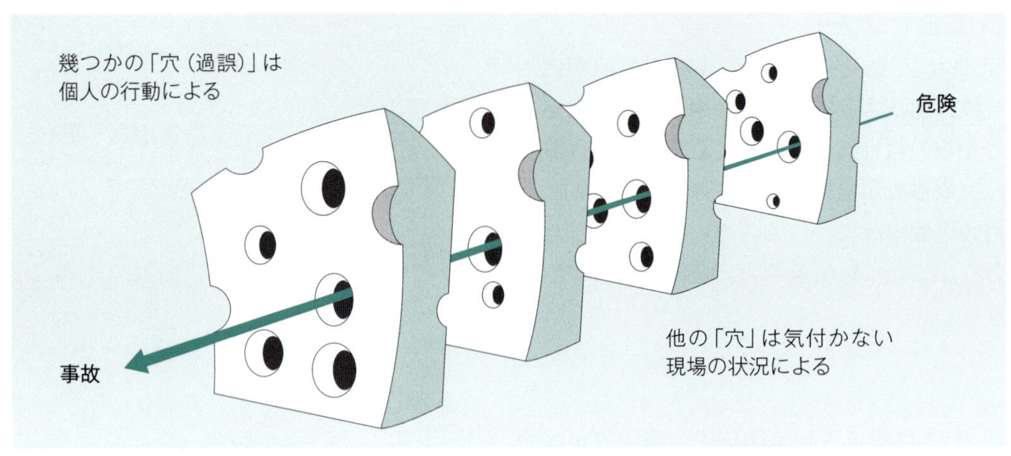

図I-2-3 スイスチーズモデル

patient safety（チームとしてのより良いパフォーマンスと患者安全を高めるためのツールと戦略）の略で，米国医療研究品質局（Agency for Healthcare Research and Quality；AHRQ）が2006年に発表した。医療の質・安全・効率を改善するエビデンスに基づいたチームワーク・システムのこと。チームワークに必要なコンピテンシー（能力），そのための行動・スキルを挙げ，これらを向上させるためのツール・戦略を示している[18]。

※各論第2章④「チームSTEPPS」（p.88～）を参照。

文 献
1) 大滝純司，相馬孝博監訳：WHO患者安全カリキュラムガイド多職種版2011．東京医科大学，2012.
2) Charles Vincent：患者安全．原書第2版，相馬孝博，藤澤由和訳，篠原出版新社，東京，2015.
3) James Reason：組織事故；起こるべくして起こる事故からの脱出．塩見弘監訳，日科技連出版社，東京，1999.
4) 長谷川敏彦：医療安全の基本概念．保健医療科学 2002；51：108-113.
5) 厚生労働省医療安全対策検討会議，医療安全管理者の質の向上に関する検討作業部会：医療安全管理者の業務指針および養成のための研修プログラム作成指針；医療安全管理者の質の向上のために．厚生労働省，2007.
6) WHO：Surgical Safety Checklist．2009.
7) ローナ・フィリン，ポール・オコンナー，マーガレット・クリチトゥン：現場安全の技術ノンテクニカルスキル・ガイドブック．小松原明哲，十亀洋，中西美和訳，海文堂出版，東京，2012.
8) 小松原明哲：ヒューマンエラー．第2版，丸善，東京，2008.
9) H. W. Heinrich：Industrial accident prevention；A scientific approach. McGraw Hill, New York, 1941.
10) 加藤良夫編著：実務医事法講義；実務法律講座12．民事法研究会，東京，2005.
11) 医療安全推進ネットワーク：ガイドラインの作成で事故防止；国立大学附属病院の安全管理対策 Medsafe.Net. http://www.medsafe.net/contents/recent/35guideline.html
12) 厚生労働省：医療事故調査制度について．厚生労働省ホームページ. http://www.mhlw.go.jp/stf/seisakunitsuite/bunya/0000061201.html
13) 公益財団法人日本医療機能評価機構ホームページ. http://jcqhc.or.jp/about/
14) 独立行政法人医薬品医療機器総合機構ホームページ. https://www.pmda.go.jp/about-pmda/outline/0001.html
15) 日本救急医学会 診療行為関連死の死因究明等の在り方検討特別委員会，中島和江監訳：有害事象の報告・学習システムのためのWHOドラフトガイドライン．へるす出版，東京，2011.
16) Reason J：Human error：models and management. BMJ 2000；320：768-770.
17) 河野龍太郎：医療におけるヒューマンエラー．第2版，医学書院，東京，2014.
18) AHRQ：Team STEPPS primary care version. http://www.ahrq.gov/professionals/education/curriculum-tools/teamstepps/primarycare/

（浦松 雅史）

第3章 医療安全管理の歴史

Ⅰ 医事紛争の防止と医療安全

わが国の医療制度史をひもとけば，西洋医学の習得，とりわけ，天然痘，コレラ，赤痢等の伝染病の予防等の公衆衛生に政策の重点が置かれてきた。

戦後の復興期からは，国公立病院，日本赤十字，済生会などの公的医療機関を中心に，医療を広く普及させる医療施設の整備や医療保険の整備・拡充に政策の重点が置かれてきた。厚生省医政局から昭和51（1976）年に発刊された「医政百年史」を参照しても，医療安全という言葉はほとんど出てこない。

しかし，「ヒポクラテスの誓詞」にある“Do no harm”は医の倫理の大原則であり，医療機関においても，医療安全に努めることは当然である。また，外科手術の領域では，消毒法，麻酔，抗菌薬等の医療技術の進展により手術の成功率が高くなり，いつしか手術は成功して当然という意識が国民の側に生まれるようになった。

こうした背景の下，1960年代の米国を中心として，人権意識が高揚し，公民権運動，女性解放運動，消費者運動といった社会運動が活発化し，1970年代には多くの州で患者の権利が法制化されるに至った。

わが国においても，患者は医療の消費者として，その権利性を説かれるようになり，医療訴訟の件数が大幅に増大した（表Ⅰ-3-1）。

また，不幸にして起こった事故に備え，昭和48（1973）年，日本医師会は「日本医師会医師賠償責任保険」制度を発足させ，医事紛争の公正な解決に向けて努力をしてきたが，あくまで起こった事故に対する対応策であって，将来の安全に関する特別な政策はなかった。

平成2（1990）年前後には，国の政策転換によって，施設数，病床数が低下するようになり，医療は量から質への転換が迫られ，民事訴訟の増加を背景にして，医療安全に向けての機運が高まるようになってきた。

Ⅱ 医療安全への自律的な取り組みの始まり

このような流れを受けて，平成9（1997）年7月，日本医師会は医療安全対策委員会を設置し，同委員会は平成10（1998）年3月，「医療におけるリスク・マネジメントについて」という答申を公表した。この答申の前書きにおいて「しかし，医療事故・医事紛争に対する日本医師会のこれまでの活動の中心は，既に発生したものに対する解決を目指すものであり，これらを未然に防止する観点からの取り組みは必ずしも十分とは言い難い状況であった。」という反省のもと，これから医療安全に向けて全力で取り組むことを宣言している。

また，平成12（2000）年5月には，国立大学医学部附

表Ⅰ-3-1 医事関係訴訟（民事事件）の統計

	年間新受件数	既 済	未 済	認容率（患者勝訴率，%）
昭和45（1970）年	102	25	308	―
昭和55（1980）年	310	176	1,209	―
平成2（1990）年	364	282	1,658	―
平成12（2000）年	794	691	1,934	46.9
平成22（2010）年	791	921	769	20.2
平成30（2018）年	785	803	228	23.5

〔最高裁判所公表資料をもとに作成，ただし，平成22年，平成30年の未済件数は過去5年分の新受件数から既済件数を引いた推計値〕

属病院長会議常置委員会から,「医療事故防止のための安全管理体制の確立について—『医療事故防止方策の策定に関する作業部会』中間報告—」が公表され,早い段階で対応がなされている。

平成14(2002)年10月に開催された世界医師会(World Medical Association;WHA)ワシントン総会において,日本医師会が提案した「患者の安全に関するWHA宣言」が採択された。その原則の第一に「医師は,医療上の意思決定に当たっては常に患者の安全を確保しなければならない」としている。

こうした医療安全の取り組みは,あくまでも医療者,医療団体の自律的な取り組みであり,日本は世界に先駆け医療安全に関する提案を行っていることは特筆すべきことである。

Ⅲ 国の制度としての医療安全とその背景

1. 医療安全の制度化の背景

平成11(1999)年1月には,横浜市立大学医学部附属病院で,患者を取り違えて手術をするという事故が,同年2月には都立広尾病院で看護師が消毒薬を誤注射し患者を死亡させるという不幸なケースがセンセーショナルに報道された。

さらに,同年,米国医学研究所(Institute of Medicine;IOM)が報告書『To Err Is Human』を刊行し,米国では年間約4万4,000人の患者が医療事故により死亡しているという衝撃的な発表がなされた。

このような時代背景のもと,国は医療法や医療法施行規則を改正するなどし,医療安全は法令面から整備されることになった

2. 医療安全制度の法整備

まずは,平成13(2001)年4月,厚生労働省内に医療安全推進室が設置され,平成14(2002)年4月には,同省に設置された医療安全対策検討会議が「医療安全推進総合対策~医療事故を未然に防止するために~」を策定した。

この「医療安全推進総合対策」に基づいて医療法施行規則が改正され,平成14(2002)年10月から,病院および有床診療所は,①「医療に係る安全管理のための指針」を定め,②安全管理委員会を設置すること,とされた。さらに,平成15(2003)年4月には,特定機能病院において,③専任の安全管理者を置くこと,④患者の相談に適切に応じる体制を確保すること,などが定められた。

また,平成16(2004)年10月より,国立高度専門医療センター,特定機能病院等において,行った医療に起因して患者が死亡しまたは心身の障害が残った事例等について,日本医療機能評価機構に報告をすることが義務付けられた〔なお,ヒヤリ・ハット事例収集事業は平成14(2002)年から行われていた〕。

さらに,平成18(2006)年6月に,良質な医療を提供する体制の確立を図るための医療法等の一部を改正する法律案が成立し,「第三章 医療の安全の確保」の章が新たに設けられた〔施行は平成19(2007)年4月1日〕。ここでは3つのことが定められ,医療安全の法制度が整備された。

第一に,無床診療所を含むすべての医療機関の管理者に,①「医療に係る安全管理のための指針」を策定しなければならないこと,②院内感染対策のための体制を確保しなければならないこと,③医薬品の安全管理体制を確保しなければならないこと,④医療機器の保守点検,安全使用に関する体制を確保しなければならないこと,が定められた。

第二に,医師法の改正により,医師の行政処分に関し,医業停止期間の上限を5年から3年に短縮するとともに,再教育の制度を設ける一方で,処分のための調査が必要な場合には厚生労働大臣に立入調査権を認めた。

第三に,都道府県等が設置する医療安全支援センター(医療に関する苦情・心配や相談に対応するとともに,医療安全に関する助言および情報提供を行う機関)が医療法に位置付けられた。

Ⅳ 医療事故調査制度の設立

1. 医療事故調査制度設立の背景

平成14(2002)年6月には東京女子医科大学のカルテ改ざん等で医師逮捕,平成15(2003)年9月には東京慈恵会医科大学附属青戸病院で腹腔鏡手術による死亡事故で医師逮捕など,多数の医療事故が刑事事件として報道され,医師が刑事法廷で裁かれるようになった。また,平成16(2004)年4月には,都立広尾病院事件の最高裁判決で,自己の診療していた患者についても,医師法第21条の届出義務を負うとされた。

そのため,多くの医療機関において,診療行為に関連した死亡事故を警察に届け出るようになり,ますます医療事故が刑事事件として取り扱われるようになった。

そこで,平成16(2004)年9月には日本医学会加盟の基本領域19学会が共同で「診療行為に関連して患者死亡が発生したすべての場合について,中立的専門機関に届出を行う制度を可及的速やかに確立すべき」とする声明が公表された。平成17(2005)年9月からは日本内科学会を中心として,「診療行為に関連した死亡の調査分析モデル事業」が開始され,中立的な第三者が医療事故の調査を行う制度が試験的にスタートした。

平成 18 (2006) 年 2 月，福島県の産婦人科医師が帝王切開中に癒着胎盤を剥離し，大量出血により患者を死亡させたとして逮捕・勾留され，翌月起訴された（福島県立大野病院産婦人科医逮捕事件）（以下，大野病院事件）。この刑事司法における取り扱いに医療界は強く反発した。

大野病院事件を受けて，平成 18 (2006) 年 6 月には，国会審議においても，第三者による医療事故調査の検討が必要であるとの決議がなされた。

2. 厚生労働省による検討会の設置と平成 20 年の大綱案

厚生労働省は平成 19 (2007) 年 3 月，「診療行為に関連した死亡の死因究明等のあり方に関する課題と検討の方向性」（以下，試案）を公表した。

さらに同年 4 月，同省に「診療行為に関連した死亡に係る死因究明等の在り方に関する検討会」を設置し，最終的には，平成 20 (2008) 年 4 月の「医療の安全の確保に向けた医療事故による死亡の原因究明・再発防止等の在り方に関する試案―第三次試案―」，これを受けた同年 6 月の「医療安全調査委員会設置法案（仮称）大綱案」が成立寸前まで議論された。

しかし，国の第三者機関が調査権限をもち，一定の場合（故意または重大な過失がある場合）に警察に届け出をすることについて，一部の医療者からの強い反対があった。加えて，平成 21 (2009) 年 8 月に自民党から民主党への政権交代したこともあり，廃案となった。

3. 院内事故調査中心の新たな医療事故調査制度

平成 20 (2008) 年 8 月の大野病院事件の無罪判決以降，医療事故に対する刑事訴追も謙抑的となり，医療事故調査制度設立の議論も下火となっていたが，平成 24 (2012) 年 2 月に厚生労働省に「医療事故に係る調査の仕組み等のあり方に関する検討部会」が設置された。

同部会は平成 25 (2013) 年 5 月に取りまとめ案を公表したが，これは院内事故調査を基本に据え，第三者機関を民間の組織として院内事故調査を補完する制度であった。

平成 26 (2014) 年に公布された「地域における医療及び介護の総合的な確保を推進するための関係法律の整備等に関する法律」により，平成 27 (2015) 年 10 月から事故調査制度がスタートした。

おわりに

医療安全に必要なのは，国の制度としてのお仕着せの医療安全ではない。なぜならば，そのような他律的な制度は形式的な遵守で終わることが多いからである。医療安全は，医の倫理に基づいて，医療者において真にその必要性を感じ，自発的・自律的に実施されるものであるべきであろう。その意味で，医療安全は，臨床医療の一部であって，法律の制度の問題とは次元が異なっているといえよう。

参考資料　医療安全年表

和暦（西暦）	医療安全に向けた団体等の取り組み	法制化の動き	事件・事故等
昭和 48 (1973)	日本医師会医師賠償責任保険		
昭和 55 (1980)			富士見産婦人科事件
平成 9 (1997)	日本医師会が医療安全対策委員会を設置		
平成 10 (1998)	日本医師会が「医療におけるリスク・マネジメントについて」を公表		
平成 11 (1999)			横浜市大病院事件（1 月） 都立広尾病院事件（2 月） IOM『To Err Is Human』を刊行
平成 12 (2000)	国立大学医学部附属病院長会議が「医療事故防止のための安全管理体制の確立について」を公表		

平成 13 (2001)		厚生労働省が医療安全推進室を設置（4月）	
平成 14 (2002)	世界医師会が「患者の安全に関するWMA宣言」を採択	医療法施行規則により，病院，有床診に医療安全管理のための指針の策定と安全管理委員会の設置を義務付ける（10月施行）	東京女子医大におけるカルテ改ざん等で医師が逮捕される（6月）
平成 15 (2003)		医療法施行規則により，特定機能病院において，専任安全管理者の配置と患者相談体制の確保が義務付けられた（4月施行）	慈恵医大青戸病院事件で医師逮捕（9月）
平成 16 (2004)	基本領域19学会「診療行為に関連して患者死亡が発生した場合に中立的専門機関に届出を行う制度を確立すべき」とする声明（9月）	医療法施行規則により，国立高度専門医療センター及び特定機能病院に医療事故報告を義務付けた（10月施行）	都立広尾病院事件最高裁判決（4月）
平成 17 (2005)	「診療行為に関連した死亡の調査分析モデル事業」スタート（9月）		
平成 18 (2006)			福島県立大野病院事件で医師逮捕（2月）
平成 19 (2007)		医療法改正により，無床診を含むすべての医療機関に安全管理指針の策定を義務付け，医師法改正により，医師の行政処分を再教育重視のものとし，都道府県等に医療安全支援センターの設置の努力義務を課した（4月施行）	
平成 20 (2008)		医療安全調査委員会設置法案（仮称）大綱案（6月）	
平成 21 (2009)	産科医療補償制度スタート（1月）		自民党から民主党へ政権交代
平成 23 (2011)	日本医師会が「医療事故調査制度の創設に向けた基本的提言について」を公表（6月）		
平成 25 (2013)		「医療事故に係る調査の仕組み等のあり方に関する検討部会」の取りまとめ案公表（5月）	
平成 27 (2015)		医療法改正により，医療事故調査制度を創設した（10月施行）	
平成 28 (2016)		医療法施行規則の改正により，特定機能病院の承認要件等の見直し（6月施行）	
平成 30 (2018)		医療機器に係る安全管理のための体制確保に係る運用上の留意点（6月） 医薬品の安全使用のための業務手順作成マニュアル改訂（12月）	
令和元 (2019)		医師法第21条に関する通知（2月）・事務連絡（4月）	

（水谷　渉）

第4章 医療事故の法的責任

I 医療事故の責任

医療事故が発生すると「責任を感じる」とか「責任を負うか」とか，直ちに責任が問題に上がる。しかし，ひとくちに「責任」と言ってもあらゆる内容を含んでいる。

1．道義的責任

道義的責任とは次に述べる法的責任と区別され，人としての「心の問題」であるといえる。個人の価値観，世界観などに大きく左右され，ある意味において唯一無二の，正しい答えなど存在しないともいえる責任である。法的責任の有無にかかわらず，例えば，謝罪する，見舞いにいく，葬儀に参列する，患者や家族の希望をかなえるなどである。

なお，事故の法的責任の所在を明確にすることなく，被害者側に対し解決金を支払い示談することはままある。裁判中にも裁判所から解決金の支払いが求められ，これをもって裁判上の和解とし，裁判が終わることもある。解決金は損害賠償の実態を有することもあるが，形式的には，道義的責任に基づき支払われる金銭，まさに純然たる解決のための金銭である。よって，解決金を支払ったからといって，法的責任を認めたことにはならない。また，法律上の責任をカバーする責任保険（医師賠償責任保険，看護師賠償責任保険など）では，純然たる解決金はカバーされないのが理論的帰結である。

2．法的責任

法的責任は，法律上の原因に基づく責任であり，次の3種類に分けられる。それぞれ異なる趣旨，目的の下に成立するため，別個独立して責任を負うことになる。

1）刑事責任

国家の刑罰権に基づき科される最もドラスティックな責任である。過失に基づく医療事故であっても，業務上過失致死傷罪（刑法第211条第1項）などの犯罪が成立する。いわば前科前歴を負ってしまうのである。異常死の届出違反など医師法上でも刑罰が科されることがある（医師法第31条以下）。

2）行政責任

交通事故を起こすと運転免許取り消し，免許停止などの処分を受けるが，このような行政から科される制裁が行政責任である。医療事故の場合も，医師法上の戒告，医業停止，免許停止などの行政処分が課される（医師法第7条第2項）。

3）民事責任

通常，医療事故で問題となるのは，民事責任，すなわち被害者が被った損害について金銭賠償を科す損害賠償責任である。損害賠償の責任原因としては，債務不履行構成と不法行為構成がある。

債務不履行構成は，当事者間の債権債務関係を前提に損害賠償が請求されるものである。民法第415条が債務不履行に基づく損害賠償責任を規定している。医療事故の場合は，患者と診療契約を締結している医療機関開設者に債務不履行責任が問われる。

不法行為構成は，当事者間の債権債務関係を前提とせず損害賠償が請求されるものである。不法行為に関する法律，規定は多々あるが，民法第709条が不法行為に基づく損害賠償責任の基本となる。医療事故の場合は，医師，看護師などの医療従事者個人について民法第709条の責任が問われ，それらの者の使用者である医療機関などについては民法第715条の使用者責任が問われることが多い。

II 医療事故と医療過誤

1．手段債務

もとより，医療は結果を保証する世界にあるものではない。患者は傷病の治癒，完全回復を希望して受診するとしても，治癒，完全回復に至らないこともあれば，合併症，副作用など，より悪しき結果が生じることもある。だからといって，医療側に法的責任が生じるわけではない。

これは法的にも，診療契約における医療側の債務は「手段債務」であって「結果債務」ではない，と説明されている内容にほかならない。

2. 事故と過誤

現在も，医療事故調査に関連して，医療事故の定義が検討されているが，厚生労働省医療安全対策検討会議による「医療安全推進総合対策～医療事故を未然に防止するために～」（平成14年4月17日）では，医療事故とは「医療に関わる場所で医療の全過程において発生する人身事故一切を包含し，医療従事者が被害者である場合や廊下で転倒した場合なども含む」，医療過誤とは「医療事故の発生の原因に，医療機関・医療従事者に過失があるもの」と定義されている。

すなわち，医療機関・医療従事者の過失，医療行為上の注意義務違反が認められなければ，医療過誤ではなく，法的責任は問われることはない。過失のない医療事故と過失のある医療過誤は全く異なる。

3. 医療行為上の注意義務違反

債務不履行構成の場合は，「債務不履行の事実」が認められること，不法行為構成の場合は，「過失」が認められることが責任の成立要件となる。

「債務不履行の事実」も「過失」も，法的に求められる客観的な注意義務に違反することがその本質である。

Ⅲ 注意義務

1. 最善の注意義務

医療では，人の命を預かる。そこで，最高裁第一小法廷昭和36年2月16日判決（通称，東大病院輸血梅毒事件）[1]は，「人の生命及び健康を管理すべき業務（医業）に従事する者は，その業務の性質に照らし，危険防止のために実験上必要とされる最善の注意義務を要求される」と判示し，医療従事者に重い責任を求めた。

2. 医療水準

医療従事者には実験上（経験上）必要とされる最善の注意義務が要求されるとして，その具体的内容を明らかにしたのが，最高裁第三小法廷昭和57年3月30日判決（通称，未熟児網膜症日赤高山病院事件）[2]であり，「注意義務の基準となるべきものは，診療当時のいわゆる臨床医学の実践における医療水準である」と判示して，臨床現場での実践が注意義務の基準となることが明らかにされた。

また，最高裁第二小法廷平成7年6月9日判決（通称，未熟児網膜症姫路日赤事件）[3]では，臨床医学の実践における医療水準について，「当該医療機関の性格，所在地域の医療環境等の特性等の諸般の事情を考慮すべき」であり，「すべての医療機関について診療契約に基づき要求される医療水準を一律に解するのは相当でない」と判示して，医療水準が全国一律の絶対的な概念ではなく，医療機関ごとに個別に判断される相対的な概念であることを明らかにした。本件は，未熟児網膜症に対して光凝固療法を実施しなかった医療機関の責任が問題となった事案であるが，光凝固療法が有効であるとの厚生労働省の報告は本件事故後に公表されたことから，当時の医療水準を前提とした注意義務違反があるとはいえないとした原審の判断を最高裁が破棄したものである。差戻審では，当該医療機関が近隣地区の新生児・未熟児医療の中心であったことから，当該医療機関について光凝固療法は医療水準となっていたとして注意義務違反が肯定された。

3. 医療慣行

最高裁第三小法廷平成8年1月23日判決（通称，医薬品添付文書事件）[4]では，「医療水準は，医師の注意義務の基準（規範）となるものであるから，平均的医師が現に行っている医療慣行とは必ずしも一致するものではなく，医師が医療慣行に従った医療行為を行ったからといって，医療水準に従った注意義務を尽くしたと直ちにいうことはできない」と判示し，医療水準は医療慣行とは異なることを明らかにした。本件は，腰椎麻酔後に生じたショック状態に際し5分間隔で血圧を測定していたことが過失といえるかが問題となった事案であるが，5分間隔での測定が，平均的医師が現に行っていた医療慣行であったことなどから過失を否定した原審を，最高裁では，添付文書（能書）には2分間隔での測定が注意事項として記載されていたことから過失であるとして，原審を破棄したものである。

Ⅳ 因果関係

1. 相当因果関係

注意義務違反，すなわち債務不履行の事実や過失が認められたとしても，結果との間に因果関係が認められなければ，その責任は問われない。

因果関係をめぐっては法的にもその解釈は分かれているが，裁判例においては，当該行為から当該結果が発生することが社会通念上相当と認められるかどうかと判断されていることから，「相当因果関係」と呼ばれている。

2. 因果関係の立証

患者側が因果関係の立証責任を負っているので，因果関係の立証に成功する必要があるが，何らかの関連性さえあれば因果関係が認められるというわけではない。

最高裁第二小法廷昭和 50 年 10 月 24 日判決（通称，東大病院ルンバール事件）[5]では，「訴訟上の因果関係の立証は，一点の疑義も許されない自然科学的証明ではなく，経験則に照らして全証拠を総合検討し，特定の事実が特定の結果発生を招来した関係を是認し得る高度の蓋然性を証明することであり，その判定は，通常人が疑義を差し挟まない程度の真実性の確信を持ち得るものであることを必要とし，かつ，それで足りるものである」と判示した。本件は，化膿性髄膜炎の患者にルンバールを実施したところ発作を起こし，その後の病変とルンバールとの因果関係が問題となったが，発作が脳出血か化膿性髄膜炎の再燃のいずれか判定し難いとして因果関係を否定した原審の判断を最高裁が破棄したものである。自然科学的証明でなくとも足りるが，高度の蓋然性，通常人が疑義を差し挟まない程度の真実性の確信は必要とされるが，実務上はこの内実をめぐり問題となっている。

3. 相当程度の可能性

高度の蓋然性が認められず，通常人が真実の確信をもてない場合，因果関係は否定される。従来は，因果関係が否定されると，医療側の責任は全否定されていたが，注意義務違反が明らかであっても何の責任が問われないことに，患者側として割り切れない思いがあった。

この点，最高裁第二小法廷平成 12 年 9 月 22 日判決[6]は，「医療行為と患者の死亡との間の因果関係の存在は証明されないけれども，医療水準にかなった医療が行われていたならば患者がその死亡の時点においてなお生存していた相当程度の可能性の存在が証明されるときは，医師は，患者に対し，不法行為による損害を賠償する責任を負うもの」と判示した。本件は，医師が心筋梗塞を看過したものの，仮に看過しなかったとしても患者を救命できたかどうか明らかでない場合に，死亡による損害の賠償は認められないが，「生存していた相当程度の可能性」という生命とは異なる別の法益を侵害したと構成して，賠償責任を認めたものである。その後，重度障害が残った事案について，最高裁第三小法廷平成 15 年 11 月 11 日判決[7]も，重度障害が残らなかった相当程度の可能性について判示している。

文　献
1) 最一小判昭和 36 年 2 月 16 日　民集 15 巻 2 号 244 頁.
2) 最三小判昭和 57 年 3 月 30 日　集民第 135 号 563 頁.
3) 最二小判平成 7 年 6 月 9 日　民集 49 巻 6 号 1499 頁.
4) 最三小判平成 8 年 1 月 23 日　民集 50 巻 1 号 1 頁.
5) 最二小判昭和 50 年 10 月 24 日　民集 29 巻 9 号 1417 頁.
6) 最二小判平成 12 年 9 月 22 日　民集 54 巻 7 号 2574 頁.
7) 最三小判平成 15 年 11 月 11 日　民集 57 巻 10 号 1466 頁.
8) 甲斐克則，手嶋豊編：医事法判例百選．第 2 版，別冊ジュリスト 219．有斐閣，東京，2014.
※医療過誤に関する重要判例をコンパクトに解説しており法律家も必携の文献である。

参考資料　民法第 415 条，第 709 条，第 715 条条文（引用）

（債務不履行による損害賠償）
第 415 条　債務者がその債務の本旨に従った履行をしないとき又は債務の履行が不能であるときは，債権者は，これによって生じた損害の賠償を請求することができる。ただし，その債務の不履行が契約その他の債務の発生原因及び取引上の社会通念に照らして債務者の責めに帰することができない事由によるものであるときは，この限りでない。
2　前項の規定により損害賠償の請求をすることができる場合において，債権者は，次に掲げるときは，債務の履行に代わる損害賠償の請求をすることができる。
一　債務の履行が不能であるとき。
二　債務者がその債務の履行を拒絶する意思を明確に表示したとき。
三　債務が契約によって生じたものである場合において，その契約が解除され，又は債務の不履行による契約の解除権が発生したとき。
（不法行為による損害賠償）
第 709 条　故意又は過失によって他人の権利又は法律上保護される利益を侵害した者は，これによって生じた損害を賠償する責任を負う。
（使用者等の責任）
第 715 条　ある事業のために他人を使用する者は，被用者がその事業の執行について第三者に加えた損害を賠償する責任を負う。ただし，使用者が被用者の選任及びその事業の監督について相当の注意をしたとき，又は相当の注意をしても損害が生ずべきであったときは，この限りでない。
2　使用者に代わって事業を監督する者も，前項の責任を負う。
3　前二項の規定は，使用者又は監督者から被用者に対する求償権の行使を妨げない。

（古笛　恵子）

第5章 医療安全の組織

1 総 論

はじめに

医療安全という言葉が広く使われるようになる以前から，個々の医療従事者は，みずから意識する範囲内で医療安全管理に努めてきた。専門職としての高い意識と責任感を有する医療従事者にとって，失敗するということは恥ずべきことであろうし，適切な医療が提供された場合であっても，結果が悪いことは耐え難いことであった。しかし，治療中の患者のみならず，社会生活を営んでいる健常者の場合でも，明らかな誘因や疾患なしに突然亡くなることがあったため，仮に治療中の患者にそういうことが起きたという説明がなされれば，遺族の多くは納得せざるを得なかったことは想像に難くない。治療を行った医療従事者にとっても，そのように理解することで納得できる場面が多かったのではないかと推察する。

なお，提供した医療が原因となって予想外の被害が患者に生じた可能性があり，医療従事者がそれを意識している場合でも，当事者は何とかして助けようと最大限の努力をするのが通常であり，多くの場合はそれで助けることができていた可能性が高い。したがって，同じような有害事象が生じた場合でも，死亡や後遺障害に至ることは個々の医療従事者にとってまれであり，それがみずから提供した医療のためであると考える以上に，運が悪かったとか，患者に不可避の急変が起きたなどとして原因分析や再発予防にまで至っていなかった可能性がある。

Ⅰ 医療安全組織の整備の経緯

平成11（1999）年1月に横浜市立大学医学部附属病院での患者取り違え事例，同2月に東京都立広尾病院での誤注射事例が発生し，医療界の閉鎖性，連携体制の不備さらには隠蔽体質までもが糾弾されることとなった。これらの事例に共通するのは，医療における日常業務での安全管理について，個々の医療関係者の認識の問題以外に，組織としての認識・対応が欠落していたことである。日本の医療安全対策はこれら2つの事件をきっかけにして始まった。厚生労働省は，毎年のように医療安全管理体制の充実を図る症例や通知を発出してきた。しかし，医療はヒトが提供するものである以上，完全に有害事象の発生を防止することは困難であるとともに，体制が充実すればするほど，それまで隠れていた問題が明らかになることを繰り返すことになった。

残念なことではあるが，医療安全の組織は，医療現場のニーズからつくられてきたというより，厚生労働省が定めたルールに従って拡充されてきた。これは医療従事者の医療を安全にしようという気持ちが不足していたため，であるようにも見える。しかし，実際には，たいていの医療従事者自身は，みずから最善と思える医療を安全に提供してきたと考え，もっと研鑽することで安全に医療が提供できるようになれると考えていた可能性が高い。

総論では，日本における医療上の有害事象の発生と医療安全管理にかかわる制度の経緯について解説する。

1．医療事故防止のための管理体制の強化

横浜市立大学医学部附属病院での事例を受け，平成11（1999）年5月に医療事故防止のための管理体制について厚生省医政局総務課長名で，患者誤認事故予防のために各医療機関で励行すべき以下の基本的事項が提示された。

①医療機関の管理者は医療事故防止に努めなくてはならない
②患者の主治医が誰であるかを明示する
③麻酔開始時には主治医または執刀医が立ち会う
④患者誤認防止のための複数人によるチェックの機会

を複数設ける

上記の各項目は，現在では当然のことと感じるかもしれない。しかし，当時はそれさえ守られていなかった，つまり医療安全という意識が現在と比べて乏しかった可能性があることを物語っている。

次いで，平成 12 (2000) 年 3 月 31 日に厚生省健康政策局長名で，「医療施設における医療事故防止対策の強化について」が発出され，特定機能病院の承認要件，管理者の義務および業務報告事項として，以下の 4 点の取り組みが示された。

①安全管理のための指針の整備
②事故等の院内報告制度の整備
③委員会の開催
④職員研修の開催

これらの取り組みは，平成 14 (2002) 年 8 月 30 日に公布された「医療法施行規則の一部を改正する省令」において，特定機能病院以外の病院および有床診療所に対しても整備が義務付けられた。医療安全の枠組みの概要はこの時点で現在の形になったことになる。

さらに，人的な面での整備が行われた。平成 14 (2002) 年 10 月の「医療法施行規則の一部を改正する省令の一部施行について」において，平成 15 (2003) 年 4 月から特定機能病院に医師・歯科医師・薬剤師・看護師のいずれかの資格を有し，医療安全に関する必要な知識を有する者が医療安全管理部門に所属していることが義務付けられた。このときは 4 職種のうちで最も人数が多かったためか，大部分の特定機能病院で看護師が医療安全管理部門に配置された。

特定機能病院以外の医療機関における医療安全管理部門への医療従事者の配置は，医療従事者の充足が前提となることから義務化されず，4 年遅れで診療報酬での対応となった。具体的には，平成 18 (2006) 年度診療報酬改定で医療安全対策加算が新設され，一般の医療機関に医療安全体制の整備が促された。しかしこのときの算定要件は，急性期入院医療において，医療安全対策に係る専門の教育を受けた看護師，薬剤師等を医療安全管理者として専従で配置している場合に，入院基本料に 50 点が加算されるというものであった。結局，急性期病院に限定されていたことに加えて，看護師の専従配置が可能な施設しか対象にならなかったため，取得できたのは一部の医療機関にとどまり，医療従事者の医療安全管理部門の配置はそれほど進まなかった。

2. 中立的第三者機関への届け出制度

再び医療事故への対応へ話題を戻す。平成 11 (1999) 年 2 月に起きた東京都立広尾病院での医療事故に対して，病院長は虚偽の死亡診断書作成に対する虚偽有印公文書作成行使と医師法第 21 条違反で起訴されていたが，これに対して「死体を検案して異状があると認めたときは 24 時間以内に警察署に届け出なければならない」とする医師法第 21 条は，憲法第 38 条で規定された「自己に不利益な供述を強要されることはない」とする自己負罪拒否特権に反するとして無罪を主張した。しかし，平成 16 (2004) 年 4 月に最高裁は医師法第 21 条を合憲として，懲役 1 年執行猶予 3 年と罰金 2 万円の有罪が確定した。

医療界では，最高裁判決を受けて，診療行為に関連して発生した死亡に対しては，医師法第 21 条に基づく警察署届け出に代わる中立的第三者機関への届け出制度が熱望されるようになった。平成 16 (2004) 年 9 月に，日本医学会加盟の基本領域 19 学会が「診療行為に関連して患者死亡が発生したすべての場合について，中立的専門機関に届け出を行う制度を可及的速やかに確立すべき」とする共同声明を出した。これに応えて，平成 17 (2005) 年 9 月から「診療行為に関連した死亡の調査分析モデル事業」(通称，モデル事業) が開始された。モデル事業で調査を行うのは，診療行為に関連した死亡について，死因究明と再発防止策を中立な第三者機関において検討するのが適当と考えられる場合である。なお，医師法第 21 条による異状死体の届け出は必要であったため，異状と判断された場合には警察署に届け出る必要があり，モデル事業による調査は，警察署に届けられていないまたは届けられたが司法解剖にならなかった場合に限られていた (表Ⅰ-5-1)。

3. 医療安全調査委員会の設立に向けて

モデル事業が開始された矢先の平成 18 (2006) 年 2 月に，福島県立大野病院産婦人科で一人医長として働いていた医師が，平成 16 (2004) 年 12 月の帝王切開中の妊婦の死亡に対して，業務上過失致死・医師法第 21 条違反容疑で逮捕され，22 日間勾留された後に起訴された。本事例では経膣分娩ができない全前置胎盤という診断に対して，主治医は高度な医療機関での分娩を勧めたとされているが，患者の希望により帝王切開術が行われた。術中に癒着胎盤であることがわかり，胎盤の剥離に難渋し，結果的に出血多量で患者が死亡したというものである。このときに福島県が設置した事故調査委員会の報告書の内容から，マスメディアが「医療ミス」と大きく報道し，警察が捜査を開始することになった。平成 18 (2006) 年 2 月 18 日，福島県警察は手術を執刀した本件医師を「業務上過失致死」と「医師法第 21 条違反の疑い」で逮捕した。結果的に無罪となったものの，本事件をきっかけに診療関連死の届け出を警察署ではなく中立的な第三者機関に行うことに対する医療界の期待は高まっ

表Ⅰ-5-1 東京都立広尾病院事件以後10年間に大学病院で起きた主要な刑事医療事故

1999年7月10日	K大病院割り箸事件
2000年2月28日	K大病院エタノール取り違え
2000年5月1日	S大病院高カロリー輸液療法ビタミンB1不添加
2000年9月26日	S大病院抗がん剤過量投与
2001年3月2日	T大病院人工心肺操作ミス
2002年10月1日	S大病院腹腔鏡下手術膵尾部切除
2002年11月8日	T大病院腹腔鏡手術ミス
2003年1月14日	B大病院抗がん剤集中投与

〔文献1), 2) より引用〕

た。同時に，分娩時の医療事故では，過失の有無の判断が困難な場合が多く裁判で争われる傾向があり，このような紛争が多いことが産科医不足の理由の一つとされたため，無過失補償制度である産科医療補償制度の議論が開始された。

診療関連死について，厚生労働省は，警察署ではなく医療の専門家を中心とした中立的第三者機関である「医療安全調査委員会」へ届け出る事故調査制度の創設を目指した。この制度では，診療関連死の届け出機関を政府がつくり，医師法第21条による警察署届け出に代わる届け出先とされていた。同委員会では，解剖やカルテの調査に続いて，医療の専門家を中心として評価検討が行われることが想定されていた。本制度は平成20 (2008) 年6月に法律案が公表されるまでに至っていたが，調査の結果として問題ありとされた場合は，行政処分や警察への通知が予定されたため，医療界の一部で強い反発を招いた。特に当時，医療に関する有害事象の報告システムについてのWHOドラフトガイドラインでは，報告システムは，「学習を目的としたシステム」と，「説明責任を目的としたシステム」に大別されるとされており，一般的に原因究明と再発予防のためには前者が望ましいと考えられていた。その場合，懲罰を伴わないこと（非懲罰性），患者，報告者，施設が特定されないこと（秘匿性），報告システムが報告者や医療機関を処罰する権力を有するいずれの官庁からも独立していること（独立性）などが必要とされていたことから，政府の創設する「医療安全調査委員会」という仕組みは，不適切とする意見があった。法案はときの与党である自由民主党から提出されていたが，翌年に政権交代が起きたこともあり，このタイミングでは医療事故調査制度は成立しなかった。

産科医療における無過失補償制度については，平成18 (2006) 年11月に与党から提案され，平成19 (2007) 年2月から日本医療機能評価機構で運営組織準備委員会での検討が開始された。本制度は従来の医師賠償責任保険が過失を前提としていたのと異なり，従来補償されることのなかった無過失事例が対象であったことから，医療側の受け入れは良好であり，順調に議論が進んで平成21 (2009) 年1月に「産科医療補償制度」が創設された。

4. 医療安全体制確保の義務付け

医療事故調査制度に関する検討が行われる最中，平成19 (2007) 年3月30日に「良好な医療を提供する体制の確立を図るための医療法等の一部を改正する法律の一部の施行について」が通知され，第5次医療法改正によりすべての医療機関に対して医療安全の体制確保が義務付けられた。現在の医療機関における医療安全管理体制はこのときに義務付けられたものが中心になっている（表Ⅰ-5-2）[1),2)]。

平成20 (2008) 年度診療報酬改定では，医療安全対策加算が2段階になった。加算1は従来と同様に専従の医療安全管理者の配置で入院時に85点と増額されたが，加算2は専任者の配置で同35点となり，専従者が配置できない施設へも医療安全管理者の配置を促した。

その後，医療安全関連の施策として目立つものはなく，医療事故調査制度の議論も平成20 (2008) 年の第3次試案，大綱案の公表以来進んでいなかった。しかし，平成21 (2009) 年に開始された産科医療補償制度で無過失補償制度が導入され，一定の成果が得られていたことから，厚生労働省は平成23 (2011) 年8月に「医療の質の向上に資する無過失補償制度等のあり方に関する検討会」を立ち上げ，無過失補償制度の医療全般への適用に関する議論を，医療事故調査制度の再検討と合わせて開始した。検討を行ううちに，無過失補償制度を検討するために必要な医療事故等に関するデータが不足していることから，第三者機関による医療事故調査制度を確立する必要があるという意見が強くなった。そこで，平成24 (2012) 年2月に「医療事故に係る調査の仕組み等の

表Ⅰ-5-2 第5次医療法改正により定められた医療安全管理体制

医療法施行規則第1条の11
安全管理のための体制の確保
一 医療に係る安全管理のための指針を整備
二 医療に係る安全管理のための委員会を設置
三 医療に係る安全管理のための職員研修を実施
四 医療機関内における事故報告等の医療に係る安全の確保を目的とした改善のための方策を講じる
2 体制の確保
一 院内感染対策のための体制
二 医薬品に係る安全管理のための体制
三 医療機器に係る安全管理のための体制

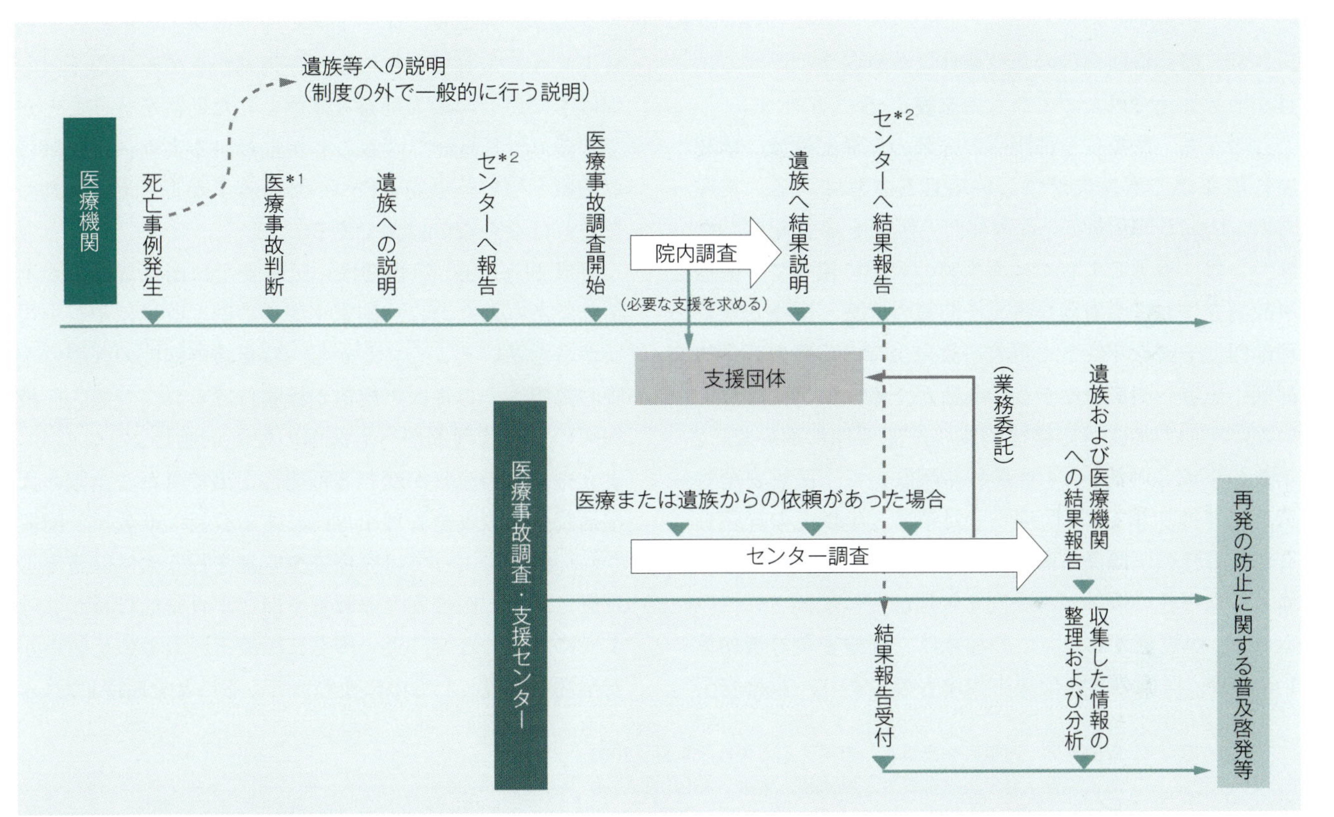

図Ⅰ-5-1 医療事故調査制度における調査の流れ

職員が提供した医療に起因して管理者の予期せぬ死亡事例が発生した場合，医療事故として第三者機関へ報告しなくてはならない。その後必要な支援を受けて院内事故調査を行うが，医療事故との判断に迷うときや院内調査などに対して必要な支援を支援団体から受ける。調査結果が出たら遺族へ結果説明を行うとともに医療事故調査・支援センターへ報告する。センターでは収集した情報を整理分析し，再発防止に関する普及啓発などを行う。管理者または遺族が希望する場合には，センターへ事故の報告をした後であれば，院内調査とは別にセンターへ調査を依頼することができる。

＊1 管理者が判断するうえでの医療事故調査・支援センターまたは支援団体へ相談が可能。

＊2 センターとは医療事故調査・支援センター。

〔厚生労働省ホームページより https://www.mhlw.go.jp/file/06-Seisakujouhou-10800000-Iseikyoku/0000099650.pdf〕

あり方に関する検討部会」が設置され，改めて医療事故調査制度創設の検討が開始された。その後，無過失補償制度の検討はいったん打ち切りになった。

医療事故調査制度の再検討が始まるに当たり，平成20(2008)年に大きな議論となった医師法第21条による警察署への届け出に代替する制度ではなく，WHOドラフトガイドラインの「学習を目的とした報告システム」を目指すこととされた。基本的には調査の主体を政府の設置する院外の委員会ではなく，院内事故調査委員会が担うことになった。

平成26(2014)年に第6次医療法改正により，現行の医療事故調査制度が定められた(図Ⅰ-5-1)。しかし，その前後の時期に，特定機能病院をはじめとした大病院から事故の報告が続いた。特に特定機能病院において，開設者や管理者のガバナンスに問題のある事例が続いたことから，平成28(2016)年6月に医療法施行規則が改

表Ⅰ-5-3 特定機能病院の承認要件の見直しについて

平成28年厚生労働省令110号による主な改正事項（医療安全関連）
・医療安全管理責任者の配置
・専従の医師・薬剤師・看護師配置
・高難度新規医療技術の管理
・未承認新規医薬品等の管理
・監査委員会による外部監査
・全死亡例等の管理者への報告
・特定機能病院相互のピアレビュー
・内部通報窓口の設置
・管理者の医療安全管理経験
・他

正され，特定機能病院の承認要件に医療安全に関する項目が多数加えられた。主なものを表Ⅰ-5-3に示す。

このうち，医療安全部門への医師の専従配置は，承認要件のなかでも達成が難しい項目とされている。長尾ら[3]によれば，医療安全管理部門へ医師を専従配置した施設では，看護師もしくは薬剤師の配置に比べて，医療事故調査における有効な再発予防策の立案，医療安全管理部門でアクシデントや重大事故発生時の病態の医学的評価，患者への影響や予後の判断が，優位に実施されていた。そのため，特定機能病院の承認要件に次いで，2年後の平成30（2018）年度診療報酬改定で，医療安全対策地域連携加算1に「医療安全対策に3年以上の経験を有する専任の医師又は医療安全対策に係る適切な研修を修了した専任の医師が医療安全管理部門に配置されていること」が規定された。この加算は，医療安全対策加算1の施設に医師の専任配置を促すものであり，医療安全対策加算85点に加えて，50点を算定できる。

おわりに

以上に述べてきたように，平成11（1999）年の医療事故から20年後の現在に至るまで，医療安全体制の整備は，体制の不備による問題事例が発生すると，厚生労働省が特定機能病院に承認要件として対応を促し，数年後に一般の医療機関にも普及を促すということが続いてきた。しかし，平成21（2009）年に世界医師会において採択されたマドリッド宣言において，「医師は，高度なプロフェッショナル・オートノミーと臨床上の独立性を社会より与えられていることで，外部からの不当な干渉を受けずに患者の最大利益を基準とした助言を行うことができる」と謳われていることからわかるように，医師は専門職として医療安全についてもみずから考えて行動しなければならないはずである。

平成11（1999）年当初は，医療安全に関する認識が不十分であったために，国家主導での制度改定はやむを得なかったといえよう。しかし，特定機能病院の医療安全管理部門への専従医の配置が義務付けられ，一般の医療機関の安全管理部門へも医師の配置が進むようになり，ようやくその流れが変わる可能性が出てきた。全国の大学病院へ医療安全管理を専門にする教授・准教授が配置され，施設によっては医療安全管理を行う大学院講座も設置された。医療安全の教育や研究が日常的に行われるようになることで，近いうちに医療そのものの仕組みが安全性を重視したものに変わってくることを期待したい。

文 献 1）飯田英男：刑事医療過誤Ⅱ．判例タイムス社，東京，2006.
2）飯田英男：刑事医療過誤Ⅲ．信山社，東京，2012.
3）長尾能雅（研究代表者）：医療安全管理部門への医師の関与と医療安全体制向上に関する研究．平成27～28年度厚生労働科学研究，2017

（澤 充・中島 勧）

2 病院・診療所

はじめに

医療安全は規模や診療内容にかかわらず，患者に対して医療行為を行う施設においては必須な事項であることは言うまでもない。したがって，法令で定められた医療安全管理体制は，規模によらず整備されなくてはならず，中小規模の医療機関では人手不足で対応が不十分になりがちである。しかし，小規模であることはメリットにもなり得る。まず，働く職員が少ないことから，コミュニケーションエラーが少なくなるうえ，多くの場合提供される医療の幅が限定され，患者数も少ないことから，管理者の目が行き届いて問題の発生を事前に食い止めることが可能となる。逆に，施設の規模が大きくなれば，働く職員が増加し，また部署が増加し，行われる医療行為にも高度で先進的な内容が増えることが多いため，必然的に医療事故の起こりやすい状況になる。1人の患者を取り巻く組織や人が増加することによっても，中小規模の医療機関に比べて事故が起こる機会が増加する可能性がある。

他方，医療事故が起こったときの対処については，事故が起こる頻度が少ない中小規模の医療機関と異なり，一定以上の頻度で事故やヒヤリ・ハット事例が生じ得る大規模病院では，みずからの組織内で医療事故への対処や医療事故調査まで行えるような体制が備えられていることが多く，またそうでなくてはならない。

I すべての医療機関で必要な組織

医療機関における医療安全の組織は，管理者（病院長）を筆頭にした仕組みであることが通常求められている。規模にかかわらずすべての医療機関の管理者に設置が義務付けられている医療安全の組織は以下の通りである。

医療法施行規則第1条の11により，平成19（2007）年4月1日より管理者の下に医療安全管理委員会，院内感染対策委員会，医薬品安全管理責任者，医療機器安全管理責任者の設置が義務付けられ，それぞれに業務が割り当てられた。次いで，令和2（2020）年4月1日からX線装置等を備えている病院または診療所には，医療放射線安全管理責任者を配置することが義務付けられた。

医療安全管理委員会は，各部門の安全管理のための責任者等で構成され，月1回開催されるほかに，重大な問題が発生した場合は適宜開催されなくてはならない。その際には，速やかに発生の原因を分析し，改善策の立案および実施ならびに従業員への周知を図らなくてはならない。管理者は，委員会への参加を求められていないが，重要な検討内容については，患者への対応状況を含め報告を受けなくてはならない。また，委員会で立案された改善策の実施状況を必要に応じて調査し，見直しを行わなくてはならない。

院内感染対策委員会の委員は，病院長，看護部長，各部門責任者，感染症の経験を有する医師等，職種横断的に構成されなくてはならない。月1回開催されるほかに，重大な問題が発生した場合は適宜開催される。院内感染が発生した場合は，速やかに発生の原因を分析し，改善策の立案および実施ならびに従業員への周知を図らなくてはならない。管理者は，重要な検討内容については，患者への対応状況を含め報告を受けなくてはならない。

医薬品安全管理責任者は，医薬品に関する十分な知識を有する常勤職員であり，医師，歯科医師，薬剤師，助産師（助産所の場合に限る），看護師または歯科衛生士（歯科診療所に限る）のいずれかの資格を有していなくてはならない。管理者の指示の下で医薬品の安全使用のための手順書を作成し，それに従って業務を行う。従業員のために医薬品安全使用のための研修を実施し，医薬品の安全使用のために必要な情報の収集および改善のための方策の実施が求められる。専従の薬剤師が配置されている施設では薬剤師が担当していることが多いが，職務上の権限を有する必要があるため，病院では薬剤部長やそれに準ずる者が担当することが望ましい。

医療機器安全管理責任者は，医療機器に関する十分な知識を有する常勤職員であり，医師，歯科医師，薬剤師，助産師（助産所の場合に限る），看護師または歯科衛生士（歯科診療所に限る），診療放射線技師，臨床検査技師，臨床工学技士いずれかの資格を有していなくてはならない。医療機器の専門家であることが望まれているため，臨床工学技士が担当することが望ましいが，機器の扱いの多い放射線技師や臨床検査技師が担当している施設もある。大規模病院を中心に医師が担当している施設もあるが，その場合には医療機器の扱いに精通した職員と協力して管理を行う必要がある。

高難度新規医療技術と未承認新規医薬品等を用いた医療を提供する際には，十分な体制の下で提供の適否等を決定することとされているが，部門の設置までは求められておらず，特定機能病院などの院外の組織へ審査を依頼することで足りる。

II 特定機能病院に必要な組織

規模や提供される医療の幅が広い特定機能病院では，特に医療安全を担当する副院長を配置し，医療安全管理責任者として安全管理部門と医薬品安全管理責任者，医療機器安全管理責任者を統括することが求められている。また，専従の医師，薬剤師および看護師を配置した医療安全管理部門を設置しなくてはならない。

管理者には医療に係る安全管理の業務の経験が要件とされており，①医療安全管理責任者，医薬品安全管理責任者，医療機器安全管理責任者の業務，②医療安全管理委員会の構成員としての業務，③医療安全管理部門における業務，④その他上記に準じる業務，のいずれかの経験が必要とされている。特定機能病院の役割として「高度の医療安全管理体制」が求められていることを考慮すれば，医療安全管理委員会に委員として参加していたという程度の関与では十分とはいえず，医療安全管理責任者または医療安全管理部門の専従医師の経験があることが望ましい。

平成28（2016）年前後に特定機能病院におけるガバナンス不足に起因した死亡事例が複数発生した。関係する病院職員は問題に気付いていたにもかかわらず，管理者に知らされていなかったという事態を受けて，管理者には開設者と協議のうえで，医療安全管理の適正な実施に疑義が生じた場合等の情報提供を院内から受け付けるための窓口（通称，内部通報窓口）の設置が義務付けられた。また，開設者による業務監督体制として，外部監査を目的とした監査委員会の設置が義務付けられた。監査委員会は，委員３名以上で，委員長および委員の半数を超える数は当該病院と利害関係のない者から選任する，利害関係のない者には，①医療に係る安全管理または法律に関する識見を有する者，その他の学識経験を有する者，②医療を受ける者，その他の医療従事者以外の者が含まれることが義務付けられた。

以上に加えて，以前からの要件である，患者からの安全管理に係る相談に適切に応じる体制の設置が必要である。この体制は患者サポート体制充実加算として診療報酬上の評価が行われている。その要件として，専任の医師，看護師，薬剤師，社会福祉士またはその他医療有資格者等が当該医療保険機関の標榜時間内に常時１名以上配置されており，患者等からの相談に対して相談内容に応じた適切な職種が対応できる体制をとっていることや，各部門に患者支援の担当者が配置されていること，患者支援の取り組みの評価等を行うカンファレンスが週１回程度開催されていること等がある。

また，高難度新規医療技術（当該病院で実施したことのない医療技術であって，その実施により患者の死亡その他の重大な影響が想定されるもの）および未承認新規医薬品（当該病院で使用したことのない医薬品または高度管理医療機器であって，医薬品，医療機器等の品質，有効性および安全性の確保等に関する法律の承認または認証を受けていないもの）のそれぞれの提供の適否等を決定する部門の設置が義務付けられている。

（中島 勧）

3 医療スタッフの労働環境

はじめに

平成31（2019）年４月から「働き方改革を推進するための関係法律の整備に関する法律」（以下，働き方改革関連法）が施行された。医師に関しては業務内容の特殊性が考慮され，本法の適用に５年間の猶予が与えられている（2024年４月より適用）。しかし，働き方改革という世の中の大きな流れは間違いなく存在しており，医療スタッフも総じて例外なく取り組むべき課題として認識する必要がある。

Ⅰ 医療業界の特殊性

医療スタッフは，業務時間のみならず本来であればプライベートタイムに当てられたであろう時間までをも患者のために捧げてきた。それがわれわれのあるべき姿として患者側，医療職側の双方に求められてきた点においては，他業種とは異なる環境であるといえる。したがって，医療業界において「働き方改革」を成し遂げるためには，患者・医療職，双方の認識を変えていく必要がある。

Ⅱ 医師の勤務時間と医療安全

米国では，特に過酷な業務を課せられていた研修医の労務環境が医療安全上で問題視された経緯がある。

医師の過重労働が医療ミスを発生させる根本原因になり得るとして注目されるきっかけとなった事案として，1984年にニューヨーク州で発生した「リビー・ザイオン（Libby Zion）事件」が有名である。これは，18歳のリビー・ザイオンが入院加療中に死亡した事件であるが，その死の原因の一つとして，研修医の長すぎる労働時間によって的確な判断が妨げられ，投薬ミスがあったとされた点が挙げられた。リビー・ザイオンの父親は弁護士であったこともあり，研修医の労働環境整備の法制化に注力した結果，1998年に通称「リビー・ザイオン法」と呼ばれる研修医労働時間制限（連続勤務24時間以内，１週間の労働時間は80時間以内）がニューヨーク州法として成立した。それを受け，2003年には米国大学院医学教育認定評議会（Accreditation Council for Graduate Medical Education；ACGME）が全米のレジデンシープログラムに労働時間管理を盛り込み，「勤務は週80時間まで」「シフト間の休息は最低10時間」といった規制を行うこととなった。また，2011年には「1年目研修医は連続勤務16時間まで」「2年目以降の研修医は連続勤務24時間まで」という規制が追加された。

一方，2011年の連続勤務規制に伴う変化を調査した研究が2013年に発表された[1]。そこでは，連続勤務を制限することで，研修医の睡眠時間は増加したものの，①申し送りが増加，②教育カンファレンスへの参加率が低下，③１年目研修医の病棟参加が減少したとの結果が示された。また同時に，当事者である研修医および看護師からケアの質の低下が生じたとの訴えが出たとの内容であった。

このような経緯で，2017年7月よりACGMEは1年目研修医の連続勤務時間を，2年以上の研修医と同様に24時間（最大4時間まで延長可）まで許容するという規制緩和に踏み切っている。

このように，「リビー・ザイオン法」で提唱された勤務規制の具体的内容は，適宜修正を加えられ現在に至っている。提供する医療サービスの質・研修医教育の質を維持しつつ，研修医の健康を確保できる至適な労働環境についてモニタリングと検証が課題とされており，現在もその至適な着地点を模索している過程である。

本件の一連の規制対象は研修医である。また労働時間上限が80時間/週（日本の労働基準法では40時間/週が上限）と，本事例はそのまま日本に落とし込めないものであるが，病院スタッフの労務管理を行ううえでは重要な視点として参考にするべきである。

提供する医療サービスの質・医療スタッフの教育の質を維持しつつ，医療スタッフの心身の健康を確保できる労働環境の整備は管理者の責務であるといえる。

Ⅲ 医療スタッフの労務管理

医師のみならず医療スタッフの労務管理を行うに当たっては，法規遵守，提供する医療サービスの質の維持，医療スタッフの教育という視点から考える必要がある。

1．法規遵守

管理者として，医療スタッフの労務管理に当たる際，労働基準法を正しく理解しておく必要がある。まず，表Ⅰ-5-4に示した用語の定義を確認する。

昨今，病院に対して労働基準監督署の監査が入るケースが散見される。そこでは医師を含む医療スタッフは用語の定義に照らし，「労働者」であることが再確認され，労働基準法の定めのなかで事業展開・人事計画を立てるべきであるという前提での指導がなされている。

特に医師においては，今まで所定勤務時間という概念に乏しく，また，労働基準法の遵守という視点からはみずからがその法規の対象にあるという認識が薄かったといわざるを得ない。

働き方改革という時代の流れのなかで，医師が労働者であると再確認されたことで，改めてその業務のあり方を考え直す時期に来ているといえる。

2．提供する医療サービスの質の維持

社会における通常の仕事と異なり，医療の世界，特に急性期を扱う医療機関においては24時間の事業展開が求められている。一般に，長時間の労働が必要な業種や深夜・夜間に及ぶ業務が課せられる業種においては，シフト制での業務体制により労務管理を行うべきであるとされている。しかし，シフト性を強化した結果，提供する医療サービスの質の維持，特に診療の継続性という問題が顕在化してくる。これは，外来診療ではあまり問題にならないが，入院診療を行うに当たってはその継続性を確保することは大きな課題となる。

1人の担当医が昼夜を問わず張り付いて診療をしているときには生じづらい問題であるが，それを他スタッフへ引き継ぐに当たっては，引き継ぐ先のスタッフの能力が均一であったと仮定しても，申し送りにかける労力と質が患者へ提供する医療サービスの質を左右する大きな因子となる。前述の米国研修医の事例を振り返ると，研修医の労務時間に制限をかけることで引き継ぎの機会が増え，申し送りにかける時間が増加し，併せてケアの質が低下したとのリサーチ結果が報告されている。米国における週80時間の労働時間制限で生じた結果であるが，日本の労働基準法の規定では週40時間制限となることを鑑みると，日本においては，より強くその影響が出ることが想定され，何らかの対策が必要となる。

3．医療スタッフの教育

新人医療スタッフの成長において，より多くの現場経験がその進捗に寄与することは疑う余地はない。スタッフが心身ともに健康であり，その仕事を続けられるように業務の過負荷を避けるという大方針は尊重しつつ，労働時間制限によって生じた経験量の低下を補完する対策は管理者として考える必要がある。再び米国の研修制度を振り返ると，労働時間制限に伴い，教育カンファレンスへの参加率低下，1年目研修医の病棟参加の減少が生じたとされており，これらもまたケアの質の低下の一因となり得るものである。

単に勤務時間を短縮するという表面のみの対応では，医療サービスの継続性維持や教育の問題は解決できない。働き方改革とは，これらの問題も同時に解決することが求められている。

Ⅳ 労務管理の目的

ここで労務管理を行う目的に立ち返ると，その主たる目的は医療者の心身の健康のためであり，その先にある医療安全の確保のためであるといえる。

そもそも，労働時間の管理・制限は，雇用主によっては時として賃金の問題にすり替えられることがある。しかし，発生している業務をこなす労働力に対して賃金を払うことは，雇用主として当然のことであり，それを既存個人の時間外賃金として支払うか，新たな労働力を雇

表Ⅰ-5-4　労働基準法における用語の定義

【労働者】

定　義	業の種類を問わず，事業または事務所に使用されるもので，賃金を支払われる者 〔労働基準法第9条〕
判断基準	以下を総合的に勘案することで個別具体的に判断。 1　使用従属性に関する判断基準 1) 指揮監督下の労働 ①仕事の依頼，業務従事の指示等に対する諾否の自由の有無 ②業務遂行上の指揮監督の有無 ③拘束性の有無 ④代替性の有無 2) 報酬の労務対償性 2　労働者の判断を補強する要素 1) 事業者性の有無 ①機械，器具の負担関係 ②報酬の額 2) 専属性の程度 3) その他 〔昭和60年厚生省「労働基準法研究会報告」（労働基準法の「労働者」の判断基準について）より〕
補　足	職場における労働条件の最低基準を定めることを目的とするため，労働基準法が定める労働条件による保護を受ける対象を確定するための概念と解釈される。 〔平成23年厚生労働省「労使関係法研究会報告書（労働組合法上の労働者性の判断基準について）」より〕

【労働時間】

定　義	客観的にみて，労働者の行為が使用者の指揮命令下に置かれたものと評価できる時間
過去の裁判例からの補足	• 労基法上の労働時間に該当するか否かは，労働者の行為が使用者の指揮命令下に置かれたものと評価することができるか否かにより客観的に定まるものであり，労働契約，就業規則，労働協約等の定めのいかんにより決定されるべきものではない。 • 労働者が就業を命じられた業務の準備行為等を事業所内において行うことを使用者から義務付けられ，またはこれを余儀なくされたときは，その行為を所定労働時間外に行うものとされている場合でも，その行為は，特段の事情のない限り，使用者の指揮命令下に置かれたものと評価できる。 • 労働者が具体的な作業に従事していなくても，業務が発生した場合に備えて待機している時間は，使用者の指揮命令下に置かれたものと評価され，労基法上の労働時間に当たる。仮眠時間なども，労働から完全に離れることが保障されていない限り，休憩時間ではなく，労基法上の労働時間に当たる。

【法定労働時間】

定　義	労働基準法に定められた労働時間
補　足	• 1日8時間，週40時間以内 • 6時間を超える場合は45分以上，8時間を超える場合は1時間以上の休憩を与えなければいけない • 少なくとも毎週1日の休日か，4週間を通じて4日以上の休日を与えなければならない 〔労働基準法第32条〕

【所定労働時間】

定　義	就業規則等で定められた始業時刻から終業時刻までの時間から休憩時間を差し引いた労働時間
補　足	時間外労働をさせる場合，時給換算で125%以上の割増賃金の支払いが必要になる。

【時間外労働】

定　義	法定労働時間を超えた労働時間
補　足	法定労働時間以外に勤務する場合は労使協定として36協定を締結する必要がある。

【36協定（サブロク協定）】

定　義	時間外労働に関する労使協定 正式には「時間外・休日労働に関する協定届」という。 労働基準法第36条が根拠となっていることから通称36協定と呼ばれる。
補　足	• 法定労働時間を超えて労働させる場合，または，法定の休日に労働させる場合には，あらかじめ労使で書面による協定を締結し，これを所轄労働基準監督署長に届け出ることが必要 • 何時間までの時間外勤務が許容されるかは本協定による • 臨時的な特別の事情がなければ，限度時間（45時間/月・360時間/月）を超えることはできない • 月45時間を超えることができるのは年間6カ月まで

【病院における当直】

定　義	医師等の宿日直勤務については，次に掲げる条件のすべてを満たし，かつ，宿直の場合は夜間に十分な睡眠がとり得るもの (1) 通常の勤務時間の拘束から完全に解放された後のものであること 通常の勤務時間終了後もなお，通常の勤務態様が継続している間は宿日直の対象とならない。 (2) 宿日直中に従事する業務は，一般の宿日直業務以外には，特殊の措置を必要としない軽度のまたは短時間の業務に限ること (3) 上記 (1)，(2) 以外に，一般の宿日直の許可の際の条件を満たしていること 〔医師，看護師等の宿日直許可基準について．厚生労働省労働基準局長通達基発 0701 第 8 号，令和元年 7 月 1 日〕
補　足	一般の宿日直業務以外の特殊の措置を必要としない軽度のまたは短時間の業務とは，例えば，次に掲げる業務等をいう。 • 医師が，少数の要注意患者の状態の変動に対応するため，問診等による診察等（軽度の処置を含む。以下同じ）や，看護師等に対する指示，確認を行うこと • 医師が，外来患者の来院が通常想定されない休日・夜間（例えば非輪番日であるなど）において，少数の軽症の外来患者や，かかりつけ患者の状態の変動に対応するため，問診等による診察等や，看護師等に対する指示，確認を行うこと • 看護職員が，外来患者の来院が通常想定されない休日・夜間（例えば非輪番日であるなど）において，少数の軽症の外来患者や，かかりつけ患者の状態の変動に対応するため，問診等を行うことや，医師に対する報告を行うこと • 看護職員が，病室の定時巡回，患者の状態の変動の医師への報告，少数の要注意患者の定時検脈，検温を行うこと 上記に合致しない業務が発生している場合は時間外労働の手続きがとられる。

用し賃金を支払うかだけの問題である。労働時間の管理・制限が管理者に求められている理由は，被雇用者の心身の健康のためであるということを忘れてはならない。そして，それが害された際には，医療安全にも大きな影響を及ぼすことが知られている。

平成 23（2011）年に日本学術会議の基礎医学委員会・健康・生活科学委員会合同パブリックヘルス科学分科会より「病院勤務医師の長時間過重労働の改善に向けて」という提言が出されている。そこでは，長時間過重労働が業務遂行能力および医療安全に及ぼす影響として，下記のような報告が紹介されている。

1．長時間過重労働が医師の業務遂行能力にもたらす影響

- 長時間勤務が疲労感，睡眠の質の低下と関係すること，夜間宿直中の呼び出しが集中力の低下や記憶力の低下と関係する
- 腹腔鏡シミュレーターを使って医師の過重労働と腹腔鏡操作手技時間と操作誤差への影響を分析した研究結果は，夜間の睡眠を中断した群で操作時間が長く，エラーの回数が多くなることを示していた
- 運転シミュレーターを使用した自動車運転の走行安定性テストでは，夜間の呼び出しの回数が多い場合に走行安定性が低下していた
- 当直で夜間に呼び出された場合の運転技能がアルコール摂取時の技能と同等か，または低い結果を示していた

2．長時間過重労働が医療の安全性にもたらす悪影響

- 長時間勤務が針刺し事故の増加と関係した
- 3 日に 1 回 24 時間以上の連続勤務をした長時間勤務の場合と，連続勤務の上限を 16 時間，週当たりの労働時間を 60〜63 時間に制限した場合とを比較した結果，長時間勤務の場合に，処方ミスと診断ミスが明らかに多かった
- 前日に当直であった医師が執刀した手術後の患者においては，合併症が 45% 多かった
- 日本病院会が勤務医を対象に実施した全国調査では，医療事故からヒヤリ・ハット事例を含む医療過誤の原因として，過剰な業務に伴う慢性疲労を挙げた者が 71.3% であった
- 患者が多いために 1 人当たりの診療時間密度が不足がちであると回答した医師は，62.8% にのぼっていた
- 医療過誤発生の原因として，57.8% の医師が，医療技術の高度化と医療情報の増加による医師の負担の急増を挙げており，これは，医療事故防止システムが整備されていない（34.7%），医療スタッフの連携が不十分である（34.6%）という回答を上回っていた

同提言ではこれらをふまえ，医師の長時間過重労働の軽減は，安全な医療を提供するための喫緊の課題であると発信している。

V　聖路加国際病院への労基署指導とその対応

1．病院としての取り組み

筆者の所属する聖路加国際病院は，平成 28（2016）年 6 月に中央労働基準監督署の立ち入り調査を受けた。その結果，医師の残業時間が長すぎるとの指摘を受け，労働基準法・労使協定（36 協定）を遵守すること，過去に遡って院内に滞在した全時間分の時間外手当を支給する

患者の皆様へ

当院は、厚生労働省東京労働局中央労働基準監督署の指導により、医師の病院内滞在時間を大幅に短縮することとなりました。

病院として最大限の努力を重ね、診療の質・安全性を確保致しますが、サービス面で、従来とは異なる対応を取らざるをえない場面が多々出てくる可能性があります。

この点につき、ご理解のほどお願い申し上げます。

平成 29 年 2 月 27 日
聖路加国際病院
院長　福井次矢

図Ⅰ-5-2 院内に掲示した「サービス低下」のお断り文

こと，さらには宿日直を通常の時間外労働と認め，手当を支給することなどが求められた。

指導を受け，それまで厳密ではなかった医師の勤怠の把握・管理を徹底し，法定労働時間の遵守に向け全病院で取り組むことになった。

今まで当直として扱われていた勤務が当直として認められず時間外勤務（夜勤）と位置付けられたこともあり，労働時間の管理において月の時間外勤務を規定内に収めるため，それまでほぼ制限なく勤務をしていた医師の準夜・深夜勤帯の勤務状況の把握・整理を行うこととなった。

また，1カ月単位の変形労働制を導入することで，積極的にシフト制の勤務体制を敷くこととした。

一方，既存のスタッフ数のまま業務量が変わらない状況においては，体制整備だけでは対応できない部分が残った。これらに関しては，一部業務の縮小を余儀なくされた。具体的には土曜日外来診療を縮小し，家族への病状説明は極力所定労働時間内に行うこととした。医師の勤務時間を結果的に絞ることとなった結果，院内に滞在する勤務医師数が以前より少なくなったため，「サービス低下」について患者の理解を得るための文章掲示も行うこととなった（図Ⅰ-5-2）。

2. 救急科スタッフの労務管理

急激な体制変更を行うなか，その影響が直撃したのが救急部門であった。当直という名目で準夜・深夜の救急診療当番をほぼ徹夜で行う医師の勤務は，すべて時間外勤務（いわゆる夜勤）の扱いとなり，結果として月の法定労働時間制限を圧迫することとなった。つまり，当直という名目で過重労働となっていた実態に焦点が当てられ，そこに是正が求められたわけである。

救急部門運営体制としては，

- 変形労働による勤怠管理の徹底
- 救急部門のシフト制の導入
- 救急外来診療は，初期研修医を含み救急科所属医師のみで運営

といった対応を行った。しかし，総業務量が変わらないなかで個人単位の業務時間に制限をかけたことで，マンパワーが補填されるまでは一部業務の縮小を余儀なくされた。労働基準監督署の解釈に則れば，それが現有スタッフでこなす本来の適正な業務範囲であるという解釈になるのであろう。

そのようななか，時代に合わせた働き方，すなわち医師の過重労働を避け，労働者として心身ともに健康を維持する働き方を達成するため，救急科として幾つかの工夫を行った。

1) 診療録記載のスタンス変更

診療録は，そのまま申し送りになるような記載を心掛け，別途の申し送り記録は行わない方針とした。記録者も自分が不在のときに継続性をもった診療ができるようにという意識をもって記載を行うことで結果として診療録の充実が得られた。

2) 申し送りの文化の醸成

基本的には自分がずっと張り付いて診療するものではなく，申し送りをして引き継いでいくのが当たり前であるという科内文化の醸成に努めた。全員がそのスタンスをもつことでお互いを非難する姿勢は認められなくなった。

3) カンファレンス内容の共有

シフト制を敷くことで全員がそろってカンファレンスを行う場が失われた。その状況の補完として，日々のカンファレンス内容は科内全員へメール配信し共有。患者に係るカンファレンス内容は，積極的に患者診療録に記載することで共有することとした。これは，その場にいないコ・メディカルスタッフとも情報共有を図ることができ，結果として共有範囲が広くなった。

4) 研修医・専攻医教育のあり方の見直し

所定労働時間内は患者診療に専念することとし，座学中心のカンファレンスは廃止した。知識の共有は Evernote/Facebook/e-mail 等を使用し，労働時間外へシフトした。同時に bed-side teaching を強化することした。

近年の若者の情報収集・共有のスキルは進化の一路をたどっている。そのようなスキルを活用し，知識の共有・

付与はみずからの自己研鑽として隙間時間にスマートフォンなどを用いて行うこととした。この取り組みは，労働時間に制限が発生したことで一定期間内に得られる実務経験値が減少することは仕方のないものと理解し，その分，効果の上がる教育体制を模索した結果である。

個人の経験をその場にいない同僚と共有するために，まとめ，記録する習慣付けは，研修医・専攻医からはおおむね好評価を得ている。

これらの対応を行っていくなかで，少なくともスタッフの業務量は減少をみており，必要以上の疲労感や燃え尽き感を自覚する専攻医は減った印象がある。また，当施設に残って救急医を続ける医師が増えてきたことも嬉しい変化である。

働き方改革として，形だけ勤務時間を短くしたとしても，業務のあり方を変えなければ医療サービスの質や新人教育の質を落とすことになりかねない。まず，勤務時間管理は当たり前にやらなければならない時代であることを管理者が理解する必要がある。そして，働き方・業務のあり方そのものを見直すことも，同時に必要な時代にきていると理解し，管理に取り組む必要がある。

文　献
1) Goitein L, Ludmerer KM：Resident workload-let's treat the disease, not just the symptom. JAMA Intern Med 2013；173 (8)：649-655.

参考文献
1) 日本学術会議基礎医学委員会・健康・生活科学委員会合同パブリックヘルス分科会：提言—病院勤務医師の長時間過重労働の改善に向けて．2011.
2) 医師等の宿日直許可基準及び医師の研鑽に係る労働時間に関する考え方についての運用に当たっての留意事項について．令和元年7月1日基監発0701第1号労働基準局監督課長通達．厚生労働省，2019.
3) 医師の働き方改革に関する検討会：医師の働き方改革に関する検討会報告書．厚生労働省，2019.
4) 福井次矢．労働基準監督署への対応聖路加国際病院の場合．病院　2017；76 (10)：782-785.

（大谷　典生）

第6章 医療安全マニュアルの作成とその改訂

I 医療安全マニュアル作成の目的—何のためにマニュアルがあるのか

どの医療機関でも，次々と現場で発生する医療安全上のトラブルに関して，発信される「知っておくべき」重大な医療安全情報が，定期あるいは不定期に各部署の長あるいは職員の全体メールで周知徹底を図る手法や，プリントアウトされて各職員のデスクのうえにどんどん積み重ねて配布されてきたり，院内の掲示板や院内専用PCの表紙，サイネージにアップされたりしているのが現実であろう。発信者側にとっては，それで一応の責任が果たされたといえるかもしれないが，受け手の立場からすれば，多忙な毎日のなかでどれくらいその一つひとつに目を通したうえで認識できているであろうか。

全職員が必ず知っておかねばならない重大な警告と，ある職種，ある部署にとってのみ重要である情報，せっかくだから他山の石とすべく広く職員に知っておいてほしいお知らせとが，そのすべてが同じルートで，同じ重み付けで発信され続けているために，結果として職員は医療安全情報の「アラーム不感症」となり，それぞれにとって特に気を付けなければならない重要な医療安全情報がどんどんすり抜けてしまう危険性がある。そのため，職員一人ひとりの医療における安全への思いや理念とは別に，医療現場ですぐに対処できるためのマニュアルの整備は，診療所から特定機能病院まで，医療機関の規模にかかわらず，ストラクチャーの整備という意味で必須の事項といえる。

新人職員であれば，入職したその日から，所属することになる医療機関に蓄積されている膨大な医療安全情報を理解し，すぐに対処するのは簡単ではない。また，研修医に至っては，各科を短期間でローテーションしつつ数カ月～2年後には別の病院へ移動することが日常であるなかで，組織への帰属意識は薄く，みずからの臨床能力を磨くための多忙な日常診療にかまけて医療安全への高い意識や対応力の会得が後回しになりかねない。とはいえ，日常の病院業務のなかで，現場でトラブルに巻き込まれる可能性が特に高いのは新人職員や研修医であり，結果的に慌てて対処に駆け回ることになるのはその上司であることも事実である。

医療安全マニュアルとは，これまで発信されてきた職員全員が知っておく必要のある「医療安全上の超重要事項（例えば，全職員が知っておくべき基本事項だけでなく，活用機会はたまにしかなくとも知っておかねばならない情報や手順・手続き，重要部署とその責任者の連絡先など）」について，その内容のすべてを，1カ所に集めて一目で迅速に確認できるようにした運用指針（手順書）といえる。マニュアルの整備は，改正医療法施行通知などで規定される必須事項ではないにしても，医療機関として培ってきた医療安全に関するすべてを，マニュアルという形あるものにして，常に改訂しつつ受け継いでいくプロセスが，真面目に医療安全対策に取り組んでいる医療機関の姿勢そのものといっても過言ではない。

実用性を考えその役割を十分生かすためには，正式な指針とは別に，緊急時にも慌てずに理解ができるよう見開きで，箇条書き，図表（フロー図）を多用し，重要事項がすばやく確認できるように工夫し編集されている簡易版があることが望ましい。当然，仕事中に常に胸ポケットに携帯できるような「ポケットサイズ」のほうがよいであろう。また，状況に応じて内容の追加，改訂が適時行われ，その都度，全員に配布され入れ替えられるようにしておく必要がある。覚えなくてもよい代わりに，常に携帯し，今まさに必要な事項の最新版が記載されているページをすぐに開けられることは，実に肝心な点なのである。

II 現場で使用されている医療安全マニュアル

日本医師会の患者の安全確保対策室によって作成され，日本医師会ホームページ上で公開されている『医療従事者のための医療安全対策マニュアル，2007』[1]にある実際の「マニュアル作成」の項目でも，図I-6-1のよ

3　安全管理のための指針・マニュアルの作成

院長は本指針の運用後，多くの職員の積極的な参加を得て，以下に示す具体的なマニュアル等を作成し，必要に応じ見直しを図るように努める．

マニュアル等は，作成，改変のつど，全ての職員に周知する．

(1)　院内感染対策指針　＊必携
(2)　医薬品安全使用マニュアル　＊必携
(3)　輸血マニュアル
(4)　褥瘡対策マニュアル
(5)　その他

図Ⅰ-6-1　『医療従事者のための医療安全対策マニュアル』にある「マニュアル作成」に関する記述

〔文献1）より引用〕

	一般病院	有床診療所	無床診療所	特定機能病院
医療安全管理体制の整備 10ページ参照				
(1)医療の安全を確保するための指針の策定	○	○	○	○
(2)委員会の開催	○	○	×	○
(3)従業者に対する研修の実施	○	○	○	○
(4)医療機関内における事故報告	○	○	○	○
・医療安全管理者の配置	△	△	△	●
・医療安全管理部門の設置	△	△	△	○
・患者相談窓口の設置	△	△	△	○
院内感染対策の体制の確保 11ページ参照				
(1)院内感染対策のための指針の策定	○	○	○	○
(2)委員会の開催	○	○	×	○
(3)従業者に対する研修の実施	○	○	○	○
(4)医療機関内における事故報告	○	○	○	○
・院内感染対策担当者の配置	△	△	△	●
医薬品に係る安全確保のための体制の確保 12ページ参照	○	○	○	○
医療機器に係る安全確保のための体制の確保 13ページ参照	○	○	○	○

施行　平成14年10月　平成15年4月　平成16年1月　平成19年4月

●；専任者を義務化　○；義務化　△；推奨（指導）　×；不要（適用除外）　（日本医師会医療安全対策委員会）

図Ⅰ-6-2　安全管理体制の整備（対象となる医療機関の拡大）

〔文献1）より引用〕

緊急連絡先

	連絡先
緊急蘇生チーム	モバイル：
救命救急センター	内　線： 内　線：
脳卒中センター　脳神経外科 脳神経内科	モバイル： モバイル：
院内 110 番	モバイル：
安全管理部 (専従安全管理者)	モバイル： 内　線：
感染制御部	内　線： F A X：
患者相談室	内　線：
病院長室	内　線：
警備本部	内　線：
防災センター	内　線：
輸血部	モバイル：
管理日当直医師	モバイル：
管理日当直師長	モバイル：
管理日当直事務	モバイル：
内部通報窓口（総務課）	内　線：

図Ⅰ-6-3　帝京大学医学部附属病院安全管理マニュアル 院内感染対策要綱ポケット版　2019年度版　表紙（左）と裏表紙（右，番号除く緊急連絡先一覧）

うに作成が推奨されている。

それによれば，院内感染対策指針（必携），医薬品安全使用マニュアル（必携），その他の指針の整備の必要性が，医療機関の規模別に設定されている。その指針をもとに医療機関の規模に応じて，現場で利用しやすいマニュアルを作成することになる。モデルとなる安全管理体制，整備すべき内容を図Ⅰ-6-2に掲示する。マニュアルはこの図の内容を忠実に運用するために必要であり，例えば「医療安全管理部門の設置」では，この部門の具体的な設置基準や仕事内容，組織立て，その構成要員や内線番号，緊急時の連絡先とその順番などが示されている。常に頭に入れておく必要はないが，使用時に知らないと困る内容といえる。この他，事故報告の際には，報告書の具体的な書き方，提出時期と提出先，ひな型のダウンロード場所などが医療過誤，感染対策に分けて，必要時にすぐ取り出せるように工夫されている必要がある。

毎年（必要に応じてその都度）改訂されている筆者らが所属する帝京大学医学部附属病院（以下，当院）の『安全管理マニュアル院内感染対策要綱ポケット版』（全152頁＋α）を例に，医療安全に責任をもって当たる組織である附属病院安全管理部/感染制御部と，そこが責任をもって行っているこのマニュアルの作成，改訂の経緯について概説する。表紙（図Ⅰ-6-3）には，最新版であることを示す年度が，裏表紙には緊急蘇生チームの呼び出しモバイル番号，安全管理部の内線番号，管理当直モバイル，防災センター内線番号など15カ所の緊急連絡先が掲載されている。目次を図Ⅰ-6-4に示す。実際のポケット版では，緊急蘇生チーム呼び出し手順，急変時対応のチェックポイント，院内暴力（刃物等所持）の対応（図Ⅰ-6-5），暴力行為により診療が困難な患者等の対応まで（1～7頁）は，すぐに確認できるよう目次より前に掲載されている。当院における過去の重大な院内感染の経験から，後半の103～145頁に感染対策マニュアル

目 次

【安全管理マニュアルポケット版】

【その他の参考規程・手順】

図Ⅰ-6-4 帝京大学医学部附属病院安全管理マニュアル ポケット版 2019年度版 目次（後半の感染対策マニュアル部分を除く）

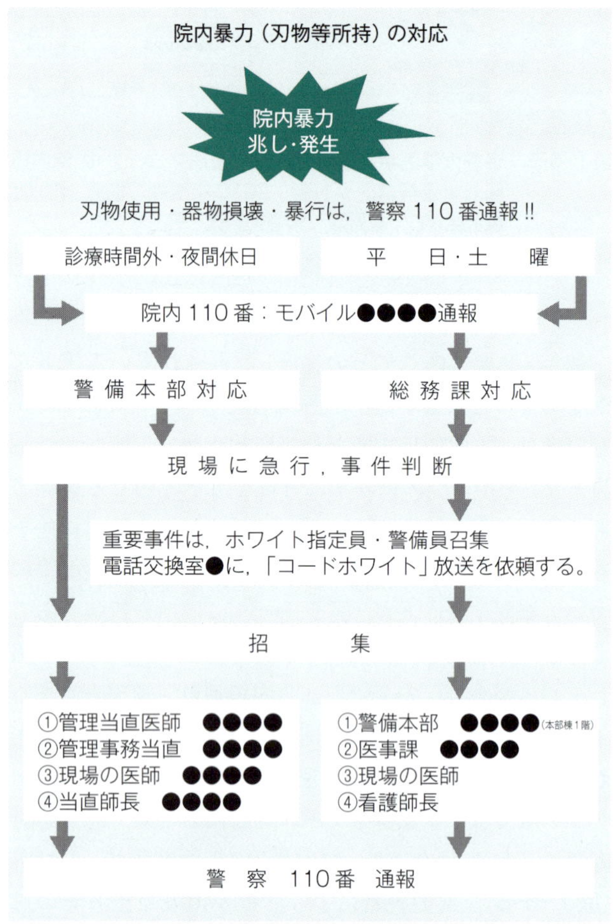

図Ⅰ-6-5 帝京大学医学部附属病院安全管理マニュアル ポケット版 2019年度版 院内暴力（刃物等所持）の対応

掲載場所（表紙から5頁目）やフローがすぐに確認できるように工夫されている。（●●●●：内線番号 or PHS番号）

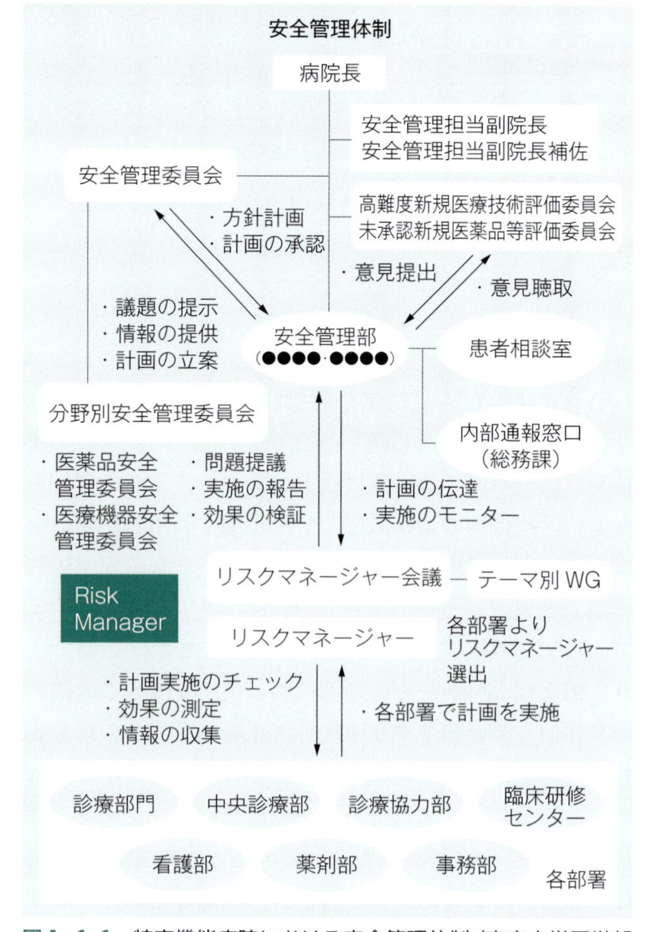

図Ⅰ-6-6 特定機能病院における安全管理体制（帝京大学医学部附属病院の例）

2019年度 安全管理マニュアルポケット版 改訂箇所

2019年4月1日 改訂

2019年度版ページ	2018年度版ページ	2019年度版	2018年度版	備考
P.7	P.7	暴力行為により診療が困難な患者等の対応について **暴力行為により診療が困難な患者等の対応について** 患者等から暴言、暴行、脅迫、傷害等により診療継続が困難と判断した場合、約束書又は誓約書を取り、今後、当院に受診させない。 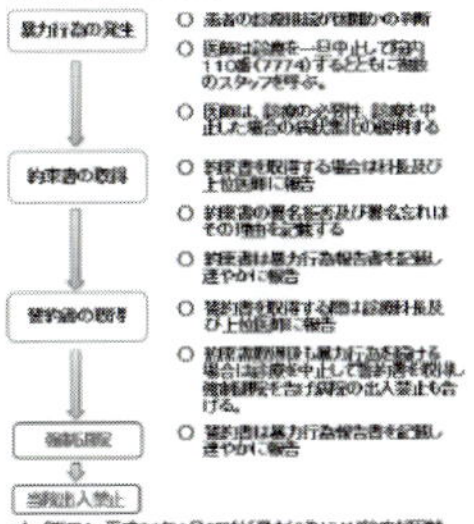 暴力行為の発生 ○ 患者の診療継続が困難かの判断 ○ 医師は診療を一旦中止して院内110番(7774)するとともに複数のスタッフを呼ぶ。 ○ 医師は、診療の必要性、診療を中止した場合の病状変化の説明する 約束書の取得 ○ 約束書を取得する場合は科長及び上位医師に報告 ○ 約束書の署名拒否及び署名忘れはその理由を記載する ○ 約束書は暴力行為報告書を記載し速やかに報告 誓約書の取得 ○ 誓約書を取得する際は診療科長及び上位医師に報告 ○ 約束書締結後も暴力行為を継続する場合は診療を中止して誓約書を取得し、[illegible]の出入禁止も告げる。 ○ 誓約書は暴力行為報告書を記載し速やかに報告 [illegible] 当院出入禁止 ★ 詳細は、平成24年4月4日付「暴力行為により診療が困難な患者等の対応について」を参照	暴力行為により診療が困難な患者等の対応について **暴力行為により診療が困難な患者等の対応** 院内110番:モバイル7774通報 患者等から暴言、脅迫、暴行、傷害等により診療継続が困難と判断した場合、約束書又は誓約書を取り、今後、当院に受診や出入をさせない。 詳細は、平成24年4月4日付「暴力行為により診療が困難な患者等の対応について」を参照する。 <内容> 1. 基本的な姿勢 2. 具体的な対応方法 3. 「約束書」及び「誓約書」の取り扱いについて <掲載場所> 電子カルテトップ画面⇒「安全管理」⇒「7774暴力対応」 ○暴力行為により診療が困難な患者等の対応について ○約束書・・今後、同様な行為を行わないことを約束し、同様の行為を行った場合診療を受けられない。 ○誓約書・・今後、一切当院に受診しません。また、当院への出入はしません。	対応について、具体的な手順に記載を変更
P.55	P.55	投与中・投与後の状態観察が必要な医薬品(院内採用薬) <カテコラミン> アドレナリン注 イノバン注・イノバンシリンジ ドブタミン注・ドブポンシリンジ ドパミン塩酸塩点滴静注 ノルアドレナリン注 プロタノールL注 ボスミン注 エホチール注 ネオシネジンコーワ注 <末梢性筋弛緩薬> ロクロニウム臭化物静注 ベクロニウム静注 スキサメトニウム注 ボトックス注 ダントリウム注	投与中・投与後の状態観察が必要な医薬品(院内採用薬) <カテコラミン> アドレナリン注 イノバン注・イノバンシリンジ ドブタミン注・ドブポンシリンジ ドパミン塩酸塩点滴静注 ノルアドレナリン注 プロタノールL注 ネオシネジンコーワ注 <末梢性筋弛緩薬> エスラックス静注 ベクロニウム静注 スキサメトニウム注 ボトックス注 ダントリウム注	薬剤の採用・削除に伴う変更
P.58-59	-	ノルアドレナリン使用時のルール		新規追加
P.70	P.63	医療安全e-Learning 【目標】 ● 安全管理部では、医療安全情報の院内周知を行っております ● 職種によっては難しい問題もあると思われますが、職種を超えて起こり得る事故の要素を含んでおり、医療安全の一助として学習して頂きたいと思います 【学習方法】 ● ログイン画面へのアクセスは、https://ehosptky.sumtotal.host/ ● ID:hosp-職員番号　初期パスワード:職員番号 ● 受講期間を設定しています。必ず期限内に受講してください。 ● 不明な点や内容についての問い合わせは、電子カルテのe-Learningのページをご参照ください。 TOPページ➡安全管理➡医療安全e-Learning➡Q&A ● 医療安全e-Learningは「帝京大学LMS」を使用していません。 ● GoogleChromeを推奨しています。スマートフォンは未対応です。 ● 入職・退職・変更等に関してはシステムへの登録までに時間を要することがあります	新医療安全e-Learning 【目標】 ● 安全管理部では、医療安全情報の院内周知を行っております ● 【医療安全情報】は、日本医療機能評価機構と独立行政法人医薬品医療機器総合機構(PMDA)から発行され、医療事故に関する注意喚起を促しています ● 職種によっては難しい問題もあると思われますが、職種を超えて起こり得る事故の要素を含んでおり、医療安全の一助として学習して頂きたいと思います 【学習方法・内容】 ● ログイン画面へのアクセスは、https://ehosptky.sumtotal.host/ ● ID:hosp-職員番号　初期パスワード:職員番号 ● パスワードは初期と時々変更してください。 ● 変更パスワード忘れは、事務局まで 学習内容　第1巻:基礎編(マニュアルの理解編) 第2巻:重要項理解編 第3巻:重大警鐘事例(治験・倫理) ※新入職者に関してはシステムへの登録までに時間を要することがあります。	最新版に情報を更新
P.72	P.69	安全管理関連マニュアル一覧 6)V-V ECMOガイドライン 10)中心静脈カテーテル挿入、留置・管理、抜去に関する ガイドライン	安全管理関連マニュアル一覧 6)自殺企図患者のリスク管理マニュアル 10)中心静脈カテーテル挿入(CVC)に関する ガイドライン	マニュアルの改訂、新規作成、移行等に伴う変更
その他		誤字修正、表記の修正・統一		

その他の参考規程・手順 改訂箇所

2019年度版ページ	2018年度版ページ	2019年度版	2018年度版	備考
P.74-76 P.77-78 P.79-80 P.81-88 P.94 P.98-99 P.100-101	P.72-74 P.75-76 P.77-78 P.79-86 P.92 P.96-97 P.98-99	臨床倫理委員会が必要なとき 高度新規医療技術を導入するとき 未承認新規医薬品等を使用するとき インフォームド・コンセント 個人情報紛失・漏洩等事故発生時の対応フロー 児童虐待初期対応 メンタルヘルス相談の流れ(教職員用)		規程等の改訂に伴った変更 誤字修正

図Ⅰ-6-7　帝京大学医学部附属病院安全管理マニュアル　ポケット版　2019年度版　追加項目リスト

が一緒に1冊にまとめられているのも特徴の1つである(この部分の目次は割愛する)。

1. マニュアル運用とその改訂のための体制・組織

当院は特定機能病院でもあるため，病院長直属の医療安全に関する組織として，①安全管理に関する基本的事項や重要事項を審議・決定する「安全管理委員会」(委員長：安全管理担当副院長を委員長として，多職種35名よりなる)，②委員会の管轄のもとで実務を担当する「安全管理部」(専従の医師1名，看護師2名，薬剤師1名，事務職3名および専任医師1名，兼任の多職種職員22名で構成され，実務を担当)，③院内各部署のリスクマネージャーによる現場の問題収集と改善計画の策定，その周知とこれを実施する「リスクマネージャー会議」，の3つの組織が有機的に機能するよう配置されている(図Ⅰ-6-6)。具体的なマニュアルの運用と改訂は，別途設置されている院内の感染症対策，抗菌薬適正使用支援，職員向け感染症対策教育，他病院への感染対策支援などの任に当たっている「感染制御部」(感染症学会専門医と呼吸器内科医の２名，感染管理認定看護師２名，事務１名が専従）との協力によってなされている。両委員会や各部門から上がってきた多くの情報を，利用しやすいように図式化，簡潔にし，フローチャート，箇条書きなどの工夫を加えて最新版の医療安全管理対策マニュアルとして随時改訂されている。

2. 常に最新で頼りになる医療安全マニュアルであるために

かつては，大きな医療機関でも，患者の基本指示，処方，検査などの指示内容を確認するための医師と看護師間の「指示マニュアル」，医薬品や医療機器の安全使用のための「医薬品の安全使用に関する業務指針」「医薬品の安全使用のための業務に関する手順書」「医療機器に係る安全管理のための体制の確保」，「医療事故等の防止・安全管理のための指針」などが各々大きなファイルにまとめられ，各部署のよくみえる本棚に並べられていた。そのすべてに責任をもって管理，改訂をする専門の部署である。そのなかで特に重要であって，全員が知っておくべき内容のため持ち歩いたほうが便利なものを抽出したのが，ポケット版マニュアルであり，初版から毎年改訂され，職員がすぐに利用できる重要事項が次々に追加されてきた。令和元（2019）年度版の目次を図Ⅰ-6-4に，2019年度に改訂，追加されてきた項目リストを図Ⅰ-6-7に掲げる。最近では，感染症発生報告ルート，医療事故対応マニュアル，インスリン注射・血糖測定に関する運用基準，身体拘束の実施基準，中心静脈カテーテル（central venous catheter；CVC）挿入に関する指針，患者取り違え防止マニュアル，異常死の届け出の判断基準，体外循環の使用ガイドラインなどが，各担当委員会で十分に協議されたうえで，病院の管理運営会議で承認され，最新版の医療安全マニュアルにタイムリーに追加・更新され実用性を高めている。

改訂作業は，「安全管理部」が中心となり，関係する担当部署から選抜された委員で構成され，定期あるいは不定期で開催されている「専門委員会」によって，追加事項の選定と実際の内容改訂作業が行われる。それをもとに年１回の更新時期に合わせてマニュアルに追記，改訂されることとなる。特に医薬品の安全使用に関する事項，救命処置（救急カート，AED，緊急使用薬剤の使用ルールなど）の運用規定の更新などは，その回数も多い。

Ⅲ 医療安全マニュアルを日常業務のなかで生かす工夫

作成されたマニュアルが分厚く立派であればあるほど，臨床現場では活用されにくい。緊急時にすぐに確認できて，「おかげで助かった」「大事に至らずに済んだ」と言われることを目標に，携帯できるポケット版があり，それを現場で実際に使用してトラブルを乗り切って，そこで初めて利用価値の高い医療安全マニュアルが功を奏した，そして完成したといえる。実際上のマニュアルの必要性，完成度について，そのアウトカムの評価としては，安全管理報告数（インシデント/アクシデント，ヒヤリ・ハット，薬剤疑義照会，グッドリカバリー，など）の変化や，定期的な医療安全講習会とその前後のミニテストなどでの評価が有用と思われる。

そのためにも，定期または不定期の改訂作業が大切であり，ポケットに入れていつも持ち運べるサイズに収まるように，掲載順序，内容の取捨選択，見やすさなど，日々の工夫が鍵となろう。「持たされている」マニュアルから，「持っていなくちゃ」と言われるマニュアルに成長させていくことが，現場で求められているマニュアル機能の本質といえる。

文 献 1) 日本医師会：医療従事者のための医療安全対策マニュアル，2007.
http://www.med.or.jp/anzen/manual/menu.html

（三宅 康史）

第7章 医療事故発生のメカニズムとアプローチ

はじめに

事故は結果である。重要なことは，二度と同じような事故が起こらないように具体的な対策をとることである。まず，「何が」「どのように」起こったのかの事実を把握し，さらに「なぜ」を明らかにして事故の発生メカニズムを明らかにしなければならない。このためには事故調査手法が適切でなければ事故要因を明らかにすることはできず，有効な対策をとることは難しい。

医療の事故調査は航空や原子力などの産業システムにおける事故調査より困難な部分が多い。航空や原子力での事故は物理的因果関係が比較的明確であり，分析に利用できるデータも多い。一方，医療の事故調査では，例えば死亡事故の場合，人体のメカニズムそのものの解明が十分ではないうえに，また，個体差が非常に大きく，死因究明に多大な時間や労力と推察が必要である。それに加え，当該医療関係者（当事者）の判断や行動，さらにその背後要因を明らかにする行動分析も重要である。特に，医療関係者の判断や行動の結果としての医療行為が関係しているため，判断の根拠を明らかにすることが重要であるが，分析に利用できるデータは限られている。

I 事実の把握

事故調査で最も重要なことは「事実の把握」である。しかし，データははじめからすべてそろっているわけではない。初期の段階で最も重要なことは情報の収集と整理である。「なぜ」は初期の段階ではわからないことのほうが多い。

1. 現場保存

まず，やるべきことは現場保存である。可能な限り事故が発生した状況をそのまま保存する。カルテやメモなどの記録類はもちろん，材料，器材，関係者の位置関係，関係者の名簿，勤務表などを集める。医療機器を使用していた場合は内部に記録されているデータをクリアしないこと，機器の時間のずれを確認することなどが重要である。チューブ類，検体なども感染に配慮しながら保存しておかねばならない。

緊急事態の場合，人の記憶はあいまいな部分が多いので，関係者の記憶に関するデータは直ちに収集しなければならない。速やかに行うことが重要である。関係者には自分の記憶の範囲で簡単なメモの作成を依頼する。このメモは後で非常に役に立つ。目撃者の記憶は他の人と話をすることや，聞き手の言葉の使い方などに影響を受ける[1)]。記憶変容が非常に起こりやすいことを忘れてはならない。

2. 時間軸に沿ったデータ整理

カルテ，指示簿，検査データなどは記憶に頼らないデータである。記述されている内容は人間の主観や記憶ではないために信頼性が高い。医療機器のアウトプット，特に重要なのは医療機器が本体内に記録しているデータである。リセットしたり，電源を切ったりすると内部の重要なデータが失われてしまう可能性がある。さらに，内蔵時計が基準となる時間とどれくらいずれているかも記録しておくことが重要である。ずれが記録されていれば，あとでキャリブレーションすることができる。

現場の写真保存も重要である。いろいろな角度からの写真を撮り，このとき写真の片隅に大きさのわかるもの，例えば，物差し，コインなどを入れて一緒に撮っておくとそれを基準にサイズが推定できる。撮影した時間の記録も分析するうえできわめて重要となるため，忘れず記録しておくことである。

その他，機器の取扱説明書，薬剤の添付資料などが分析には必要である。

初期の段階では事故がどのように起こったのかがよくわからないことが多い。そこでまず，信頼性の高い客観的データをもとに整理する。大きな紙やホワイトボードに何がどのように起こったのか，判明したことから書いていく。医療システムでは人の介在が多いため関係者の証言に頼らざるを得ない部分が多いが，証言も時間に沿って並べていく。もし，関係者の証言する時間が食い違ったときは，インタビュー注1を行い，これらの食い違いを検討し無理なく合理的な事象の進展関係は何かを探っていくことが重要である。

3. 信頼関係の構築

ヒアリングによって関係者から「何がどのように発生したか」を話してもらうためには，まず信頼関係がなければならない。証言することによって当事者が不利になったり嫌な思いをしたりする場合もあるであろう。したがって信頼を得るためには，事故調査は責任追及ではなく事故の再発防止のために行うことを十分説明し，理解してもらう必要がある。

信頼関係は簡単に築くことが難しい。日常業務の活動のなかで少しずつ構築されるものであり時間がかかる。しかし，一度築かれた信頼でも調査する側のちょっとした言動により簡単に壊れてしまうものである。このことも同時に理解しておくべきである。

Ⅱ 死因究明と行動分析

1. 死因究明

医療事故では患者の死亡という最悪の結果をもたらす場合がある。この場合には死因究明が必要である。可能な限り，解剖やAi（autopsy imaging）による解明，患者のカルテなどのデータをもとに死に至った経緯や原因を専門家によって明らかにする努力をしなければならない。ただし，人体のメカニズムそのものが十分に明らかにされているわけではないので，必ずしも死因が究明されるとは限らない注2。

2. 行動分析

死因究明と同等に重要な分析として，関係者の行動分析が挙げられる。なかでも特に，判断部分の分析は重要である。

1) 当事者自身の要因と環境要因

当事者の行動は，当事者自身の人間側の要因（生理的，認知的，社会的など）と当事者を取り巻く環境要因の相互作用により決まる。心理学者のLewinは「B＝f（P，E）」のモデルを用いて人間の行動を説明している[2)]。ここで，Bは行動（behavior），Pは人間（person），Eは環境（environment）を表している。ヒューマンエラーとは，人間要因と環境要因の相互作用の結果としての行動がある許容範囲から外れたものである。したがって，行動分析では，まずこれらの要因を整理することから始めなければならない。

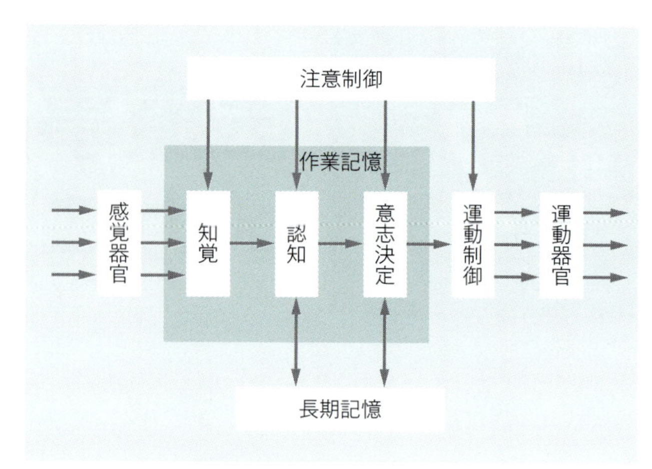

図Ⅰ-7-1 人間の情報処理モデル

2) 当事者の理解した世界に基づいて行動を分析

次に，なぜ当事者は当該行動が正しいと判断したのかを明らかにしなければならない。このとき重要なことは，当事者の当時の視座で考えるということである。前述のLewinの行動モデルによると，人間が行動を決めるときは，「B＝f（P，E）」によるとしているが，Koffkaはモデル中のE（環境）は，当事者が当事者を取り巻く実在の世界を知覚・認知し，頭のなかに構築した世界に基づいていると説明している[3)]。したがって，当事者が環境をどのように理解していたのかをまず明らかにすることから始めなければならない。

図Ⅰ-7-1は人間の情報処理モデルを示している。人間は外の環境状態を感覚器官で感知し，それが何であるかを，記憶を参照し，さらに追加の観察によって情報を収集し認知する。その認知して構築した世界のなかで現状を理解し，いろいろな可能性を予測して幾つかの行動を検討し，最終決定を下し実際に行動する。

行動の決定は当事者自身が理解した環境と当事者のもっている知識，情報，経験をもとにした判断に依存している。したがって，取り巻く環境を誤って理解すれば，それに基づく正しい判断は結果的にエラーとなる。どんなに優秀な人間でも判断に必要な正しい情報がなければ正しい判断や行動をとることは不可能である。

注1 最初は当事者に語ってもらうことを中心としたヒアリングを行い，情報が必要な場合はさらに当事者が気付いていないことに答えてもらうインタビューを実施するとよい。
注2 事故調査による原因は推定原因（probable cause）でしかない。

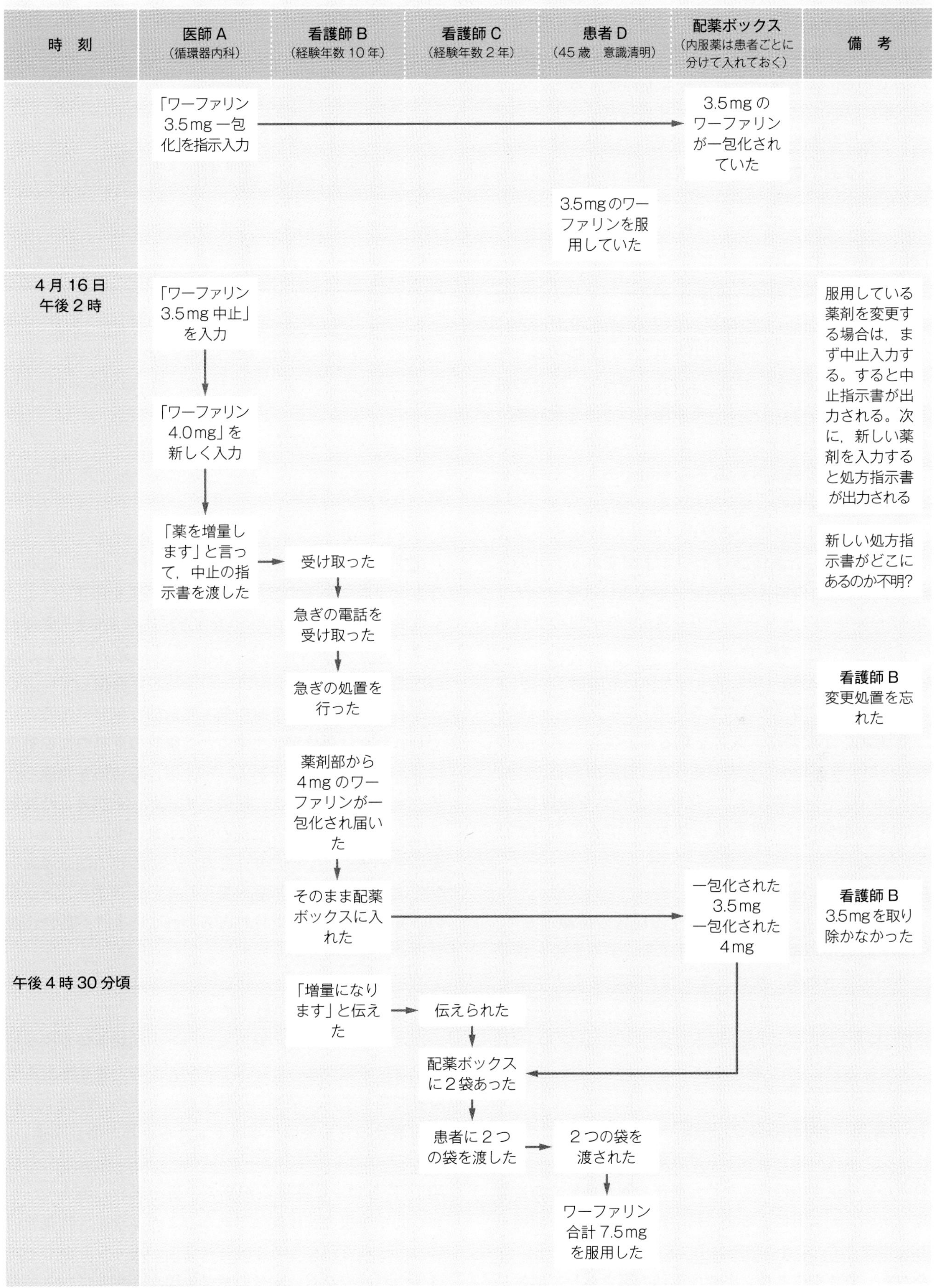

図Ⅰ-7-2　時系列事象関連図

総論
第7章

Ⅲ 事故の構造

医療事故の事例分析を重ねていくと，事故には共通のメカニズム，あるいは共通の構造や特徴と呼ばれるものが出てくる。この構造や特徴をよく理解することこそが，事故防止の第一歩といえる[4]。次に例示するインシデント報告を参考にして医療事故発生のメカニズムを説明する。なお，図Ⅰ-7-2は事例の時系列事象関連図を示している。

［事 例］

4月16日午後2時頃，医師Aがワーファリン3.5mgから4mgに変更した。中止の処方指示書がナースステーションのプリンターに出力された[※1]。医師Aはリーダー看護師Bに「薬を増量します」と言って，中止の処方指示書を渡した。リーダー看護師Bはそれを受け取った。

その直後に看護師Bに急ぎの電話があり，その処置をしたために変更のことを忘れてしまった。

しばらくして薬剤部からワーファリン4mgが一包化されて届いた。看護師Bはそのまま配薬ボックスのなかに入れた。この結果，ボックスのなかにはワーファリン3.5mgの一包とワーファリン4mgの一包の2つが入っていることになった。

午後4時30分頃，申し送りのとき，看護師Bは引き継ぎの看護師Cに「増量になります」と伝えた。

看護師Cが配薬ボックスを見ると一包化された2つのワーファリンの小さな袋があった。看護師Cはそのまま2つの袋[※2]を患者に渡し，患者Dがそれを服用した。

（注）本事例はフィクションであり，実在のものではない。

補足説明：

※1 服用している薬剤を変更する場合の手順として，まず服用中の薬剤を中止入力する。すると中止指示書が出力される。次に，変更後の薬剤を入力すると処方指示書が出力される。

※2 袋には片方に1mg錠が3錠と0.5mg錠が1錠，もう片方には1mg錠が4錠入っていた。

1．構造①問題事象の連鎖

まず，事故やインシデントは単純な1つのエラーや問題点から発生するのではなく，最後の問題事象である事故やインシデントに至るまでに，幾つかの小さな問題のある事象（イベント）が連鎖していることがわかる。すなわち，重要なことは，事故は単独の事象として発生しているのではなく，複数の問題事象が次々に連鎖して，最終的な事故に至っているということである。

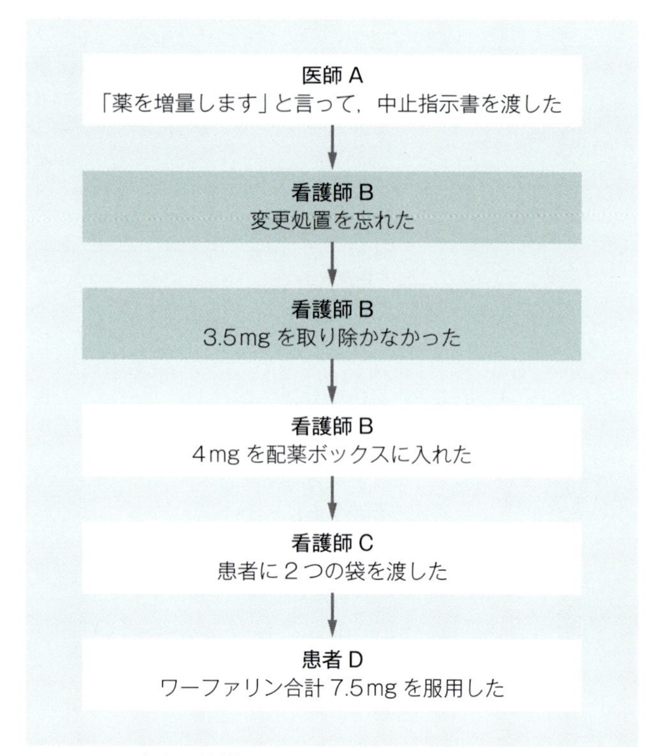

図Ⅰ-7-3 事象の連鎖

図Ⅰ-7-3は，事例の問題点の連鎖図である。最終的な重大事象である「患者が薬剤の2倍量を服用（によって危険な状態になった）」の大きさに比較すると「薬剤の配薬ボックスへ入れるときの間違い」「患者に渡すときの問題」などの小さなエラーが連鎖して発生していることがわかる。これが事故の最も特徴的な部分である。

われわれは事故が発生すると，事故の直前の問題事象に目が奪われる傾向がある。例えば，看護師が間違ったスイッチを押したとか，医師がオーダーを間違えたなどである。しかし，この直前の問題事象の前には，別の問題事象が発生していたり，さらに，その別の問題事象の発生前にも他の問題事象が発生していたりすることが多い。直前の問題事象だけにとらわれないよう，特に注意しなければならない。

2．構造②背後要因

次に，これらの各問題事象にはその問題事象を引き起こす背後要因があるということがわかる。連鎖を構成する各問題事象は，突然，単独で発生するのではなく，各問題事象の背後要因によってもたらされた場合が多い。図Ⅰ-7-4は「患者がワーファリン7.5mgを服用した」，図Ⅰ-7-5は「看護師Cが2つの袋を患者に渡した」という問題事象の背後要因である。このように，背後要因には，その背後にさらなる背後要因があり，しかもそれは1つだけでなく，複数の背後要因が存在している場合がほとんどである。こうして背後要因を探っていくと，管理の問題に関係してくることが多く，管理は事故防止

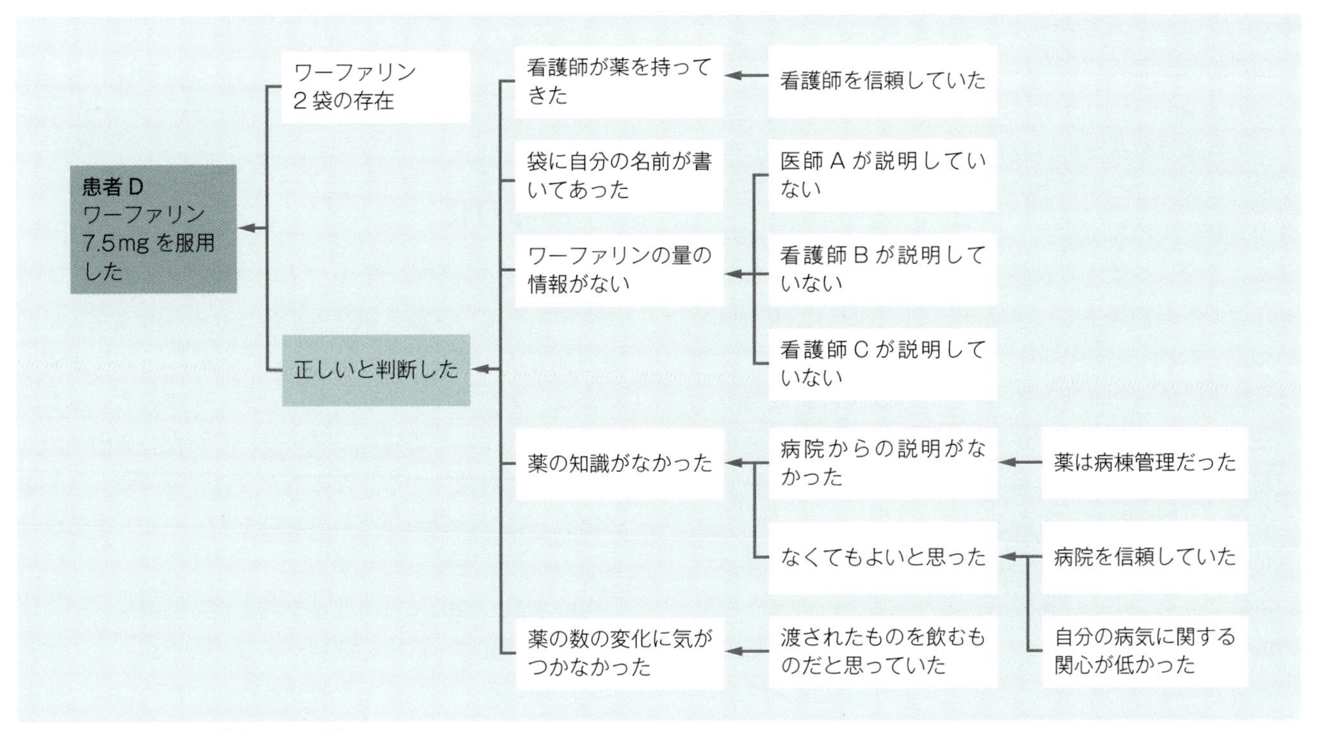

図Ⅰ-7-4　患者Dの背後要因の例

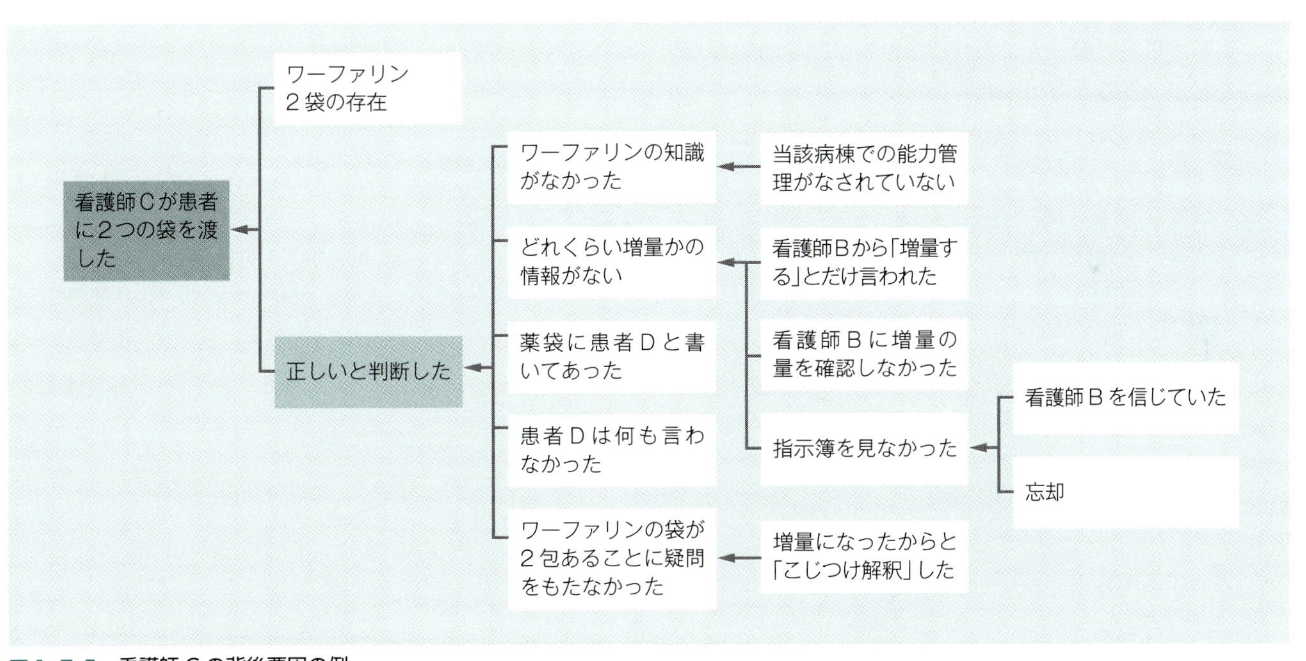

図Ⅰ-7-5　看護師Cの背後要因の例

にきわめて大事であることがわかる。

3. 特徴①連鎖切断による事故の回避

以上の2つの構造から引き出されることは，これらの連鎖で発生した問題事象は，それらのどれかが起こらなければ，最終的な事故には至らないということである。最終的な事故に至る各問題事象のどれかが起こらないように，連鎖を断ち切ることができれば事故には至らないのである。つまり，事故を構成する問題事象の一つひとつが発生しないようにすればよい。そのためには，各問題事象の背後要因を抽出し，それらの背後要因の一つひとつの発生を防止することが重要となる。

4. 特徴②類似問題事象の発生

さらに，各問題事象の発生や背後要因の発生をみると，過去においても同じような問題事象が発生していたことが多い。この類似問題事象発生の程度はさまざまである。ほとんど同じ場合もあれば，全体の一部分である場合もある。また，部分的な類似問題事象をつなげると，実際に発生したような事故と同じ構造になる場合もある。つまり，日常から小さなインシデントを収集し，適切な対策をとっていれば，事故を回避できる場合が多いといえる。

この特徴は事故分析の過程で多くの情報が欠落している場合に役に立つ。過去の事故やトラブルのデータベースから類似の事象を検索すれば調査に役立てることができる。完全に一致するものはないだろうが，必要なデータは何か，今回発生した事故のどこに着眼して調査を進めていくのかなどのヒントを得られることがある。これは「事故にはパターンがある」という仮説によるものである。もし類似パターンが見つかったら，その類似事象で鍵となる部分の調査を集中的に行い，情報を収集することでより深い分析が可能となる。

類似問題事象の発生は，経験的に，全く新しいタイプの事故よりも，いわば典型的といわれる事故のほうが圧倒的に多いとされている。すなわち，事故には発生パターンがある[5)]。例えば，①ヒマなときに注意レベルが低下して生じるミス，②同じ業務中に相互依存して引き起こすミス，③経験の浅い関係者が忙しさのために重要な情報を見落として起こすミスなどが典型である。これらの類型は現場で働く人であれば類似の事例を思い浮かべることができると考えられる。

このように，事故のもつ構造と特徴をよく理解することは実際の医療事故発生のメカニズムの解明に有効となる。

おわりに

医療事故では少なくとも２人の犠牲者が出る。１人は患者でありその家族も犠牲者に含まれる。もう１人は医療関係者（当事者）である。多くの医療関係者は患者のために一生懸命に仕事をしているが，医療のもつ本質的な特性や人間の行動特性などの避けられない要因のために医療事故が発生する。ところが，責任感の強い当事者の場合，自分を責め，医療の現場を去ったり，あるいはみずからの命を絶ったりする。

医療事故の原因はさまざまであるが，医療システムには構造的に避けられない限界がある。したがって，事故は必ず起こる。同じことを繰り返さないためには，事故が発生した場合に，その発生メカニズムを明らかにし，対策をとることを重ねていくしかない。そのためには，まず，事実を明らかにする調査がすべてにおいて優先されて行われなければならない。

文 献
1）渡部保夫監：目撃証言の研究；法と心理学の架け橋をもとめて．北大路書房，京都，2001.
2）Lewin K：Field Theory in Social Science. Hopper, New York, 1951.
3）島田一男，杉渓一言，他：基本マスター心理学．法学書院，東京，1981，pp10-11.
4）河野龍太郎：医療におけるヒューマンエラー；なぜ間違えるどう防ぐ．第２版，医学書院，東京，2014.
5）柏木繁男：マン・マシン事故の分析と管理；事故要因の複合構造分析的研究，労働科学叢書（40）．労働科学研究所，東京，1975.

（河野龍太郎）

第8章 産業界の安全管理の歴史 ―他の産業から学ぶ医療安全管理の手法

Ⅰ 品質改善の手法の導入の必要性について

1. 視点1―システムの安全性を高める

平成14(2002)年4月17日，厚生労働省「医療安全対策検討会議」(以下，**検討会議**)は**「医療安全推進総合対策～医療事故を未然に防止するために～」**を公表した[注1]。検討会議は，他の産業の品質管理の手法を医療現場に応用することの必要性を次のように指摘する。

まず，近年の医療は高度化・複雑化し，医療従事者個人の努力では医療安全の確保が困難になってきたことである。そもそも「人は誤りを犯すものであること」(To Error Is Human)を前提とすれば，安全管理を個人の責任としてのみ捉えるのは限界がある。

また，今日の医療は，さまざまな職種からなる「人」，医薬品・医療用具をはじめとする「物」，医療機関という「組織」という各要素と，組織を運用する「ソフト」等を含めた「システム」により提供される。そのため，医療安全の場面でも，「システム」全体を安全性の高いものにしていくことが必要となる。

そこで，他の産業に目を向けると，安全対策をシステム全体の問題として捉え，科学的手法の下に進めている例は多く，製造業界における製品の品質管理の手法，原子力業界，航空機業界における，フェール・セーフ(誤りを起こしても安全な範囲に収める)や，フール・プルーフ(あらかじめ誤りが起こらない仕組みをつくる)等の手法が紹介されている。

また，2011年に世界保健機関(WHO)が明らかにした『WHO患者安全カリキュラムガイド多職種版2011』[注2](以下，WHOカリキュラムガイド)の「トピック7」でも，「品質改善の手法は医療以外の産業では何十年も前から用いられてきた。患者のアウトカム(結果・成果)をより良いものにするためには，医療従事者とシステムが機能する仕組みを変えていかなければならない」と述べられている。

このように，他の産業の安全管理・品質管理の手法を医療安全管理に導入することの必要性は，共通認識となっている。

2. 視点2―患者の視点に立った医療

もっとも，均一で没個性的な「製品」を管理する品質管理の手法で，個性に満ちた「人」の安全管理ができるのかという疑問は生じるかもしれない。

しかし，医療システムは複数の要素で構成され，そのうちの物・組織・ソフトは品質管理の手法に適合する。

また，検討会議は「患者から情報の提供を受け，患者に情報を提供し，患者に医療への参加を求めることで，情報を共有することが医療安全対策の1つの鍵である」と指摘する。そもそも医療が，「患者と医療従事者が協力してともに傷病を克服すること目指すもの」であるとすれば，患者や家族と情報交換し，それにより患者の個別性をシステムのなかに組み込んでいく仕組み，さらには，患者が医療に参加する環境をつくることが「医療における信頼の確保」につながる。

Ⅱ 「リスクマネジメント」の考え方と手順

1. リスクマネジメントの考え方

検討会議によれば，「リスクマネジメント」とは「産業界で用いられてきた経営管理手法であり，事故を未然に防止することや，発生した事故を速やかに処理すること

注1 平成14(2002)年4月17日，医療安全対策検討会議が，「医療安全推進総合対策～医療事故を未然に防止するために～」というテーマで，今後の医療安全対策，医療安全の確保の課題と解決方法，国として取り組むべき課題を提言したもの。また，平成19(2007)年3月，医療安全対策検討会議は，「組織防衛ではないリスクマネジメントを含む医療の質の向上と安全の確保」(はじめに)を目的として，「医療安全管理者の業務指針および養成のための研修プログラム作成指針」を明らかにした。

注2 『WHO患者安全カリキュラムガイド多職種版』は，2011年に世界保健機関(WHO)により発行されたカリキュラムガイドで，東京医科大学のホームページで日本語版を見ることができる(http://meded.tokyo-med.ac.jp/)。

により，組織の損害を最小の費用で最小限に食い止めることを目的」とする。リスクマネジメントの手法は，1970年代に米国で医療分野へ導入され，その後欧州にも広がった。ただし，導入当初は，「補償や損害賠償による経済的打撃を減らすこと」，すなわち組織の防衛に重点が置かれていた。

しかしその後，「医療に内在する不可避なリスクを管理し，いかに患者の安全を確保するか」ということに重点が移っていった。ここに，考え方の大きな変化（パラダイム・シフト）が起きたのである。介護の分野では，平成14（2002）年3月28日，厚生労働省の「福祉サービスにおける危機管理に関する検討会」が，**「福祉サービスにおける危機管理（リスクマネジメント）に関する取り組み指針～利用者の笑顔と満足を求めて～」**を公表した。**「リスクコントロールから品質の向上へ」**というスローガンが紹介されている。リスクマネジメントをコスト・負担として捉えるのではなく，むしろ「安全管理の実現とは最良のサービスを提供することそのものである」という捉え方，「より質の高いサービスを提供することによって多くの事故が未然に回避できる」という**クオリティ・インプルーブメント**の考え方である。

リスクを管理することができれば，リスクに萎縮することなく，前向きに業務に取り組むことができ，モチベーションの向上にもつながってゆく。医療安全管理とは，医療の質の向上そのものであると捉えることは大変重要な視点である。

2. リスクマネジメントのステップ

一般的に，リスクマネジメントは，**リスクの発見⇒優先順位付け⇒要因分析⇒対策立案⇒実行⇒成果の評価⇒見直し**というステップで進められる。

日本の製造業の品質管理の歴史は敗戦後の昭和25（1950）年に始まる。敗戦直後は「安かろう，悪かろう」とみられていた日本製品は，米国のデミング博士（William Edwards Deming）が来日して行った「品質管理セミナー」をきっかけに変わった。品質管理の基本的な考え方である「デミングのサイクル」を知り，そこから生まれたのが「品質管理のサイクル」，すなわち，**Plan（計画）⇒ Do（実施）⇒ Check（評価）⇒ Action（実行）**のサイクルである。

筆者は医療分野を専門の一つとする弁護士だが，他方で，精密部品メーカーの社外役員として安全管理・品質管理の手法を20年以上見ているなかで，品質管理の手法は医療・介護の安全に応用できると思い，医療・介護施設の安全管理の研修に応用してきた。この経験から，品質管理の手法を医療安全の観点から整理してみたのが「分析流れ図」（図Ⅰ-8-1）である[注3]。以下，これに沿って品質管理の手法を概観する[注3]。

Ⅲ 定義―「課題の明確化」

1. 達成しようとしている課題の確認と共有

WHOカリキュラムガイドでは，改善モデルの重要なポイントの第1は，「達成しようとしていることは何か」を一人ひとりが自問し，「問題が確かに存在し，その解決を試みることに価値があるとチーム全員が同意することだ」と述べられている。

多くの専門職に分かれている医療スタッフが，各自の業務と一見して直結しないように見える「医療安全管理」という課題を，チームで「解決するに値する課題」であると認識しかつ共有するためには工夫を要する。

2. 定量分析・定性分析の活用

WHOカリキュラムガイドでは，そのためには，**「問題の程度を示した『質的』または『量的』な裏付け」**が必要であると述べられている。

量的な裏付けの例は「定量分析」の手法である。数値化されたデータをもとに行う分析である。例えば，ヒヤリ・ハットやアクシデント（事故）の発生件数，転倒事故の発生時刻，発生場所ごとの件数をもとにした分布の分析である。分析結果が数値化され，グラフ化（ヒストグラム）し「見える化」できるので，客観的な結果を認識しかつ共有しやすいというメリットがある。

質的な裏付けの例は「定性分析」の手法である。数値化はできないが，例えばアンケートの自由記載欄の患者や家族の不満の内容や，医療スタッフへのヒアリングによる「困りごと」から，問題の背景や内容を分析する場合である。

こうして量的・質的の2つの側面から課題を具体的に分析することで，課題の存在と解決の必要性を共有することが改善プロセスのスターラインである。

続いて，「事故の再発防止」と，「事故の事前予防」に分けて，品質管理の手法を概観してみる。

注3 DMAIC（ディーマイク）：業務の効率化・品質向上を目指す管理手法（東芝ホームページ参照）。①課題の明確化（define），②測定（measurement），③分析（analysis），④改善（improvement），⑤管理（control）というプロセスで改善を進める。

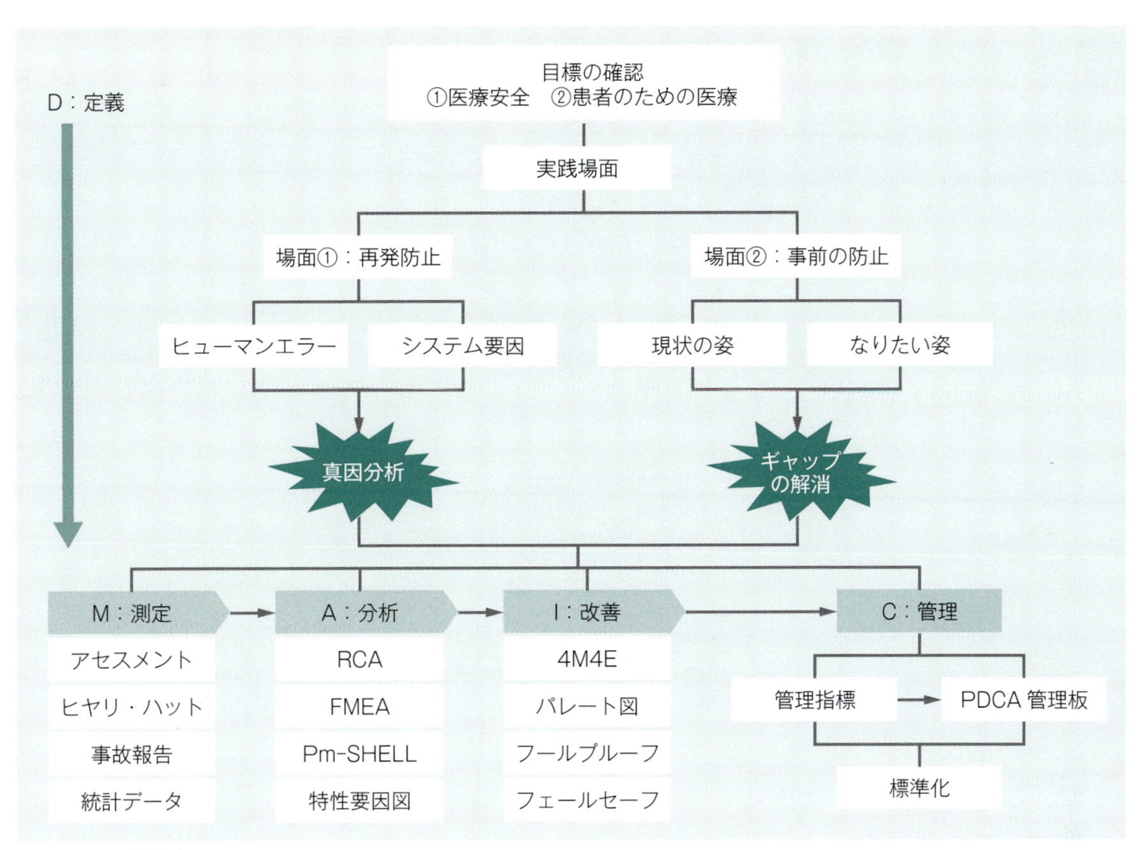

図Ⅰ-8-1　分析流れ図

Ⅳ 事故の再発防止（場面①）

1．事実・現状の正確な把握

【想定事案】入院したばかりの 72 歳の男性患者がトイレに行った際にトイレ内で転倒した

事故の再発防止対策は，まず起こった事実を正確に把握することがポイントである。その例が，「出来事流れ図」（図Ⅰ-8-2）である。

縦軸に時間，横軸に関係者をおいて事故発生までの関係者の行動を記載した。横軸に出来事の関係者を複数記載することで，出来事に関与していたスタッフ相互の**コミュニケーション**上の問題点も分析することができる。

冒頭には，「アセスメント」「モニタリング」「**ヒヤリ・ハット**」欄を設け，入院時からの経時的な患者情報を整理した。

記載するときの注意は，**「事実と評価を峻別して，客観的事実のみを記載する」**ことである。例えば，発見されたとき「トイレの床に転倒していた」と記載するのではなく，「トイレの床に尻を付けて両腕で上半身を支えていた」と記載する。「転倒」は事実ではなく評価だからである。

2．「要因分析」⇒「真因の分析」（なぜなぜ分析）

1）要因の分析

次に，事象を引き起こした要因を分析する。

生産現場では，発生要因を「**4 つの M**」，すなわち人（Man），機器（Machine），手段（Media），管理（Management）の視点に分けて分析する。「4 M」の手法である。

医療現場の要因分析については，人間の行動が，①患者自身（Patient）の特性，②それを取り巻く 5 つの要因（SHELL：ソフト，ハード，環境，関係者，関与者本人（看護師等）の頭文字），さらに③管理（Management）という **7 つの要因**が影響し合って決まるという「Pm-SHELL」の分析手法がある[注4]。

そこで，7 つの要因で整理してみたのが，「要因・真因分析図」（図Ⅰ-8-3）である。

縦軸に 7 つの「要因」を置き，事象を引き起こしたと考えられる要因を分析する。

2）RCA（真因分析）─なぜなぜ分析

次に横軸では，要因ごとにそれを引き起こした「真因」を分析する。真因の分析に使われる手法が「なぜなぜ」分析である。「なぜ⇒なぜ…」と繰り返し問いかけて，

注 4　Pm-SHELL モデルは，従来の SHELL モデルに，患者（P）の要素と，全体を統括するマネジメント（m）の要素を加えたもの（河野龍太郎：医療におけるヒューマンエラー─なぜ間違える どう防ぐ．第 2 版，医学書院，東京，2014，pp 58-60）。

アセスメント（入院時情報）	72 歳男性。腹腔鏡下鼠径ヘルニア手術目的・前日入院 内服薬２種：①前立腺肥大の内服，②脳梗塞予防の抗凝固剤 入院時のチェック：パジャマ，下着，スリッパ問題ない 不慣れな環境であり夜間のトイレは危険があるので初めてのトイレのときはナースコールをするように言われていた
モニタリング（カルテ情報）	夕食後は 21 時まで飲水のみ可能 喉の渇きがあり，うがいを数回して床についた
ヒヤリ・ハット	

	関係者					
時 刻	カルテ	医 師	看護師①	患 者	…	…
AM 4：00			看護師のラウンド時は入眠			
AM 4：30			ナースコール トイレに付き添い問題なく歩行。明るいトイレ内。用を済ませた後，コールを押すように伝え看護師は離れた。			
			大きな音がしたので看護師がトイレに行くと患者が床に下半身を付け，上半身を両腕で支えていた。 後頭部に瘤のような隆起ができていた。 直ちに医師に連絡した。	用を済ませ手を洗おうとしたところ，スリッパにつまずいて尻餅をつき，手洗い場の流し台に後頭部をぶつけた。		
	CT，XP を撮った。 9：00 からの手術は延期 再度入院日を調整するため緊急退院となる。					
事 象	①トイレ内で用を済ませた後，コールを押すように伝え看護師は離れたところ， ②患者は，用を済ませた後，ナースコールをしないで，手を洗おうとし， ③スリッパにつまずいて尻餅をつき，手洗い場の流し台に後頭部をぶつけた。					

図Ⅰ-8-2 出来事流れ図

Pm-SHELL	要 因	なぜなぜ分析（対策が見つかるまで）				真 因
		⇒	⇒	⇒	⇒	
P（患者）	ナースコールをしないで，手を洗おうとした	①自分でできると思っていた ②看護師に遠慮した	①自宅ではできていた			患者自身の過信・遠慮
m（管理）	服薬の転倒リスクあり（特に降圧剤）					
S（ソフト）						
H（ハード）	スリッパにつまずいた	スリッパが床に突っかかった	床に滑り止めマットがあった			スリッパを履いていたため滑り止めマットが逆効果となった
E（環境）						
L（看護師①）	看護師はトイレ内から離れた。	終わったらナースコールがくると思っていた	終わったらナースコールをするよう指示した	指示を守ってくれると考えた	今まで守らなかった人は経験なし	患者の心理・傾向を認識していなかった
L（周囲の人）						

図Ⅰ-8-3 要因・真因分析図

問題の因果関係を遡っていく。「**根本原因分析（root cause analysis；RCA）**」**の手法**である。WHO カリキュラムガイドは RCA について，「もともとは工学分野で開発された手法が現在では医療を含むさまざまな産業で利用され，事故の発生時に，一時的な原因を解明する目的で用いられている」と紹介している。

なぜなぜ分析で注意すべきポイントは，①1つのなぜに対する答えは必ずしも1つではないということ，②

要　因	事故の要因	対　策
P（Patient；患者）	前日から，行動に落ち着きがなかった	①歩行能力の把握 ②行動パターンの把握 ③入院時のオリエンテーション
m（Management；管理）		
S（Soft；ソフト）	①記録不備：見守り指示が欠落 ②引き継ぎ時間がなかった	①記録の徹底 ②チームの引き継ぎ方法を確認
H（Hard；ハード）	①歩行補助器具がなかった ②スリッパ歩行をしていた	①補助器具の検討 ②履物の検討
E（Environment；環境）	他の利用者に付き添っていたため，看護師の付き添いがない	①リスクある患者の把握 ②人員配置の検討
L（Liveware；看護師）	患者の歩行能力を把握していなかった	引き継ぎの徹底

図Ⅰ-8-4　真因・対策分析
【検討事案】患者がトイレで転倒した。

「なぜ⇒なぜ」の流れが，「結果⇒原因」という論理的な関係になければならないということ，③最終目標はできるだけシステム上の要因を見つけ出すことである。②は特に重要で難しい。途中で原因・結果の論理的な関係が崩れていると，講じた対策が解決につながらない結果となるからである。

3．真因・対策分析

こうして事故の「真の原因」が発見できれば，次は対策（改善ステップ）に進む。

生産現場では，対策の立案は「4つのE」，すなわち①エデュケーション（教育），②エンジニアリング（技術），③エンフォースメント（強化），④イグザンプル（模範・見本）という観点から，前述の4M要因ごとに検討する。**「4M4E」の手法**である[注5]。Pm-SHELLの7つの要因について4Eの視点から検討した対策図の例が図Ⅰ-8-4である。

4．パレートの法則—対策の「優先順位」

こうして，問題を発生させた要因と対策が複数発見できても，投入できる時間，人手，費用は限りがあるから，優先順位を付けて対策を打つ必要がある。

生産現場でいう**パレートの法則**は，「品質上の問題点をひき起こす複数の要因のうちの**2割の要素が，不具合全体の8割を生み出している**」という経験則に基づく。**パレート図**は，横軸に「要因」，縦軸に「発生頻度」を置いた棒グラフである。生産現場では，多くの要因のなかから取り組むべき重要な要因2割を優先的に選択するために日常的に使われる。

2割の要因を優先的に解決することで8割の不具合を解決できるというのは，限りある資源の効率的な配分に資するし，しかも期待できる効果が「見える化」されるので，チームのモチベーションも高まる。

Ⅴ 事故の事前予防（場面②）

1．故障モード影響分析（FMEA分析）

FMEA分析（failure mode and effect analysis）とは，「不具合の発生する前に，業務フローの過程の潜在的なリスクを洗い出し，優先順位を付けて対策を立てて実行する」という事前予防の手法である。WHOカリキュラムガイドによれば，その起源は米国陸軍の致命度解析にあり，医療分野でFMEAに基づく品質改善手法が本格的に導入されるようになったのは1990年代である。

重大性，発生頻度，検出難易度について1～10点の点数を付けて順位付けをし，優先して取り組むべきプロセスの構成要素に労力を集約し対策を講じる。特徴は，順位付けを行うことで失敗モードを定量化できることである。

この手法は複数の専門的なスタッフが相当な時間をかけて行うため，事前の予防が特に強く要請される場面，例えば原子力，航空機，鉄道運航の安全管理で使用される。生産現場では，例えば製品の設計上の仕様の根本的な変更をするときなどに，事前に予測される影響を分析するツールとして使用される。

注5　河野龍太郎氏が，エラー対策の発想と，具体的なエラー対策例をまとめた一覧表がWeb上で公開されている。
http://medicalsafer-kts.com/4STEM.pdf

要 因	ギャップ対策―５つの視点から				環 境
	教育・訓練	技術・工学	強化・徹底	模範事例	
P（患者）	•スリッパ・サンダルの回避 •起立時注意 •不安ならナースコール •無理はしない			•履物は原則靴にする •衣類はできるだけ簡素なもの •衣類の長さに留意	荷物はロッカーへ
m（管理）	•頻尿・切迫失禁患者はトイレ近くの部屋へ •下剤・利尿剤の確認 •排泄頻度を確認	ナースコールの位置・作動の確認	入院時オリエンテーション事項の検討		•室温調整 •照明の明るさ •終夜灯・スイッチ位置 •コード類の整理
S（ソフト）				•転倒リスクの高い患者に識別マーク（腕章・ベッドサイド・車椅子・患者一覧表・温度板）	
H（ハード）	•車椅子のブレーキ・ストッパー・フットレスト確認	•ずり落ち防止のマット，シートベルト •トイレに手すり， •ベッドの高さ調節 •オーバーテーブルはキャスターなしで	•ベッド柵の確認（へそより高く） •ストッパー・キャスターの確認 •周期的な休憩箇所	•離床センサー •センサーマット •タッチコール •サイドコール	•まぶしくないようにカーテン等の工夫 •カーペットのめくれ •壁と区別できる色 •段差の解消 •浴室に手すり・滑り止めテープ・マット •点滴スタンドの安定
E（環境）					•ベッドの周囲の整理 •床濡れ，落下物なし
L（看護師①）	•転倒しやすい薬剤の学習	•薬剤の副作用の知識	•リスク程度により歩行時は付き添い・視野に入れる •排泄時付き添い		
L（周囲の人）	•必要に応じて複数介助				

図Ⅰ-8-5 ギャップ対策図

2. 日常的な事前予防の活動 ―ギャップの分析と解消

FMEA の実施は日常的ではないが，生産現場では，課題を絞ったうえで，「現在の姿」と「あるべき姿（なりたい姿）」を分析して「ギャップ」を発見し，そのギャップを解消することで，リスクを未然に防ごうとする。

医療現場では，「現在の姿」は例えば事故報告，ヒヤリ・ハット報告，患者や家族からの苦情，スタッフの「困りごと」があろう。外部情報としては，日本医療機能評価機構が行っている**「医療事故情報収集等事業」「看護のヒヤリ・ハット事例の分析」**[注6]がデータを集約している。ここから，「あるべき姿」を模索することができる。

転倒・転落についての文献（参考文献6）を参照して，筆者なりに整理してみたのが「ギャップ対策図」（図Ⅰ-8-5）である。各ギャップ対策に優先順位を付けてギャップを潰していくことで事前予防につなげる。

Ⅵ 管理―効果の確認

1. 改善につながっていることの確認の必要性

WHO カリキュラムガイドは，改善プロセスの重要なポイントとして，どのような改善手法を用いたとしても，その成否は「評価次第である」とし，「変更が改善につながったということをどうやって判断するか」が重要であると指摘する。

効果が上がったかを把握しなければ，対策が正しかったかがわからない。それでは，改善に取り組むモチベーションも湧かない。改善と効果の評価はワンセットなの

注６ 川村治子教授の分析では，【療養上の世話業務】に関連する事例が全体の約３割で，その半分が転倒転落事例，【医師の診療の補助業務】に関連する事例が全体の６割で，そのうち「内服」と「注射」の与薬関連事例が3/4，「注射」事例は全体の３割との結果が報告されている。

PDCA 管理板			C（チェック）
進捗状況	乖離の原因	乖離原因解消	
（対策） 転倒リスクのある薬剤の情報を共有するための対策をとる （進捗度）・・・・・・・・・・・・	・・・・・・・・・・・・・・・・・・・・	（対応策） （5W1H） ①誰が，②いつまでに，③どこで，④なにを，④どのようにして，実行する	
（対策） 過信の傾向のある患者の転倒リスクを回避するための対策をとる （進捗度） ・・・・・・・・・・・・・・・・	・・・・・・・・・・・・・・・・・・・・	・・・・・・・・・・・・・・・・・・・・	
（対策） スリッパの使用はやめ，靴または脱げにくい慣れた履物を持参させるため次の措置をとる （進捗度）・・・・・・・・・・・・	・・・・・・・・・・・・・・・・・・・・	・・・・・・・・・・・・・・・・・・・・	

図Ⅰ-8-6　PDCA 管理版

である。

2. 改善効果評価手法—管理指標の設定

「効果が上がった」ということは，対策を講じる前と後で「良い変化があった」と評価できるということである。「良い変化」を測るためには，**「管理指標」**を設ける必要がある。

WHO カリキュラムガイドは，管理指標の一つとして「アウトカム評価」を挙げる。良い変化が一番目に見えるのは「数字」で表せる場合である。例えば，有害事象の発生頻度，予期しない死亡の発生件数，**ヒヤリ・ハット**報告の件数がその例である（定量分析の一場面）。

もっとも，医療現場では，効果のすべてを数値化することは困難な要素がある。WHO カリキュラムガイドは，患者の満足度，患者およびその家族の体験談を挙げている（定性分析の一場面）。

3. 改善を継続するための手法—PDCA 管理板

生産現場では，改善というのは日々進めていかなければ，止まるどころか戻ってしまうと認識する。

PDCA は，「計画⇒実施⇒検証⇒見直し」という「検証と改善を継続する手法」であるが，そのポイントは，①少しずつ，確実に，②長期間回すこと，そのために，③各ステップを軽量コンパクトにすること，④職種間の認識の差を解消することである。

PDCA を回すために，生産現場では例えば，図Ⅰ-8-6 に示したような**「PDCA 管理版」**が用いられる。「進捗状況」「乖離の原因」「乖離原因の解消」に分けられており，右端の欄にフィードバックの「約束事」として，誰がいつまでに実行するかを必ず明確にすることが重要である。

Ⅶ 標準化

改善策が大きな効果を上げることが確認できた場合，その方策は一般化し，他の部門にも「水平展開」する価値がある。そのためには，「作業手順書」や「マニュアル」に落とし込み「標準化」する。

ただし，これらも墨守するのではなく，継続的な PDCA の結果，見直されるべきものであることが注意点である。

おわりに—リスクマネジメント・安全管理の目標

検討会議は，「世の中のすべての事象にリスクは付随しており，安全とはリスクが許容できるものであるという状態をいう」とする。すなわち，リスクマネジメントの目標は，「許されない」リスクをつくらないあるいは放置しないということである。

リスクの大きさは，「発生頻度」と「損害の重大性」の要素で定義される注7。この 2 つの要素から，リスクに優先順位をつけて，限られた資源を，費用対効果の観点から選択し，他の産業で開発されてきた科学的な手法を用いて「許される限度」に低減していくことがリスクマネジメントの目標である。

注 7　国立大学附属病院医療安全管理協議会の「影響度分類」は，インシデントが現実化した場合の，傷害の継続性と，傷害の程度に応じてレベル 0〜5 に分類されている。http://www.umin.ac.jp/nuh_open/H17shishin.pdf

参考文献
1) 医療安全対策検討会議：医療安全推進総合対策～医療事故を未然に防止するために～．2002.
2) 大滝純司，相馬孝博監訳：トピック７：品質改善の手法を用いて医療を改善する；WHO 患者安全カリキュラムガイド多職種版 2011．東京医科大学，2012，pp 174-189.
3) 医療安全対策検討会議：医療安全管理者の業務指針および養成のための研修プログラム指針—医療安全管理者の質の向上のために—．2007.
4) 河野龍太郎：医療におけるヒューマンエラー．第２版，医学書院，東京，2014.
5) 川村治子；「医療のリスクマネジメントシステム構築に関する研究」報告書．平成 11 年度厚生科学補助金，2000.
6) 角田亘・安保雅博：転倒をなくすために—転倒の現状と予防対策—．東京慈恵会医科大学雑誌 2008；123 (6)：347-371.

（上拾石哲郎）

第9章 医療安全への新しいアプローチ

1 レジリエンス・エンジニアリング理論に基づく安全マネジメントへの統合的アプローチ

I レジリエンス・エンジニアリング理論

レジリエンスとは環境にうまく適応し機能することができるシステム（例えば，チームや組織）の能力を意味する。Erik Hollnagel が提唱したレジリエンス・エンジニアリング理論では，レジリエンスはシステムが兼ね備えている能力ではなく，システムの構成要素間の相互作用を通じて生み出されると捉えられている。自然科学には，①分析的（または要素還元的）アプローチと，②統合的（または全体的）アプローチ，の2つがある。分析的アプローチはシステムの構成要素の振る舞いを理解しようとするものであり（例えば，分子生物学），統合的アプローチはシステムの構成要素がどのように相互作用し，システム全体の振る舞いが生じているのかを理解しようとするものである（例えば，システム生物学）（図I-9-1）。レジリエンス・エンジアニリング理論は，安全や経営をはじめとするさまざまなマネジメントに適用することができる統合的アプローチであり，安全マネジメントに適用したものはSafety-II と呼ばれる[1)]。

II Safety-I & Safety-II

1. 安全を「安全に行われていること」から学ぶ

ヘルスケア，航空輸送，鉄道輸送，原子力発電などをはじめとする社会技術システムにおけるこれまでの安全マネジメントでは，「安全」を確保するために，安全の逆の現象である「事故」を学習対象とし，原因を特定し対策を講じてきた。しかし，「安全」がどのように確保されているのかということについては，ほとんど注目されてこなかった。事故が稀な事象であるのに対し，安全なパフォーマンスは膨大な数にのぼる。安全マネジメントの目的を「失敗がないこと」ではなく，「さまざまな変化と制約のある環境下で物事がうまく行われること（意図したアウトカムを得ること）」に設定すれば，それがどのように達成されているのかを理解することは理にかなっている。

Hollnagel は，「失敗」に着目し，「失敗をなくすこと」を目的とする安全マネジメントを「Safety-I」と呼び，「擾乱（じょうらん）と制約下でうまく行われている日常業務（成功）」に着目し，「擾乱と制約下で意図したアウトカムを得ること」を目的とする安全マネジメントを「Safety-II」と呼び，そのアプローチの違いを明確に示した。擾乱とはシステムの安定性をかき乱し，変化させるような外的または内的な要因のことである。Safety-I と Safety-II とで根本的に異なるのは，安全の定義，安全マネジメントの目的，事故発生のモデル（成功と失敗はどのように生ずるのか），人々のパフォーマンスにおける変動の捉え方である[2)]。

2. Safety-I の概要

Safety-I は，医療安全のみならずさまざまな産業の安全マネジメントにおいて，これまでとられてきた手法である。Safety-I では安全を「失敗の数が受容できる程度に少ないこと」と定義している。安全マネジメントの目的は，アクシデントやインシデントが起こらないようにすることである。そのため，アクシデントやインシデント情報を収集し，原因を特定し，再発防止策を講ずる。事故原因の分析は，提唱された事故発生モデルに基づいて行われてきた。例えば，組織事故の発生モデルとしてよく知られたスイスチーズモデル（1997年の最新版）では，直接原因としてのヒューマンエラーと，背景要因としての組織的な防御機構の不備により事故を説明してい

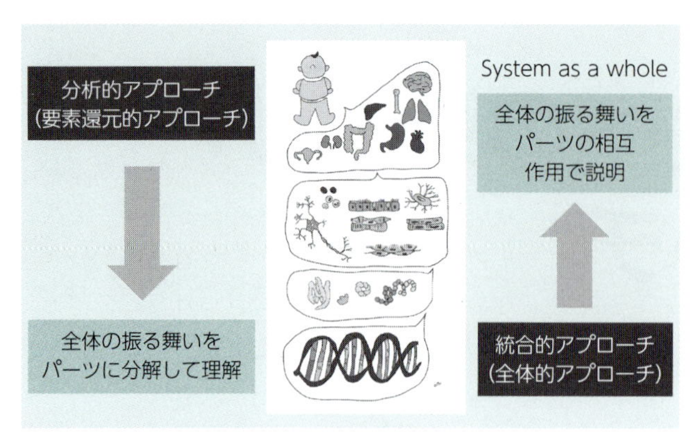

図Ⅰ-9-1 自然科学における２つのパラダイム

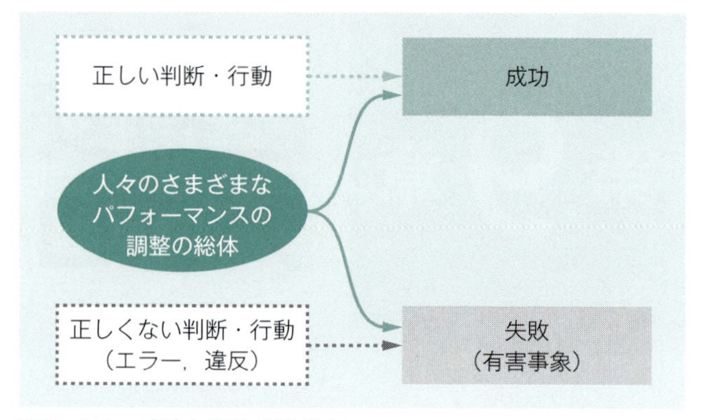

図Ⅰ-9-2 成功と失敗の捉え方
点線はSafety-Ⅰにおける因果関係に基づく成功と失敗の捉え方を，実線はSafety-Ⅱに基づくパフォーマンスの調整による成功と失敗の捉え方を示す。

る。実際，多くの事故事例で，事故に関係した個人のパフォーマンスの問題点を指摘し，その背景要因（ルールの欠如，不十分な周知や教育，機器のインターフェイスの悪さ，個人の記憶のみに頼る体制など）を特定し，それらを改善するための対策を導入することが行われてきた。つまり，Safety-Ⅰは，特定の失敗事例における固有の原因を見出し，それに対して個別の対策を講ずるというアプローチである。

このアプローチの暗黙的な前提となっているのは，失敗には原因がある（失敗と成功の道筋は異なっている）という考え方である。人のパフォーマンスは正しいか，誤っているのかのどちらかであり，パフォーマンスの変動はエラーにつながる危ないものであるため，これは除去しなければならないと考える。また，原因と結果はリニアモデル（わかりやすい因果関係）で説明される。

3. Safety-Ⅱの概要

Safety-Ⅱはレジリエンス・エンジニアリング理論に基づく新しい安全マネジメントである。Safety-Ⅱでは，安全を「成功の数が可能な限り多いこと」と定義している。安全マネジメントの目的は，さまざまな擾乱や制約があるで，意図したアウトカムが得られるようにすることである。そのためには，変化し続ける環境下で日常業務がどのように行われているのかを，動的な視点で理解する必要がある。Safety-Ⅱでは，成功と失敗は等価であると考える（図Ⅰ-9-2）。社会技術システムにおいて，仕事がうまく行われ意図したアウトカムが得られている理由は，変化し続ける環境や状況に合わせて，人々がパフォーマンスの調整（アジャストメント）を行っているからである。言い換えると，パフォーマンスは常に変動している。

Safety-Ⅰでは，人間のパフォーマンスを，機械の正常・故障のように，正しい・正しくないと二分化して捉えて，正しくないパフォーマンス（変動）を除去しようとする。一方，Safety-Ⅱでは，人々のパフォーマンスの調整は，社会技術システムが機能するための必須条件とみる。物事がうまく行われるようにするための調整によって生ずる「パフォーマンスの変動」を，単純に悪者（失敗の原因）とみなして除去すると，システムは機能しなくなってしまうと考える。しかしながら，このようなパフォーマンスの変動は，相互に関係している他のパフォーマンスを変動させ，時として事故という形で発現することがある。成功と失敗は等価であるというのは，そのような意味である。Hollnagelは後者を機能共鳴型事故と呼び，その分析手法も提案している。

したがって，Safety-Ⅱでは，日常業務におけるパフォーマンスの変動を理解し，パフォーマンスの変動が相互作用を通じて悪い結果をもたらすような方向に向かうのであれば減弱させるように，良い方向に向かうようであれば増幅させるように，安全を先行的にマネジメントする。

Ⅲ パフォーマンスの調整（アジャストメント）

レジリエンス・エンジニアリング理論に基づくSafety-Ⅱを実践するためには，利用できるリソース（時間，マンパワー，モノ，情報，知識など）に限りがあるなかで，人々が状況に合わせて，どのように仕事のやり方を調整し，求められたアウトカムを得ているのかを理解することが第一歩となる。現場の最前線で働く人々も，経営・管理部門の人々も，限られたリソースや規制等の制約のなかで，仕事に関するさまざまな要求，例えば，自分が担当する業務の目標（例：1人でも多くの救急患者を救命する），所属する組織からの要求（限られたマンパワーと医療機器で対応する），社会的期待（地域の救急医療の最後の砦として機能する）などに応えるために，さまざまなパフォーマンスの調整を行っている。

「人々が状況に合わせてどのようにパフォーマンスの調整をしているのか」「なぜそのようなパフォーマンスの

調整を行う必要があるのか」を理解することは，安全性の面でも生産性の面でも必要である。なぜなら，調整によって，多くのことがうまく行われ生産性の向上につながっているのは事実であり，一方で調整が予期しない形で影響し合うことで物事が悪い方に進むこともあるからである。このようなパフォーマンスの調整がうまくいくと，当然であるが，人々はそのやり方に頼るようになり，日常のプラクティスの一部となる。実際，パフォーマンスの調整は，物事がうまくいったときには暗黙のうちに仕事のやり方の一部となるが，失敗したときにはマニュアル違反等と叱責される。Safety-IIは，パフォーマンスの調整（変動）を除去するのではなく，それらをモニターし，マネジメントすることで物事がうまく行われることを確実にするようにするアプローチである。

Ⅳ ETTO (efficiency-thoroughness trade-off) の法則

人々が行う調整は，あらゆるシナリオを考慮に入れコンピュータで計算したような正確なものではなく，「おおよその調整」である。日常業務では，これらを単一，あるいは組み合わせて日々の仕事を乗り切っている。調整の特徴は，効率と完璧さのトレードオフである。人は限られた時間で状況を判断し行動の選択を決定するときに，あらゆる情報を集めて「完璧」に行うより，無意識にヒューリスティックスにより「さっ」と効率的に行っている。Hollnagelは，個人も組織も「効率と完璧さのトレードオフ (efficiency-thoroughness trade-off；ETTO)」を行っている，つまり「準備に費やす時間や労力 (time-to-think)」と「実行するために費やす時間や労力 (time-to-do)」を常にトレードオフしながら，仕事をしていることを指摘した。効率とはできるだけ少ないリソースで目標とする業務を遂行することであり，完璧さとは必要かつ十分な条件下で業務が遂行され望ましくない出来事は発生しないことである。しかし，現実の職場では，時間や人手をはじめリソースが常に足りないために，「さっと考えてぱっと行動する」ことが行われている。臨床業務でしばしばみられるETTOとして，「いつもこの方法で大丈夫だから今回も大丈夫だ」「誰かがすでにチェックしてくれたに違いない」「時間内に終わらせるためにこうしている」「高い物品を使いすぎてはいけないので今回もやめておこう」などがある。

人々が完璧さよりも効率重視で行動する背景には，さまざまなヒューリスティックスが働いている。ヒューリスティックスとは，人間が不確実な状況で判断を行う際にみられる直観的思考である。不確実な状況下で判断する際には，代表性ヒューリスティックス（典型例との類似性で判断），利用可能性ヒューリスティックス（思い出しやすさで判断），アンカーリング効果（最初に示されたデータを基準として判断）が無意識に用いられている。また意思決定の方法として，「手探り的 (muddling through)」，やりながら結果を見て決めることを繰り返すことや，「満足化 (satisficing)」，限定的なオプションのなかから使いものになる選択肢を見つけてそれで良しとすることなどが知られている。

Ⅴ Work-As-Imagined (WAI) と Work-As-Done (WAD)

1. WAIとWADとは

レジリエンス・エンジニアリング理論を実践に取り入れる際，有用な方法の一つは，「頭の中で考える仕事の行われ方 (work-as-imagined：WAI)」と「実際の仕事の行われ方 (work-as-done；WAD)」を理解し，その間のギャップを縮める方法を検討することである。「頭の中で考える仕事の行われ方 (WAI)」の典型例は，規制当局，権威団体，経営者，管理者などにより作成される通知，マニュアル，ガイドライン，計画などにみられ，「現場の仕事はこのようになされるべき，または行われているはず」というものである。一方，「実際の仕事の行われ方 (WAD)」は，人々はその場の状況やリソースに合わせてETTOを使って，さまざまなパフォーマンスの調整を行っている。複雑適応系 (complex adaptive systems) であるヘルスケアシステムは，人々が状況に合わせてパフォーマンスを調整し，環境の変化に適応することで機能しており，設計通りにパーツが動く精密機械 (complicated systems) とは異なる。すなわち，WAIとWADとの間には多かれ少なかれ常にギャップが存在する。

2. WAIとWADとのギャップの例

日本医療機能評価機構の医療安全情報No.110「誤った患者への輸血（第2報）」に，血液製剤投与に際し，患者と使用する製剤の照合を行うための認証システムが不適切な方法で使用されたとする事例が紹介されている。具体的には，①患者から離れた場所で認証システムを使用し，別の患者のところに製剤を持っていった，②認証システム使用後製剤を保冷庫に保管し投与する際に別の患者の製剤を取り出した，③認証システムに血液型が異なるというエラー表示が出たが機械の故障と判断した，④認証システムの画面が進まない理由を医師の指示に問題があると判断したなどが挙げられている。

このようなインシデントを経験したときに，マニュアル (WAI) を絶対的に正しいものとして，現場のスタッフに対して「ルールがあるのに守っていない，ルールを守るように」という対策では効果がない。一見ルール違反に見えるこれらの行動はパフォーマンスの調整であり，それには理由がある。①は患者のベッドサイド周辺での電波状況が悪くPDA（携帯情報端末）が使えないために，電波状況が良い，もしくは有線のバーコードリーダーのあるナースステーション等で実施したのではないかと推察される。②は救急センター等において，多発外傷等の患者に対して大量輸血を迅速に行うため，準備した複数の血液製剤すべてに対して事前に照合を行い，患者の状態に応じて使用しなくなった血液製剤をいったん冷蔵庫に戻し，再び必要になったときに異なる棚から誤って別の血液製剤を取り出したが，照合システムによる一致確認はすでに実施済みになっていることから，そのまま使用した可能性がある。③や④は，認証システムにおいてエラーがなくてもエラーが表示されたり，医師のオーダーに不備があって認証システムが次に進まなかったことが現場でこれまでに経験されてきたものと思われる。いずれも，現場で経験されるテクノロジーやオーダリング上の問題や，特定の部門の特殊な輸血事情などのために，日常業務においてパフォーマンスの調整が必要とされていたことが示唆される。日常臨床業務はこのような調整により効率的に行われている（成功）ものの，このようなパフォーマンスの変動が他のパフォーマンスの変動と相まってインシデントとなった（失敗）と考えられる。

3. パフォーマンスの変動同士の相互作用

Hollnagelが提案した機能共鳴分析手法（functional resonance analysis method；FRAM）は，ある業務（例えば，輸血）は多くのパフォーマンス（機能）が互いに関係し合うことによって遂行されていることを記述する方法である[3)]。FRAMでは，ある1つのパフォーマンスは，①インプット（パフォーマンスを開始するための情報），②アウトプット（パフォーマンスの結果），③タイム（パフォーマンスを行う時間枠），④プレコンディション（パフォーマンスを行うための事前条件），⑤コントロール（パフォーマンス品質の制御），⑥リソース（パフォーマンスを行う際に利用できるリソース），という6つのアスペクト（側面）で，他のパフォーマンスと相互につながっており影響を及ぼす。

例えば，血液製剤を患者に投与前に，看護師が「患者の氏名・血液型と血液製剤の患者氏名・血液型の一致を確認する」というパフォーマンスは，医師が血液製剤の投与を指示したことがインプットとして看護師に伝わり，プレコンディションとして輸血オーダーが電子カルテに入力され，リソースとして血液製剤が病棟に届けられており，輸血を実施する直前にベッドサイドでというタイミングで，バーコードリーダーで血液製剤に貼られているバーコードを読み取り，電子カルテ端末に一致結果が表示されたことがコントロール信号となり，初めて正しく機能する（図Ⅰ-9-3）。もし，輸血オーダーが入力されていなかったり（変動），一致確認がより早い段階に詰所で行われたり（変動），電子カルテ端末がフリーズしたり（変動）すると，「患者の氏名・血液型と血液製剤の患者氏名・血液型の一致を確認する」というパフォーマンスもそれらの影響を受け変動し，さらにその変動は関係している別のパフォーマンスへと波及する。

一つひとつのパフォーマンスの変動は，システム全体のパフォーマンスとして問題となるようなものでないが，システムに潜在している変動同士がある状況下で相互作用（カップリング）するとノンリニアな（個々の足し算で説明される以上の）効果を発現し事故になり得る。FRAMはそのような変動とカップリングを見出すための分析手法であり，事故分析のみならずリスク解析やシステム設計に用いることが可能である。

4. WAIとWADをすり合わせる

あらゆる仕事においてWAI（予定，計画，想像，ルールなど）は必要であるが，WAIとWADの間に大きなギャップがあると，これを埋めるためにさまざまなパフォーマンスの調整が必要になり，それらが幾つも重なると機能共鳴型事故が発生する可能性がある。そのため，WAIとWADはギャップが大きくならないように，うまく刷り合わせなければならない。

Safety-Ⅱでは，WADがどのように行われているのか，なぜパフォーマンスの調整が必要なのかということを理解することから始める。そのためには，現場観察，関係者へのインタビュー，情報システムなど，さまざまな情報源から得たデータをもとにWADを明らかにし，パフォーマンスの変動を減弱させるよう先行的に対策をとり，WAIとWADのギャップを縮める必要がある。そのためには，WAD側とWAI側の人々が互いにコミュニケーションをとる必要がある。

例えば，PDAの電波状態が悪いために，患者のベッドサイドで患者と血液製剤の情報の一致確認を行えないような状況では，人々はこのような環境に適応し，電波状態の良い詰所で一致確認を行うようになる。このことは実施記録という意味では問題ないが，安全対策という観点からは間違いが生じる予断を与えてしまうことになる。このことを無視して，「手順書（WAI）を遵守しPDAを用いた一致確認をベッドサイドで実施すること」を繰り返し説いても安全確保は望めない。ベッドサイドでの通信状況を改善することや，認証システムが使えない場合の対応方法の教育など，WAIとWADを近づけるような対策が必要である。

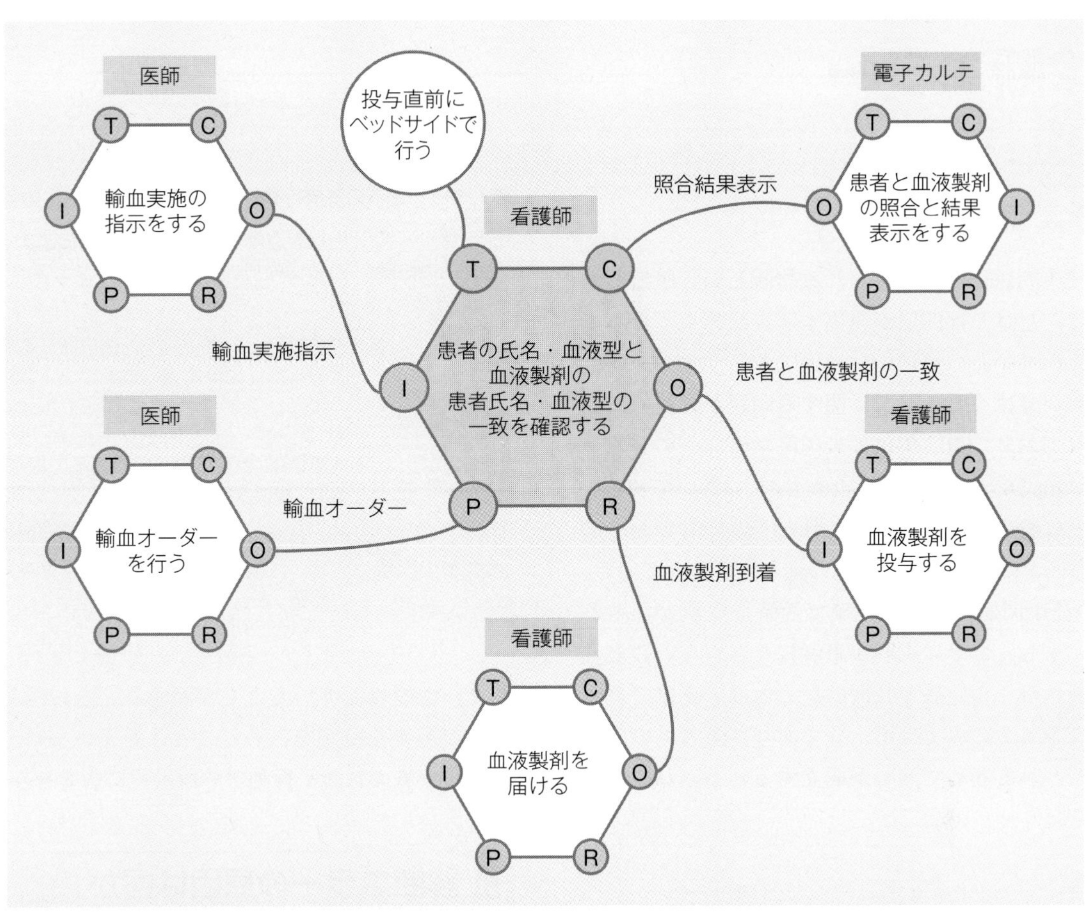

図Ⅰ-9-3　看護師の「患者と血液製剤を一致確認する機能」と相互作用する可能性のある機能をFRAM図で示したもの
六角形の中は機能（パフォーマンス）を示す。
英語は6つのアスペクトの頭文字を示す。I：インプット（入力），O：アウトプット（出力），P：プレコンディション（事前条件），R：リソース（利用するリソース），T：タイム（時間枠），C：コントロール（制御）。
白色の六角形の機能が変動すると，灰色の機能も変動する。
なお，本図には示していないが，実際には白色の六角形で示される機能も，複数のアスペクトで他の機能に相互に連結している。

おわりに

レジリエンス・エンジニアリング理論の特徴，Safety-IとSafety-IIのアプローチの特徴と違い，Safety-IIに基づく分析方法（FRAM）や実践方法（WAIとWADを近づけること）などについて紹介した。レジリエンス・エンジニアリング理論はマネジメントのみならず，安全科学や社会科学などにおける統合的アプローチである。今後の医療安全にはインシデント等の事例から学習するSafety-Iに加え，日常業務の行われ方から学習し先行的に安全をマネジメントするSafety-IIが必要である。そのためには，医療チームや医療機関，広くはヘルスケアシステムが，擾乱と制約下でレジリエントにパフォーマンスし，生産性と安全性を両立し続けているメカニズムを明らかにし，これをシステムに実装することが課題となる。レジリエントなヘルスケアの実現は，容易ではないがチャレンジしがいのある未来志向のテーマである。

文　献　1）中島和江編著：レジリエント・ヘルスケア入門；擾乱と制約下で柔軟に対応する力．医学書院，東京，2019.
※レジリエンス・エンジニアリング理論と医療安全への適用例等を解説した書籍。
2）Hollnagel E, Braithwaite J, Wears L, eds：Resilient Health Care. Ashgate, Surrey, 2015（エリック・ホルナゲル，ジェフリー・ブレイスウェイト，ロバート・ウィアーズ編著：レジリエント・ヘルスケア；複雑適応システムを制御する．中島和江訳，大阪大学出版会，大阪，2015）.
※レジリエンス・エンジニアリングの概念と指針，及び医療安全への導入の必要性について解説した書籍。
3）Hollnagel E：FRAM, the Functional Resonance Analysis Method：Modelling Complex Socio-Technical Systems. Ashgate, Surrey, 2012（エリック・ホルナゲル著：社会技術システムの安全分析：FRAMガイドブック．小松原明哲監訳，海文堂出版，東京，2013）.
※業務を機能と相互作用に着目して記述する機能共鳴分析手法について解説した書籍。

（中島　和江）

2 診断エラー

Ⅰ 診断エラーとは何か

患者の健康問題に対して行われる診断という医療行為においては，しばしば問題が発生する。おそらく日本で最も認知度の高いこの領域の言葉は“誤診”であろう。

海外においては，この診断に関する問題が継続的に取り上げられており，2015年には米国医学研究所のレポート「Improving Diagnosis in Healthcare」[1]において初めて診断エラーに特化した報告がなされた。このレポートのなかでは診断エラーについて下記の通り定義されている。

「患者の健康問題について正確で適時な解釈がなされないこと，もしくはその説明が患者になされないこと」

この診断エラーの定義で特徴的なことは，正確で適時な解釈がなされるのみでは不十分であり，患者への伝達が適切に行われて初めて診断が成立すると示されていることである。

Ⅱ 診断プロセスとは何か

ともすると診断は診察室の中で医師が判断した瞬間にのみ行われるものとして捉えられがちであるが，その行程は複雑であり，診断プロセスとして図Ⅰ-9-4のように示されている。この診断プロセスの流れで，患者の受療行動や医療職側の臨床決断に影響を与えるものとしては，表Ⅰ-9-1のようなものが挙げられる。

診断プロセスのなかで，医師，患者以外にも診断にまつわる過程では意思決定に影響を与える多数のステークホルダーが登場していることがわかる。もちろん，医師の判断が重要な役割を占めることは間違いないが，それぞれの医療職の判断や行動が診断過程に影響を与えている。

表Ⅰ-9-1 患者の受療行動や医療職側の臨床決断に影響し得るもの

受診前の段階	患者の健康リテラシー，医療に関する一般社会での情報提供，医療へのアクセス，患者家族・隣人などの影響
受診の段階	診療機関での受付対応，医療職による予診，医師の診察，医療現場の労働環境，混雑，患者とのコミュニケーション，電子カルテでの情報検索/ユーザーインターフェース，検査の実施，検査結果/検査結果の解釈とその提供のされ方，処方・帰宅時説明，フォローアップ設定
受診後の段階	症状経過，受療行動を形成し得る帰宅時説明の内容，医療へのアクセス，患者家族・隣人などの影響

Ⅲ 診断エラーの原因は何か

Graberらが示した後方視的な研究[3]によれば，100人の患者に生じていた592件の診断エラーの内訳として，認知エラーが320件，システムエラーが228件，患者要因・非典型な病歴などが44件であったと報告している。また，認知エラーのうち情報統合エラーが264件，情報収集の失敗が45件，知識・技術不足が11件であったとしている。知識・技術不足は，診断エラー592件のうちわずか11件である一方で，認知エラーとシステムエラーが大多数を占めたという事実に着目すべきである。

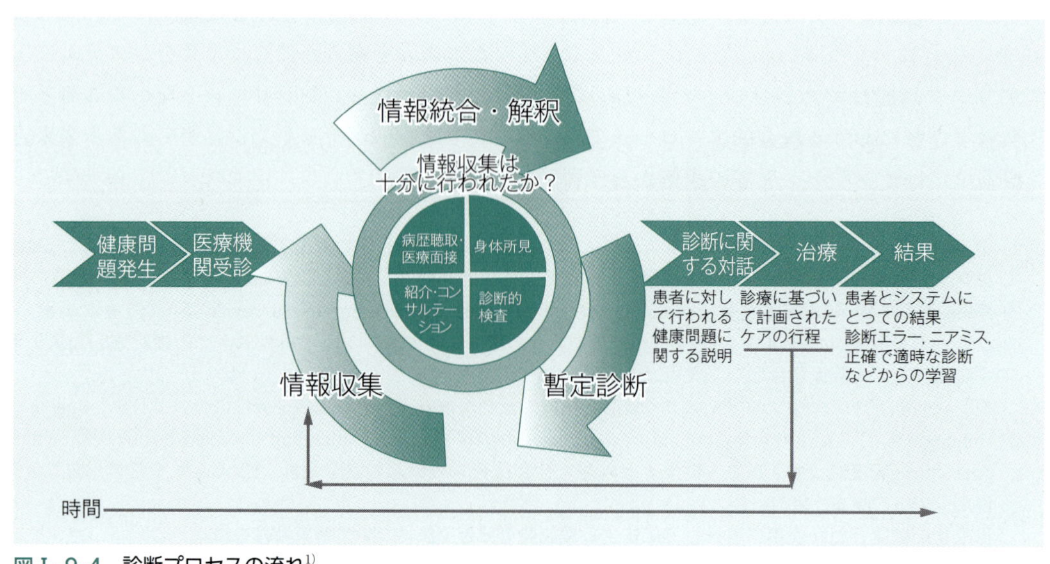

図Ⅰ-9-4 診断プロセスの流れ[1]

〔文献2）より引用〕

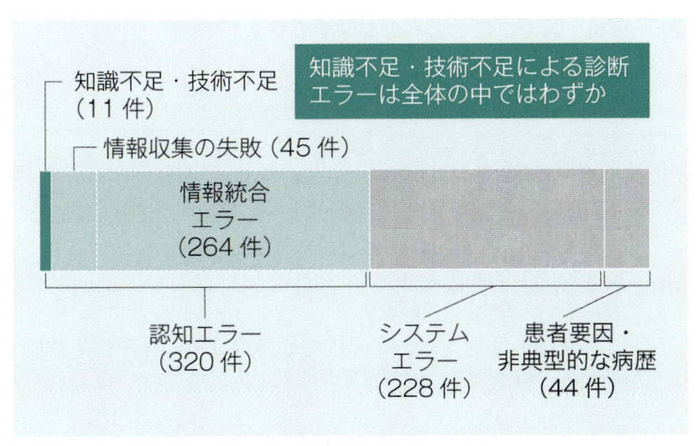

図Ⅰ-9-5 診断エラーの内訳[2)]

〔文献4) より引用〕

上記の内容を図Ⅰ-9-5に示す。

診断に問題が起こったと判断された場合，ともすると知識不足に医師の知識不足・経験不足の問題があると思われがちであるが，大きな要因としては上記のように認知の問題と環境の問題が挙げられる。患者安全領域でよく用いられるスイスチーズモデルが示しているように，診断に問題がある可能性が指摘された場合，複数の要因が重なって問題が生じた可能性をまずは考慮すべきである。

Ⅳ 認知バイアスとは何か

認知とは，人間が目の前の事象を認識し行動に移すまでの一連の過程のことである。認知を司るわれわれ人間の脳は容易に感情や周辺状況に影響を受けることが既に示されており，それにより生じる認知の歪みのことを認知バイアスと言う。この認知バイアスについては詳細な分類が行われており，100以上の内容に細分化されると言われている。いずれも直観的診断（System 1）と表裏一体であり，後述の疲労，陰性感情などに影響を受けやすいものである。

経済行動学者であるダニエル・カーネマン（Daniel Kahneman）が「Mind is a machine for jumping to conclusions（人間は結論に飛びつく機械である）」と述べた通り，われわれは日常生活や臨床現場でヒューリスティックを活用し，大きな恩恵を受けている。ただし，その判断は認知バイアスによる影響を受ける可能性があり，判断が誤っていた場合には大きな問題につながるおそれがあるので注意が必要である。

Ⅴ システムエラーの背景にあるものは何か

また，システムエラーを招き得る状況として，状況・環境・組織要因の影響は大きいものである。医療資源（設備，人手，時間）の不足をもとにした医療者側のストレス，疲労，過剰な労働負荷，患者に対する陰性感情

表Ⅰ-9-2 エラーが発生しやすい環境

- 不確実性が高い
- 雑音がうるさい
- 意思決定の濃度が高い
- 認知負荷が高い
- 仕事量が多い
- 複数のシステムが絡む
- 割り込みが多い
- 時間の制約がある
- 身体的/感情的なストレスが大きいなど

〔文献4) より引用〕

などが代表的なものであり，前述の認知バイアスにも大きな影響を与えている。例えば，救急外来のような場所ではエラーが発生しやすいとされる。その理由は，救急外来のような忙しい現場は意思決定の濃度が高いのみならず，表Ⅰ-9-2のようなエラーが起こりやすい環境になりやすいためである。

Ⅵ 診断エラーの頻度はどの程度か

Graberの報告[5)]によれば，剖検，患者や医療提供者の調査，特異な疾患を有する患者群，検査結果の見直し，診断的検査の監査，医療過誤請求，症例報告集，自発的な報告などが調査方法の代表例として挙げられる。これらの内容について研究がそれぞれ行われ頻度の提示は行われているが，診断エラーの定義についても研究ごとに異なるものが活用されているのが現状であり，実際の臨床現場での頻度を明確に示すものは難しい。

一例として，2014年にSinghらが行った外来患者を対象とした研究[6)]では，大規模な米国の3つの観察研究（プライマリ・ケア研究，大腸がん研究，肺がん研究）からは約6%程度の診断エラー発生率があるとの報告がされ，過去の研究結果と合わせてそのうち半数は深刻な害を生じた可能性があると報告している。また，もう一つの観点としては，医療過誤請求において診断エラーに関連した問題が最も大きな要因であると報告されており，こちらが海外において診断エラーの問題が大きくクローズアップされている要因であると推測される。

Ⅶ 診断エラーはどうしたら防げるか

それでは，このような診断エラーを減らすためにできることにはどのようなものがあるだろうか。まず，個人レベルで実施が可能なものとして，メタ認知が挙げられる。メタ認知とは，自分の行動や認知能力を観察するために，一歩引いて自分を俯瞰的に観察する方法である。具体的には表Ⅰ-9-3のような行動が必要となる。

組織レベルでのアプローチとして，診断エラー領域研

表I-9-3 メタ認知の活用における具体的な作業

- ワーキングメモリが限られていることを認識する
- 新しい情報や他者の視点を取り入れる
- 個人的に陥りやすいバイアスを知る
- 状況により自分の要求水準を下げる，助けを求める

〔文献7)，8) より引用〕

表I-9-5 医療者と患者とのコミュニケーションを改善させる方略としての6つのステップ

①ゆっくり話す
②非専門用語など，簡単な言葉を使う
③絵を見せる，もしくは描く
④提供する情報を絞り，繰り返し伝える
⑤Teach-back technique を使う
⑥恥をかかせない環境をつくり，質問を促す

〔文献11) より引用〕

究の第一人者であるSinghらはSociotechnical Work System[9]を提唱し，そのなかで診断プロセスを4つの次元に分け，局面ごとに組織的に診断エラーの改善を図ることを提唱している（表I-9-4）。

これらの対応に加えて，組織から医療者への教育という観点においては，M＆Mカンファレンスなどでの診断に問題があった事例の共有などの方略が考えられる。

また，患者・患者家族との協働（patient engagement）についても診断過程の改善に有用と言われており，具体的には下記のような行動[10]が必要である。

- 患者や患者家族に対し，診断プロセスに関する理解を促す
- 患者が協働しやすい診療環境づくり
- 患者と患者家族に，組織の医療の質改善に参画してもらう

患者の診断プロセスへの理解を促したり，患者協働を促すためには診断の不確実性の共有や，患者のヘルスリテラシーを考慮した対応を行うことに加えて，医療者と患者とのコミュニケーションを改善させる方略としての6つのステップ（表I-9-5）[11]，AIDET®[12]などの活用が有用とされている。

表I-9-4 診断プロセスへのシステム介入策の例[9]

①患者と医療者が接触するとき
- 医療者の臨床推論の能力を向上させる
  診療を振り返る（臨床推論と決断を critical に吟味）
  診断を再考する（特に治療が効果的でない場合）
- 医療者と患者が効果的にコミュニケートする技術を向上させる
- 医療者の知識を向上させる
  チェックリストを活用する
  患者の診断結果を追跡する
  シミュレーションベースの訓練を考慮する，医療者の症例経過への曝露数を増やす

②検査の性能と結果の解釈を行うとき
- 医療者の臨床推論を向上させる
  診療を振り返る（臨床推論と決断を critical に吟味）
  診断を再考する（特に治療が効果的でない場合）
  健康的な懐疑主義を保つ
- 医療者の認知面でのサポートを活用する
  Web ベースの診断補助ツール（鑑別診断想起）の力を借りる
  他人（同僚や専門科）の力を借りる

③診断情報を観察し，追跡するとき
- 診断の責任の所在と手順を明確にする
  異常な臨床所見や検査結果を追跡するとき
- 健康情報関連の技術に基づいたツールを活用する
  電子的なトリガーや通知システムを活用する
  退院時に結果が不明だった検査のフォローを確実に行う
- 診断的な価値のある上方を見逃さない
  今回の入院前に得られた情報（検査，病理，放射線検査）を見逃さない）

④専門科への紹介を行うとき
- チャートラウンドではなく，直接のコミュニケーションを活用する
- 複数のコンサルタントを含めて，診断をチームとして再検討する

〔文献2) より引用〕

文 献
1) Balogh EP, Miller BT, Ball JR：Improving Diagnosis in Health Care. National Academies Press. Washington (DC), 2015.
2) 綿貫聡：診断エラーとは何か？ 医療の質・安全学会誌 2015；13 (1)：38-41.
http://qsh.jp/wp/wp-content/uploads/2018/02/8b6f7ac802320e9f7a44991927271f23.pdf
3) Graber ML, Franklin N, Gordon R：Diagnostic error in internal medicine. Arch Intern Med 2005；165 (13)：1493-1499.
4) 綿貫聡，徳田安春：第2回 診断エラーが起こる背景；ケースでわかる診断エラー学．週刊医学界新聞 第3310号 2019年2月18日．医学書院，東京，2019.
https://www.igaku-shoin.co.jp/paperDetail.do?id=PA03310_03
5) Graber ML：The incidence of diagnostic error in medicine. BMJ Qual Saf 2013；22 (Suppl 2)：ii21-27.
6) Singh H, Meyer AN, Thomas EJ：The frequency of diagnostic errors in outpatient care: estimations from three large observational studies involving US adult populations. BMJ Qual Saf 2014；23 (9)：727-731.
7) Croskerry P：Cognitive forcing strategies in clinical decisionmaking. Ann Emerg Med 2003；41 (1)：110-120.
8) Trowbridge RL, Rencic J, Durning S：Teaching Clinical Reasoning. 7th ed, American College of Physicians, 2015.
9) Singh H, Sittig DF：Advancing the science of measurement of diagnostic errors in healthcare: the Safer Dx framework. BMJ Qual Saf 2015；24 (2)：103-110.
10) 柏木秀行：Patient Engagement と患者安全．医療の質・安全会誌 2018；13 (1)：49-52.
11) Weiss BD：Health literacy and patient safety：Help patients understand. 2nd ed, AMA Foundation, 2010.
12) Rubin R：AIDET® in the medical practice：More important than ever. 2014.
https://www.studergroup.com/resources/articles-and-industry-updates/insights/november-2014/aidet-in-the-medical-practice-more-important-than

（綿貫 聡）

Ⅱ 各論

第1章 医療安全管理者の実務

1 医療安全管理者の役割

医療安全管理者の業務は幅広い。医療安全といえば，平時はヒヤリ・ハットレポートを用いて情報収集を行い，医療事故等の緊急時には，現場を訪れて情報収集を行い，調査委員会を開いたり再発防止策を立てたりすることが業務と思う方が多いだろう。しかし，現実にはそれだけでなく，大変幅広い業務を医療安全管理者が担当している施設が多い。

平成20（2008）年代後半に，大学附属病院等において医療安全に関する重大な事案が相次いで発生していたことを受けて，厚生労働省がタスクフォースを設置して取りまとめた提言書では，表Ⅱ-1-1に示すような内容が医療安全管理体制として特定機能病院の承認要件とされている。上記のような狭い意味での医療安全管理に限定されず，診療内容のモニタリングから，インフォームドコンセントの実施状況の確認，診療録の管理，高難度新規医療技術や未承認新規医薬品等を用いた医療の実施の管理等，医療安全から医療の質の管理に至る幅広い業務が要求されている。これだけの業務は，現時点では人員配置などにゆとりのある特定機能病院以外では困難かもしれない。しかし，以前から医療安全の諸制度は，まずは特定機能病院に義務付けて，一定期間経過後に，一般の病院にも義務付けたり，診療報酬制度に盛り込んだりすることを繰り返してきている。それを考えれば，特定機能病院に義務付けられている幅広い業務のなかには，現時点では整備が問われることはないが，いずれ一般の病院の医療安全管理者や医療安全管理部門に義務付けられるものが含まれている可能性を考えておいたほうがよい。また，特定機能病院の承認要件以外にも，患者相談業務や倫理的問題への対処なども医療安全管理者が担当していることがあるため，担当する部門がない場合には，医療安全業務内容に含めて考えておくことが望ましいだろう。

医療安全管理者の業務はますます増加する可能性が高いが，新たな業務に着手しようと考えたときに気を付けなくてはならないのは，医療安全管理の目的は現場を締め付けることではないということである。医療安全管理者は，院内で生じたヒヤリ・ハット事例やアクシデント事例などに対して，その原因を突き止めて，再発防止のためのルールを策定することが多い。医療安全のためのルールには，法令で定められたものや院内でつくられたもの以外に，各種学会や厚生労働省などにより定められるものがある。さらに，医療訴訟の判決が出ると，そこで問題視された行為に対する対策が，新たにルールのように扱われることもある。このような繰り返しにより，医療安全のルールは日々増加し続け，結果的にそれらを守らせることが医療安全であるかのようにみなされてしまうことがある。

例えば，インシデントレポートは件数が多いほうがよいのだから，一定の要件を満たした場合に提出を義務付けている施設は珍しくない。それによって，一時的にはレポート数は増えるかもしれないし，現場で起きた問題点が病院管理者等に伝わる率は高くなるはずである。しかし，義務付けられているから報告する，というだけでは安全意識の醸成にはつながらない可能性がある。逆に，報告すると面倒なことになる，ばれなければ報告しなくてよいという方向に向かい，あまり重要性のない事例のレポートばかりが増加する危険性もある。インシデントレポートは，医療現場に起こった，または起こりそうになった事例が，別の場所で別の機会に起こる可能性があるから，それを防ぐためにあらかじめ情報提供してもらうというのが本来の役割である。レポートを出さなかったら罰せられるから提出するというのでは，その事例を再発させないようにしようというよりも，起こったのがばれないようにしようという誤った方向に向かいかねない。本当に必要なのは，次に同じようなことが起こるといけないから，予防のために報告しようという気持

表Ⅱ-1-1 特定機能病院の承認要件の見直しにおいて必要とされた事項

1. ガバナンスの確保・医療安全管理体制について
 1) 内部統制について
  ①医療安全管理責任者（安全担当副院長）の配置
  ②医療安全管理部門の体制強化
   専従の医師，薬剤師および看護師を配置し，以下の業務を担当
   • 医療安全管理委員会に係る事務
   • 事故等の発生時における，診療録の確認，患者への説明等の適切な対応
   • 医療安全に係る連絡調整
   • 医療安全に資する診療内容のモニタリングおよび職員の医療安全の認識の状況の確認
  ③事故を防ぐ体制の確保
   • 診療内容のモニタリング，医療安全の認識の浸透度の確認を行い，事故防止策を立案周知
   • 事故防止策への取り組み状況を確認し，不十分な場合は研修指導等を実施
  ④インシデント・アクシデント等の報告
   • 全死亡例に対し必要な検証などを行い管理者へ報告
   • 死亡以外でも，管理者が定める水準以上の事象の発生時には管理者へ報告
   • 医療安全管理委員会による報告状況の確認と指導
  ⑤内部通報窓口の設置
   管理者は医療安全管理に疑義が生じた場合等の情報提供を受け付ける窓口を設置する
  ⑥医薬品安全管理
   • 医薬品安全管理責任者の指示の下，医薬品情報の整理，周知および周知状況確認の徹底
   • 医薬品安全管理責任者は，適応外禁忌等の処方時の確認および必要な指導の手順を定める
  ⑦管理者への医療安全管理経験の要件化，管理者・医療安全管理責任者等によるマネジメント層向け研修の受講の義務化
 2) 外部監査について
  ①監査委員会による外部監査
  ②特定機能病院間相互のピアレビュー
2. インフォームドコンセント（IC）および診療録等
 1) IC の適切な実施の確認等に係る責任者の配置および IC の実施状況の確認
 2) 診療録の確認の責任者の配置，記載内容の確認
3. 高難度新規医療技術の導入プロセス
 • 高難度新規医療技術への対応
  当該医療機関で実施経験がない，人体への影響が大きい手術・手技を用いる場合に，その実施の適否を確認する部門を設置し，利用状況の確認を行う
 • 未承認新規医薬品等への対応
  当該医療機関で実施経験がない未承認の医薬品等による医療を行う場合に，実施の適否を確認する部門を設置し，利用状況の確認を行う
4. 職員研修の必須項目の追加および効果測定の実施
 • 必ず実施すべき研修項目の追加（インシデント・アクシデント等の報告，高難度新規医療技術の導入プロセス，インフォームドコンセント，診療録記載，監査委員会からの指摘事項，チーム医療の提供のために必要なもの）
 • e-learning などを活用した研修実施後の学習効果測定の実施

ちを個々の医療従事者が持てるようにすることである。

筆者は医療の目的は，病気やけがを治したり予防したりすることだけではなく，そのような活動を通じて，地域に住む人々に安心感を与えることだと考えている。それは決して病人のためだけではなく，健常人に対しても同じである。例えば，自分自身は健康で病院とは全く縁がないと考えている人であっても，自分の家族が病気になったりけがをしたりしたらどうしようかと考えると心配になるだろうし，それが離れた郷里に住む老親や，自宅にいる幼い子どものことになると，心配はさらに強くなる。しかし，そのような場合でも，近所に信頼できる医療機関があれば，心配は大幅に軽減できる。信頼できる医療機関であるためには，治療成績が良いことはさることながら，そこで働く職員や組織が信頼できることが何より重要である。その信頼を損なう行為を減らすことこそが医療安全管理の最大の目的であると筆者は考えている。

医療機関の信頼を高めるためには，そこで働く一人ひとりの職員が，職種や地位によらず，医療の信頼を高めようと強く願い，自分にできる信頼を高める活動を積極的に行おうとすることが重要である。そのような組織は，働く職員にとっても患者にとっても，魅力的であることは間違いない。そのためにはレポートを集めて対策を立てたり，起こった有害事象の分析をしたりするだけでは十分ではない。職員のみならず患者や家族とのコミュニケーションを良くして，何かあったらすぐに声をかけ合える雰囲気をつくること，それに対して誰もが他人事と思わずに対処すること，一度起きたヒヤリ・ハット事例や有害事象が再発しないように誰もが努力すること等が，何より大切である。

ルールを守らせることは簡単ではないし，ルールが守られなかったためにヒヤリ・ハット事例や有害事象が起きることは，珍しいことではない。だからといって，医療安全の目的がルールを守らせることになってしまっては，管理が行き届いた病院になることはできるが，安全文化の醸成は困難になる。医療現場では常に予測困難な事象が発生し，そのなかで個々の医療従事者がその時点で最善と考えた行動で対処を図っている。そのような行動は，ルールに定められているから行われているのではなく，どうすればより安全な結果につながるかを個々の医療従事者が判断した結果実施されているものである。ルールを守っているかどうかを確認することは重要なことであるが，個々の医療従事者の心の中に，どうすればより安全に業務が行えるかを探求し続ける気持ちをもたせることが何より重要であり，そのために何をしたらよいかを日々考えることが，医療安全管理者に最も必要なことと考えていただきたい。

（中島　勧）

2 インシデント・アクシデントレポートの収集

Ⅰ インシデント・アクシデント報告制度の趣旨と目的

医療施設に医療安全を確保するための措置を求める医療法第6条の12を受け，医療法施行規則第1条の11第1項第4号では医療施設に「事故報告等の医療に係る安全の確保を目的とした改善のための方策を講ずること」を求めている。施設内インシデント・アクシデント（以下，I・A）報告制度はその法的枠組みの下にある。そして，医療事故調査制度や，行政，日本医療機能評価機構，医薬品医療機器総合機構等への報告制度とも関連する。

I・A報告制度の趣旨と目的を簡潔にいえば，まず，エラーから学び，害を防止する[1]ことである。再発防止のみならず未然予防も含む。ハインリッヒの法則の視点を借りれば，高確率で先に発生するヒヤリ・ハットを捕捉し対策をとることで重大事故の発生を未然に防ぎやすくなる，ということである。報告文化あっての安全文化である。さらに，施設内の医療の質の改善におけるPDCAサイクルの視点でいえば，C（Check）のための情報収集およびA（Act）での分析結果の活用も趣旨・目的である。決して，医療従事者に自分あるいは他人の失態を申告・密告させることではない。現場が気付いた情報で，その現場（さらには世の中の現場）を良くするための制度である。この意味で，現場が主体の制度である。

なお，レポートを患者・遺族に開示する法的義務の有無（個人情報保護法上の開示義務および民事訴訟法上の文書提出義務の対象かどうか）に関しては，一般論として結論を示す最高裁判例がなく，法律家により見解が異なるため（特に，患者側弁護士と医療側弁護士の間），法律の文言を提示するにとどめる（**表Ⅱ-1-2**）。刑事手続き（主体は患者・遺族でなく捜査機関）においては，任意捜査の場合は文字通り任意であるから提出義務はなく，強制捜査の場合は強制的に捜索・差し押さえされるため提出義務の問題にならない。

Ⅱ 報告しやすい環境の整備と意識改革

医療従事者に特徴的な勤勉さ，制度に対する従順さが，時としてこの制度の趣旨・目的を見失う結果を招いている。すなわち，法律で決められているから報告しなければならない，と思い，自分が当事者の場合には，不愉快な失態申告・密告制度を押し付けられているという感情が，他者が当事者の場合には，いけないことをしたから報告させられているという嘲笑や非難の感情が，つい付きまとってしまう。だからこそ，組織の長や医療安全の担当者は，ことあるごとに次のことを考えなければならない。

①組織人は，自分の恥をさらすことや，同僚の失態を告げ口することに喜びを感じないのが普通である
②医療者の高い倫理観や使命感は非難の文化を生み出しやすい
③エラーや害を望んだり，患者が被害に遭ったことを嘲笑する医療者はまずいない
④エラーや害が減ることは良いことである
⑤医療者は自分がエラーや害の減少に貢献できればやりがいにつながる

である。反省文を書かせるような報告，さらし者にするための報告ではなく，患者のため，良い医療のためにエラーや害を減らす専門職による報告制度であることを，まず組織の長や医療安全の担当者自身が理解することが前提である。

ここで，参考として，改善の手法を説明する。ここでいう改善とは，「少人数のグループまたは個人で，経営

表Ⅱ-1-2 個人情報保護法と民事訴訟法の関連条文

個人情報の保護に関する法律（個人情報保護法）第28条
本人は，個人情報取扱事業者に対し，当該本人が識別される保有個人データの開示を請求することができる。
2 個人情報取扱事業者は，前項の規定による請求を受けたときは，本人に対し，政令で定める方法により，遅滞なく，当該保有個人データを開示しなければならない。ただし，開示することにより次の各号のいずれかに該当する場合は，その全部又は一部を開示しないことができる。
一 （略）
二 当該個人情報取扱事業者の業務の適正な実施に著しい支障を及ぼすおそれがある場合
三 （略）

民事訴訟法第220条
次に掲げる場合には，文書の所持者は，その提出を拒むことができない。
一～三 （略）
四 前三号に掲げる場合のほか，文書が次に掲げるもののいずれにも該当しないとき。
イ （略）
ロ 公務員の職務上の秘密に関する文書でその提出により公共の利益を害し，又は公務の遂行に著しい支障を生ずるおそれがあるもの
ハ （略）
ニ 専ら文書の所持者の利用に供するための文書（国又は地方公共団体が所持する文書にあっては，公務員が組織的に用いるものを除く。）
ホ （略）

システム全体またはその部分を常に見直し，能力その他の諸量の向上を図る活動」である[2]。改善の特徴は，一人ひとりが参加する組織全体の活動（「われ関せず」の否定。全員が関心をもつ）であり，過程（プロセス）指向で人間の努力に狙いを置きつつ，データや事実を重視する，といった点にある[3]。過程指向・人間の努力に狙いを置くというのは，結果を改善する前にまず過程を改善するということで，過程である人間の努力に目を向け，西洋的な結果指向の考え（この極論が，結果がすべて・終わり良ければすべてよし）をとらない，ということである。改善は，戦後の日本の産業界で発展し，日本を世界屈指の経済大国に躍進させた原動力の一つであり，世界各国もこの手法を積極的に取り入れ，いつしか“KAIZEN”は世界共通語となっている。

I・A報告制度には改善の側面がある。改善同様，一人ひとりが参加する組織全体の活動，過程思考，人間の努力に狙いを置く，という性質の制度になるのが望ましい（必ずしも改善を前提として考える必要はないが，上記の通り，エラーや害を減らすことを嬉しく思い，やりがいを感じる医療者の気質からすれば，改善としてのI・A報告制度と捉えることに大きな意義がある）。こういった性質のものとして組織全体が認識を共有できたとき，一気にI・A報告制度が深化する。そのために，組織の長や医療安全の担当者は，現場にI・A報告制度の趣旨と目的を理解してもらえるよう理念的な説明を心掛けるとともに，報告への感謝・称賛をし，できる限り当事者および組織全体にフィードバックしてPDCAの動きを示すとともに，実際に現場にデータの分析をしてもらうことが重要になる（現場にデータを渡す際は，非難の文化につなげないよう，匿名化等の配慮を忘れない）。データの分析をしてもらう，と述べたのは，自分たち（現場のみんな）の報告したデータを，自分たちで分析し，自分たちに活かす，という現場主体の制度であることを実感してもらうためである。一人ひとりが参加する組織全体の活動という点をより強調するためにも，施設内の医療安全活動の報告・発表会などを積極的に活用したい。どの施設でも一般に看護師以外の報告が少ないのが実情であるが，その背景の一つに患者との密接度が低い職種ほど，エラーに学び，害を防ぐことを生々しく実感しにくいことがある。活動報告・発表会はどの職種も仲間の実践を通じて実感とやりがいを得られる格好の機会である。

Ⅲ 技術的側面

施設内I・A報告制度においては，まず，自施設の「インシデント」「アクシデント」の定義の確認から始めねばならない。「インシデント」「アクシデント」の語は日本の医療界で統一的な定義がないため，自施設が採用する定義が最優先となる。

次に，報告書式である。一般的には，報告者属性（氏名，職種，所属，経験年数他），報告年月日，患者情報（ID，病棟，年齢，性別，入院年月日，疾患名，主治医名他），発生日時・場所，I・Aのレベル，I・Aの内容（選択式＋記述式），上長への報告（誰にまたはいつしたか），自由記載，といった項目になろう。制度の趣旨・目的からすれば匿名報告を認めてもよい。そして，各種公的報告制度に求められる事項を網羅したものであることが最低限必要である。他施設等の書式を参考にしつつ，さらに，その時点での，組織の報告の文化の醸成度

や改善意識の浸透具合をふまえ，現場と相談しながら書式の改善を続けていくことが必要になる。

いつまでに報告するかは，書けるようになったらすぐ，である。もし悩むならその時点で上司または医療安全部門に指示・助言を受けるようにすればよい。報告に時間をかける利点はない。

記載方法の指導も必要である。医療記録同様，患者に対する悪感情の吐露や自己弁護のみを目的とした記載，確実性が低い推測の記載は無意味である。医療記録を延々と書き写すことも同様である。前項「Ⅱ」の過程で，何のためにレポートを記載し，それがどのように使われるか誰もが理解・納得できるようにしたい。

Ⅳ 医療安全担当者による個別事例の情報収集

医療事故調査制度上の医療事故に該当する場合や警鐘事例とすべきなど特に重要と考えられる報告に対しては，医療安全の担当者が個別に情報収集を行う（もし報告がないまま医療安全部門が察知した場合はレポート提出を促す）。その際，レポートが要点を的確に記載している保障がない以上，重要事例を見逃す蓋然性に注意が必要である。問題になりそうな事案の選別は，担当者1人でせず，上司等に判断を得て行う。見逃しの責任も含め，担当者1人で責任を背負ってはいけない。

まずはレポートをもとに医療記録を集めることから始まる。集めながら，同時並行的に情報を整理（最低限，事案の時系列表はつくる）しておくと効率が上がる。できれば報告者の所属部署に，A4用紙1枚程度で事案のまとめを提出してもらいたい。次に，現場の確認である。①現場で，②現物を，③現実的にみる。この「3現主義」は医療に限らずI・A調査の基本である。そして，当事者からヒアリングを行う。I・A発生当日であれば，当事者は精神的衝撃こそあるものの，その対応に追われ多忙であり，まだ気持ちを張って専門職としての活動を維持できていることが多く，かつ，防衛的になっていないため，話を聞きやすい場合が多い。医療安全の担当者が行えないときには，特に問題がなければ当事者の上司に依頼して行ってもらいたい。当日のヒアリング結果の信用性は非常に高いからである。一方で，その後，緊張が解けて無残無情な現実に直面する事故当事者への配慮も忘れてはならない（各論第5章第6節「医療事故後のメンタルヘルス支援」，p.200参照）。当事者の上司もその後しばらく負担がかかり続けるため，いたわりが必要である。各種収集情報は，日付や番号を付けた書類にしてファイリングするなど記録として確実に残し，事例分析，特に次節で解説する「質的分析」につなげられるようにしておく。

文 献 1) 大滝純司，相馬孝博監訳：トピック5：エラーに学び，害を防止する；WHO患者安全カリキュラムガイド多職種版2011．東京医科大学，2012，pp 149-159.
2) 1110 改善；JIS Z 8141（生産管理用語）．2001.
https://kikakurui.com/z8/Z8141-2001-01.html
3) 今井正明：カイゼン―日本企業が国際競争で成功した経営ノウハウ．講談社，東京，1988，pp 46-79.

（奥津 康祐）

3 インシデント・アクシデントレポートの分析

Ⅰ 量的分析

施設内I・A報告制度で医療安全部門に上げられた報告件数は，年間で病床数の数倍～十数倍程度となろう。レポートの数量の多さの点もさることながら，量的分析には現実的な限界がある。分析者が量的分析の専門家ではない，必要事項が的確に入力されている保障がない，報告自体がされていない可能性がある，といったことからである。とはいえ，できることはしたい。最初に，データをわかりやすくする工夫，図示である。前節でふれた改善の手法は，集まったデータを図示することが基本である。

図示はデータでものを言うための大前提である。日本の産業界では「QC7つ道具」を，当たり前のように使いこなしてきた。QC7つ道具とは，パレート図，特性要因図，ヒストグラム，管理図，散布図，グラフ，チェック・シートである（層別を入れる場合もある）。医療安全分野でも，パレート図（重点的に取り扱うべき項目が見やすくなる），ヒストグラム（データの分布状況やばらつき具合がわかる），散布図（相関の判断のヒントになる），棒グラフや折れ線グラフ（変化の状態がわかる）は比較的使いやすい（これらはExcel® でもすぐ図化できる）。会議の際，文章中に数字が出てくるだけのものと図示されているものを思い比べてほしい。どちらがすぐ傾向をつかめるだろうか。図示はやってみればとても簡単である（子どもでもできる）。面倒くさそうだからやりたくない，という思いは捨ててほしい。数字（文字）だけを見せられる資料を読まされるほうが面倒くさい。

なお，本来は，図示で終わりでなく統計的な分析が求められるが，大多数の現場で統計に慣れたスタッフが少ないことを考えると，初歩的な（できる範囲の）統計処理をしたうえで，あとはKKD（経験・勘・度胸）を活用して対応することが現実的と言わざるを得ない。この点は，改善の文化が根付くことで状況が変わっていくであろう。

Ⅱ 質的分析─事案の整理とRCA（根本原因分析）

重要な事案では，情報収集の後，質的分析としてRCA（root cause analysis）を行う。RCAというと何か具体的な方法であると誤解している人がいるかもしれないが，日本語にすれば「根本原因分析」であって特定の手法のことではない。根本原因を分析するものは何でもRCAである。専門家の数だけ分析法がある，といわれるほど多種多様な方法がある（例として，ImSAFER[1]）。専門家の提示する方法のなかから自分がやりやすい方法を選択すればよい。一般的な方法は，事案を時系列と要素で整理（時系列事象関連図を作成）したうえで，なぜなぜ分析によって根本原因を追究するというものである。以下に例を示す。

1. 業道具の用意

事案を整理するのは，情報を見やすくして，なぜなぜ分析しやすくするためである（量的分析と同様に見やすさはきわめて重要）。分析する者にとって最適な道具を使えばよく，例えば，①1m×2mの模造紙に定規で線を引き，欄をつくり，要素を太字サインペンで記した付箋やメモ用紙を張り付けていくやり方，②模造紙でなくホワイトボードを使うやり方，③PC（Excel®やPowerPoint®など）の画面上で作成するやり方，④A3ないしA4用紙にシャープペンシルで書いていくやり方である。情報が見えにくくなることに注意しなければならないため，特に遠視（老眼）の人が画面の小さいPCを使うことであるとか，小さい，薄い，汚い字で書くといったことのないよう注意する。

2. 時系列事象関連図の作成

バイタルサインをはじめとする各種のデータや，誰が何をしたという客観的事実をピックアップし，整理していく（この段階で「手順に反した」といった評価は加えない。淡々と無機的に書いていくイメージで行う）。前述①のやり方であれば，バイタルサインの記録ごと，「誰が何をした」ごとに記した付箋やメモ用紙を模造紙に張り付けていく。「何をした」という点は，行った業務手順の流れとしてわかる形で書く。ここでのポイントは大きく2つある。1つ目は時系列に整理すること，2つ目は要素ごとに分類することである。要素分類法として，SHEL〔Software（ソフトウェア），Hardware（ハードウェア），Environment（環境），Liveware（人）。発展形として，Management（管理）やPatient（患者）を加えたm-SHEL，Pm-SHELL[2),3)]もある〕，4M〔Man（人），Machine（機械），Material（材料），Method（方法）〕その他さまざまあるが，実際に分類してみると，特定の要素ばかりとなっていたり，特定の要素が全く使われていなかったりという場合もまれではない。また，どの要素に分類すればよいか悩んで時間を浪費していることもしばしば目にする。要素分類の最大の目的はさまざまな要素の視点で切り込んで事象を把握することにあり，事象の把握後は，見やすさを第一に考えて時系列事象関連図づくりをすればよい。空っぽの要素欄は列または行ごと削除し，分類に悩みそうなのは思い切ってどちらかに放り込む。医療事例では結果的に，関係人物をそれぞれ独立した要素とし，人工呼吸器など事象にとって重要な意味をもつ物があれば順次独立の要素として加えれば十分であることが多い（それでもさまざまな要素の視点で切り込む過程は省くべきでない）。事象の流れが見やすいよう適宜矢印を用いるとよい（図Ⅱ-1-1）。

3. 背景要因の抽出

やみくもに考えてよいわけはない。分析の大きな目標の一つが「害を防ぐ」である以上，分析後に手に入れたいものは再発防止策・未然予防策であり，さらにはそれらを組み込んだあるべき医療の姿である。したがって，「あるべき姿」をもとに考えていく。複雑性のある医療でも，いや，複雑性のある医療だからこそ，より過程の重視と標準化が求められる。このとき，安全の取り組みで先行してきた産業界で用いられてきた，「事故は，標準の，もしくは習慣的な作業状況における逸脱または変則により生じる」といった観点[4)]が重要となる。もちろん，すべての事象への対策が望ましい。しかし，防ぎようのないものは現に存在するし（例えば，転倒・転落や誤嚥事例のかなりの割合がこれに当たるであろう），とても採算に合わない膨大な資源を投入しなければ防げないものも存在する。本来やるべきことをやって発生するものは放任すべきである。限りある資源を投入すればより重要な他の場面に投入する資源が減ることになり，全体として安全性を減殺するからである。無論，放任の判

各論 第1章

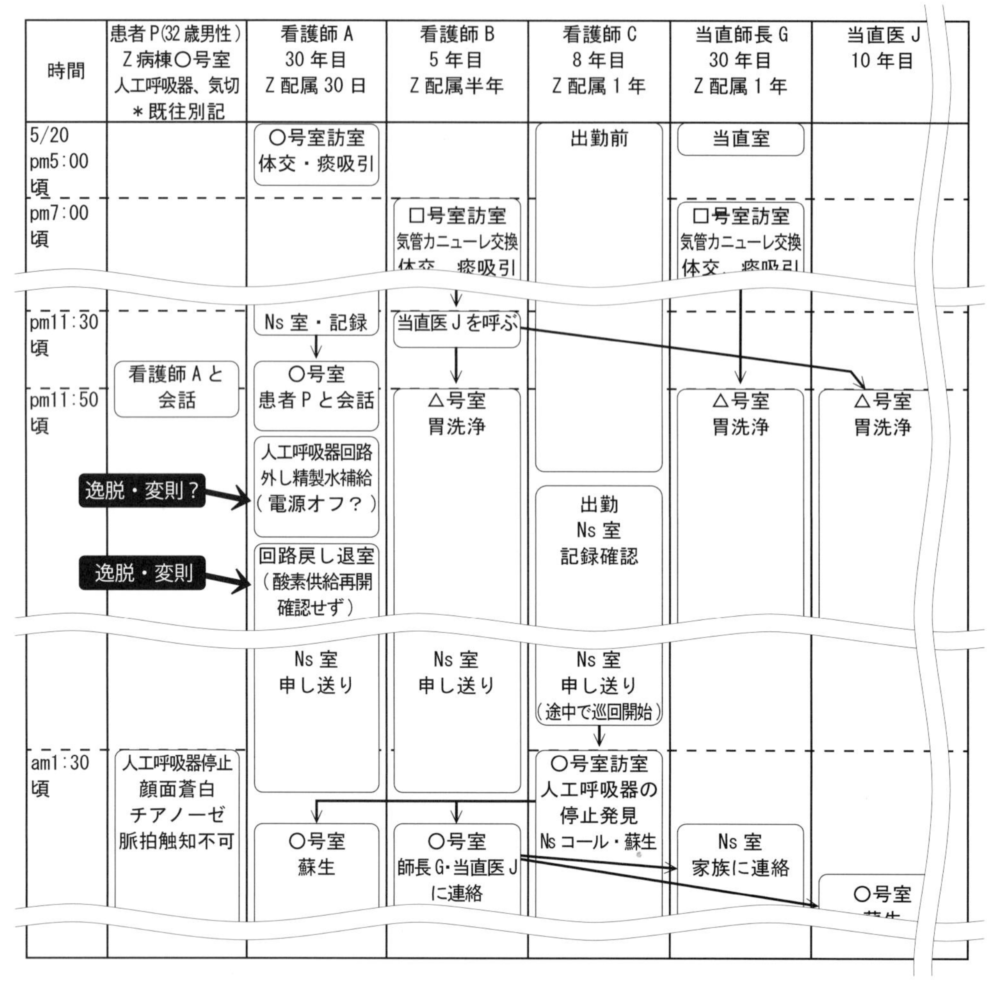

図Ⅱ-1-1 時系列事象関連図の例

断は根拠を明確にして慎重に行わなければならない。「あるべき姿」は現実から離れた理想ではないとともに，十分たどり着ける，かつ，たどり着いていないといけないものでもあることを忘れてはいけない注1。

背景要因の抽出においては，まずその「逸脱・変則」を抽出する。時系列事象関連図の作成の際，「行った業務手順の流れとしてわかる形で」と述べたが，もともとの業務手順が「あるべき姿」だという前提とすると，「行った業務手順」と「もともとの業務手順」とが食い違うところが「逸脱・変則」である（図Ⅱ-1-1）。通常はこの考え方で十分である。もっとも，「もともとの業務手順」が死文化していることが医療現場ではかなり頻繁に見受けられる。この場合には「もともとの業務手順」が本当に正しかったのか，専門書（基礎，基本的な内容のものがふさわしい），薬品や機器の添付文書等をもとに検討する作業が併せて必要となる。

「逸脱・変則」の抽出後，その「逸脱・変則」それぞれに対し，なぜなぜ分析をする。なぜなぜ分析は，その事象を引き起こした要因（『なぜ』）を検討し，さらにその要因を引き起こした要因（『なぜ』）を検討する，というように『なぜ』を繰り返していく方法である。手順的には単純であるが，結論の妥当性の確保の面では難しくもある。心理学的要因を導き出すことは，心理学者ではない一般の医療スタッフには難しいのである。この点，総論第７章「医療事故発生のメカニズムとアプローチ」(p.37) をはじめとする医療安全の考え方をふまえて行うことが重要であるが，やはりそれでも難しいものは難しい（簡単なら専門家はいらない）。そこで，役立つツールとして，鉄道事故に関するものであるが，ヒューマンエラーや違反の背景要因を抽出するためのガイド[5]を示す（図Ⅱ-1-2）。

なぜなぜ分析は「逸脱・変則」をトップとするバリ

注１ 近年，レジリエンス・エンジニアリングの観点（p.51）から，安全の旧来的な取り組みが「物事が悪い方向へ向かうのを避ける」Safty-Ⅰにとどまっていたとし，「物事が正しい方向へと向かうことを保証する」Safety-Ⅱの性質も併せもつことが必要とするという見解があり[6]，その通りであるが，Safety-Ⅱの方策に力点を置くにせよ，まず何より物事が悪い方向へ向かうのを避けねばならない。当たり前のことを当たり前にできないなかでSafety-Ⅱはない。あるべき姿をまず標的にすべきである。そしてそれだけで結構大変な作業である。

X	Y	区分	Z
X1：正しいAという判断や行為を想起・実行できなかった原因	Y1：正しいAという判断や行為を知らなかった		Z1：教えられていなかった
			Z2：決められていなかった
			Z3：覚えようとしなかった
	Y2：正しいAという判断や行為をする機会があまりなかった		Z4：訓練が少なかった
	Y3：正しいAという判断や行為に気づく手がかりが少なかった		Z5：手がかりが少なかった
			Z6：手がかりが見にくかった
			Z7：手がかりが聞き取りにくかった
X2：正しいAという判断や行為に注意を向けなかった原因	Y4：他のことに注意が向いていた	外的事象	Z8：目立つもの
		外的事象	Z9：気温
		内的事象　仕事上	Z10：次の作業
		内的事象　仕事上	Z11：他の作業
		内的事象　仕事上	Z12：タイムプレッシャー
		内的事象	Z13：私的
		内的事象	Z14：疲労
		内的事象	Z15：睡眠不足
		内的事象	Z16：病気，けが
		内的事象	Z17：薬物
	Y5：正しいAという判断や行為に注意し続ける時間が長かった		Z18：監視作業
			Z19：作業の中断
	Y6：前の判断や行為から正しいAという判断や行為への素早い切替が必要		
	Y7：意識そのものがなかった		Z20：睡眠
			Z21：意識不明
X3：誤ったBという判断や行為が想起・実行された原因	Y8：誤ったBという判断や行為の場面が普段は多かった		Z22：通常業務に似ているものがある
			Z23：普段の生活の中に似ているものがある
	Y9：誤ったBという判断や行為の方が効率的（楽）だった		
	Y10：最近や直前にBという判断や行為をした		Z24：その前に行った業務が似ている
			Z25：最近行った業務が似ている
	Y11：正しいAと誤ったBという判断や行為を行う場面が似ていた		
X4：日常的違反	Y12：短絡的に行為、判断可能		
	Y13：違反がとがめられない		Z26：他者の目が届かない
			Z27：他者が注意しない
	Y14：面倒な手順		Z28：不必要な手順の混入
			Z29：必要であるが面倒な手順の混入
	Y15：危険が見えにくい		Z30：手順の意味を知らない
			Z31：複雑なシステム
	Y16：違反している人が多い		Z32：手順の意味が継承されていない
			Z33：職場風土が悪い
X5：積極的違反	Y17：違反に楽しみが伴う		
X6：必要な違反	Y18：規則どおりでは作業できない		Z34：作業者の技能不足
			Z35：管理者の無理な要求
			Z36：突発的な不具合

図Ⅱ-1-2　鉄道総合技術研究所のヒューマンファクタガイド

〔文献5）より一部改変〕

エーションツリー形式にして記述していく（医療分野では，概して「逸脱・変則」が複数あり，別々に分析しないと複雑になるため）。すなわち，事象連鎖関係（Aの原因はBという関係）と合流関係（CかつDがEの原因という関係）の2つの関係で記述する（断定できないことは，可能性であることを明示しておく，例えば「？」を付けて記載する）（図Ⅱ-1-3）。なぜなぜ分析といえども，妥当な分析とするために論理性は必要である。とはいえ，この点は慣れていないと難しく，また，かなり時間がかかってしまうため，できる限りで十分である。

なお，どこまで『なぜ』を繰り返せばよいかは，やや抽象的で結論の先取りのような表現ではあるが，現実的な再発防止策を共通認識として想像できるところまでである。

あとは医療安全部門内会議用，あるいは施設内事故調査会用といった資料の体裁で，時系列事象関連図，なぜなぜ分析図および説明文書をまとめていく。多忙な状況下でも急がなくてはいけない。そして時間が許す限り時系列事象関連図に漏れはないか，「逸脱・変則」の抽出はこれでよいか，バリエーションツリーの事象連鎖関係・合流関係は正しいか，等を検討していく。この際，他の人に目を通してもらう，時間をおいて見直す，といったことで新たな気付きのある場合もある。複数人または1人でのダブルチェック，三角測量（トライアン

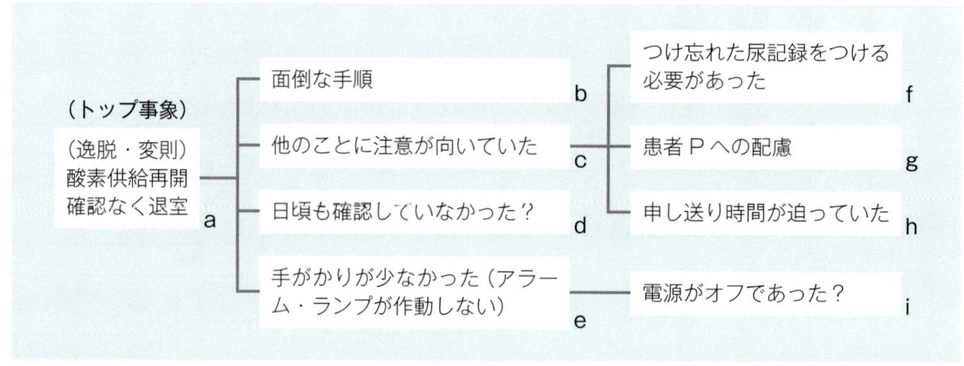

図Ⅱ-1-3 なぜなぜ分析の例(バリエーションツリー図)
この分析者は「b，c，e のいずれが欠けても(推測の d は保留) a は成り立たない」，「f，g，h のいずれが欠けても c は成り立たない」と考えている(実際の分析で a，b，c のように記号をふる必要はない)。対策は，「b，d ←手順の意義を再確認する」，「g ←患者に配慮しすぎない」，「i ←作業時，電源をオフにしない」となる(人員不足は背景要因として考えていない)。

ギュレーション)である。できるだけ見やすい資料にする工夫をとってほしい。しつこいが，見やすさはきわめて重要である。なお，先にふれた SHEL あるいは 4M といった視点は，分析のまとめの部分で活用すると整然としてわかりやすい文章となることが多く，再発防止策につなげやすくなる。

文 献
1) 河野龍太郎：医療におけるヒューマンエラー；なぜ間違える どう防ぐ．第 2 版，医学書院，東京，2014，pp 126-178.
2) 河野龍太郎：原子力発電所におけるヒューマンファクター．高圧ガス．1997；34 (9)：36-43.
3) 上記 1) p 60.
4) Jacques Leplat，Jens Rasmussen：Analysis of human errors in industrial incidents and accidents for improvement of work safety. Accident Analysis & Prevention 1984；16 (2)：77-88.
5) 重森雅嘉，宮地由芽子：鉄道総研式ヒューマンファクタ事故の分析手法．日本信頼性学会誌 信頼性 2004；26 (5)：451-454.
6) Erik Hollnagel，吉住貴幸訳：Safety-I から Safety-II へ—レジリエンス工学入門．オペレーションリサーチ 2014；59 (8)：435-439.
7) 中條武志：人に起因するトラブル事故の未然防止と RCA；未然防止の視点からマネジメントを見直す．日本品質管理学会監，日本規格協会，東京，2010.
8) 飯田修平，柳川達夫：RCA の基礎知識と活用事例．日本規格協会，東京，2011.

(奥津 康祐)

4 院内巡視

はじめに

平成 18 (2006) 年の医療法改正により，医療機関における医療安全管理体制の整備が図られ，専従の医療安全管理者を配置すること等を要件とした医療安全管理加算が認められた。医療安全管理者が行う業務の一つとして，「定期的に院内巡視を行い，各部門における医療安全対策の実施状況を把握・分析し，医療安全のために必要な業務改善等の具体的な対策を推進すること」が挙げられている。「定期的に」行うこととされてはいるが，巡視の回数や頻度，メンバー，チェック内容など，院内巡視の具体的な方法については示されていない。

Ⅰ 院内巡視の歴史

安全文化の醸成は患者安全の確保に必須とされている。安全文化の意識の低い組織では，安全対策がおろそかにされ，患者をリスクにさらすこととなる。安全文化をさまざまな観点から評価しようとする試みはこれまで多くの組織で行われてきた。

安全文化の根付いた組織では患者アウトカムが良好であり，特に安全管理者の関与を重要視する報告も多くある。一方，安全文化に対する認識が安全管理者と最前線で働く医療従事者との間で異なることもあり，安全管理者は現場との価値観を同一にするよう心掛けることが必要となる。

そのためには，安全管理者が現場に赴き，現場の意見に真摯に耳を傾け，現場の業務を観察することも一つの手法である。1980年代から始まったLean研究[注1]ではこのようなタイプのプログラムを日本語で“Gemba walks（現場巡視）”と呼んでいる。この方法は安全管理者と現場職員との強固な関係を構築することに寄与するとされ，主に製造業界で実践されてきた。

1990年代に入ると医療界でも徐々に同様の取り組みが始まり，2005年のFrankelらの報告により，安全巡視プログラムの有用性の認識が一気に広まった結果，「Institute for Healthcare Improvement」「Agency for Healthcare Research and Quality」「Health Research and Educational Trust」「National Health System」「Scottish Patient Safety Programme」などでも採用されることとなった[1)-5)]。

Ⅱ 院内巡視の有用性

院内巡視は管理者みずからが現場に赴いて問題点を認知し，現場の職員と情報を密に共有して信頼関係を構築するとともに安全文化の醸成を導くものである。現在，院内巡視は多くの病院で実施され，医療安全確立のための有用な手法の一つであるとのエビデンスが示されている。問題解決力の向上やリスクの排除，さらに結果として病院機能全体の有効活用に役立つとされ，また安全管理者自身の安全に対する感性も養われ，患者安全が最優先との確固たる認識をもつようになるとされている。院内巡視に参加した現場の職員たちの士気を高めることで，ポジティブな効果波及にも言及しており，これはホーソン効果（Hawthorne effect）として広く知られている。

院内巡視で明らかとなる点はインフラ整備の問題が一番多いとされている。インフラの改善は比較的修正が簡単であり，患者安全の確保や作業効率の向上に直結することが多い。また，インシデント報告では不明であった問題点が現場巡視で初めて明らかとなることも多く，現場を見なければわからなかったような重要かつ改善可能な問題点の把握には，院内巡視はきわめて有用とされている。

Ⅲ 院内巡視の問題点

安全文化の醸成のためのツールとして有用とされる院内巡視であるが，一方で巡視の限界も指摘されている。まずは巡視時の見逃がし問題である。見逃されてしまう点として，職員間，特に他職種とのコミュニケーションエラー，意思決定過程における問題，職員教育の問題などが挙げられる。巡視で発見された小さな問題点の背景にある大きな（根本的な）原因がわからずに終わってしまう危険性がある。

また，管理者は，概して費用のかかる安全対策には消極的な傾向がある。現場の職員の意見が反映されずに終わってしまう「形式だけの巡視」では，現場の無力感から安全文化の気概も低下することとなってしまう。

Ⅳ 院内巡視を成功に導くためのポイント

院内巡視の有用性を示す報告からは，成功に導くための幾つかの条件が示されている。巡視メンバーは，できるだけ多くの職員が参加することが重要とされ，巡視参加による安全意識の向上に相関するとの報告もある。

巡視回数については，定期的な巡視の実施が必要とされているが，逆に頻回の巡視は業務を圧迫したり，スケジュール調整等に困難をきたすこともあり，安全管理者のマネジメント力が重要となる。

巡視を成功させるには，病院組織としての強い意志（やる気！）も必要である。医療安全管理者とともに，現場のリーダー（医療安全推進担当者など）も積極的に巡視プログラムに関与し，現場の問題点を把握・解決する責務があることを自覚しなければならない。

巡視メンバーは現場の意見に対し，真摯に耳を傾けなければならない。また，巡視に当たっては現場のスタッフが自由に発言できる雰囲気をつくることも重要である。このことは，病院自体が「正義・公正な文化（just culture）」を有していることを意味している。

形式的な巡視で終わるのではなく，巡視によって得られた問題点をもとに，実効性のある改善策を立案・実行し，結果のフィードバックとフォローアップを行うこと（＝PDCAサイクルの実施）が重要である。巡視を行っても改善が得られなければ，結果的に現場のやる気を削ぎ，巡視の価値を失うことになってしまうからである。

Ⅴ 自治医科大学附属さいたま医療センターでの院内巡視の実際

筆者らは10年以上前から医療安全部門による定期的

注1　トヨタ方式の生産管理方法を研究する目的でマサチューセッツ工科大学に設立され，Lean production systemと呼ばれた。ボトムアップとトップダウンの融合による生産過程の最適化を図り，7つの無駄を排除したことから，スリムな生産方式＝Leanと名付けられたことによる。

図Ⅱ-1-4 巡視時の腕章

な院内巡視を行ってきた（図Ⅱ-1-4）。ポイントは以下の通りである。

①毎週 1 回ルーティンに実施（6,000～7,000 歩で約 2～3 時間必要）する
②全部署を回ること（病棟，外来，手術室，臨床検査部，内視鏡検査部門，放射線検査部門，薬剤部他）を原則とする

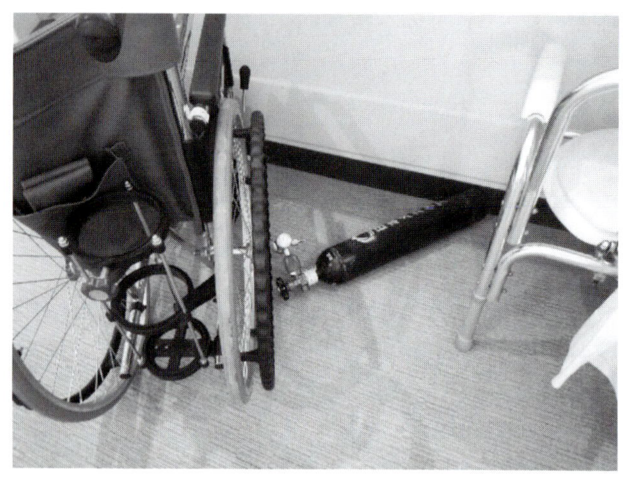
図Ⅱ-1-5 酸素ボンベの病棟廊下の床置き状態

③医師も含めた医療安全管理室メンバー（看護師 3 名，薬剤師）全員＋感染制御室メンバー（看護師）の数名が参加する
④チェックリスト（30 項目：表Ⅱ-1-3）を参照しながらデジカメ撮影を多用し（図Ⅱ-1-5），後日部署に巡視結果としてフィードバックする
⑤巡視時には職員への積極的な声掛けを実施する（特にインシデント報告者へ）

おわりに

病院は安全な医療を患者に提供する場所である。われわれ医療安全に携わる者は，患者安全のためにさまざま

表Ⅱ-1-3 巡視時のチェックリスト例（病棟）

1	挨拶ができる（さわやか・スマイル）	16	器材庫が整頓されている（ゾーイングされている）
2	同姓患者に「お名前確認」シールが貼ってある（「お名前確認」シールの剥がし忘れがない）	17	リネン室の扉は閉められている
3	カウンターの上に物がない	18	ゴミの分別がされている（血液付着物は専用廃棄ボックス）
4	使用していない電子カルテが初期画面に戻されている	19	ゴミの分別がされている（紙ゴミと廃プラ）
5	電子カルテに埃がない	20	ゴミ箱の中身が 8 割以下である
6	患者家族をお待たせさせずに対応している	21	DC や心電計等医療機器のストッパーがかけられている
7	ナースステーションにカーディガンなど不要な物がない	22	ストレッチャーのストッパーがかけられている
8	心電図モニターチェックリストが記載されている	23	車椅子のストッパーが両側かけられている
9	心電図モニター電波切れ，電極確認の患者がいない	24	ワゴンのストッパーがかけられている
10	救急カートに「点検済み」マグネットが付いている	25	ナースエイドにより車椅子点検がされている
11	抗がん剤は青のトレイに置かれている	26	酸素ボンベの元栓が締められ，流量計のメーターが 0 になっている
12	抗がん剤以外のものが青トレイに置かれていない	27	消火・防災設備の前に物が置かれていない
13	手すりに物がかかっていない（患者側の目印を除く）	28	患者さんは安全な履物を履いている
14	個人情報が放置されていない	29	床に水がこぼれていない
15	病室側の手すりの前にワゴン等が置かれていない	30	期限切れ・不適切な掲示物がない

な手法を取り入れる必要があり，院内安全巡視もその一つとなる。安全管理者が現場に足を運び，現場の職員の意見に耳を傾け，問題点を修正し，安全文化を高めることができるとしたら，巡視は理想的なものとなる。

そのためには，現場の問題点を解決しようとする安全管理者の強い意志が現場に伝わらなければならない。やる気は「伝わる」のではなく，「伝える」のである。やる気のない，うわべだけの巡視の実施は，安全文化の醸成どころか時間と労力の無駄となる。

まずは病院全体の巡視に固執することなく，1つか2つの部署に限定した巡視から始めることも有用かもしれない。「"Walk rounds" は公園内を巡視するのではない。病院内の巡視である。しかもただ歩き回るだけでは院内の安全確保はできない。」――これが，メッセージである[7]。

平成30（2018）年4月からは医療安全対策地域連携加算が創設され，当該医療機関では医療機関相互の評価（ピアレビュー）が必要となった。国立大学・私立大学附属病院やその分院等では既に行われていた相互チェックシステムであるが，一般病院まで拡げることにより，医療安全管理活動のボトムアップの効果が期待される。自院の巡視からだけでなく，他院の巡視から学ぶことも多くあり，その効果が期待される。

文 献
1) Singer SJ, Tucker AL：The evolving literature on safety walk rounds：emerging themes and practical messages. BMJ Qual Saf 2014；23（10）：789-800.
2) Womack JP：Gemba Walks. Lean Enterprises Institute Inc, Boston, 2011.
3) Frankel A, Gandhi T, Bates D：Improving patient safety across a large integrated health care delivery system. Int J Qual Health Care 2003；15（Suppl 1）：i31-40.
4) Pronovost P, Weast B, Bishop K, et al：Senior executive adopt-a-work unit：a model for safety improvement. Jt Comm J Qual Saf 2004；30（2）：59-68.
5) Donnelly LF, Dickerson JM, Lehkamp TW, et al：Operational rounds：a practical administrative process to improve safety and clinical services in radiology. J Am Coll Radiol 2008；5（11）：1142-1149.
6) 遠山信幸：院内ラウンドのススメ．医療安全レポート（医療安全全国共同行動） 20（11）：21-23；2018.
7) 遠山信幸：院内ラウンドの国際的動向．患者安全推進ジャーナル 2015；39（1）：40-42.

（遠山 信幸）

5 院内医療安全研修

I 医療現場の現状

昨今の医療現場は，医療技術・機器や医薬品などが日進月歩で発展し続け，加速する少子高齢化や重症化により患者への医療提供はますます複雑化している。このような複雑な環境下では，医療従事者間や医療従事者患者間のコミュニケーションエラー・医療機器の操作ミス・医薬品関連の事故・患者の取り違えや検体の取り違えなど事故が起きやすい状況である。実際わが国では，平成11（1999）年の手術患者取り違え事故，平成12（2000）年の人工呼吸器へのエタノール誤注入事故，点滴ルートへの内服薬誤注入事故，抗がん剤過剰投与事故，平成26（2014）年の抗菌薬と筋弛緩薬の取り違え事故などの重大な医療事故が起き，新聞やメディアによる報道で大きく取り上げられた。これらの事故を契機に，ヒューマンファクターズを念頭に置いた事故が起きにくい医療機器や医薬品等の開発が少しずつ進み，事故防止対策が進められてきている。また，RCAやImSAFERなどの事故分析手法も積極的に取り入れられるようになってきた。

平成14（2002）年の「医療法施行規則の一部を改正する省令」では，病院（有床診療所含む）を対象に，安全管理のための，①安全管理指針の整備，②委員会の開催，③職員研修の実施，④事故報告等と改善の実施が義務付けられた。また，患者からの相談に応じる体制の確保も求められるようになり，医療機関における医療安全管理体制は重要必須事項となった。

しかし，その後も平成26（2014）年には小児患者へのプロポフォール大量投与事故，ウログラフイン®の脊髄内誤投与事故，腹腔鏡下肝切除術による複数の事故，腹腔鏡下手術による複数の事故など，大規模医療機関における死亡事故が頻発した。このような背景のなかで，平成27（2015）年10月から事故の再発防止に向けた「医療事故調査制度」が開始され，医療機関には診療関連死が発生した際の報告義務が課せられた。しかし一方で，医師法第21条に定められた「異状死体の届け出義務」はそのまま残っているため，現場は非常に悩ましい状況である。

平成28（2016）年の省令改正では，特定機能病院の承認要件が見直され，専従の医師・薬剤師および看護師を配置した医療安全管理部門を設置することが義務付けられた。このように，わが国における安全管理体制は確実に進歩しているといえる。しかしながら，医療事故が確実に減少しているかというと，必ずしもそうとはいえない現状がある。各医療機関の医療安全管理者は，前述した①～④を実施しつつ，院内の診療関連死に対する院内事故調査や報告書の作成，外部事故調査委員会開催決定およびその調整などを行う必要があり，多忙をきわめる日常である。このような複雑化する医療環境のなかで医療従事者が疲弊して辞めてしまい，ますますマンパワー不足に陥るという負のスパイラルが起きているのも現実である。

Ⅱ 医療安全教育（研修）の必要性

平成 19（2007）年 3 月に，厚生労働省の医療安全対策会議医療安全管理者の質の向上に関する検討作業部会において，「医療安全管理者の業務指針および養成のための研修プログラム作成指針―医療安全管理者の質の向上のために」が作成された。この業務指針のなかで医療安全管理者の業務は，「前文（略）…また，医療安全に関する職員への教育・研修，情報の収集と分析，対策の立案，事故発生時の初動対応，再発防止策立案，発生予防および発生した事故の影響拡大の防止等に努める。そして，これらを通し，安全管理体制を組織内に根づかせ機能させることで，医療機関における安全文化の醸成を促進する」[1]と説明されている。

組織内に安全管理体制を根付かせて機能させるためには，職員一人ひとりが安全管理に関する知識・技術・判断力等をもち，日々の医療を提供していく必要がある。そのためには，医療安全に関する教育・研修を行うことが医療安全管理者として必要不可欠である。

医療法や医療機関の施設基準の要件においては，職員への研修の必要性について以下のように定められている。

【医療法】

①医療に係る安全管理のための職員研修を実施すること
②従業員に対する医薬品の安全使用のための研修の実施
③従業員に対する医療機器の安全使用のための研修が定められている

【保険医療機関としての施設基準の要件】

①安全管理の体制確保のための職員研修
②安全管理のための基本的考え方および具体的方策について職員に周知徹底を図ることを目的とするものである
③研修計画に基づき，計画的に実施する
④病院全体に共通する安全管理に関する内容について，年 2 回程度定期的に実施されることが必要
⑤研修の実施内容（開催日時・出席者・研修項目）について記録している

Ⅲ 医療安全のための院内研修の企画・運営

医療安全教育（研修）の企画・運営において，医療安全管理者には以下の内容を確認して実施していただきたい。

1. 医療安全のための院内研修を企画・検討する委員会・院内組織など

①医療安全管理委員会（医療機関によって名称が異なる）
②医療安全管理部門（診療部門，看護部門，薬剤部門，事務部門等のすべての部門の専任の職員が配置されている組織）
③上記①②以外の組織
　1）経営企画・人材開発部など医療機関のなかで教育を担う部門
　2）臨床研修管理室（研修医の教育企画・運営を担う部署）
　3）看護部教育委員会

2. 教育（研修）企画・計画

①年間計画の立案（3 年計画，5 年計画など長期的な計画もあり）
②予算を組む（医療機関によって医療安全教育の予算をどこでとるかが違う）
　外部講師謝礼，会場使用料，資料・印刷代，必要備品等

3. 教育（研修）内容：学んでほしい内容（教育しなければならないこと・するべきこと）

①医療安全管理体制について
②インシデント・アクシデントの発生状況から推奨される安全対策や院内マニュアルの周知など
③各医療機関における医療安全研修の方針からの内容

【例】

・医療安全の基本（ヒューマンエラーとは，ヒューマンファクターズ…）
・ヒューマンエラーとその対策（KYT，指差呼称…）
・インシデント・アクシデント分析手法
・チーム医療（TeamSTEPPS）
・ノンテクニカルスキル…

表Ⅱ-1-4　GIOの記述によく使われる動詞群

知る，認識する，理解する，感じる，判断する，価値を認める，評価する，位置付ける，考察する，創造する，習得する，身につける等

4．対象：誰に

①全職員対象（職種横断的）
②職種別（限定した職種）
③経験年数別
④職階別
⑤部門別・部署別

5．学習目標（目的・目標）の設定

研修の狙い，研修を受講することによってどうなってほしいか，GIOとSBOを設定する。

1）一般目標（general instruction objective；GIO）

その対象者（受講者・研修生）が，研修を終えたときにどうなってほしいのかを具体的にイメージして表現する。

【例】

・医療におけるチームワークの重要性を理解する
・有能なチームの一員となるための方法を学ぶ
・学生自身も医療チームの一員となることを認識する
※GIOの記述によく使われる動詞群は表Ⅱ-1-4を参照。

2）到達（行動）目標（specific behavioral objectives；SBO）

受講生または研修生に期待される具体的行動目標（GIOを達成するためにどのようなことを学び，実践できる必要があるのかを表現する。

【例】

・医療チームの種類を記述できる
・効果的なチームの特徴を説明できる
・個人の価値観や思い込みが他者との相互作用にどのような影響を及ぼすかについて説明できる
※SBOの記述によく使われる動詞群は表Ⅱ-1-5を参照。

6．方法：いつ，どこで，どのように

1）研修時間

何時～何時までの研修か，時間内，時間外，曜日などを考慮（複数回開催する場合は，時間や曜日を選択できるようにするとよい）する。時間外の場合は，賃金が発生してくることを考慮し，病院組織とよく検討する。

研修時間は，講義の内容に合わせて，30分，60分，90分など。全職員対象の研修で参加が必須の場合，遅刻を何分まで認めるかなどはあらかじめ設定して開催案内を出すとよい。

2）場所

・研修スタイルに合った広さの確保（参加人数を考慮して部屋の広さを決める）
・研修形態に合わせた会場づくり

3）研修形態

全職員への周知が必要な内容については，複数回の実施やビデオ研修等により，全職員が何らかの形で受講できるようにする。

・講義
・参加型（グループワーク，ワークショップ，事例検討，ゲーム，ロールプレイ，シミュレーションなど）
・DVD視聴
・e-ラーニング（集合研修のデメリットをカバーする方法として有効）

【集合研修のデメリット】

①講師と受講者が，長時間同じ場所にいなければならない
②受講者の学習進捗情報を把握することが困難
③上記①②の理由から時間や費用がかかる

【e-ラーニングのメリット】

①インターネットを通じて学習履歴が保存できる
②学習教材そのものもサーバー上に保存して，直接学習者のコンピュータに配信することにより，CD-ROMなどのメディアを配布するコストを抑えられる。
③サーバー上でプログラムを集中管理できるので，不具合などが発生してもサーバー上のファイルを変更

表Ⅱ-1-5　SBOの記述によく使われる動詞群

領域	内容	動詞群
認知領域	知識・想起，解釈，問題解決	列記（挙）する，（具体的に）述べる，記述する，説明する，分類する，比較する，対比する，類別する，指摘する，関係付ける，判断する，同（特）定する，選択する，予測する，弁（識）別する，推論する，公式化する，一般化する，使用する，応用する，適応する，結論するなど
情意領域	態度・習慣	行う，尋ねる，助ける，コミュニケートする，討議する，寄与する，示す，見せる，表現する，感じる，始める，参加する，反応する，応える，配慮する，相談するなど
精神運動領域	技能	感じる，始める，模倣する，熟練する，工夫する，実施する，行う，創造する，測定する，操作する，動かす，触れる，調べる，準備するなど

するだけで，学習者は最新の教材を常に受講できる
④受講者は，ネットワークに接続さえすれば自分の自由な時間に受講でき，それぞれの進捗状況やテスト結果などのフィードバックが即座に確認できる
※e-ラーニングも，初期投資はかかるので，組織全体での検討が必要となる。医療者は，医療安全以外に，感染対策・倫理・個人情報保護などの研修も受講する義務がある。これらの研修内容をすべて集合研修だけで全職員に周知するのは困難で，効率も悪い。集合研修（ワークショップなども含む）やe-ラーニング等をうまく組み合わせて実施し，病院の規模・環境・人・予算などに合わせて工夫し職員が受講できる環境を整えていくことが重要である。

7. 運 営

①講師依頼（外部・内部講師により準備が変わる）
②講演の目的，内容など打ち合わせ
③講演の資料依頼
④会場予約
⑤院内研修開催案内・連絡
⑥院内への周知のための案内作成
⑦ポスター作成
⑧出席確認
⑨その他事務連絡（交通費，謝礼など）

8. 評 価

学習目標，習得すべき知識・行動内容の評価を行う。
①知識習得状況の評価
・知識確認テスト
・e-ラーニング（事前テスト，事後テストの比較をして理解度の確認）
②インシデント・アクシデントの発生件数減少
・全体の報告件数減少で評価をすると職員がインシデント報告を出さなくなるおそれがあるので注意が必要。インシデント・アクシデント報告件数で評価する際は，ある対策をとる前後で比較する場合に有効。例えば，転倒・転落対策で「院内のトイレの手すりの位置を変える」「段差をなくす」などの対策をとったことが転倒・転落防止に役立ったかという観点で評価する。
③研修参加者へのアンケート内容から評価
・評価尺度の設定に注意する（評価結果が偏らないように設定する）

【例】
・「理解できた」「おおむね理解できた」「やや理解できなかった」「理解できなかった」。
「やや理解できなかった」が設定されていないと，「理解できた」「おおむね理解できた」のほうに評価が偏る可能性がある。

9. 課 題

①集合教育の限界
1）会議室やホールなど，各施設のハード面の制約
2）時間的な制約（時間内，時間外，研修の所要時間など）
3）他の研修とのバランス（医療安全以外にも，感染対策・倫理・個人情報保護などは全職員が受講しなければならないため，調整が必要）
②主催側のマンパワー・予算（特に外部講師の場合）
③参加者側：参加者の偏り（何度も参加する職員と参加しない・できない職員との格差）問題

Ⅳ 医療安全教育（研修）の実際（具体例）

1. 医療安全のための院内教育の実際

筆者が所属している竹田綜合病院（以下，当院）で実際に実施している院内研修会を紹介する。**表Ⅱ-1-6**は，毎年定期的に開催している研修会である。転倒・転落防止に関すること，行動制限に関する研修は，医療安全管理委員会の下部組織である転倒・転落防止および行動制限最小化小委員会で企画・運営してもらっている。コンフリクト・マネジメント研修会に関しては，法人主催で主に管理職と希望者を対象に定期的に開催している。

表Ⅱ-1-7は，院内で定期的に安全対策が必要な内容をピックアップして行っている研修である。講義，参加型などさまざまな方法をとっている。

表Ⅱ-1-8は，当院で起きたインシデント・アクシデントの再発防止を目的に開催した研修である。転倒・転落院内症例検討会は，医師・看護師・薬剤師・臨床検査技師・理学療法士・作業療法士・介護福祉士などの多職種参加の院内公開カンファレンスという形式で開催した。実際にアクシデントがあった病棟で発表してもらったことで，参加者からはとても好評だった。症例の選定基準は，どの部署でも起こり得る事象で，かつ多職種がかかわった症例である。

表Ⅱ-1-9は，新規採用の看護師と研修医を対象とした研修会である。内容によって研修対象を決めている。新人対象の研修会は，看護部教育委員会や臨床研修管理室と協働で行い，効率良く実施することを心掛けている。

2. 医療安全教育（研修）についての今後の課題

表Ⅱ-1-10は，当院における過去2年間の医療安全に関する研修会の開催状況である。当院は，全職員対象

表Ⅱ-1-6　定期的に行っている医療安全研修会（竹田綜合病院の例）

テーマ	講　師
事象分析研修（外部講師は2年に1回，内部講師は毎年）ワークショップ	外部・内部講師
医療安全特別講演：全職員で取り組む医療安全	外部講師
医療安全管理マニュアル改訂について（毎年）	内部講師
インシデント報告の書き方	内部講師
KYT 活動報告会	内部講師
竹田綜合病院インシデント・アクシデント・急変発生報告と再発防止策	内部講師
多職種で取り組む転倒・転落予防	外部講師
行動制限の弊害について	内部講師
患者トラブル対応～傷つかないために知っておくこと～	外部講師
医薬品安全管理研修会	内部講師
コンフリクト・マネジメント研修会	外部講師

表Ⅱ-1-7　院内安全対策に関する研修会（竹田綜合病院の例）

テーマ	講　師
医療ガスの安全な取り扱い（毎年）	外部講師
MRI の事故防止（毎年）	内部講師
モニターアラームと安全管理について（毎年）	外部講師
ベテラン向けポンプ研修（毎年複数回）	外部講師
汎用医療機器についての体験型医療安全研修（毎年複数回）	外部講師
よくわかるパルスオキシメータ	外部講師
抗がん剤における被ばくの危険性と防止対策	内部・外部講師
採血時の神経損傷と感染リスク，採血時の検体の取り扱い	内部・外部講師
暴言・暴力対策，クレーム対応（毎年）	内部・外部講師

表Ⅱ-1-8　インシデント事例からの教訓や再発防止策に関する研修会（竹田綜合病院の例）

テーマ	講　師
大丈夫ですか？ 尿をめぐる感染防止と安全対策（院内感染対策委員会と共同開催）	内部講師
尿道カテーテル関連インシデント・アクシデントと防止策	内部講師
院内の患者誤認インシデントと誤認防止対策	内部講師
転倒・転落院内症例検討会（公開カンファレンス）	内部講師
高齢者の転倒・転落について―睡眠障害との関係―	内部講師
クレーム対応	内部講師
暴言・暴力対応（実技指導あり）	外部講師
麻薬の取り扱いについて	内部講師
とろみ剤の取り扱いについて	内部講師

の研修会を複数回行い，そのなかで2回以上参加すれば参加回数2回とカウントしていたが，昨年の厚生局立ち入り調査の際，研修の参加人数（実参加率）が少なく研修会参加に対する解釈が間違っているという指摘があった。そのため，今年度（2019年度）からは，全職員参加必須の研修会を年2回とし，開催回数を各々10回程度に増やし，開催時間も午前，午後，夕方とさまざまな時間に開催している。しかし，それでも実参加率は7割程

表Ⅱ-1-9 新規採用看護師・研修医対象の研修（竹田綜合病院の例）

	テーマ	対 象
○	当院の医療安全管理体制について（4月）…法人の新採用者オリエンテーション	看護師・研修医
※○	医療現場の安全管理体制（インシデント・アクシデント報告のしかた，誤薬・患者誤認防止，経鼻栄養チューブ挿入時の位置確認方法，放射線被ばく防止対策，転倒・転落防止対策）	看護師・研修医
※	薬剤管理①（処方箋の見方，薬剤の請求，薬物動態，抗菌薬の理解，インスリン・麻薬についての理解等（4月））	看護師
※	採血，検体の取り扱いについて（4月）	看護師・研修医
※	シリンジポンプ・輸液ポンプの正しい取り扱い（4月）	看護師・研修医
※	点滴静脈内注射（4月）	看護師・研修医
●	薬剤のオーダー発行～与薬まで（4月）	研修医
※	薬剤管理②（中心静脈栄養，抗がん剤，血液製剤，危険薬の種類と取り扱いなど）患者急変時の対応（5月）	看護師
※	輸血療法について（11月）	看護師
※○	法的に耐え得る看護記録，行動制限（2月）	看護師

○ 医療安全管理部門の企画・運営
※ 看護部教育委員会における新人教育プログラムのなかの一環
● 臨床研修管理室の企画・運営（担当：薬剤科）

表Ⅱ-1-10 医療安全のための院内研修開催状況と参加者数（竹田綜合病院）

	全職員対象研修	職種別研修	延べ参加人数	職員１人当たり（平均）
平成29（2017）年度	16回（4,479人）	39回（1,994人）	6,473人	3.9回
平成30（2018）年度	28回（3,988人）	29回（1,199人）	5,187人	3回

度であり100％にはならず，DVD研修等で補っている。働き方改革もあるため，1回の研修時間を30分程度にし，できるだけ時間内の研修会を増やすようにして職員の負担を減らすよう心掛けている。しかし，マンパワー不足もあり，業務優先となり時間内の研修受講ができない職員も多い。研修を主催する立場としては，職員が眠くならず，みずから進んで受講したくなるような楽しく有意義な研修を企画していきたいものである。

文 献 1）医療安全管理者の質の向上に関する検討作業部会：医療安全管理者の業務指針および養成のための研修プログラム作成指針―医療安全管理者の質の向上のために．厚生労働省医療安全対策検討会議，2007.
https://www.mhlw.go.jp/topics/bukyoku/isei/i-anzen/houkoku/dl/070330-2.pdf

参考文献 1）大滝純司，相馬孝博監訳：パートB：カリキュラム指針のトピック：WHO患者安全カリキュラムガイド多職種版2011．東京医科大学，2012.
https://www.who.int/patientsafety/education/curriculum/japanese.pdf
2）厚生労働省医政局長：医療法施行規則の一部を改正する省令の施行について．医政発0610第18号（平成28年6月10日通知），2016.
3）佐藤浩章編：大学教員のための授業方法とデザイン．玉川大学出版部，東京，2010，pp 6-8.
https://web.opar.ehime-u.ac.jp/words/

（須田喜代美）

第2章 医療事故防止に対する院内の取り組み

1 医薬品安全管理

はじめに

医療を行ううえで医薬品はとても重要な存在である。しかし，その医薬品にはさまざまなリスクが存在しており，日本医療機能評価機構の『医療事故情報収集等事業の2018年年報』[1]のヒヤリ・ハット事例収集・分析・提供事業における発生件数情報の報告件数では，薬剤に関する項目が最も多いことからも安全管理の重要性と必要性が示唆される。

日本の医療安全管理は平成14（2002）年の「医療法施行規則の一部を改正する省令」により委員会の設置やインシデント報告などが義務付けられ，さらに特定機能病院，臨床研修病院では医療安全管理部門の設置と医療安全管理者の配置など体制の整備が進められ，これまで数多くの取り組みがなされてきた。しかし，医療安全管理の駆け出しの頃と今現在を比較しても，薬剤に関する事例は減少していないのが現状である。医薬品を安全に使用するためには，各医療機関の現場に即した体制と環境の整備が必須となり，その役目を担うのが医薬品安全管理責任者と医療安全管理者である。

本稿では，医薬品の安全管理の実務に着目し，具体的な取り組みなどの解説を行う。これらを参考にして，今後の取り組みにつなげていただきたい。

Ⅰ 過去の医薬品関連医療事故から学ぶ

1. カリウム製剤

かつてのカリウム製剤はすべてアンプル製剤のみであり，ワンショットが可能な状態であったため，誤ってカリウム製剤をワンショット静注するなどで死亡事故が多発した。この防止策として登場したのが，ルートには直接接続することができないプレフィルドシリンジ製剤である。この製剤の登場でカリウム製剤による医療事故は過去のことになるかと思われたが，残念ながら死亡事故が後を絶たない状況が続いた。この原因としては，集中治療現場でカリウム製剤の原液投与が依然として行われていること，カリウム製剤の不適切な払い出しなどが考えられる。各医療機関において現状の確認を再度行っていただきたい。

主な取り組みの例としては，①可能な限りプレフィルドシリンジ製剤を採用し，添付文書通りの濃度以下に希釈して投与する，②原液投与は原則行わない（NICUなどのきわめて限られた症例では必要なこともあり得る），③添付文書を逸脱する濃い濃度での投与は，集中治療部門においてのみとし，その使用法は適応外使用としての承認を必要とする，④③の投与を必要とする場合の希釈方法は院内統一とする，⑤プレフィルドシリンジ製剤から原液の抜き取りは行わない，⑥カリウム製剤を払い出す際には，カリウム製剤単独では払い出しを行わず，希釈する輸液などとセットでの払い出しを徹底する，などの取り組みが行われていることを確認する必要がある。

2. 筋弛緩薬

筋弛緩薬の誤投与による死亡事故は過去に数例が報告されている。筋弛緩薬の取り扱いについて各医療機関での確認をお願いしたい。筋弛緩薬はその薬理効果から見てもわかる通り，非常に特殊な薬剤の一つである。通常使用される場所も，手術室，集中治療室，（救命）救急部門など，ごく限られた場所でのみ使用される薬剤である。これは，この薬剤を使用する医療従事者（医師も含めて）も限られた者のみに限定されることを意味している。例えば，薬剤師に関してみると，払い出すことはあっても，実際に使用している場面に遭遇することはきわめて稀である。また，実際に使用する看護師にしても然りであり，一般病棟勤務のみの経験ではおそらく使用経験は皆無であろう。

そのような筋弛緩薬が通常の薬剤と同じように指示を出せる必要があるだろうか。例えば，筋弛緩薬はオーダリングシステムで指示できない薬剤の一つとし，もし一般病棟で使用しなければならなくなった場合は，どの患者に何のために使用するのかがわかる伝票で運用やオーダーするなど，通常とは違うプロセスを構築する取り組みは事故防止として有効であると考えられる。そのような運用に関して一度検討していただき，より安全な環境を構築することは働く職員にとっても有益となるのではないだろうか。

3．インスリン

インスリンに関する誤投与などの事例は多数報告されている。このため，日本医療機能評価機構医療事故情報収集等事業が発信している医療安全情報[2]においてもインスリンに関する事例は，過去に4報が発信されている。また，インスリンに関する事例検索[3]を行うと実に3,000例以上の多数の事例が確認できる。

このようにインスリンに関して報告される事例は後を絶たない。この原因として，インスリンはさまざまな診療科で入院している患者に使用される可能性があり，周術期などで使用されるケース，また血糖コントロール以外にも高カリウム血症で使用する場合もあり，指示の出し方も通常の注射指示からスライディングスケールに至るなどさまざまであることが挙げられる。

このような背景があることを念頭に置き，各医療機関でのインスリンを取り巻く環境を再度点検していただきたい。主なポイントは，①インスリンを取り扱う際には専用注射器を使用しているか，②スライディングスケールは明瞭となっているか，③インスリンの含量に関して使用する職員を中心に周知されているか，などである。

Ⅱ 医薬品の安全管理

1．適応外使用，禁忌薬の使用

治療を行っていくうえで，適応外使用として医薬品を使用するケースは少なからず発生する。特に稀少疾患や小児科領域の疾患，抗がん剤の使用などの場面では，適応外使用となるケースは少なくない。禁忌薬の使用においても同様のことがいえる。特定機能病院では適応外使用や禁忌薬の使用に関して，その是非を審議する体制を構築し，モニタリングを定期的に行うことを義務化した。しかし，これは特定機能病院に限られたことではなく，どの医療機関にも当てはまることであり，急性期の医療を担う医療機関では必須となることである。

適応外使用や禁忌薬の使用に際して必要な具体的内容としては，①それらの医薬品使用が医学的にも倫理的にも妥当であること，②使用する患者に十分な説明が行われ，同意を得ていること，③モニタリングを定期的に行い，特に有害事象の重篤化を防止すること，④診療録に使用の状況を記録するとともに，使用報告を確実に行うこと，などが求められる。特に，②では，副作用など有害事象に関して十分な説明を行う必要がある。適応外使用や禁忌薬の使用で生じた有害事象に関しては，基本的には副作用救済制度対象外とされる。患者を保護する視点からも不利益が生じることを十分に説明し同意を得る必要がある。これらの事項をポイントに各医療機関での取り組みを点検し，不足している部分に関しては改善して，実践することが求められる。

2．医薬品採用

医薬品を医療機関で採用する際には，薬事委員会のような委員会で審議し，採用の是非や削除，切り換え採用などが行われている。特に近年では，ジェネリック医薬品へ切り換えるケースが多々発生している。切り換える際には，適応症などに議論が集中しがちであるが，現存する医薬品と混同しない配慮を行う必要がある。具体的には，医薬品本体の色や形，包装形態，名称（ジェネリック医薬品の場合，名称に関してはどうすることもできないが）などを確認することである。そのためには，薬剤部門だけではなく医療安全部門と連携し，実際に医薬品を使用する職種（看護師など）のチェックを得てから最終決定するなどのプロセスが求められる。

3．抗がん剤の取り扱い

注射薬抗がん剤の取り扱いについては，安全に使用できる体制がかなり整ったといえるだろう。抗がん剤のプロトコルをレジメンで管理することにより，適切な投与量，確実な休薬期間，一部の抗がん剤では積算量の確認などが可能になっている。今後，高齢化社会がさらに進むと，通院が困難であるなどの理由から，中核病院から地域の病院で抗がん剤化学療法を行わざるを得ない状況が想定される。地域でのレジメンの共有化も必要となってくるかもしれない。注射薬抗がん剤の調製・混合に関しても体制整備が進み，休日も含めて薬剤師によって行われているケースがほとんどである。一部の抗がん剤の調製・混合を医師や看護師が行わなければならない場合には，薬剤師が行う場合と同様の環境での作業が求められる。

注射用抗がん剤の投与に関しては，万全な曝露対策が実践されていない状況が見受けられる。使用している点滴の機材（閉鎖回路か否か）に見合った，適切な個人防御具(personal protective equipment；PPE)を選択し，曝露防止を行う必要がある。詳細については「がん薬物治療における職業性曝露対策ガイドライン」[4]を参照されたい。

内服薬抗がん剤の取り扱いについては，残念ながら注射薬抗がん剤のような体制が構築されていないのが現状である。一部の医療機関を除けば，外来処方は院外処方となっているケースがほとんどであり，このような場合には，内服薬抗がん剤の調剤も院外の薬局が行っている。しかし，院外薬局で処方監査が適切に行える環境を提供できていないケースが多いのではないだろうか。抗がん剤のプロトコルや臨床検査結果の共有など課題はまだまだ多い。内服薬抗がん剤においても安全に化学療法を行える体制整備が望まれる。

4. その他

安全に医薬品を使用するためには，薬剤師の役割は非常に大きい。処方監査や疑義照会を行うことは薬剤師が担う大きな業務の一つである。では，その結果をどのように医療従事者にフィードバックしているだろうか。この点に関しては，安全管理部門と連携をとり，医療安全の委員会などでフィードバックを行い，個々への周知を行う必要がある。

医薬品を使用(服用)している患者を有害事象から守るという観点から，投与後の患者観察は必須となる。しかし，すべての薬剤について行うことは困難であることから，観察を必要とする薬剤を各医療機関で定めて観察を行う必要がある。対象となる薬剤の例としては，抗菌薬(初回投与のみにかかわらず)，抗がん剤などが挙げられる。実際の観察方法は，多種多様となるであろうが，輸血後の患者観察の方法が参考となり得るであろう。観察を行った結果は，特に問題がない場合でも必ず診療録に記載することが肝要である。内服薬に関しては，確実に服用ができていることを確認し記録することも必要になってくるであろう。

おわりに

本稿では，医療事故防止に対する院内の取り組みとして，医薬品安全管理に関して幾つかの例を交えながら解説を行った。医薬品を安全にかつ適切に使用するということは，患者から見ればごく当たり前のことであるが，実際に医療を行う側からみるとなかなか難しいことである。薬剤に関する業務手順書と内容が現場に即したものになっているかをもう一度確認していただきたい。医薬品を扱う医療従事者が誰でも実践でき，遵守できる内容に改めていただきたい。そして，医療従事者にとって医薬品を安全に扱える現場にすることによって，患者の安全が築かれるのではないだろうか。

文　献
1) 日本医療機能評価機構医療事故防止事業部：医療事故情報収集等事業 2018 年年報. 日本医療機能評価機構, 東京, 2019, p 24.
2) 日本医療機能評価機構医療事故防止事業部：医療安全情報. http://www.med-safe.jp/contents/info/index.html (2019/01/10 閲覧).
3) 日本医療機能評価機構医療事故防止事業部：事例検索. http://www.med-safe.jp/mpsearch/SearchReport.action (2019/01/10 閲覧).
4) 日本がん看護学会, 日本臨床腫瘍学会, 日本臨床腫瘍薬学会編：がん薬物療法における職業性曝露対策ガイドライン. 金原出版, 東京, 2019, pp 38-43.

(栗原　博之)

2 RRS・コードブルー(code blue)

はじめに

米国において1999年に『To Err Is Human：Building a Safer Health System』が出版され，「医療＝安全」と思われがちな思想をひっくり返し，その題名の通り，「人は誰でも間違える」と提言した。現実的な根拠をもとに，「医療＝安全」がくつがえされたため，そのベースのうえに立ち対策が検討された。それが，米国のInstitute for Healthcare Improvement (IHI) が医療安全の実現のために行ったキャンペーンであり，2005年からの“The 100,000 Lives Campaign”と，2006年12月からの“5 Million Lives Campaign”である。そのなかで“Rapid Response System”(以下，RRS) が明記されるようになった。

I 院内急変対応といえば「コードブルー」

院内で急変(心肺停止のような重篤な状態)が発生し

たとき，院内で手の空いている医師，看護師等が全館放送で召集される（筆者の施設では救命救急センターのみに放送がかかり，救急医と救急外来の看護師のみが走る）システムがある。これが，通称「コードブルー（code blue）」（施設によっては，ハリーコール，スタットコール，ドクターハリー，CPRコール，119コールなど）と呼ばれている。この蘇生チームは，心肺停止，あるいはそれに準じた患者に対してコールされるため，蘇生されるべき患者に対して，蘇生する気でスタッフは集まる。このシステムは，最後の砦として，とても重要であり，なくてはならないシステムである。

Ⅱ なぜRRSが必要か

心停止などの重大な出来事が発生した後に召集されるコードブルーでの蘇生では，死亡率は高い。これは，心停止の状態からの蘇生では遅いと言わざるを得ないからである。そして，たいていの心肺停止患者は約6～8時間前までの間に，何らかの生理学的徴候がある。その徴候を要請基準とし，急変の予兆と捉えて，専門のチームを呼び，この段階で対応することで心肺停止を食い止める（コードブルーのコールを予防する）というのがRRSの必要性である。コードブルーとRRSとの違いについて表Ⅱ-2-1に示す。

Ⅲ RRSの基本的なかたち

1. 構 造

RRSの構造について図Ⅱ-2-1に示す。また，基本的な活動の流れは次の通りである。

①患者のそばにいる医療者は要請基準に則りチームを要請する。

②トレーニングを受けた専門のチームが現場へ向かう。

③アセスメントと介入を行う。

④専門医へのつなぎ，＋αの検査および処置の提案，ICUへの搬送の判断をする。

⑤記録をし，必要時要請者へフィードバックする。

⑥記録を蓄積し，データを分析する。施設内での問題点を抽出する。

⑦病院の上層部への報告と管理，サポートを行う。

このように，1事例は要請者と対応チームで終了するが，RRSはシステムであり，このシステムは施設全体で取り組むものであるため，1事例内の問題点や蓄積したデータで明らかになったことは，施設全体の問題として検討される事項となる。

2. 対応チームの形態

2つのチーム形態が存在する。

①MET（medical emergency team）：医師主導＋看護師等

②RRT（rapid response team）：必ずしも医師が主導ではない

RRSの要請のタイミングは心肺停止ではないため，要請されたとき対応する側には，考える時間的猶予はある程度ある。その一方で，思考，判断，対応が多岐にわたるため，重症の評価，アセスメント，診断，治療方針のすり合わせ，治療等，患者の背景や原疾患の変化および倫理的問題の解決等，主治医や病棟看護師チームとともに診療を行うことが求められる。それゆえに，対応側のチームには，RRSの根底に医療安全があるという概念を熟知し，かつ，集中治療の知識や技術が必要とされる。このチームのメンバーも教育されていなければならない。

3. 要請基準

要請基準はある程度のベースに則り，各施設で決定してよいものとされる。要は，わかりやすく，要請しやすい基準が必要とされる。また，「何か心配なとき」「何らかの懸念があるとき」という項目が基準にあることも重要である。

具体的な例を幾つか紹介する。

表Ⅱ-2-1 コードブルーとRRSとの比較

	コードブルー	RRS
要請基準	無脈・無呼吸・血圧不測・意識なし	低血圧，頻脈，頻呼吸，努力呼吸，意識変容
対象状態（疾患）	心停止，呼吸停止，気道閉塞	敗血症，肺水腫，不整脈，呼吸不全
チーム構成	麻酔科，救急科，ICU医師，内科医師，ICU看護師	ICU医師・ICU看護師，呼吸療法士，内科医師
要請件数（件/1,000入院患者）	0.5～5	20～40
院内死亡率（%）	70～90	0～20

〔文献1）をもとに作成〕

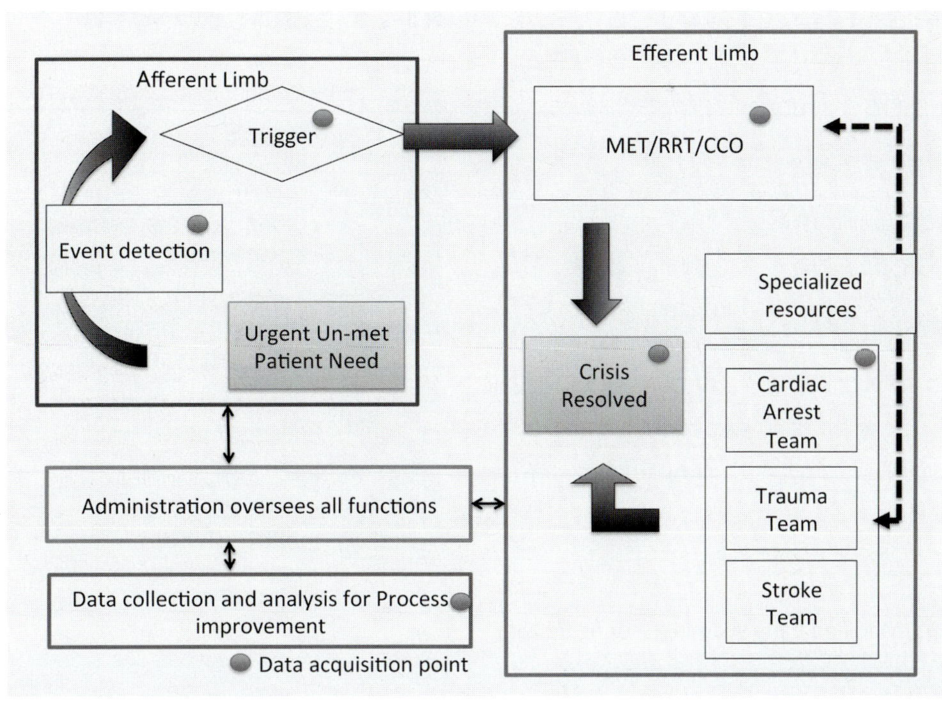

図Ⅱ-2-1 Rapid Response System structure 〔文献2)より引用〕

①わが国で代表的な，医療安全全国共同行動の要請基準（表Ⅱ-2-2）。
②当院で使用しているものは，Austin hospital の MET のものをベースにした（表Ⅱ-2-3）。
③モニタリングの値を正常からどれだけ逸脱したかをスコア化するものが Modified Early Warning Scoring System（表Ⅱ-2-4）。

Ⅳ RRS の 4 つのコンポーネント

RRS はシステムである以上，対応側のチームをいくら強力にそろえても呼ばれなければ，宝の持ち腐れである。また，要請され対応したことで満足していると，施設の問題点を見出すことも改善もされない。そして，いつか要請されなくなる可能性がある。

システムを構成する 4 つの視点から常に改善に向けて取り組むことで，このシステムは成長していくことができる。この先に医療の安全がある。

RRS の 4 つのコンポーネント（要素）を表Ⅱ-2-5 に示した。この 4 つの要素があることを念頭に，補強していくことでこのシステムの構造は強固なものになっていくと考える。

また，職員全員が 4 つの要素のなかのどこかに，または複数，役割をもっている。要請者や対応者に求められることは，基本的には医療安全の心と感度である。そしてそれを維持，強化するのはやはり教育である。

Ⅴ 各施設の RRS のかたち

わが国では，数年前から RRS を導入する施設が増えてきた。同じかたちを目指すのではなく，その施設にあった，背景に沿った RRS ができ上がればよいと考える。目的さえ見失わなければどのようなかたちでも構わない。しかし，要請数が少ない場合は，そのかたちに問題はないかを問う必要はあるのかもしれない。

筆者が現時点で考える各施設の RRS を背景要素で考えると表Ⅱ-2-6 のようになる。

これらの組み合わせで，タイプが異なってくる。また，施設の規模や特性により，新しい文化の浸透力や協力体制，新しい事項決定への難易度も変わってくる。

Ⅵ 北里大学病院の RRS

当院では，平成 23（2011）年に RRS を開始した。もともと，RST（respiratory support team）が院内の呼吸状態の悪い患者（ICU からの転棟患者や病棟から連絡があった患者など）を回診しながら相談業務（主に気道と呼吸に関連したこと）を行っていた経緯から，RST の回診メンバー2 名が専従となり，室長を集中治療センターセンター長が兼務するかたちで，独立した部署をつくった。現在でもその部署が実働のマネジメント，教育の企画実施，データの分析等行っている。

平成 23（2011）7 月から平日限定，日中限定，病棟限定で RRS を開始し，説明会を開きながら要請（電話）を受けるよう活動し，徐々に，病棟限定の枠を拡大した。

表Ⅱ-2-2 要請基準①医療安全全国共同行動編

項 目	内 容	指 標
全般事項	患者について心配なことがある	
呼吸器系	急激な呼吸回数の変化	8 回/分以下，または 28 回/分以上
	急激な酸素飽和度の変化	SpO_2 90%未満
循環器系	急激な収縮期血圧の変化	90 mmHg 未満
	急激な心拍の変化	40 bpm 以下，または 130 bpm 以上
尿路系	急激な尿量の低下	50 mL/4 時間以下
神経系	急激な意識レベルの低下	

〔文献 12）をもとに作成〕

表Ⅱ-2-3 要請基準②北里大学病院編

気 道	• 気になる音 • 気切カニューレ/挿管チューブの問題
呼 吸	• 呼吸困難 • 努力様呼吸 • 不規則な呼吸 • 呼吸数 10 回以下，25 回以上 • 高流量酸素投与下で SpO_2 が 92%以下
循 環	• 心拍数 50 以下，120 以上 • 収縮期血圧 90 mmHg 以下，200 mmHg 以上 • 尿量 4 時間で 50 mL 以下
意 識	• 急激な意識レベル変化 • 目覚めない患者
その他	• 患者に対して何か心配なとき • 急性の明らかな出血 • 治療に反応がない

表Ⅱ-2-4 要請基準③ Modified Early Warning Scoring System

指 標 ＼ スコア	3	2	1	0	1	2	3
収縮期血圧（mmHg）	<70	71～80	81～100	101～199		>200	
心拍（bpm）		<40	41～50	51～100	101～110	111～129	>130
呼吸数（回/分）		<9		9～14	15～20	21～29	>30
体温（℃）		<35		35～38.4		>38.5	
AVPU スコア				清 明	呼びかけに反応	疼痛に反応	反応なし

〔文献 7）をもとに作成〕

表Ⅱ-2-5 RRS の 4 つのコンポーネント

“afferent” component 患者の異常を発見する要素	• 患者のモニタリング • 患者の異常に気付くこと • RRS の起動
“efferent” component 対応するチームの要素	• RRS 起動に対する対応 • MET/RRT が現場に急行する
“process” improvent component システムの成果をフィードバックする要素	• RRS の起動記録を作成してアウトカムを評価する • データ収集 • 改善のための提言
“administrative” component システムの設置運営を担う要素	• MET/RRT，起動者にフィードバックする • システムの維持 • スタッフの教育 • 資源提供

平成 24（2012）年 4 月から全病棟稼働（平日限定，日中限定）となった。平成 26（2014）年 5 月から，24 時間，365 日稼働とした（図Ⅱ-2-2）。

当然，拡大に当たっては院内への周知，説明を行い，特に看護師に向けて，病棟へ出向きプレゼンテーションを行い，対話形式で説明をしていった。一つひとつの事例を振り返り，病棟へのフィードバックを行い，さらには，全職員への説明会も実施した。

当院は，施設の建て替え（平成 26 年 5 月開床）があり，それに伴い，一部内部（病棟/診療科）の再編成があった。今まで，open ICU（各科主治医制）であったが，新病院からは，麻酔科が管理する semi closed の ICU となった。RRT を担当する医師は，その GICU を管理する医師が兼務することに変更されたため，病棟で対応した患者の ICU 入室の検討もかなりスムーズになった。

現在までの要請の件数の推移を図Ⅱ-4-11 に，要請者内訳，要請理由を図Ⅱ-2-3 に，介入直後の転帰を図Ⅱ-2-4 に示す。

開始当初は，要請が少なく，要請を増やすために理解者を増やすよう努力してきた。さまざまな立場の人と話

表Ⅱ-2-6　RRS の形態（背景）

1. RRS の主導	• 病院全体 or 実働チーム or RRS 委員会 or その他
2. 専門チームの形態	• MET or RRT • チーム構成員：救急部 or 集中治療部 • 限定（時間，病棟）or 限定なし
3. 急変対応のこれまでの背景	• コードブルー call：あり or なし • コードブルー：チーム編成 or 全職員招集型 • コードブルーは蘇生時に必ず要請しているか：はい or いいえ
4. 施　設	• ICU の形態：open or closed • 中規模病院 or 大規模病院 • 民間 or 私立 or 国公立

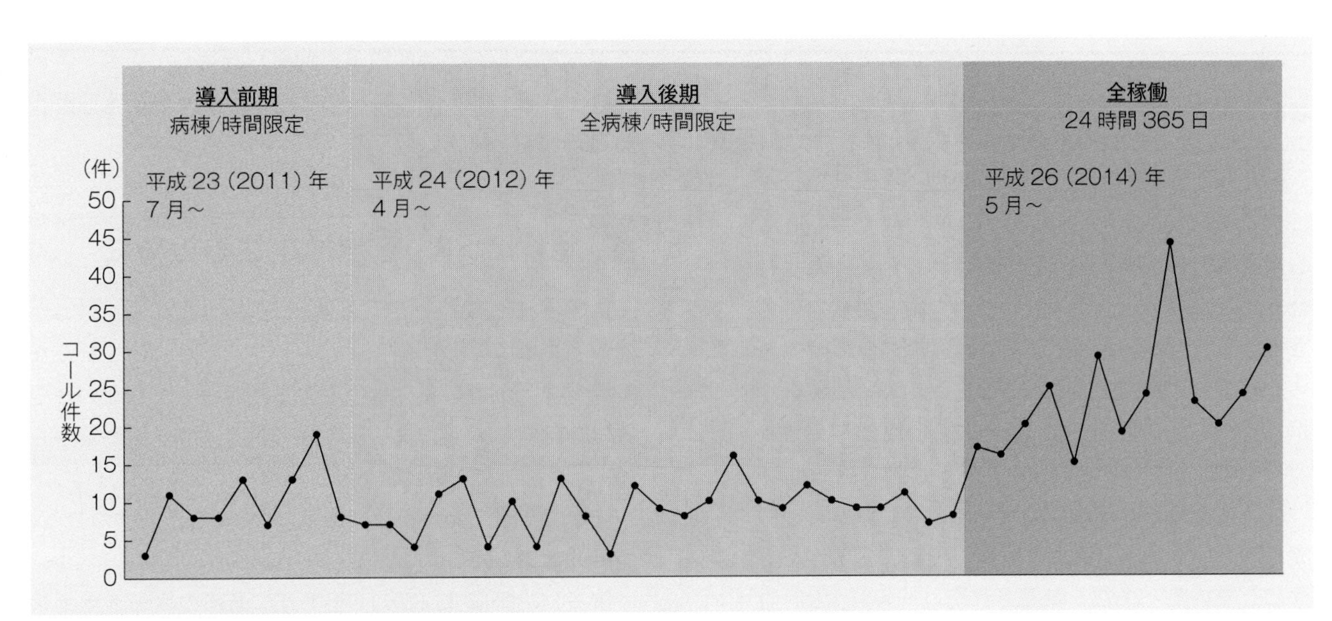

図Ⅱ-2-2　北里大学病院における RRT 要請件数の推移
平成 27 (2015) 年 5 月 31 日までに合計 620 件の要請があった。

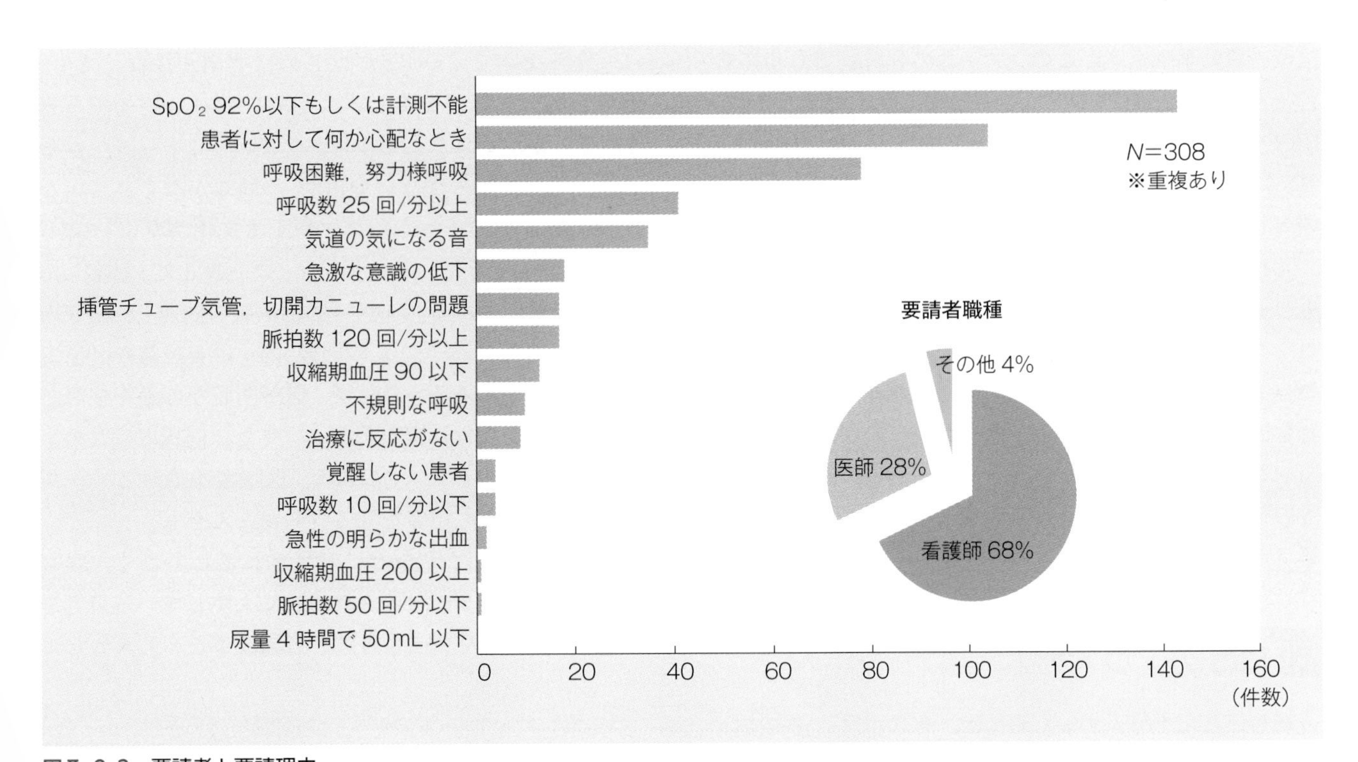

図Ⅱ-2-3　要請者と要請理由
当院における平成 26 (2014) 年 5 月 1 日～平成 27 (2015) 年 5 月 31 日までの統計。この間 RRT 要請件数は 308 件であった。

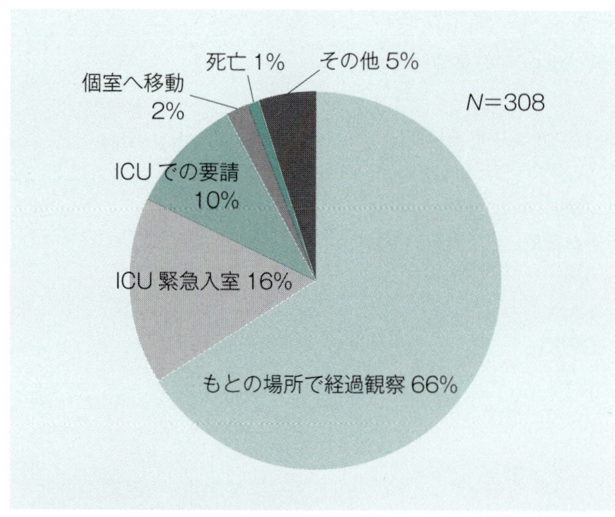

図Ⅱ-2-4 RRT介入直後の転帰
当院における平成26（2014）年5月1日～平成27（2015）年5月31日までの統計。この間RRT要請件数は308件であった。

し，人間関係を構築し，患者のために困ったときに助け合うことを繰り返した（自分たちも困ったときに助けてもらう）。当院では，要請者の約7割が看護師であるため，看護師の教育研修の際，RRTメンバーとなり得る担当（集中ケア認定看護師や救急看護認定看護師）のパートで，折にふれてRRSという言語を出し，RRSという言葉や急変の予防がベッドサイドにいる看護師にもできるというような概念を病棟看護師にも伝えていくようにしている。また，要請されたコールにRRTのメンバーがいかに気持ちのよい対応ができるかで，次のコールが受けられるかどうかが決まることを肝に銘じて対応を行うようにしている。さらに，当院では病院上層部や医療の質安全推進室がこのシステムの理解者であり推進者でもある。急変にまつわる事例検討会等では，必ず，RRTコールのタイミングはなかったかを検討事項に入れ，「いつでも呼んでよい」「呼ばなくてはならない」ものとして扱っていると聞く。

しかし，依然として課題は山積みであり，要請件数ももっと増やさなければならないと筆者は考えている。また，コードブルーの要請事例の検討などついても実際にコードブルーで対応する救急医や救急看護認定看護師らと合同で地道に行っている。一番問題なのは，コードブルーさえもコールされない死亡についての検討，心停止への検討などであり，それらの事例を探すこと自体の困難さがある。

Ⅶ RRSのアウトカム

新しい文化を導入するためには，それが役に立っているかのアウトカムが重要である。

RRSに至っては，「予期せぬ死亡」「予期せぬ心停止」「予期せぬICU入室」「院内死亡数」等を減らすことがそのアウトカムとされる。しかし，これを明らかにしていくのはなかなか難しい作業である。「予期せぬ～」の「予期せぬ」とは何なのか。蘇生をしない治療方針で決まっていても，主病態とは関係ない急変はどうなのか。予期していたと思った医療者がいればよいのか。これらは解釈が難しい。また，医療は刻々と変化し，治療法も10年前とは異なるのが事実である。そのなかで10年前と比較してよいのかということも問題となるであろう。

アウトカムは出すべきである。しかし，筆者が思うことは，RRSを導入しはじめて，要請を増やす努力をしながら施設のなかの問題点を抽出し改善している，このプロセスそのものが，一つのアウトカムなのかもしれないということである。

Ⅷ 施設にRRSを根付かせるために

RRSへの要請コール数は20～50件/1,000入院患者が妥当とされる（表Ⅱ-4-16）。コールのなかには，新たな処置や介入が不必要なものも含まれるかもしれないがそれ自体は特に問題がない。現場の医療者が「何かおかしい」「この先に急変するかもしれない」と思ったときに，相談ができることが重要であり，「急変を予防すること」が目的である。

筆者は，平成23（2011）年1月に豪州のオースティン病院（Austin hospital）へ研修に行ったとき，そこのBellomo R MDに言われたことがある。「RRS導入は施設の文化を変えること。導入には10年かかるよ。だから，焦らなくていい」と。はじめは要請が少なくても，それを増やす努力を少しずつしていけばいいのだと思う。これが，システムを根付かせていくことにつながると考える。要請の少ない理由が，「周知がなされていない」のか，「他のチームにコールする文化がない」のか，「患者を評価できていない」のか，コールして「対応したチームに問題がある」のか，「主治医制の問題」か，「ICUなど重症をみるべきはこの問題」か，「上層部や医療安全室等に問題がある」のか等，何が問題なのかを検討し解決していかなければならない。また，同氏にはこのようなことも言われた。「これは，医療者を助けるコールじゃないんだよ，患者を守るコールなんだ」。

医療者のプライドなどに邪魔されることなく，誰もが，自由にコールできる。自施設に入院している患者を施設職員全体で守れるように，意識改革を少しずつしていく必要がある。

文　献　1) Jones DA, DeVita MA, Bellomo R：Rapid-response teams. N Engl J Med 2011；365 (2)：139-146.
2) Devita MA, Bellomo R, Hillman K, et al：Findings of the first consensus conference on medical emergency teams. Crit Care Med 2006；34 (9)：2463-2478.
3) 今井寛，小池朋孝：Code blue と rapid response system (RRS) の違い．救急医学　2011；35 (9)：991-995.
4) Schein RM, Hazday N, Pena M, et al：Clinical antecedents to in-hospital cardiopulmonary arrest. Chest 1990；98 (6)：1388-1392.
5) Michel B, Donald C：The Challenge of Predicting In-Hospital Latrogenic Deaths. Devita MA, Hillman K, Bellomo R, et al eds. Medical Emergency Team Implementation and Outcome Measurement, Springer, New York, 2006：32-48.
6) 児玉貴光，藤谷茂樹監：RRS 院内急変対応システム；医療安全を変える新たなチーム医療．第 2 版，メディカル・サイエンス・インターナショナル，東京，2013.
7) Subbe CP, Kruger M, Rutherford P, et al：Validation of a modified Early Warning Score in medical admissions. QJM 2001；94 (10)：521-526.
8) Moon A, Cosgrove JF, Lea D, et al：An eight year audit before and after the introduction of modified early warning score (MEWS) charts, of patients admitted to a tertiary referral intensive care unit after CPR. Resuscitation 2011；82 (2)：150-154.
9) FCCS 運営委員会，JSEPTIC (日本集中治療教育研究会) 監：FCCS プロバイダーマニュアル日本語版．第 2 版，メディカル・サイエンス・インターナショナル，東京，2013.
10) 小池朋孝，森安恵実：重症化する患者の異変に気づき心肺停止の前に処置するチーム；RRT の取り組み．重症集中ケア 2012；11 (3)：103-114.
11) 小池朋孝，新井正康，森安恵実，他：大学病院における Rapid Response System (RRS) 導入後の経過報告；要請理由と要請状況の詳細．日臨救医誌　2014；17 (3)：445-452.
12) 医療安全全国共同行動：10 の行動目標と推奨する対策；行動目標 6，急変時の迅速対応，ハウツーガイド，Ver.1.

（森安　恵実）

3 チーム医療

I チーム医療の目的

近年，医療の現場では，以前にも増してチーム医療が強く求められるようになった。その要因としては，昨今の目覚ましい医療技術の高度化および複雑化とともに，医療における専門性が高度に分化してきたこと，また，患者高齢化に伴い併存疾患，慢性疾患のある患者が増加してきたことなどによって，単一の領域の医療の専門性のみでは患者に対し高度医療を行うことが難しくなったことが挙げられる。また，これら疾病対策上の問題にとどまらず，医療安全管理を考えるうえでもチーム医療は重要な意義をもっている。さらに，近年，わが国でも大きな懸念材料とされる労働力不足への対応としてもチームアプローチが不可欠となってきている[1),2)]。

本書の総論第 1 章「医療安全管理とは」でも述べたように，良好な医療安全管理を達成するためには，医療者個人のヒューマンエラーを完全になくすことは困難であることを理解したうえで，可能な限りヒューマンエラーを減少させる努力（ヒューマンファクターズ・アプローチ）を行うとともに，組織として，重大なエラーを未然に防ぐ「システム」を構築する（システム・アプローチ），2 つのアプローチが必要である。この 2 つのアプローチに基づいて，エラーを減じ，また，生じ得るエラーを重大な事故につなげない医療安全管理システムを構築することが重要である[3)]。

医療安全におけるチーム医療の意義は，チーム全体としてもち得る能力によって，個々の組織構成員（医療者）の引き起こすエラーを減じ，また起こり得るエラーを重大事故につなげないことを目指すアプローチに重点があるといえる。すなわち，医療安全管理上はヒューマンエラー対策としての意義が大きいと考えられる。

II チーム医療の「チーム」とは

複数の医療者が単に集合しただけでは当然のことながら「チーム」とはいえない。チームには，単一の職種で構成されるチームもあれば多職種で構成されるチームもあるが，通常，臨床の現場で医療チームといえば，医師，看護師，薬剤師，臨床工学技士，放射線技師などの多職種で構成されるチームのことをさす場合が多い。また，医療安全管理上も多職種チームによるチーム医療が最も効果的に作用する。

医療チームが良好な機能を発揮するためには幾つかの条件がある[1)]（表II-2-7）。

すなわち，メンバーに共通する目的・目標があること，各メンバーがそれぞれ別個の専門性（知識，技能）をもっていること，各メンバーはそれぞればらばらに動くのではなく，結束し，かつ相互依存（相互支援）的に

表Ⅱ-2-7 医療チームの条件

1	共通の目的をもっている（単に複数のスタッフが参集しているのではない）
2	各メンバーがそれぞれ別個の専門的な役割をもつ
3	各メンバーは結束し相互依存的に活動する
4	有効なリーダーシップがある
5	効果的コミュニケーション（情報共有）
6	患者・家族を医療チームの一員と捉える

〔文献1），2）をもとに作成〕

活動すること，メンバー間に効果的なコミュニケーション（情報伝達・共有）があること，およびメンバー全体をまとめる有効なリーダーシップがあることである。

チームを形成する各職種の専門領域は，近年，高度に専門化されてきており，チームリーダー（医師であることが多いがそうでない場合もある）個人が単独で，それぞれの各専門領域を知識としても技能としても凌駕し把握することは困難であるのが実態である。各チームメンバーがもつこれら高度の専門性を医療として最大限に発揮するためには，メンバー全員が共通項として共有すべき目的・目標が不可欠である。各メンバーがそれぞれ別個の役割を受けもちながら，目標とする医療行為の全体像を把握していなければ，それぞれが保有する高度な専門性を生かすことは難しい。この共通項をメンバーが実質的に共有することを目標として，各種の医療シミュレーショントレーニングを行っておくことは効果的である。この共通項を各メンバーが共有して初めて，メンバー相互間の状況把握（モニタリング）が可能となり，目的を達成するために各メンバーが必要としているニーズやエラーを相互に知覚することが可能となる。このようなメンバー間の相互支援と目標達成を実質的に可能とするものが効果的なコミュニケーションと，有効なリーダーシップである。

これに加え，近年は患者あるいは患者の家族を医療チームの一員とみなすことが良好な医療チームを形成するために不可欠な重要項目と考えられている。これは，近年の患者中心の医療や患者安全の考え方によって支持されており，患者を交えた医療の意思決定，インフォームドコンセントの重要性のみでなく，自己に関する詳細な情報をもつ患者あるいはその家族をチームに加えることが医療の安全性と質の改善に不可欠であると考えられるからである[1),2)]。

Ⅲ 多職種によるチームワークの醸成

医療の質，パフォーマンス，医療安全を改善することを目的に米国で開発された「チーム STEPPS」（team strategies and tools to enhance performance and safety）[4),5)]は，エビデンスに基づいたチームワークのシステムであり，医療安全文化を醸成する有効なツールとしてわが国でも注目されているが，詳細は他稿で述べられるので，ここではチームワークの形態の一例として簡略に概略を述べる。

WHO 患者安全カリキュラムガイド[1),2)]でも同様の点が述べられているが，まず，チームとしての重要な核となるスキルとして次の４つの実践能力（competency）が挙げられる。すなわち，「リーダーシップ」（メンバーの役割の明確化，チームの問題解決促進），「状況モニター」（メンバー相互にその行動をモニターし，互いのニーズを把握するとともに互いにエラーを修正する），「相互支援」（メンバーの各専門領域を互いに理解することによってチーム全体としての欠陥を補い合う）および「コミュニケーション」（互いに情報を伝え，理解されたことを確認する）である。チームに必須となるこの４つの能力のスキルを効果的にトレーニングし，共有，実践することによってチームとしての「知識」，「態度」，「パフォーマンス」を大きく高め，かつより良い医療安全を達成することが可能となる。すなわち，医療者個々人がそれぞれ単独で行う医療に比し，効果的に醸成されたチーム医療により医療安全上も大きな効果が得られるわけである。

Ⅳ チーム医療の重要な要素

米国心臓協会（American Heart Association；AHA）は蘇生医療をチームで行う際に，効果的なチームを構築するための重要な構成要素として，チームリーダーおよびチームメンバーの役割（表Ⅱ-2-8）を明確にするとともに，各メンバーが遵守すべき重要項目を「効果的なチームダイナミクス：Team dynamics」として８つ挙げている[6)]。WHO 患者安全カリキュラムガイドでも，成功を収める効果的な医療チームにみられる特徴としてほぼ同様の項目を重要項目として掲げている[1),2)]。

AHA の挙げる８つの重要なチームダイナミクスの要

表Ⅱ-2-8　チームリーダーおよびチームメンバーの役割

チームリーダーの役割	グループの統率
	各チームメンバーの仕事ぶりを監視する
	チームメンバーを支援する
	優れたチーム行動のモデルを示す
	訓練，指導する
	理解を促す
	患者治療を包括的にみる
チームメンバーの役割	役割分担についての明確な理解
	役割の責任を遂行する心構え
	医療技能における習熟
	各医療アルゴリズムへの精通
	成功に向けた全力の取り組み

〔文献6）より一部改変して作成〕

素は次の通りである。

①クローズドループコミュニケーション（closed loop communication）：チームリーダーは各メンバーに対しメッセージ，指示を出し，メンバーからの返答や報告を受けてそれが本人に理解され実行されたことを確認する。

②明確なメッセージ：はっきりと話し，受け手は復唱して情報を確認する。

③明確な役割と責任分担：チームリーダーはメンバーの役割を明確に決め，メンバーは定められた作業を各自の能力レベルに応じて的確に実行する。

④自己の限界の認識：すべてのチームメンバーは自己の能力と限界を認識し，チームリーダーもそれを把握しておかなければならない。

⑤情報の共有：チーム行動のための非常に重要な要素であり，チームリーダーは情報が共用される環境を促し，次善の処置に確信がもてない場合にはメンバーからの意見や提案を求める。チームメンバーは他のメンバーと情報を共有する。

⑥建設的な介入：行われようとする処置がその時点で不適切と考えられる場合にはチームリーダーあるいはメンバーによる介入が必要となる。互いにしこりを残さないような気配りをもった建設的な介入が必要である。

⑦再評価とまとめ：チームリーダーに欠かせない役割として，モニタリング（監視）と再評価がある。患者の状態，実施した処置・治療，評価結果についてモニタリングを行い，この情報を要約してメンバーに知らせる。また，今後の治療手順についてメンバーに伝える。

⑧互いの尊重：互いに尊重し合い，平等に権限を共有し合って協力的に働くチームが優れたチームである。チームリーダーも各メンバーも怒鳴ったり，攻撃な態度をとったりせず，落ち着いた友好的な口調で話す。

Ⅴ チーム医療を障害する因子

このような効果的なチーム医療を障害する因子が存在しており，それらについて理解しておく必要がある[1),2)]。

チーム医療を行っている際，患者の安全管理に何らかの問題があることにメンバーの誰かが気付いた場合，メンバーは誰でもいつでも自由に発言できなければならない。これを妨げる大きな理由がある。それは，医療従事者の職種および地位の上下関係（hierarchy）の存在である。また，これとは別に，発言しようとするメンバーが，自己の発言によって診療の流れを止めてしまうことに対するためらいを感じてしまうことである。

これらの問題はそれぞれの医療機関で対応し解決すべき問題であるが，これらの障害を越えてメンバーが常に発言できるような「ルール」をあらかじめ自施設内で作成し，それをメンバー全員で共有しておくことが重要であろう。

文　献
1）大滝純司，相馬孝博監訳：WHO 患者安全カリキュラムガイド多職種版 2011，東京医科大学，2012：pp 131-148.
2）World Health Organization：WHO Patient Safety Curriculum Guide；Multi-professional Edition 2011：pp 131-148.
3）厚生労働省医療安全対策検討会議，医療安全管理者の質の向上に関する検討作業部会：医療安全管理者の業務指針および養成のための研修プログラム作成指針；医療安全管理者の質の向上のため．厚生労働省，2007.
4）AHRQ：Team STEPPS primary care version.
http://www.ahrq.gov/professionals/education/curriculum-tools/teamstepps/primarycare/
5）医療安全推進ネットワーク：Team STEPPS；チームのパフォーマンスを高めるコミュニケーションの向上．Medsafe.Net.
http://www.medsafe.net/contents/recent/141teamstepps.html
6）American Heart Association：ACLS（2 次救命処置）プロバイダーマニュアル日本語版．シナジー，東京，2011：pp 17-23.

（丹正　勝久）

4 チーム STEPPS(ステップス)
―エビデンスに基づいた「チーム医療 2.0」―

Ⅰ チーム医療にかかわる10の疑問

「チーム医療」とは何か。各医療機関で検討してほしい10の疑問を紹介する。

①安全な医療の推進には，チームとしての協働，すなわち「チーム医療」が必要か。個々人の技能を高めるだけでは不十分か。

②チームとしての協働が必要だとすると，チームで何ができるとよいのか。複数の医療者が集まればグループはできるが，何が実践できたらチームになれるのか。

③日本人ならば「阿吽（あうん）の呼吸」で仕事ができるはずなのか。それは皆が生まれながらにして，できることなのか。

④自分たちの職場では，職種を問わず，チームとして協働できているか。

⑤既にチームとしてうまく協働している仲間はいつ，どこで，どのように学んだのか。

⑥協働できない仲間は，どうしてできないのか。

⑦チームスポーツでは個人技を高める訓練とともに，チームでもトレーニングを行うが，医療者は特別で，チームトレーニングをしなくてもチームとして最適のパフォーマンスを発揮できるのか。

⑧航空業界では安全な運航のためにCRM（Crew Resource Management）というチーム・マネジメントの訓練を行うが，医療者は特別で，訓練しなくてもチームとして協働できるのか。

⑨患者・家族は「チーム医療」の一員なのだろうか。

⑩エビデンスに基づいた治療やケアは推進されているが，チーム医療の実践においても，そのエビデンスを活用する必要はないのか。

Ⅱ 医療安全はチームの課題

医療事故の原因の多くは個人の問題ではなく，システムの問題であり，またチームの課題である。医療安全の推進に必須である組織における安全文化の醸成を日米で比較すると，チームとしての課題の多いことが示唆されている（図Ⅱ-2-5）。医療はほとんどの場合，複数の医療者の「協働」なしには成立しない。小さな診療所であっても，医師1人では日々の診療業務を行うことは困難である。近年では患者や家族もチームの一員として考えられ，すべての医療は医療者と患者を含む少なくとも2人以上の「チーム」で行っている。米国医療研究品質局（Agency for Healthcare Research and Quality；AHRQ）の初代所長であったDr. John Eisenbergは「患者安全はチームスポーツだ」としばしば発言していたそうである。また，医療事故のなかでも難題の一つである誤診の解決に対しても，米国医学研究所（Institute of Medicine；IOM）の報告書〔『Improving Diagnosis in Health Care』（医療診断を改善する）〕[1]において，「患者とその家族は診断するチームの必須メンバー」とすることが提案されている。

Ⅲ 患者家族からのメッセージ

米国のスー・シェリダンさんの息子は，典型的な重症の核黄疸であったが，両親の懸念は聞き入れられず，その診断・治療が遅れ，今でも全身が不自由な生活を送っている。また，彼女の夫も病理報告書が紛失し，必要な治療がなされずに頸部の脊髄腫瘍が再発，7回の手術と9カ月に及ぶ化学療法，数回の放射線療法の末に亡くなっている。

スーさんは医療者に次のように訴えている。

「患者家族もチームのメンバーとして，医療者のパートナーとして，できることがある」「チームのなかに1人の優れた技術をもった医師がいても，チームとして機能しなければ，連携がうまくいかなければ，救えるはずの患者も救えない」「ミスは1人の責任ではありませんが……もしもシステムによる真の安全文化が実践されていたら」「私たち家族の医療システムへの信頼は裏切られました……困難なことがあっても決してあきらめずに患者安全に取り組んでください」

日本においても，子どもの様子がおかしいという母親の懸念が医療者に聞き届けられず，子が急変して亡くなった医療事故や，病理検体の取り違え，病理検査結果の見忘れ・見落としなど同様の事故が起こっている。

Ⅳ チーム STEPPS ―エビデンスに基づいたチームトレーニング

医療事故の原因の多くは個人の問題ではなく，システムの問題であり，またチームの課題であることから，米国連邦政府は，航空業界のCRM，軍隊のオペレーショ

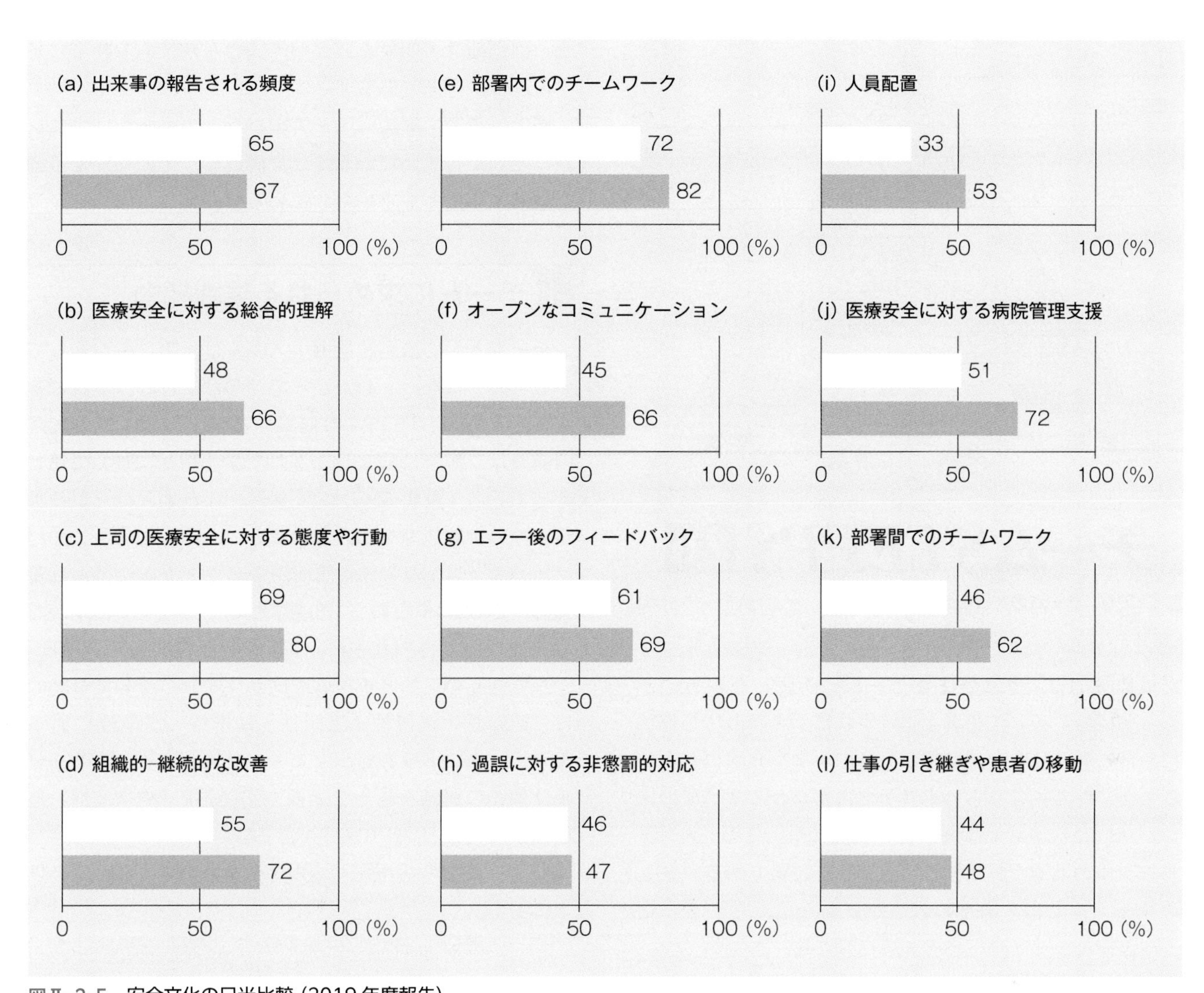

図Ⅱ-2-5　安全文化の日米比較（2019 年度報告）
安全文化 12 側面ごとの肯定的回答比率を示す。
側面ごとの肯定的回答比率，白（上段）が日本（191 施設），緑（下段）が米国（2018 年 3 月報告）。

ンや原子力機関などの HROs（High-Reliability Organizations：高信頼性組織）におけるチームワークに関する研究をはじめとした 20 余年にわたる科学的エビデンスを医療に応用して，「チーム STEPPS」を開発し，その普及を推進している。チーム STEPPS とは，「Team Strategies & Tools to Enhance Performance and Patient Safety」（「チームとしてのよりよいパフォーマンスと患者安全を高めるためのツールと戦略」）の略で，医療の質・安全・効率を改善するエビデンスに基づいたチームワーク・システムである（図Ⅱ-2-6）[2]。

Ⅴ 個人志向からチーム志向へ

「『私』というより『私たち』と使っている割合が，チームの発展を示す最もよい指標である」（Lewis B. Ergen）。

私たちはどれぐらいの頻度で，「私たち」について語っているだろうか。医療・福祉・介護の現場では資源が限られており，安全を完全に担保するシステムの構築はきわめて困難である。安全の推進のためには，今ある限られた資源・人材を生かし，個人志向からチーム志向へシフトし，真のチームとして協働できるエビデンスに基づいた「チーム医療 2.0」が求められている。

これを実践するために，チーム STEPPS では，チーム医療の基本原理として「チーム体制」と 4 つの実践能力（「コミュニケーション」「リーダーシップ」「状況モニター」「相互支援」）を提案している。

Ⅵ チーム体制：チームメンバーの同定

日々の診療において，連携する他の部署・他の医療機関も含めて，協働するメンバーを把握できているだろうか。効果的なチーム医療の実践のためには，まずはチームの構成メンバーを確認し，個々のメンバーの役割，連携および責任体制を同定する。大きな医療機関であると 30 種類以上の職種が，患者の治療やケアに，直接的ま

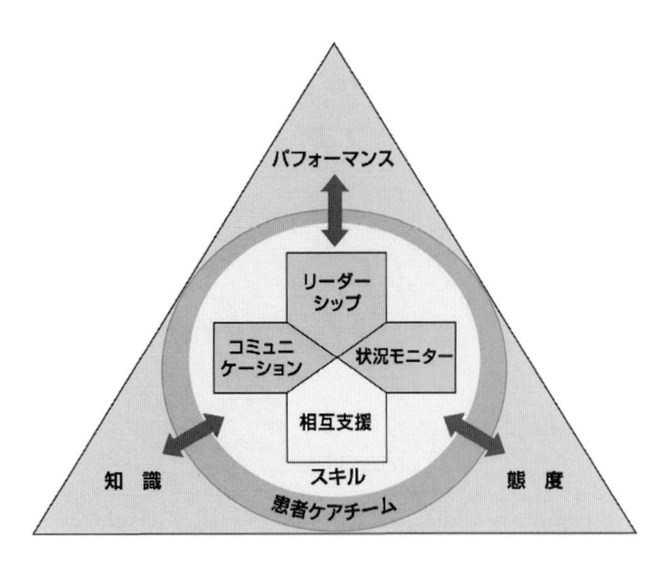

図Ⅱ-2-6 チームの実践能力とアウトカム 〔文献2）より引用〕

たは間接的に，さまざまなチームに所属しながらかかわっている。そして患者が退院すれば，患者の住む地域におけるさらに多くの職種が患者のケアや介護にかかわることになる。これらの患者ケアにかかわるすべてのメンバーによる患者や診療業務の状況についての「メンタルモデルの共有」ができていることが必要である。メンタルモデルとは，個々の経験などから私たちがもつ信念・固定観念・印象などの個々人のなかにある物事に対する理解や考えである。

また，患者・家族もチームのパートナーあるいはメンバーとして含まれていることを確認し，その参加と協働を促進することが求められている。

Ⅶ チームに求められる実践能力

チームとしての実践能力・スキルは生来，皆がもっているものではない。したがって，学ばなければ実践できない。チームSTEPPSの提案する学ぶべき４つの実践の能力は，個々に独立したものでなく相互に強く関連し合っている（**表Ⅱ-2-9**）。医療チームのメンバーがこれら４つの実践能力を実践することで，「知識」「態度」「パフォーマンス」の３つの側面からアウトカムが得られる（**図Ⅱ-2-6**）。すなわち「知識」として患者ケアにかかわる共通理解が得られ（メンタルモデルの共有），「態度」として相互の信頼とチーム志向が生まれ，そして最終的に，適応性・正確性・生産性・効率性・安全性の面から，チームの「パフォーマンス」が向上する。このモデルは個々の組織を越えた連携（病診連携，病病連携，地域包括ケアなど）にも活用できる。

なお，表中の活用すべき「ツールと戦略」の解説を以下に示す。

表Ⅱ-2-9 チームSTEPPSにおける４つのコンピテンシー（実践能力）

チームワークコンピテンシー	行動とスキル	ツールと戦略
「コミュニケーション」：手段に関係なく，チームメンバー間で情報を効果的に交換する能力	チームメンバー間で，定型化されたコミュニケーション技術により，重要な情報を明確かつ正確に伝える。伝えられた情報が理解されていることを，追加確認と承認を通して確かめる。	• SBAR（エスバー） • コールアウト（声出し確認） • チェックバック（再確認） • ハンドオフ（引き継ぎ） • I PASS the BATON（「バトンを手渡します」）
「リーダーシップ」：指示や調整，作業の割り当て，チームメンバーの動機付け，リソースのやりくりを行い，チームのパフォーマンスが最適・最大になるように促進する能力	チームメンバーの役割を明確にし，チームの活動が理解され，情報の変化を共有し，チームメンバーが必要なリソースを有することを確実にする。チームの問題解決を促進する。	• リソースマネジメント • 権限の委譲 • ブリーフ（打ち合わせ） • ハドル（途中協議・相談） • デブリーフ（振り返り）
「状況モニター」：チームの置かれている状況・環境に対して共通の理解を発展させ，適切な戦略を用いてチームメンバーのパフォーマンスを正しくモニターし，共通のメンタルモデルを維持する能力	状況のさまざまな要素に積極的に目を向けて評価を行う。チームメンバーの行動を相互モニターし，お互いのニーズを推測する。早めにフィードバックを行い，チームメンバーが自分自身で修正することができる。セーフティーネットを構築する。お互いを気にかける。	• 状況認識 • 相互モニター • STEP（ステップ） • I'M SAFE チェックリスト
「相互支援」：他のチームメンバーの責任と業務量に関する正しい認識を通じて，お互いのニーズを予想し，支援する能力	活用できるチームメンバーに責任を委譲することより作業配分の不具合を修正する。建設的および評価的なフィードバックを受けたり与えたりする。対立を解決する。患者擁護や主張を行う。	• 作業支援 • フィードバック • 患者擁護（アドボカシー）と主張（アサーション） • ２回チャレンジルール • CUS（カス），または心・不・全 • DESC（デスク）スクリプト • 協働

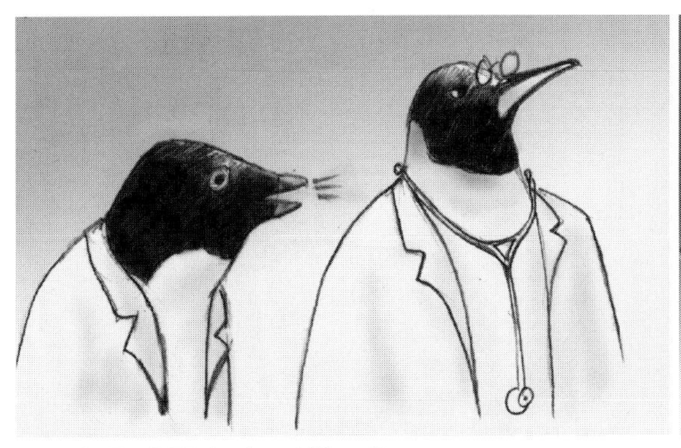

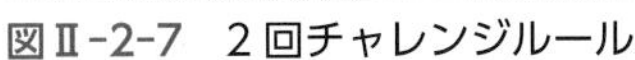

図Ⅱ-2-7　2 回チャレンジルール　〔文献 2）より引用〕

「コミュニケーション」

- SBAR（エスバー）：患者の状態などに関して，即座の注意喚起と対応が必要である重要な情報を効果的に伝達する方法。①Situation（状況；患者に何が起こっているか），②Background（背景；臨床的背景と状況は何か），③Assessment（評価；何が問題だと思うか），④Recommendation and request（提案と依頼；それを解決するには何をすればよいか）の 4 項目を簡潔に伝える。
- コールアウト（声出し確認）：緊急時など全チームメンバーに同時に伝える。
- チェックバック（再確認）：発信者が意図したように受信者に伝わっているかを確認する。
- ハンドオフ（引き継ぎ）：伝えるべき項目を定型化し，漏れがないようにする。

「リーダーシップ」

- ブリーフ（打ち合わせ）：業務や処置の開始時に行う。
- デブリーフ（振り返り）：業務が終了する際に短時間でよいので，その日の業務でうまくいったこと，改善すべきこと，そのために次にできることを振り返る。ブリーフとともに，チームとしてより良いパフォーマンスの向上につながる最も活用すべきツールの一つ。
- ハドル（途中協議・相談）：業務の途中で，患者の急変や緊急入院など予定していなかった課題が発生した際には関係者を一堂に集めて協議し，状況認識の共有・業務の再配分等を実施する。

「状況モニター」

- 状況認識：継続して周囲に目を向け評価し（状況モニター），身の回りで何が起こっているかを知る。
- 相互モニター：他のチームメンバーの行動を気にかける。
- STEP（ステップ）：状況をモニターする際に必要な要素として，次の 4 つが提案されている。

  Status of the patient（患者の状況），Team members（チームメンバー），Environment（施設・設備・管理等にかかる環境），Progress toward goal（目標に向けての進捗）。
- I'M SAFE チェックリスト：相互モニターと同時に，個々のチームメンバーの責任として自身の健康を含めて，次の項目について自己管理も必要である。

  Illness（病気），Medication（薬），Stress（ストレス），Alcohol and drugs（お酒と薬物），Fatigue（疲労），Eating and elimination（食事と排泄）

「相互支援」

- 業務支援：相互に支援が積極的に求められ，また提供される。
- フィードバック：チームのパフォーマンスを改善する目的で提供される情報。
- 患者擁護（アドボカシー）と主張（アサーション）：確固として，敬意をもって，是正措置を提案する。
- 2 回チャレンジルール：何かを相手に伝える際に，最初に無視された場合，確実に聞こえるように，少なくとも 2 回は関心事をはっきりと声に出して述べる。相手のチームメンバーも認識しなければならない（図Ⅱ-2-7）。もしも，まだ結果が容認できるものでない場合には，より強力な行動をとり，管理者や指揮命令系統を活用する。チームメンバーが重大な違反を感じたり，あるいは発見したりしたときには「業務を中断する」ことをすべてのメンバーができるようにする。
- CUS（カス）または「心・不・全（しん・ふ・ぜん）」：患者の安全などにかかわる事項を伝える際に，次のような具体的な表現を使って相手に伝える。

  「心配です・気になります（Concerned）」「不安です（Uncomfortable）」「安全の問題です（Safety）。中断して検討してください」（図Ⅱ-2-8）。
- DESC（デスク）スクリプト：チームメンバーの間

- I am Concerned !
  - 気になります，㊕配です
- I am Uncomfortable !!
  - ㊇安です
- This is Safety issue !!!
  - 安㊎の問題です

心
不
全

図Ⅱ-2-8 CUS（心・不・全）

図Ⅱ-2-9 改革の８ステップ 〔文献2）より引用〕

での対立を解決するための建設的な取り組みの一つとして，「I メッセージ（私は……と思う）」を活用し，次の項目を相手に伝える。

Describe（具体的な事実・データを提供し，問題となっている状況や行動を説明する），Express（その状況に対する懸念を表明する），Suggest（代案を提案し，同意を求める），Consequences（意見の一致を目指して，チームで決めた目標をもとに，結論を述べる）。

Ⅷ 改革への８ステップ—「チーム医療2.0」を導入・推進するガイド

チーム STEPPS では John Kotter のモデルを推奨している（図Ⅱ-2-9）。すなわち，まず必要なことはチーム内で「危機感を高め共有する」ことである。そして継続的な改善に取り組み，短期的に小さな成果を生み出しチーム全員で祝うことが成功の鍵の一つである。

Ⅸ「チーム医療2.0」で職場を活性化する

本稿で紹介した内容や戦略・ツールなどは，既にご存じの読者もいるであろうし，既に一部は実践されていることかもしれない。しかしながら，多くの医療事故などの分析からはチームとして協働できていないことが示唆されている。米国においてはエビデンスに基づいたチームトレーニングであるチーム STEPPS の取り組みによって，医療事故の減少だけでなく，看護職の離職率の低下なども報告されている。また，職場の人数は変わらないのに，取り組みの後には「人手不足」と感じる割合が激減したという報告もある。日本においても，チーム STEPPS の取り組みによって，エラーの減少，医療事故の防止，超過勤務時間の減少，職員間の情報の共有・協働の向上，組織の患者安全文化の改善，などが報告されている。真のチーム医療が実践される組織は，患者・家族にとって安全な医療機関であるだけでなく，そこで働くすべてのスタッフにとっても安心して，生き生きと働ける職場である。

“If You Want To Go Fast, Go Alone. If You Want To Go Far, Go Together”
（早く進みたければ１人で行けばよい。しかし遠くまで行きたいならば，一緒に行こう）

これはアフリカ（ナイジェリア）にあるということわざである。

われわれの目指す安全な医療・福祉・介護の実現はまだまだ遠い目標かもしれないが，われわれが仲間と一緒に真のチームとして取り組めば，いつかきっと到達できるのではないだろうか。

文 献
1）The National Academies of Sciences, Engineering, and Medicine：Improving Diagnosis in Health Care. National Academies Press, Washington, D.C., 2015.
2）国立保健医療科学院医療・福祉サービス研究部訳・編：ポケットガイド；チーム STEPPS 2.0—エビデンスに基づいたチーム医療 2.0. 第 14.1 版，2019 年 12 月 25 日改定.

3) 種田憲一郎，高田幸千子，鈴木真：チーム医療とは何ですか？何ができるとよいですか？―チーム STEPPS；エビデンスに基づいたチームトレーニング（What is a Team for Healthcare? What should We Do for it?— Team STEPPS；Evidence-Based Team Training）．医療の質・安全学会雑誌　2012；7 (4)：430-441.
4) 米国 Team STEPPS®.
http://www.ahrq.gov/professionals/education/curriculum-tools/teamstepps/index.html

【チーム STEPPS の教材等の無償配布】
営利目的では使用しないなどの条件に同意のもと，以下のサイトからダウンロードしてご利用いただけます。
http://www.mdbj.co.jp/medsafe/tsja.php

【チーム STEPPS の資料等の活用について】
チーム STEPPS の資料等は，米国連邦政府が著作権を保持し，営利目的での利用は制限されています。また，日本国内での院外での利用については著者が正式な承諾を得て管理を委託されています。

（種田憲一郎）

5 M&M カンファレンス

はじめに

“Morbidity and Mortality conference（M and M）”（以下，M&M カンファレンス）は，マサチューセッツ総合病院（Massachusetts General Hospital；MGH）に勤務した，コッドマン三角（Codman's triangle）などで知られる Dr. Earnest Codman が症例検討を推奨したことがはじめと言われている。ハーバード大学医学大学院（Harvard Medical School；HMS），ハーバード公衆衛生大学院（Harvard School of Public Health；HSPH）では，Harvard Medical Practice Study[1]や米国医学研究所（Institute of Medicine；IOM）の “To err is human（人は誰でも間違える）”[2]の礎をつくった Dr. Leape が中心となって，どのようにして安全な医療を提供するか，臨床現場での教育，大学院での教育が行われている[3]。

筆者は，MGH の救急部にて指導医（attending physician）として 2009〜2011 年まで勤務し，救急レジデントや学生を指導，HMS にても学生を指導した。また HSPH にて “Clinical effectiveness” という臨床医のための臨床研究や医療におけるマネジメントを学ぶ課程を修了し，公衆衛生修士（master of public health；MPH）を取得した。

一般的には「M&M カンファレンス＝犯人探し」という認識をもたれることが多いが，それとは一味違う，米国の医療の質管理のためのシステムの一つとして，M&M カンファレンスを紹介したい。

I M&M カンファレンスの重要性を知る

まずは次の事例をお読みいただきたい。

［事例］▲▲病院でのカンファレンス

司会医師：本日は，先日起こりました救急部での薬剤取り違えの件について振り返ってみたいと思います。では，当事者の研修医 A 先生，そのときのことを聞かせてください。
研修医 A：……はい。先日痛みを伴う処置が必要な患者さんに，ケタミンをオーダーしたのですが，あのー，間違えて本来投与すべき X さんではなく Y さんに投与してしまいました。
指導医：え？　そんなことがあったのか？　俺は聞いてないぞ！　そんなことだから，研修医に任せるのは嫌なんだよ。
研修医 A：私は，ちゃんとオーダーしたのですが……。
指導医：じゃ誰が投与したんだ？
研修医 A：いや，それは……。看護師 B さんです。すごく忙しい時間で……。
指導医：投与した看護師も悪いが，近くにいたお前も悪いのは間違いないだろう！　忙しいなんて言い訳するな！　注意散漫だからそんなことが起こるんだよ！　気合が足りない！　どうせ看護師と楽しく話ばっかりしてたんだろ！　この※×△□！
一同：……。

このようにエラーにかかわるカンファレンスである M&M カンファレンスでは，いかに綿密に司会者が準備をして臨んだとしても，司会者の意図に沿わずカンファレンスがあらぬ方向に向かってしまうことがある。そうならないためにはどうしたらよいかを以下にて考察していきたい。

1 つ有害事象が生じるまでには，有名なスイスチーズモデル（p.11 参照）で表されるように，1 つの誤りではなく，幾つかの誤りが重なり事故につながる。そのため，1つの有害事象に対して，個人が次回は気を付けようと思うだけでは再発防止には到達しない可能性が高い。

では有効な対策とはどのような対策であろうか。誤りや合併症を組織として振り返り，経験に基づく行動・判断を修正し，同じ誤りを繰り返さないようにすることが必要なのである。人間の行動や判断の正確性には限界があり，スイスチーズの穴が大きい状態で新たなチーズの層を加えていっても，手間がかかるが，実際には改善が起こらない状態となる可能性があるので注意が必要である。そのため「チーズの穴がより小さくなるには？」という視点で検討を進めていき，最終的にシステムの改善・プロトコル修正や知識・技術の修正を行うことが望ましい。そして，患者により良い医療を提供できるようにすることがM&Mカンファレンスの最大の目的である。

とかく有害事象を振り返るときには，犯人探しなど懲罰的なものと捉えられがちではあるが，あくまでも医療の質管理のためのシステムの一つとして認識する必要がある。現在，医療安全と医療教育を両立する場として，全米における救急研修プログラムのうち94％がM&Mカンファレンスを行っており，当院（東京ベイ・浦安市川医療センター）でも月に1回のペースで行っている[4]。

Ⅱ M&Mカンファレンスと症例検討会の違い

以前から症例検討会はよく行われているが，M&Mカンファレンスとの違いについて述べておきたい。症例検討会では一般的に珍しい症例を紹介し，議論の要点を絞り，場合によっては自慢（？）の情報を外に公開することもある。一方，M&Mカンファレンスでは，失敗例や重大事象が起こったよくあるまたは教訓となる症例を扱い，原因を分析し，教育・システムおよびプロトコル改善につなげていく。より反省に近く，外部には公開しない。米国では，M&Mカンファレンスは医療訴訟の資料としては使用されないが，日本ではその可能性があることに主催者が熟知しておくことが望まれる[5),6]。

Ⅲ M&Mカンファレンスの方法

M&Mカンファレンスで症例を検討するときに，次の3つの疑問を明らかする。

①何が起こったか
②なぜ起こったか
③どうすべきだったか，今後どのようにすべきか

である。

まずは，実際にどのような時系列のイベントが起こったのかを，医師の診療録，看護記録，救急隊記録，インシデントレポート，担当者個々人のインタビューなどさまざまな媒体を通じて，第三者が（当事者の場合にはどうしても情報の選択バイアスが生じやすい）情報を集め，確定することが求められる。そして，有害事象がどのような当事者のどのような行動（幾つのステップ）の結果起こったかを明らかにする。

その後，各ステップがどのような要因によるものか，次のように分類していく[7]。臨床上の問題は，患者ケアに関連した問題として，診断・治療に関するもの，診療録の記載，医療スタッフ関連，コミュニケーション，チームワーク，サポートサービス，患者因子，人的因子，環境因子，備品・技術関連と11の領域に分けられる（表Ⅱ-2-10）。

また，個々の認知エラーは，知識不足，手技の未熟性，判断の誤りに分類される。結果的に複数該当することがほとんどである。また，診断プロセスのバイアスも検討する。個々の認知エラー，診断プロセスのバイアスについては，表Ⅱ-4-27の下側を参考にしてほしい。

最後に，個人のレベルアップ，チームのレベルアップ，プロトコルの作成・改変，システムの改善などを具体的に検討する。

例えば，前述の事例では，「ケタミンの投与が本来投与されるべきXさんではなくYさんに投与された」という有害事象に至った行動を分解する。忙しい救急部の外来でケタミンを研修医Aから看護師Bへ口頭でオーダーする→ケタミンが置いてある棚から看護師Bがケタミン静脈注射を取り出す→看護師Bが「先生，ケタミン投与していいですよね？」と医師に確認する（誰に？という部分はそれぞれの思い込み？によって省略されている）研修医Aはちらっと確認して「いいですよ」と看護師Bに投与を促す→看護師Bが投与する→研修医Aが傾眠傾向である患者Yに気付く→看護記録から看護師Bが本来ケタミンの投与されるべき患者Xではなく Yに投与したということに気付く。このようなステップに分解し，具体的にどの領域で問題が生じたのかを検討する。

臨床上の問題として，

①医療スタッフ関連
- スタッフ経験レベルや労働負荷（救急外来の忙しさで確認が不足していた）
- 監督体制（指導医の目が届いていない）

②コミュニケーション：医師・看護師間（多忙のために主語や述語が頻繁に省略される現場であることによる）

③備品や技術に関するもの：ケタミンという薬剤に慣れていなかった（鎮静薬であることを担当看護師が

表Ⅱ-2-10　M&Mカンファレンスでの症例検討

患者ケアに関連した問題	
診断に関するもの • 不適切な検査方針 • 不適切な判断 • コンサルテーションの遅れ	**サポートサービス** • 臨床検査科 • 放射線科 • 輸血部 • その他
治療に関するもの • 適切な治療を実施されていない • 治療の遅れ • 誤った治療 • 技術的な問題（中心静脈など）	**患者因子** • 行動の問題 • 言語の問題 • 疾患の重症度や複雑性
診療録の記載 • 不適切もしくは十分でない	**人的因子** • 記憶によるもの/警戒不足 • ストレス/疲労
医療スタッフ関連 • スタッフの経験 • スタッフの経験レベルや労働負荷 • 監督体制	**環境因子** • 人間工学関連（光量，空間，音） • 救急部の混雑や廊下等の増設ベッド
コミュニケーション • レジデント—指導医 • 指導医—指導医 • レジデント—レジデント • 医師—看護師 • 相談した他科と，かかりつけ医や専門医と	**備品や技術に関するもの** • 必要な機器の欠如や限定 • 質（欠陥など） • 適切な使用ができなかった • 新しいもの/慣れていないもの
チームワーク • 明確な役割分担の欠如 • その他（具体的に）	
個々の認知エラー	
知識不足 手技の未熟性 判断の誤り	
診断プロセスのバイアス	
Heuristic Error in verification (premature closure) Anchoring bias Confirmation bias	

理解していなかった）

等の問題点が上がる。

Ⅳ M&Mカンファレンスの実際

それでは，当院救急科にて行っているM&Mカンファレンスを紹介する。月に1回のペースで約1時間程度のM&Mカンファレンスを開催しており，出席者は救急科医師，ならびに看護師である。

1．準　備

開催日程を決めたら，次に症例を集める。当部門では72時間以内に再来となった症例，心肺停止症例，画像見落としにより再診が必要であった症例，インシデントレポートが上がった症例，他科からフィードバックを受けた症例などを中心に担当のレジデントが集め，全症例のカルテリビューを行い，必要であれば思考の過程など当事者へインタビューを行う。部門として，確実に毎月症例が集まるように対象となる症例定義を決めておくことが望ましい。そのなかで，短く紹介する数例と30分程度で検討するメインの症例を指導医とともに選ぶ。それぞれの症例について前述の方法で，エラーを見つけ出し，さらに改善するための案を考える。

2．カンファレンス

まず，はじめの図Ⅱ-2-10のような注意事項，目的をスライドに映し毎回確認する。集めた症例を紹介し，再度出席者で共有，エラーを検討し，改善策を考える。繰

注意事項	本検討会の目的
本症例検討会は当部門の 質改善のためのものである 患者個人情報の保護のため， 検討会外で該当事例の情報拡散を慎むこと 同様にスライドの共有も認めない	• われわれの医療により不利益を被った症例を話し合う環境において 進行役の方法を知り 医療の成熟を促進し 学術面の発展とリーダーシップを涵養し 相互補完を促す場を生み出す • 次に挙げる建設的な方法で患者が不利益を被った症例を分析する システムエラー 個々の認知エラー • システムの改善を提案し，開始する

図Ⅱ-2-10 M&M カンファレンスの注意事項と目的の例

り返しになるが大切なのは，決して犯人を探し責めることをせずに，あくまで改善するために建設的な意見を出し合うことである。

3. M&M カンファレンスをうまく行うコツ

- 記憶がフレッシュなうちに行う
- 上司も積極的に自分がかかわったエラーを話し合う
- 「何がどのように行われた」という話し方をする
- “No name，No shame，No blame”（名指ししない，隠匿しない，責めない）
- よい（知識，経験豊富な）コメンテーターがいる
- 司会進行者，発表者，コメンテーターがよく下調べをして打ち合わせを行う
- できるだけ文献ベースに語る（経験論だけでなく）
- 司会進行者がコントロールする（話をそらす，個人攻撃，年長者などの「大きな声」をコントロールする）
- “Take home messages” を発する
- プロトコル作成・システム改善を行い，それを周知徹底する

4. M&M カンファレンスの例

では，はじめの事例に戻って▲▲病院でのカンファレンスについて考えてみる。

カンファレンス内では，「X さんのための薬剤を Y さんに投与した」という有害事象を検討している。この結果の裏側にどのようなステップがかかわっているかは前述のように分析する。そして以下のように進めていく。

司会医師：まず，みんなで M&M カンファレンスの原則について確認しましょう。それでは，担当の A 先生お願いします。
研修医 A：先ほどのケタミンの件です。
司会医師：それでは，具体的にどのような状況で何が起こったのかを教えてください。
研修医 A：上記に述べたような行動を経て有害事象が発生しました。
指導医：確かに忙しいときにはミスが起こりやすくなるから，事前に起こらないようにすることが大事だな。
司会医師：そうですね，それは医局会でも早急に検討します。ダブルチェックに関してはどうでしょうか？
看護師長：忙しくてもミスを防ぐためにダブルチェックの際には 5R（right patient：正しい患者，right drug：正しい薬，right dose：正しい用量，right route：正しいルート，right time：正しい時間）の確認を，時間をとって行うことが必須だと思います。そして指差し呼称を徹底しましょう。
司会医師：ありがとうございます。今回はケタミンでしたが，他の薬剤でも同様のことが起こる可能性がありますよね。ぜひもう一度救急部の薬剤投与時のコミュニケーションについて検討してみましょう！

おわりに

エラーの分析は，個人の責任追及や小手先の対応につなげるものではない。原因となったプロセス・システムの根本的な改善につなげる必要がある。そのためには，プロセスの再設計のために十分な情報が必要であることに疑いの余地はない。安全性向上のための 5 つのステップを経る必要がある[2)]。

①起こった事象を十分詳細に記述した報告で，何が起こったのかを「語る」こと
②「語られた」ことを理解し，その意味を明確にすること
③改善のための提言をまとめること
④上記提言を実行すること
⑤プロセスの変更がもたらし得る新しい安全上の問題について追跡調査をすること

繰り返しになるが，21 世紀の M&M カンファレンスでは，①～③（の一部）を行うと同時に④，⑤につなげて，プロセス・システムの根本的な改善につなげることが肝要なのである。現在，米国の教育プログラムでも，

M&Mカンファレンスへの出席がまだまだ完全にならずに問題になっている。そのようななか，やりっぱなしカンファレンスにならないように，幾つかの工夫がなされている。例えば，「医療安全」の専門家だけでなく，継続的な活動につながるように，「質改善」の専門家がM&Mカンファレンスに参加するように出席者の配慮をする。カンファレンスの焦点が，①個々の認知エラーに偏らず，②システムの改善となるような工夫として「The Ottawa M&M Model」が提唱されている。実際にこのモデルを取り入れていくと，システム改善への提言がカンファレンス中に増えたという研究が行われている[10]。

そして，分析後にとりあえずの対応をするのではなく，より安全なプロセスの再設計のために必要な情報が集まる環境をつくること，人間の限界に配慮したシステム設計につなげていくことである。まさにReasonが言っているように，「人の条件や状態を変えることはできないが，人が働く条件を変えることはできる」[8]という姿勢である。

『To Err Is Human』[2]の8章「医療機関における安全システムの創造」（原則2）に述べられるように，

- 安全に配慮した職務設定
- 記憶への依存をやめる
- 制約と強制の機能を活用する
- 人による監視への依存をやめる
- 重要なプロセスは簡素化する
- 作業プロセスを標準化する

といった，これらにつなげるM&Mカンファレンスが日本で増え，「犯人探し」「ブレーミングゲーム」が減ることを願ってやまない。

文　献
1) Leape LL, Brennan TA, Laird N, et al：The nature of adverse events in hospitalized patients. Results of the Harvard Medical Practice Study Ⅱ. N Engl J Med　1991；324（6）：377-384.
2) Committee on Quality of Health Care in America, Institute of Medicine：To err is human；Building a Safer Health System LT, Kohn JM, Corrigan MS, Donaldson, eds, National Academy Press, Washington, DC, 2000.
3) Leape LL：Error in medicine. JAMA　1994；272（23）：1851-1857.
4) Hobgood CD, Ma OJ, Swart GL：Emergency medicine resident errors：identification and educational utilization. Acad Emerg Med　2000；7（11）：1317-1320.
5) Health and Human Services：Serious Reportable Event（SREs）.
http://www.mass.gov/eohhs/gov/departments/dph/programs/hcq/serious-reportable-event-sres.html
6) 平井利明：医療訴訟の「そこが知りたい」；保険会社への事故報告書，患者の開示要求を棄却．日経メディカル　2011；41（12）：147-149.
7) Pronovost PJ, Holzmueller CG, Martinez E, et al：A practical tool to learn from defects in patient care. Jt Comm J Qual Patient Saf　2006；32（2）：102-108.
8) Reason J：Human error；models and management. BMJ　2000；320（7237）：768-770.
9) 長谷川耕平：医療安全への取り組み；M&Mカンファレンス．ER Magazine　2010；7（2）：255-259.
10) Kwok ESH, Calder LA, Barlow-Krelina E, et al：Implementation of a structured hospital-wide morbidity and mortality rounds model. BMJ Qual Saf　2017；26（6）：439-448.

（志賀　　隆）

6 環境改善（5S）

はじめに

5S活動には，リーダー（病院長，管理者）の強い意志と行動，発言が重要である。組織全体で取り組むことが改善と継続の鍵となるため，多職種を巻き込み牽引するリーダーシップが必要である。そして，職員と清掃や物流，給食，リネンなどの委託業者も含めた医療施設（以下，病院）にかかわる人々の協力が必要である。

5Sとは整理（seiri），整頓（seiton），清潔（seiketsu），清掃（seisou），躾（sitsuke）の頭文字をとっており，製造業や建設現場でのミスや無駄の要因を排除し，安全性と作業効率を向上させ，収益向上につなげた取り組みが始まりである。医療現場においても安全性の確保は必須であるが，作業者の安全確保のみならず，患者の安全確保が不可欠となる。5Sの効果としては，効率の向上，品質の向上，安全性の向上が挙げられる（表Ⅱ-2-11）。

表Ⅱ-2-11　5Sの効果

効率の向上	探す手間と時間が削減される。業務中断なく集中できる
品質の向上	仕事のミスや機械や物品の間違いが減り品質がよくなる
安全性の向上	トラブルや事故が減り安全が確保される

〔文献1）をもとに作成〕

Ⅰ 整 理

必要な物と不要な物を分け，不要な物を廃棄する。

医療機器や医療材料は日々新しくなり，古い物は使用頻度が低下する。高額な医療機器が多く，使用頻度が低下しても，万が一使用することがあるかもしれないという気持ちから，廃棄できずに物が増える。廃棄の基準として，①部品供給ができない，あるいは修理に高額な経費を必要とする，②耐用期間が過ぎている，③現時点および将来的に使用の見込みがない[3]等が挙げられる。購入や定期メンテナンス，耐用期間の記録と管理が行われていないと整理できない物が増える。医療機器や医薬品，診療録や書類，データ等は取扱責任者を決め，購入や開始時から継続して管理が行われる組織体制を整えることで，整理しやすくなる。整理を行うためには，廃棄する基準を決めて，病院全体，職員全員に周知することが大切である。血液等が付着したものや血液検査に使用していた機器等は，感染性廃棄物処理マニュアルに沿って，感染性を除去した後に廃棄する（**表Ⅱ-2-12**）。

病院では必要不可欠な医薬品や医療材料の管理は，煩雑であり人手と時間を要する。物流管理業務（supply processing and distribution；SPD）は，医療材料や医薬品購入総額の削減，看護師の負担軽減，在庫管理と原価管理の徹底，コスト意識の向上，発注と管理業者簡素化と効率化，院内スペースの有効活用を目的[4]としており，5S 活動に通じるものがある。SPD により，医薬品や医療材料の定数管理として，在庫，払い出し，消費管理が一元化され，不良在庫が減り整理・整頓につながることがある。定期的に棚卸しとして在庫の管理や使用期限の確認が行われるため，医薬品の期限切れや医療材料の滅菌期限切れがなくなり，安全性の向上につながる。

救急カートや包交車は，あると便利という視点から，さまざまな物が詰め込まれることがある。しかし，物が多いことで必要な物が探せない，使用期限が切れたものが入っており安全に使用できない等の問題が生じる。本当に必要な物は何かを使用者で検討し，物を減らす努力が必要である。衛生材料の単包化により，包交車をなくし，必要な衛生材料を患者に使用する数量のみ準備することで，包交車のなかの物の使用期限の確認や，使用後の清掃の手間がなくなり効率化につながる。また，患者間を行き来することで交差感染のリスクとなるため，整理することは感染予防につながる。

Ⅱ 整 頓

必要な物を使いやすいように置き，誰が見てもわかるように明示する。

表Ⅱ-2-12 血液等が付着した機器の廃棄前の消毒方法

消毒方法		温度・時間
加熱滅菌	高圧蒸気滅菌	121℃・20分
	乾熱滅菌	160〜170℃・120分
	煮沸消毒	100℃・15分以上
薬物消毒	塩素系消毒剤：1,000 ppm 次亜塩素酸ナトリウム	1時間浸漬
	非塩素系消毒剤：2％グルタールアルデヒド	1時間浸漬

〔文献 7）をもとに作成〕

スタッフの異動や入れ替わり，短期間で複数の診療科を経験する臨床研修医が，どの部署に行っても必要な医薬品や医療材料，医療機器をすぐに見つけられるよう，置き場所や表示表法を統一する。緊急時に使用する救急カートは，配置する医薬品と ACLS（advanced cardiovascular life support：二次救命処置）に必要な物品を統一し，すぐ取り出せる場所に配置し，（可能であれば）すぐ使用できるプレフィルドシリンジ製剤を準備することで，病院内どこで救命処置が必要になっても，医薬品や医療材料を探す手間なく，医療を提供することができる。効率化と安全性の向上につながる。

物品の配置については，医薬品や衛生材料，滅菌物は扉付きの棚や引き出しに収納し，埃や水はね等の汚染がない場所で管理する必要がある。清潔なリネンは専用の保管室や扉付きの棚，カバーをしたカートなどで保管し，新しいリネンを一番下に補充し，古いリネンが残らないようにする[5]。使用後のリネンと感染性リネンは，清潔区域（清潔なリネン，衛生材料，給食などの保管場所）から離した場所に保管する。感染性リネンと感染性廃棄物は，患者や面会者がふれない場所に保管する。

Ⅲ 清 掃

掃除をしてゴミや汚れのないきれいな状態にすると同時に細部まで点検する。

委託清掃を行っている場所とスタッフが清掃する場所を明確にし，誰もがわかるようにする。部署の管理者は，委託清掃が適切に行われているか確認し，できていること，できていないことをスタッフにフィードバックし，いつもきれいな状態が保てるようコミュニケーションをとることが大切である。入院が長くなった患者のベッド周囲や整理整頓ができない患者の周辺では，物が増え清掃の妨げとなり，害虫発生の要因となることがある。清掃員から情報を得るなど清掃しやすい環境を整えるようにしなくてはならない。スタッフが清掃する場所や使用後の医療機器，医療器具の清掃と点検方法を明確

表Ⅱ-2-13　5S 評価表（整理，整頓，清潔，清掃，習慣）

	チェック項目	☑
整　理	廊下にワゴンや使用していない物が置かれていない	
	カウンターや机の下，倉庫の床に直接ものが置かれていない（清掃の妨げになっていない）	
	冷蔵庫や棚のうえにものが置かれていない	
	包交車や点滴調製台には必要最小限の物が準備されている	
	段ボール箱を収納に使用していない	
整　頓	ワゴンや救急カート，処置室が片付けられている	
	器具は使用後除菌クロスで清拭するか洗浄し，片付けている	
	器械や器材の所定の場所が決まっている	
	流しに物が放置されていない	
	机に使用していない物品，カルテが置いたままになっていない	
清　掃	水回りが濡れたままになっていない	
	棚や机，PC 周囲，作業台などに埃がない	
	点滴調製台や床や壁に汚れとしみがない	
	清潔，不潔のゾーニングが守られている	
	清潔区域内の廃棄物容器に感染性廃棄物がない	
清　潔	見た目に汚れがない（器械，器具，環境）	
	髪がきちんとまとめられ，業務中に顔（目）にかかることがない	
	処置をする場合は腕時計や指輪を外している	
	手指衛生の 5 つのタイミングに沿って手指衛生を実施している	
習　慣	サンダル，ミュール，長いブーツを履いていない	
	お互いに声をかけ実行する	

項目については，昭和大学病院にて使用しているものを引用。

にし，統一する。例えば，輸液ポンプは看護師や補助者，臨床工学技士など，清掃を行うスタッフが毎回異なる場合がある。どのような洗浄剤と消毒薬を用いて，どこを清拭するか，清掃後や使用前の作動確認方法が統一されていないと，安全の確保は困難である。場所や職種によって清掃方法が異なることのないよう，1つの組織として手順化しておく必要がある。外来や検査室，薬局など，日常は多職種の視点が入らない場所についても，パソコンのキーボードや電話などの清拭清掃，棚の上や排気口の除塵が行われているか，点検が必要である。

Ⅳ 清　潔

整理・整頓・清掃を徹底して実施し，汚れのないきれいな状態を維持する。

病院では，清潔と不潔が混在する状況がある。使用前の医療材料や医療機器は清潔であるが，使用後の患者の体液が付着した医療材料や医療機器は不潔であり，洗浄と消毒または滅菌処理が必要である。例えば，採血に使用する注射器は，使用前は清潔であるが，使用後は感染性廃棄物である。このように医療現場では日常的に清潔と不潔が混在するため，作業スペースや処置台，ワゴン，患者のベッド周りなどの清潔区域と不潔区域を明確にし，清潔と不潔が混在しない，交差しない環境を整える必要がある。

また，病院のなかには水回りが複数存在する。例えば，手洗いシンクや経腸栄養剤や内服薬溶解のためのシンク，汚染物を洗浄するシンク，患者の洗面場所などが挙げられる。床に水が飛び散る環境では，転倒のリスクが上昇し，水回りが湿ったままの状態では，微生物の増殖と感染のリスクが上昇する。さらに，水回りの周囲に薬品や滅菌物，衛生材料があることで，滅菌状態の破堤や汚染の要因となる。水回りの整理整頓を行い，常に清潔を保つことは，感染予防や安全管理の向上につながる。

清掃業界では，間違いを防ぎ，清潔と不潔が混在しないように，清掃用具と清掃場所を色分けし，カラーコードによる区分を行っている。汚染区域（トイレや汚物処理室）で使用するものは赤，一般清潔区域（病室，診察室，ナースステーション）で使用するものは青として色分けすることで，汚染区域の清掃用具が清潔区域に持ち込まれることを防ぎ，清潔を保つことができる。当院の清潔のなかには，WHO（World Health Organization：世界保健機関）が推奨する手指衛生の5つのタイミング[6]に沿った手指衛生を入れており，感染予防にも役立てている。

Ⅴ 躾

決められたことを決められた通り実行できるよう習慣付ける。

5S活動の成功の鍵は「躾（習慣化）」にある。ルールやマニュアルの作成とそれらを徹底するための動機づけ，教育，訓練を行い，ルールが守られているか定期的に評価を行い，フィードバックすることが重要である。決められたことはルールとして病院全体に周知され，目に付く場所に表示する。ルールづくりとリマインド効果により，整理，整頓，清掃，清潔は一時的に改善する。しかし，継続するためには，全員が参加し習慣化するための動機づけが必要である。5S活動の成果を実感させる，成功例を見せることで納得させる，効果が上がった部署を表彰するなど，病院管理者がリーダーシップを発揮し，啓発していくことで組織全体の全員参加の活動につなげる。そして，継続し続けるために，評価とフィードバックを繰り返し，行動させ，習慣付けることが重要である。

Ⅵ 5S活動（事例）

当院では医療安全ポケットマニュアルに表Ⅱ-2-13のような「5S評価表」を載せ，週に1回，病院管理者による巡視を行っている。巡視メンバーは病院長または副院長をリーダーとし，巡視する場所の責任者，看護部長，薬剤部長，事務部長，委託清掃責任者，医療安全管理者，感染管理者，診療録管理士，医事課，管理課，施設課の担当者である。巡視場所は病棟や外来，検査部門のほか，薬局や臨床工学室，給食調理部門，洗濯リネン部門，電気や水道など施設管理部門，廃棄物保管場所，駐車場と病院の隅々まで回るため，全部署を3カ月程度かけて巡視している。それぞれの視点で観察し，問題があった場合はその場で改善策を検討する。多職種が参加しているため，さまざまな知恵と意見が集まり，病院全体に波及させるべきことは，中心となる管理者が引き継ぎ，全体の改善につなげている。病院管理者のリーダーシップと，多職種の視点で医療環境を評価すること，定期的な5Sの評価とフィードバックが継続されることにより，患者と医療者にとって安全で効率的な環境が整備される要素となっている。

文 献
1) 河野龍太郎：医療システムを改善する「5S活動」；限られたリソースの中でどうやって安全な医療システムを構築するか？．平成20年茨城県医療安全研修資料．
2) 高原昭男：徹底5S実践マネジメント；「できない」と言わせないために．JIPMソリューション，東京，2000.
3) 日本臨床工学技士会　医療機器管理業務指針検討委員会：医療機器管理業務指針．2010.
http://www.ja-ces.or.jp/01jacet/shiryou/pdf/gyoumubetsu_gyoumushishin09.pdf
4) 厚生労働省：SPDについて，医療機器の流通改善に関する懇談会（第2回）．2009.
http://www.mhlw.go.jp/shingi/2009/02/s0213-12.html
5) 日本環境感染学会教育委員会：19．リネンの管理，日本環境感染学会教育ツールVer.3.1．2015.
http://www.kankyokansen.org/modules/publication/index.php?content_id=13
6) 市川高夫訳：世界保健機関　医療における手指衛生ガイドライン．2009
http://apps.who.int/iris/bitstream/10665/70126/12/WHO_IER_PSP_2009.07_jpn.pdf
7) 環境省大臣官房　廃棄物・リサイクル対策部：廃棄物処理法に基づく感染性廃棄物処理マニュアル．2012.
https://www.env.go.jp/recycle/misc/kansen-manual.pdf

（中根　香織）

7 KYT

Ⅰ KYTとは

日本の工業界で取り組まれていた「危険予知トレーニング」を医療界で取り入れ始めたのは，平成14（2002）年頃からである。危険予知トレーニングを「KYT」と呼ぶのは，各単語の頭文字のアルファベットである危険：K，予知：Y，トレーニング：Tを合わせたもので，日本語の造語である。

KYTは，1960年代後半の日本の高度成長期において多発する重篤な労働災害に対して，効果的な安全対策が模索されるなか，労働者が労働災害から自分で自分の身を守るための参画意識を高めていく安全活動として創出された教育トレーニングである。住友金属工業（現在の日本製鉄株式会社）和歌山製鉄所において，イラストを用いた方法が始められ，労働災害ゼロを目指す中央労働災害防止協会によって，継承されてきている。さまざまなトレーニング方法が工夫され生み出されているが，基本は「基礎4ラウンド法」といわれる問題解決手法である。このほかにも，「ツールボックスKYT」「ショートKYT」「インシデントKYT」など，現場に適した方法が考案されてきた。また，KYTのアイデア発想法であるブレーンストーミングの4つのルール化（①他者の意見の批判禁止，②自由奔放，③多量生産，④便乗加工）等は優れたミーティング手法である。

医療界においては，「日本の医療安全元年」といわれる平成11（1999）年の医療事故を教訓として，危険（リスク）を予測し予防するという未然防止の考え方が急速に広がり，特に看護界を中心にKYTの手法が取り入れられていった。KYTは，まさしく日本で生まれた日本版の安全対策活動である。工業界に学んだ手法ではあるが，工業界と医療界では異なる点がある。それは，工業界では危険を被る対象は自分自身であるが，医療では自分ではなく患者である。医療界，看護界において，医療に生かすKYTとして，われわれ医療者みずからが発展・成長させていく取り組みであることを自覚する必要があろう。

Ⅱ KYTの意義と活用法

KYTは，危険に気付く力を付け，安全を見守る目を養うために行うものである。医療の現場はリスクだらけであり，エラーを誘発する条件に満ちているといっても過言ではない。安全は存在しないが，リスクは存在し，そのリスクに気付くことは可能であるとされている。われわれの現場では，「一度起こったことはまた起こる」「私が起こしたことは他の人も起こす」「多くの人が同様の状況では同じような反応をする」といわれ，人間は誰でも間違えるというのは真実であると思われる。しかし，それに甘んじてはいけない。ヒューマンエラーを起こさないように自分自身を律していく，そこにトレーニングとしての意味が存在する。KYTは危険感受性を磨いていくための「気付き」の教育訓練手法である。

KYTの定義として，筆者は中央労働災害防止協会の活動に敬意を表して，以下の通り使っている。「KYTは，職場の全員（小集団）で取り組む『短時間』の『問題（危険と読み替えて）解決訓練』であり，自分で自分の身を守るために行動する前の『労働安全衛生先取り』のための短時間危険予知活動訓練として工業界で実施されてきたものである」。ただし，先にもふれたが，医療の現場で用いるに当たっては，「患者安全先取り」を加え，患者の安全と医療者の安全の2つを対象としている。

KYTで磨きたい危険感受性とは具体的にどのような危険を対象とするのであろうか。次の3つを危険の柱として捉えている。①医療者の不安全行動（ヒューマンエラー），②不安全な環境や設備・備品の状況（環境因子），③患者の不安定な状態や危険行動である。これらに対するリスク感性を高め，さらに物事への集中力，問題解決能力，実践への意欲を高める訓練手法が，KYTの内容となる。

KYTは未然防止対策であり，予測と予防である。すなわち，まだ起こっていないエラーや事故の可能性を察知し事前に防止する手立てを講じる能力を身につけることにある。ここで特筆したいのは，あくまでも未然防止であり，見えている危険を列挙することではないということである。未来のことであって，今目には見えていない危険をいかに予測できるかということであり，例えばイラストや写真を教材として使用する場合に，そのイラストに危険な状態が描かれていては気付きの能力は高められない。普通の見慣れた何でもないような情景（イラストや写真による教材）のなかに，何かの変化，何かの行為，何かの作用が加わることによって発生する危険，その危険を察知できる能力を養うのがKYTである。これまで往々にして，イラストや写真のなかの間違い探しや危険当てクイズに陥ってしまっていたきらいがある。KYTを進化させていくためには，今一度，教材や，何を目的として医療者の認識を変化させたいと思ってやるのか等の求めるところを見直す必要があるのではないか。KYTを危険回避の原動力とすることで，実際の現場でのインシデントを防ぎ，予防策としての行動化ができるようになることを期待したい。

危険感受性を磨くとはどういうことかについても考えてみる。危険感受性は，日頃からリスクに対して「思考すること」である。先にもふれたが医療現場はリスクだらけであるといっても過言ではない。漫然としてケアをするのではなく，常に思考することで，見えていない危険，すなわち潜在する危険を洞察する力を付けておくことが重要である。そのためには，個々人が安全の意識を高めること，設備や環境，「モノ」の構造や働きを知ること，対象である患者の状態を知ること，取り扱い対象の有害性を知ること，人間の特性を知ることが必要となる。KYTはゼロの状態ではできない。したがって，KYTを実施するのに必要な要件が3つある。

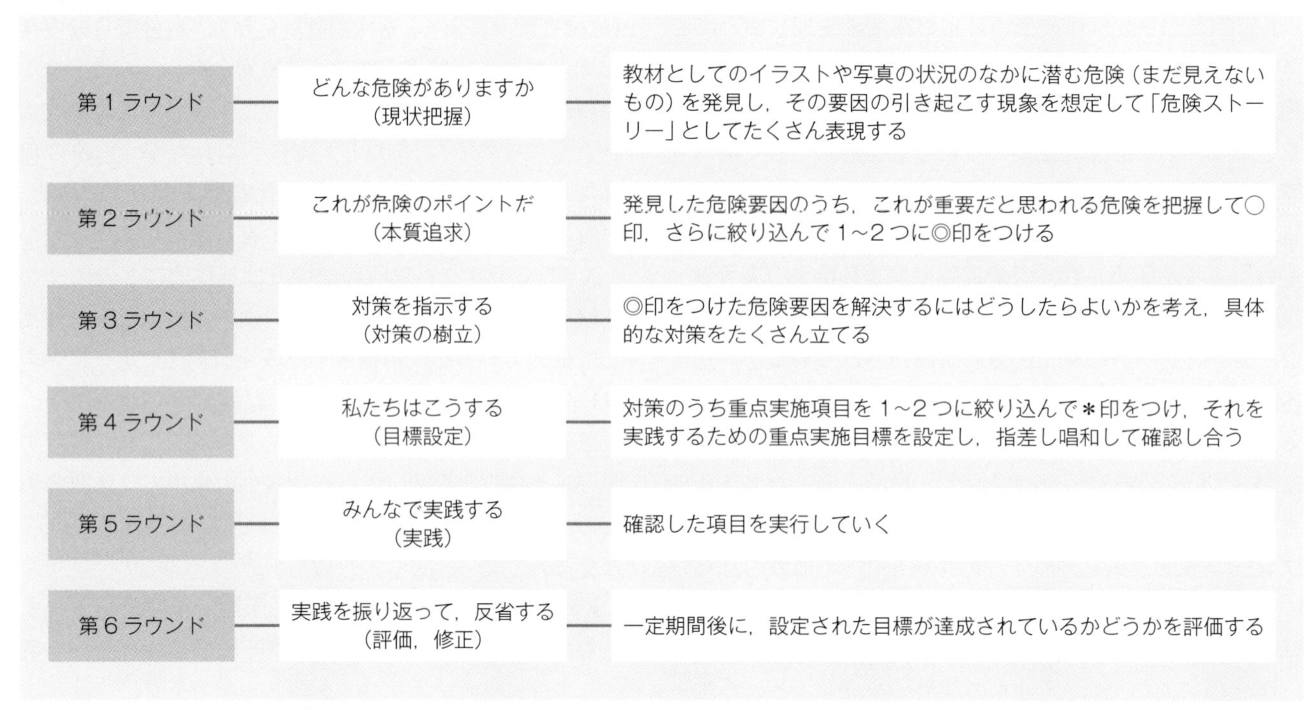

図Ⅱ-2-11　KYT6 ラウンドの概念

①われわれが行う作業の流れや起こり得る変化についての幅広い経験や理解
②ある状態や作業がもつ特徴やリスクに関する確かな知識あるいは洞察力（察知力）
③豊かな想像力

である。思考することなくして，安全は守れないのであり，そのことを見える形で教えてくれるのが KYT である。KYT は医療とともに進化し続けていくのであろう。

Ⅲ KYT の実践

KYT の概要は，

①職場や作業の状態を描いたイラストや写真，DVD などの教材を使い，
②また，現場で現物を見たり，作業をしてみたりしながら，
③職場や作業の状況のなかに潜む「危険要因」（事故の原因となるような不安全行動や不安全状態）とそれが引き起こす「現象」（事故の型）を，
④職場の小グループで話し合い，考え合い，わかり合って，
⑤危険のポイントや行動目標を決定し，指差し呼称や唱和で確認したりして，
⑥行動する前に安全衛生（患者安全）を先取りする。

というものであり，これを基礎 4 ラウンド法で行う。筆者は，この 4 ラウンドに第 5，第 6 ラウンドを加え提唱している。医療の現場では，第 5 ラウンド（実践）と第 6 ラウンド（評価）を追加することで，KYT で PDCA（plan-do-check-act）サイクルを回して，マネジメントの視点から KYT の効果を冗長させたいと考えた。KYT をトレーニングで終わらせることなく，現場での KY 活動に転化させたいからである。

KYT6 ラウンドの概念について図Ⅱ-2-11 に示す。

KYT を行うに当たっての前提は，リーダーを決めておくことであり，リーダーの役割は重要である。また，用いる教材の吟味も大切であり，その教材からどんな KY をメンバーに学びとってほしいのか等についても，リーダー間で共有しておくとよい。

第 1 ラウンドは「現状把握」であり，この危険要因の抽出が最も重要である。ここで危険について想定する文章を「危険ストーリー」と呼ぶ。危険ストーリーは定型文で表す。「～のため（不安全な状態），～すると（不安全な行動），～になる（結果としての現象であり事故の型）」，あるいは「～なので（理由），～になる（事故の型）」などの文章で表現する。事故の型とは，事故でありよくない結果のことであるから，例としては（薬を）間違える，感染する，転倒する等々である。KY シートの作業者はその立場になりきって考える。加わる変化や行動，操作，環境に目を付けて，危険要因と現象を組み合わせ，数多くの「危険ストーリー」を考え出すことである。グループワークはブレーンストーミングで進めていく。

演習として，図Ⅱ-2-12 を見て危険ストーリーを考えてみたい。

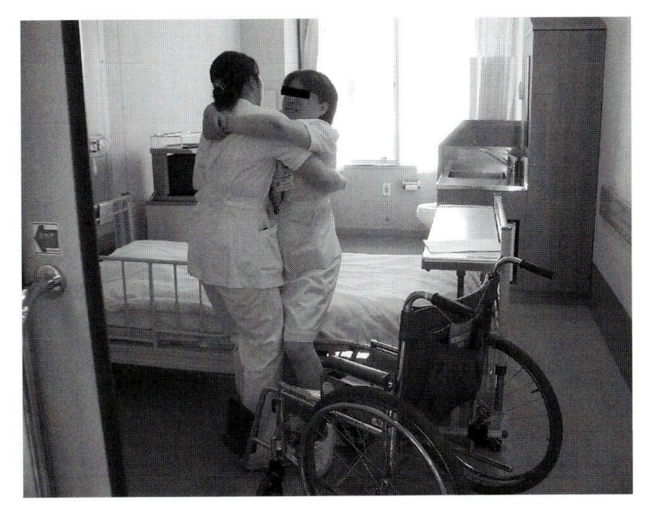

図Ⅱ-2-12 「危険ストーリー」を考えるための写真

写真には【状況設定】を書き，条件を付ける。ここでは【看護師が高齢患者をベッドから車椅子に移乗しようとしています】とする。

第２ラウンドは「本質追求」である。第１ラウンドで発見した多くの危険ストーリーのなかから，問題であるもの，うっかりできないものについて，多数決ではなく全員の合意で納得できる関心の高いものを１つ選ぶ。対策に緊急性を要するもの，大きな事故となる可能性のあるもの等が選択の基準となろう。一つを選ぶことは，重点指向を行うことである。

第３ラウンドは「対策の樹立」である。第２ラウンドで選んだストーリーについて，その対策を考える。否定的，禁止的ではなく，（〜する）というような実践的な前向きの具体的な行動内容にすることがポイントである。

第４ラウンドは「目標設定」である。第４ラウンドの対策のなかから，全員の合意で重点実施項目を１つに絞る。ここでの選択も重点指向である。パフォーマンスとして，指差し呼称，タッチアンドコールにより，全員で確認する。

第５ラウンドは「実践」である。全員で決めたからには，全員が実践する。リーダーは実践の確認を怠らない。

第６ラウンドは「評価」である。目標設定が適切であったか，問題があれば修正をする。目標設定が適切に実施されていたなら，それは作業手順として，標準化されることになる。

さて，演習の写真からは，どのような危険ストーリーが考えられたであろうか。事故の型は同じでも，その要因は実にたくさんあったと思われる。要因を偏らずに多角的に考えられるようになることが大切である。そのためには，要因の抽出をガイドするモデルを参考にするとよい。それは河野の考案するP-mSHELLモデルである（図Ⅱ-2-13）[1]。

このモデルを用いて簡単な危険ストーリー例の一部を示すと，①看護師の患者移乗スキルが不足していると，移乗時に患者の重みで共倒れになる（L），②患者が寝起き時に急に立位になったことで，めまいが起こり気分が悪くなる（P），③車椅子のストッパーをかけ忘れていると，車椅子が動いて患者にぶつかる（S），④車椅子のタイヤの空気が少なくなっていると動きがスムーズにいかない（H），⑤新人看護師が初めて１人で行う移乗作業であったため，患者が不安になった（m の教育管理），⑥夜間の暗いなかで移乗すると，患者の着衣やチューブ類の状態に気付けない（E），等であるが，さらに，P-mSHELL の層別されたあらゆる要因から考えられるようにしたい。「左麻痺がある患者にする」など条件付けをすることで，別の要因からの危険を引き出すことができる。写真にある表層的なストーリーのみならず，患者のもつ疾患や症状など医学や看護に深めた危険要因が考えられるようになりたい。

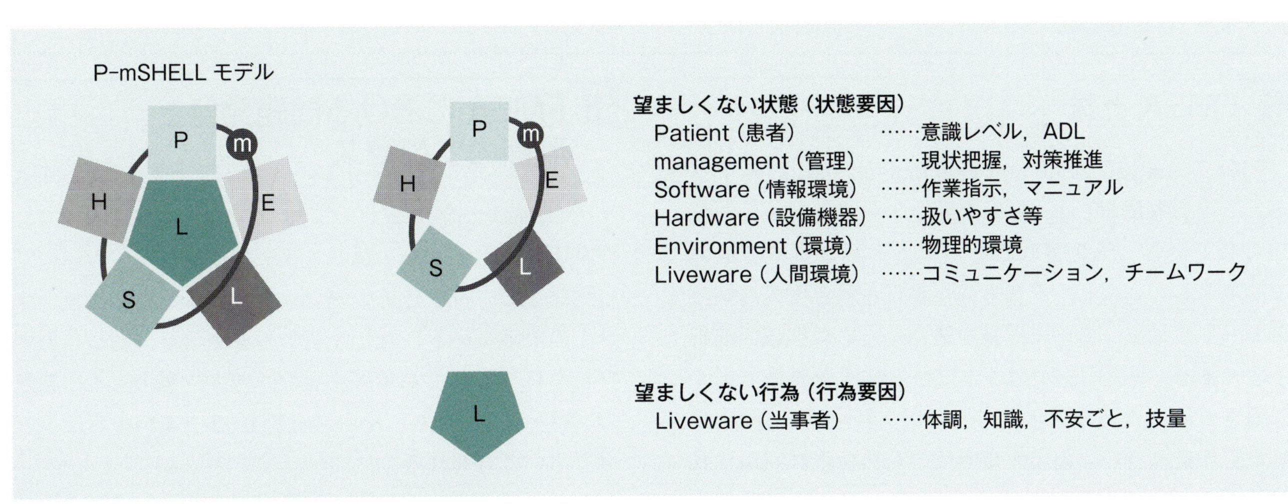

図Ⅱ-2-13 ヒューマンファクター工学の医療用モデル
（事故）は状態要因と行為要因の組み合わせで起こる。
〔文献1）より引用〕

KYT ではそのイラストや写真の教材から想像的に考えられるストーリーはすべて OK としている。発生頻度は少なくても，そういう危険もあるのではないだろうかという推測の内容も取り上げていく。グループワークとしての，リーダーの声かけや誘導は重要であり，医療安全活動のなかで，唯一笑いながら気軽にやってもよいものであるといえる。なぜなら，このトレーニングはまだ起こってはいない未来のことを考える活動であり，傷つけてしまう存在がいないからである。事例分析などの再発防止活動においては，インシデントであったとしても，事実として起こってしまったことであるため，気軽にとはいかない。

先述の危険ストーリーの例で示したように，このモデルは，要因を層別することで，網羅的にストーリーを考えることに役立つ。各要因との接合部が，直線になっているが，本来は接合部には凹凸があり波打っている。この凹凸がピタッとはまらなければ，そこに不具合の問題があるというものである。事故という悪しき結果に対して，なぜそれが引き起こされたのかという要因を探ることが，事故防止にとって，一番重要な要素である。

P-mSHELL モデルを活用する際に注意しておくこととして，医療者の手順が存在する与薬や検査での事故の場合は図の中心となる L（本人）を医療者とすればよいが，転倒転落事故では大方の場合，当事者は患者となるため，mSHEL モデルを用いて中心の L を当事者である患者とし考えてみるとよい。いずれにせよ，事故を当事者個人の問題とせず，事故が引き起こされる環境に目を向けることが重要である。

対策は，危険ストーリーで示された要因を取り除くことであり，第 1 ラウンドの数ほど対策案は出てこないであろうが，実践可能な具体的行動内容で考えることである。すなわち，第 4 ラウンドの目標設定では，「～を確認する」など抽象的なものを選んではいけない。「どのような場合に誰が何を見て照合（確認）する」というように，その文章を読んだだけで，誰もが同様の行為ができるようにしておく必要がある。そして，全員で合意したのであるから，誰もがそのことを実践していけるように，リーダーの役割が期待される。

Ⅳ KYT への期待

医療現場は常に変動する環境下での活動である。イラストや写真教材の静止場面にとどまってじっと考えてはいられない。その意味で，DVD による教材も有用である。ただし，手順としてのフローを追ってしまい，自分の経験ややり方と違うということでの問題（危険）指摘にならないよう注意する必要がある。KYT は自分が経験したかどうかではなく，教材に示された場面に作業者として存在することで，どのような危険が察知できるか，危険回避の行動がとれるかを訓練することにある。立場・持ち場に応じて，自分は何をなすべきかを自覚することでもある。現場の日々の実態に目配りをし，危険有害な要因を排除していくことのできる自発的な人材の育成を期待する。

文 献 1）河野龍太郎：医療におけるヒューマンエラー．第 2 版，医学書院，東京，2014.

（杉山 良子）

8 FMEA（故障モードと影響解析）

Ⅰ FMEA とは

FMEA（failure mode and effects analysis：故障モードとその影響解析）は，最も有効な未然防止手法として知られている。予想されるあらゆる不具合事象を故障モードとして列挙し，それらのなかから重要度の高い故障モードを抽出，事前に対策を講じるための信頼性解析手法であり，昭和 45（1970）年頃から製造業界等で広く採用され始めた標準的手法である[1]。近年では，医療現場でも作業エラーに起因する事故の未然防止に利用され始めており[2]，米国では HFMEA（health care FMEA）として医療用に改良された手法も提案されている。

Ⅱ FMEA における問題発見と判断のプロセス

FMEA は大きく 2 つのプロセスからなる。まずは，作業工程に沿ってあらゆるエラーを故障モードの名の下に列挙する「問題発見のプロセス」である。その後，すべての故障モードに対し，複数の評価項目に基づき影響解析を行うことで対策の必要なエラーを絞り込む「判断のプロセス」に進む。それらは図Ⅱ-2-14 のようなシートを用いて行われる。

工程番号	単位業務	単位業務の目的	誰が	エラーモード	発生頻度	エラーモードの影響	影響度	現在の作業管理	検知難易度	RPN	エラーモードの原因	対策
4	薬剤を取りそろえる	指示に従った投与を行う	看護師	薬剤の一部を忘れる	3	病態が改善しない	3	各自が2回確認	1	9		
				薬剤を誤る	4	副作用の可能性あり	4	各自が2回確認	2	32	類似の名称	誤りやすい名称に赤線
5												

図Ⅱ-2-14 FMEA の例

工程番号	単位業務	単位業務の目的	誰が	エラーモード	発生頻度	エラーモードの影響		影響度	現在の作業管理	検知難易度	RPN	エラーモードの原因	対策	処置の結果			
						患者への	後工程への							発生頻度	影響度	検知度	RPN
2	輸血の説明	患者の理解を得る	医師	説明不足	3	患者が不安	同意を得にくい	2	看護師が立ち会う	2	12	説明方法が任される	マニュアル作成	1	2	2	4

図Ⅱ-2-15 工夫した FMEA の例

1．故障モードは問題発見のキーワード

故障モードとは，不具合の状況である。医療活動分野では，薬剤の選択誤り，カルテ記入忘れなどのエラーが相当する。ここでは，多くの作業で共通するエラーの様式・パターンという意味を込めて，「エラーモード」と呼ぶことにする。エラーモードは，規則を逸脱する作業，作業抜けなどをさし，エラーの原因や結果との区別が必要となる。「名前の類似した薬剤が並んでいる」「別の薬剤を投与した」などはエラーではなく，前者は選択エラーの原因，後者は選択エラーの結果であり，もはやアクシデントである。

エラーモードに着目する理由は，多くの作業に共通する視点から問題を抽出しやすくするためである。原因に着目すると，1つのエラーモードでも多くの原因を想定する必要が生じ，一方で，結果（アクシデント）に着目すると，解析対象の作業内容により特有の状況を考える必要が出て，問題の抽出が難しくなることがある。典型的なエラーモードのパターンは，①怠る（omission error），②間違える（commission error）の2つであり，多くの作業に共通にみられる現象である。

エラーモードは，「問題発見のキーワード」と言われ，潜在的なエラーモードをいかに網羅的に列挙するかが，未然防止では最も重要なポイントである。そのために，まずは作業工程を明確にし，時系列的に作業を追いかけることで，どの時点でどのようなエラーが生じる可能性があるかを推測することになる。

2．影響解析による絞り込み

影響解析は，すべてのエラーモードに対してその発生頻度や影響の大きさを評価し，対策を必要とするモードを抽出するための判断のプロセスである。通常，次の3つの項目が使われることが多い。

①発生頻度（発生する割合）

②影響度（後の活動・人に与える影響）

③検知難易度（どこで発見されるか）

ただし，評価項目は自由に追加・削除することができ，例えば，検知難易度を考慮しない場合もあるし，影響度を後作業への影響と人への影響とに分けて詳細に評価する（図Ⅱ-2-15：黒枠内参照）場合もある。

各項目は点数で評価される。表Ⅱ-2-14はその基準の例であるが，各医療機関で独自の基準を採用してよい。発生頻度などは，（　）内に示したような定量的な基準を用いると判定がしやすい。また，影響度を重視する場合には，その項目のみを10段階評価に拡大してもよい。

総合評価であるRPN（risk priority number，重要度ともいう）は，すべてのエラーモードに対して各評価項目の値を当てはめた後，それらの評価値の積により，

発生頻度×影響度×検知難易度＝RPN（重要度）

で求める。

各項目が1～5の5段階評価の場合，RPNは1～125となり，大きな値のモードほど，対策の必要性が高いことになる。和ではなく積で算出するのは，より大きな値の付けられたエラーモードをクローズアップさせるためである。

表Ⅱ-2-14 FMEAにおける影響評価基準の例

ランク	影響度	発生頻度	検知難易度
5	きわめて重大な影響がある（患者の生命にかかわる，莫大な被害に）	きわめて高い頻度で発生する（1～2回/週程度）	発見は不可能
4	重大な影響がある（後遺症が残る，治療への大きな影響）	高い頻度で発生する（1回/月程度）	多くの場合，発見できない
3	やや重大な影響がある（後遺症が残らない，治療の遅れ）	時々発生する（数回/年程度）	発見可能だが，発見できない，遅れることも
2	それほど重大ではないが影響がある	めったに発生しない（1回/年程度）	多くの場合，発見できる
1	影響はない/ほとんどない	ほとんど発生しない（1回/数年程度以下）	その場で発見できる

評価値は，対象とするプロセスのなかで相対的に重要なものを選ぶための値であり，絶対的な値ではない。したがって，他のFMEAシートと点数を比較するようなことはしない。個々の値付けに神経質になることなく，対象とする作業のなかで重要なエラーモードがクローズアップされるように差を付けることを心掛けるとよい。

Ⅲ FMEAの実施方法

1. 実施手順

FMEAは次の手順で実施する。

Step①解析対象とする業務を決定する。

Step②チームを構成する。全体をみることのできるリーダー，対象作業に精通する現場担当者など複数名で構成する。安全管理者などのFMEAの経験者を含めることが必要である。

Step③業務工程表を確認，存在していない場合には作成し，解析の対象とする業務内容を明確にする。

Step④ワークシートを用意し，評価基準を決定する。病院施設内あるいは部署ごとに標準化しておくことが望ましい。

Step⑤業務の目的を明らかにし，発生の可能性があるエラーモードを列挙した後，発生頻度を推定する。

Step⑥影響を記し，影響度を評価する。

Step⑦現在の作業管理状況を書き入れ，検知難易度を評価する。

Step⑧すべての評価値がそろった後，機械的にRPNを算出する。

Step⑨RPNの高いエラーモードについて，原因を考え，対策を検討する。

2. エラーモードを網羅するための工夫

経験やさまざまな情報を活用して，多様な観点から発生し得るエラーを推測する。

1) ブレーンストーミング

まずはエラーの可能性を頭のなかで考えることが重要である。作業内容を想定し，作業の目的に対して不適切な状況となるエラーを考えることが出発点となる。現実に起こり得る作業環境を想定し，また，焦っているなどの心理状況を想定して，どのようなエラーが起こり得るのかを考える。その際，「ガイドワード」と呼ばれる副詞を付けることでエラーを想定することも可能である。例えば，ふたを閉める作業において，「不十分に」「余分な力で」を頭に付けることで，2つのエラーモードが想定できる。多くの作業において，このような両極端な作業エラーが想定できる。逆を考える癖をつけることで思わぬ予測につながる場合がある。

2) 失敗経験やインシデント・アクシデント報告の活用

直接使える事例もあるが，積極的に水平展開し類推することで，活用範囲は広がる。製造業でFMEAを活用している企業は，インシデント報告等をデータベース化し参照しやすい環境づくりに力を入れている。

3) エラーモードの一覧表の利用

製造におけるエラーモードは，16通りに分類されており，それらをチェックリストとして活用することも効果的である。「記憶エラー」として①抜け，②回数違い，③順序違い，④実施時間違い，⑤不要作業の実施，「知覚・判断のエラー」として⑥選び違い，⑦数え違い，⑧認識違い，⑨危険見逃し，⑩位置違い，⑪方向違い，⑫量間違い，⑬保持の誤り，「動作エラー」として⑭不正確な動作，⑮不確実な保持，⑯不十分な回避，の16項目が並んでおり，ヒントになる[3]。

4) 他医療機関での解析例の利用

医療機関はどこも類似の作業をしているため，他の機関でのFMEA事例を参考にすることができる。

3. 確実な対策のための工夫

対策として最も効果が薄いのは「教育徹底」である。具体的に新しい教育方法を導入するのであれば効果は十分期待できるが，単に「徹底の強化」では効果は見込めない。具体的なエラープルーフ策を選択することが望ましい。発生防止としての「排除（作業の除去）」「代替化（作業の自動化）」「容易化」，あるいは波及防止としての「異常検出」「影響緩和」の５つのなかから選択する。一般的に，より前者の策が望ましいとされるが，作業に依存するものであり，一つの策だけで十分とも限らない。エラーごとに適切なエラープルーフ化を検討することが必要である。

対策の決定・実施に当たっては，次の点にも注意する。

①安易な多重化は避ける

確認の多重化が必ずしも効果を挙げるとは限らない。視点を変えるなどの多様性を備えた多重化でなければ効果は期待できない（p.151「ダブルチェック」の項を参照）。

②安全策への過信も禁物である

安全策が真に効果を生むか，確認・フォローアップが必要である。

③対策が生む新しい問題にも着目する

対策が新しい問題を引き起こすこともある。患者確認のために導入したネームバンド装着で，バンドの付け間違いを引き起こした例がある（p.153「患者取り違え」の項を参照）。

Ⅳ FMEAの留意点

1. 最初の解析には思い切って時間をかける

初心者には時間を要する解析方法だが，慣れれば早くできるようになる。ただし，シートの枠を埋めていけばよいと安易に取り組むと，形式的な作成作業にとどまり，効果のない結果に終わってしまう。結果を出すこと以上に，故障モード発見と影響解析を考えるプロセスを大切にすべきである。

2. 重点化

特に問題が起こりそうなところには時間をかける。広く平たく実施するよりも，効果が見込まれる作業に重点化して実施することが効果的である。

3. フォローアップ

一定期間後，対策が実施されたことを確認することが必要である。フォローアップのための欄を設ける方法もある（図Ⅱ-2-15：色枠内参照）。

4. 結果の蓄積と再利用

一度作成した解析結果は，対策がとられれば無用になるというものではない。類似の作業を解析する際に参考となり，他科での同様の作業でも参照できる。製造業各社では，作成したFMEAを社内でデータベース化して蓄積し，各部署で自由に使えるようにしている。医療施設内でも有効に再利用することが望まれる。参照することで，解析時間の短縮にもつながる。作業の変更を行う場合には，以前のFMEAシートを持ち出し，変更した部分のみを再検討すればよい。

5. 新人の教育に利用

ある病院では，新人教育にFMEAを利用しているという。リスクを発見する姿勢や癖，そのリスクの重要度を考えるための評価視点を身に付けることで，日常業務でのリスク発見や判断の力は大きなものとなるだろう。

6. 影響度を付けるときの注意

直接の影響を中心に考える。最悪のケースやシナリオを考えると，影響度は必要以上に高くなってしまう。影響を１次，２次，３次と分ける方法も提案されている[2]。

Ⅴ FMEAの前提と限界

1. FMEA実施の前提

FMEAは，作業工程表または作業フローができ上がっていることが前提の手法である。通常は，作業工程を決定する際に，エラーの発生を予防するためのさまざまな考慮や工夫が組み込まれているはずであり，その作業工程のなかに見落としがないかを改めて見直すための手法といえる。

現実には，慣習や経験則に基づいた作業が行われ，作業工程表が存在しない場合も多いのだが，標準作業の徹底のためには作業工程の明示は必須である。そのうえで，FMEAによりエラーの未然防止を考えるという姿勢が大事であろう。

2. FMEAの限界

FMEAは，決められた作業に着目して，そのなかでの問題点を追求する方法のため，他の作業との関連などは考慮されない。例えば，周囲からの作業協力の要請により作業中断が発生した場合のエラーなどは対象とならない。

文　献　1）田中健次：システムの信頼性と安全性，第４章．朝倉書店，東京，2014，pp 78-119.

※FMEA の目的や位置付け，製造業で FMEA を実施するためにとられている工夫などがわかる。
2) 飯田修平：FMEA の基礎知識と活用事例．日本規格協会，東京，2007.
※医療分野での FMEA に焦点を絞った書籍。さまざまな工夫が示されており，参考になる例が多い。
3) 中條武志：人に起因するトラブル事故の未然防止と RCA；未然防止の視点からマネジメントを見直す．日本品質管理学会監，日本規格協会，東京，2010.
※事例に基づく具体的なエラー分類などが平易に解説されている。

（田中 健次）

9 警報学概論─医療現場で医療機器のアラームを有効活用するために─

はじめに

現在の医療安全管理にとって，医療機器のモニター機能とそのアラームは不可欠な存在となっている。アラームをうまく駆使することによって，監視のためのマンパワーを軽減し，時に医療者には見つけることのできない異常を検知することができる。また，モニターやアラーム履歴は，精密な医療機器によるきわめて信頼性の高い，客観的な証拠である。病態急変時や異常事態発生時に，モニターやアラームの履歴を確認することによって，何が起こったのかの糸口がつかめることも多い。

このように，一見すると有用性が明らかで，重要性の高いものではあるが，臨床現場では医療者からの悪い評判を聞くことも少なくない。頻回なアラームの対応に追われ他の業務が進まない，エラーと思われるアラームが頻回に鳴る，騒音が不快で眠れないなどの意見はしばしば耳にするものである。本稿では，医療機器のモニター機能とそのアラームについて，医療安全面からの考え方や使用法，注意点などについて述べる。

Ⅰ アラームとは

アラーム（alarm）とは，警報，警告を意味する。本稿では警報学として，医療における警報について概説する。本来の医療における警報には，すべての患者情報（例えば，ドレーンの排液量，性状，尿量や体温など）および医療機器からの情報が含まれるが，ここでは医療機器の警報を中心に述べることとする。

医療機器のアラームとは，医療機器でモニタリングされた項目が規定の値に達したときに，医療機器が発するシグナルをさす。アラーム音は異常事態を知らせることをその目的としているため，聞き漏らすことなく認知できるよう，通常は人間工学的に不快な信号が選択される。音色，音の断続性，音量は医療機器や製造会社によりさまざまであり，医療機器によっては緊急度により異なるアラーム音を発することもある。

Ⅱ モニター

医療機器のアラームは，各種モニタリングシステムに搭載されている。心電図，パルスオキシメータなどがモニタリングできる患者監視装置（最近では「生体情報モニター」と呼ばれることが多い）や人工呼吸器，麻酔器などが代表例である。そのほかにもカプノメータなどが一般的であり，観血的動脈圧，肺動脈圧・肺動脈楔入圧，心拍出量，中心静脈圧（central venous pressure；CVP），中心静脈酸素飽和度（$ScvO_2$），経肺圧（食道内圧），肺外水分量などのモニタリングが可能で，それぞれにアラームが存在する。

モニタリングは，継時的に持続モニタリングできるものから，一定時間での間欠的測定を行うもの，医療者による随時測定を行うものがある。それぞれのモニターで計測した値が，事前に設定された範囲を超えた場合にアラームが鳴る。アラームを鳴らすための設定は，医療者が意図的に設定できるものもあれば，機械ごとにプリセットされており外部からは変更できないものもある。近年コンピュータの進歩により，規定の値になった場合に，アラームを鳴らすとともにプロトコル通りの応急対応を自動的に行う機械もある。モニターを用いることで特有の客観的なデータが得られ，病態の把握や治療に役立てられて，病態の変化や危険事態の察知が可能となる。

Ⅲ アラームの役割

前述のように，アラームとはモニタリングされた項目が規定の値に達したり，規定された異常が生じたりした場合に警告を発するという単純なものではあるが，この機能を使って臨床上の有用性につなげることが可能である。

心電図モニターにおける致死性不整脈出現など，緊急事態に遅滞なくシグナルを発することができる。これは，医療者であってもモニターを注視し続ければ検出可

表Ⅱ-2-15　モニターとアラームの役割

正の役割	患者の突発的な異常の検知 患者の病態変化の察知 客観的な記録 医療機器のトラブルの検知
負の役割	騒音となり得る 無駄なアラームが多い 患者にとって，コード類や電極などが邪魔，不快 異常の検出の頻度が増える

能ではあるが，いつ発生するか，発生するかどうかもわからない不整脈に対して持続的に専属スタッフを配置することは非効率で現実的ではない。

ある患者の酸素飽和度の目標値を92～95％にした場合，酸素飽和度が下がれば酸素投与量を増やし，酸素飽和度が上がれば酸素を減量することになる。医療者がこれを自力で行う場合，付きっきりでのケアが必要になる。酸素飽和度モニタリングを用い，酸素飽和度アラームの上限を95％，下限を92％に設定しモニタリングを行うことによって，マンパワーを削減することができ，その代わりに他のケアの質を高めることもできるであろう。

また，医療機器のトラブル（危機事態の故障，付属品の不具合，患者との接続不良など）が生じた場合，通常医療者は患者状態に変化があるまでは気付くことが困難だが，機器の自動チェック機構等により早期に警告を発することが可能となる。

アラームは，医療者みずからの力では早期に知ることが困難な患者状態や医療機器の異常を，医療者に適切に警告するとともに，患者監視のための医療者のマンパワーを減らしケアの質を高めるために非常に有用なツールといえる（表Ⅱ-2-15）。

アラームの本来の役割は，①医療機器のトラブルや患者急変などの緊急事態を迅速に伝える（緊急アラーム），②患者の継時的な病態変化を伝える（病態変化アラーム）というものであるが，実際にはこれらの本来の役割によるアラームの頻度は低いことが知られている。臨床でのアラームの大半は不適切なアラーム設定やセンサーあるいはプローベの装着不備，ノイズやアーチファクトなどが占めていることは，臨床経験のある医療者であれば誰もがうなずけるところであろう。アラームに関する報告を見てみると，前述①と②を加えた臨床的に意味のあるアラームの発生頻度は7～15％程度とされる[1),2),3)]。これらのアラームは，患者管理の場所（集中治療室，高度ケア提供ベッド，一般病床，慢性期病床など），施設間の差，アラームの設定方法（メーカーの初期設定，施設ごとの初期設定，患者ごとの設定など）により大きく

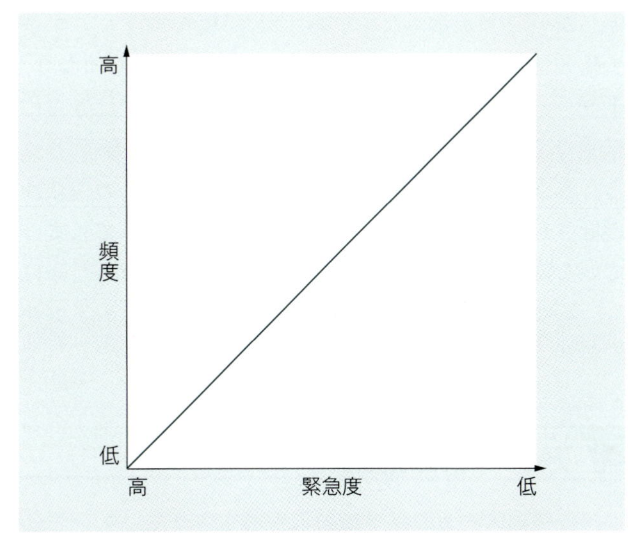

図Ⅱ-2-16　アラームの緊急度と頻度の関係

その頻度や内容が変わることが予想されるが，筆者の経験もふまえて考えると，日本の医療機器が使用される一般的なシチュエーションでは，緊急アラームが全アラームの1％，意味のある病態変化アラームが10～30％，臨床的にあまり意味をなさないエラーやノイズ，不適切設定などによるものがその残りを占めると推測される（図Ⅱ-2-16）。これが，歴然とした本来のアラームの重要性にもかかわらず，医療者が臨床現場で医療機器のアラームを軽視したり，嫌悪したりする大きな要因であると考えられる。

Ⅳ crying wolf

国外の報告ではあるが，前出の報告では1ベッド当たり1.6～7.1回/時間のアラームが鳴るとされ[1),2),3)]，その数の多さに驚かされる。谷本らの報告でも1日当たり54回/台，稼働時間で補正すると1台当たり4回/時間とされ[4)]，わが国でも同様の状況であることがうかがえる。医療機器におけるアラームとはまさに玉石混淆であり，多くの石に紛れた数少ない貴重な玉を探さなければならない状態であることがわかる。Lawlessはこのようなアラームの置かれた状況を，普段からオオカミが襲ってくると嘘をついていた少年が，本当にオオカミが襲ってきたときに信じてもらえなかったというイソップ寓話「オオカミ少年」に準え「crying wolf」と例えた[5)]。このような状況は，「alarm fatigue」とも呼ばれ，多くの医療者がアラームを信用せず，対応もおろそかになってしまう[6)]。

一方，人間工学的な視点からの研究では，人は90％の信頼性のあるアラームでは，その90％に反応するものの，10％の信頼度のアラームにはその10％にしか反

応しないことが示されている[7),8)]。不要なアラームが多く信頼性が低くなると，人はアラームに無頓着になり，アラームを最適化しなくなるため，その信頼性はさらに低くなるという悪循環になってしまうことが懸念される。本来，患者の安全のためのアラームが，その信頼性の低さから逆に見逃しというリスクにつながってしまっている可能性がある。アラームの信頼性を上げるためにも，不要なアラームを鳴らさないような最適化の工夫が重要といえよう。

Ⅴ アラームの最適化

医療機器メーカーはアラームが設定されていないことによる有害事象発見の不備というリスクを避けるために，異常事態には漏れることなくアラームが鳴るよう初期設定をしている。そのため，医療機器を出荷時の初期設定のまま使用するとアラームの頻度が増えることが指摘されている。本来は病態やもともとの患者背景に合わせた患者ごとのアラーム設定が好ましいが，それが難しいようであれば臨床工学部などの中央診療部門がまとめて，施設なりのアラーム初期設定を行い臨床使用すると不要なアラームが減らせるものと推測される。初期設定での使用開始後は，患者の状態によって適時アラームの設定値を最適化することで不要なアラームをよりいっそう減らすことが可能であろう。

効果的なアラーム運用のコツは，意図をもったアラーム設定をすることである。「収縮期血圧が180mmHgを超えたら，降圧薬を増やそう」「酸素飽和度が92%以下になったら，酸素の投与量を増やそう」というように，アラームが鳴った後の介入をふまえて考えるとよい。すべての医療機器の，すべてのモニタリング項目に対して，意図をもった設定をすることは難しいが，患者ごとに，特に注意を要する項目に対して意図的な設定をするように心掛ける。そうすることによって，病態に合ったケアの提供が容易になり，周囲のスタッフも共通認識として対応がしやすくなる。

アラームの頻度をコントロールすることも重要である。多くの生体情報は，生理的な変動幅がある。これを無視したアラーム設定をすると，生理的な変動幅にもかかわらずアラームが鳴ってしまうことになる。一般的な基準値があったとしても，その上限値付近で変動する人もいれば，下限に近い値で変動する人もいる。一般的な基準値に合わせてアラーム設定を開始し，個人の変動幅を見極めながら最適化していくことが重要である。また，職場環境に合わせた設定も考慮する必要がある。集中治療室などマンパワーの豊富な環境で，「どんな異常も見逃さない！」という綿密なケアを行いたいのであれば，アラーム回数の増える可能性は予想されるが，アラームをタイトに設定して経過観察をすればよい。一方，一般病床等で同時に多くの患者を管理しなければいけない環境では，対応を変える必要がある。このような状況では通常，患者がみずから症状を訴えることができ，また患者状態からも異常を一瞬に検出し対応する必要はないことが多い。そのため，集中治療室に比べるとアラームの設定幅を緩くすることができる。また，患者特性や機械固有のエラーにより，頻回なアラームのため適切なモニタリングができないこともある。この場合には，他の医療機器での異なるモニタリングを行うことにより代用できる場合もある（うまくいかないモニタリング項目のアラームは緩める）。

例① 体動のためモニター心電図での心拍数モニタリングが困難
→パルスオキシメータの脈拍数でモニタリングを行う

例② 生体情報モニターでの呼吸回数モニタリングがうまくいかない
→ SpO_2（動脈血酸素飽和度）と $ETCO_2$（終末呼気炭酸ガス濃度）をモニタリングする，人工呼吸器の呼吸回数でモニタリングする

Ⅵ モニタリング機器とアラームの注意点

患者安全のために日常的に用いられるモニター機器ではあるが，装着する医療機器を増やし，モニタリング項目を増やせばそれだけ安全になるというわけではない。前述のように，緊急事態に対する精度の低いアラーム対応に惑わされる機会が増えてしまうことが予想される。精度の低いアラームに対して人は鈍感になってしまい，肝心のアラームが見過ごされてしまう危険性が増してしまう。患者の病態や特性に合わせた，モニター項目の選定が重要である。患者の経過を追ううえで，注意すべき項目，勘案すべき点を列挙し，病態変化，特に重症化した場合，早期に変化するであろう項目，緊急対応が必要となるボーダーライン，予想される合併症発現を早期に検出できる項目を中心にモニタリングを行う。

また，モニタリング機器の侵襲度にも注意を払う必要がある。一見すると侵襲のなさそうな生体情報モニターであっても，電極装着による不快感や体動制限から患者は不穏やせん妄になる場合も少なくない。スワンガンツカテーテル（肺動脈カテーテル）は，精密な循環動態を把握することのできるオリジナリティーの高いモニタリング機器である。心不全患者や重症患者を中心に，綿密な全身管理のために使用されてきたが，近年になりその使用頻度は激減している。これは，綿密な循環管理がで

きる一方，カテーテル関連血流感染症や血管損傷など，さまざまな合併症などが発生し，結果としての患者転帰の改善は得られないことが指摘されたためである[9),10)]。このように，適切と思われるモニタリング項目であったとしても，その侵襲性も勘案して選択する必要がある。

また，モニタリング機器ごとの機械特性も知っておく必要がある。体外循環のための膜型人工肺は，生命維持管理装置ではあるがほとんどモニタリング項目を有していない。そのため，適切な循環モニタリングや呼吸モニタリングの併用が必須である。人工呼吸器は，生命維持管理装置のなかでは最も精密なモニタリング機構を有している。しかし，基本的には人工呼吸器回路内の気体の動きを主体にモニタリングしており，患者の循環動態等はモニタリングすることができない。そのため，患者がショック状態や心停止になったとしても循環動態に対する警報を発することなく，呼吸サポートを継続することになる。このように，機械ごとの特性を理解し使用するとともに，統括して管理するベッドサイドでの「ヒト」の存在が重要である。今後，さまざまな医療機器が進歩し，医療のIT化が進むとしても，現場で機器を統括管理し目を光らせる人間の存在がなくなることはないであろう。

おわりに

医療機器のモニター，アラーム機能は患者安全管理にとって必要不可欠なものであり，綿密な患者監視や医療者のマンパワーの軽減を可能にする。一方，現在の臨床現場では不要なアラームが多く，アラームの本来の有用性が十分に生かされていないという問題がある。問題意識をもった，計画性のあるアラーム設定を行い，不要なアラームを鳴らさないようにすることが一つの解決策であろう。

文　献
1) Chambrin MC, Ravaux P, Calvelo-Aros D, et al：Multicentric study of monitoring alarms in the adult intensive care unit（ICU）：a descriptive analysis. Intensive Care Med　1999；25（12）：1360-1366.
2) Siebig S, Kuhls S, Imhoff M, et al：Intensive care unit alarms-how many do we need? Crit Care Med　2010；38（12）：451-456.
3) Siebig S, Kuhls S, Imhoff M, et al：Collection of annotated data in a clinical validation study for alarm algorithms in intensive care-a methodologic framework. J Crit Care　2010；25（1）：128-135.
4) 谷本千恵，川久保芳文：生体情報モニターのアラームをどれだけ信頼する？ Intensivist　2011；3（2）：190-194.
5) Lawless ST：Crying wolf：false alarms in a pediatric intensive care unit. Crit Care Med　1994；22（6）：981-985.
6) Graham KC, Cvach M：Monitor alarm fatigue：standardizing use of physiological monitors and decreasing nuisance alarm. Am J Crit Care　2010；19（1）：28-34.
7) Bliss JP, Gilson RD, Deaton JE：Human probability matching behavior in response to alarms of varying reliability. Ergonomics　1995；38（11）：2300-2312.
8) Bliss JP, Dunn MC：Behavioural implications of alarm mistrust as a function of task workload. Ergonomics　2000；43（9）：1283-1300.
9) Harvey S, Harrison DA, Singer M, et al：Assessment of the clinical effectiveness of pulmonary artery catheters in management of patients in intensive care（PAC-Man）：a randomized controlled trial. Lancet　2005；366（9487）：472-477.
10) Shah MR, Hasselblad V, Stevenson LW, et al：Impact of the pulmonary artery catheter in critically ill patients：meta-analsis of randomized clinical trials. JAMA　2005；294（13）：1664-1670.

（古川　力丸）

Ⅱ 各論

第3章 病院内の医療安全（部署別管理者の注意点）

1 施設管理者（病院長，医院長）

Ⅰ 医療安全業務の全体像の理解

平成11（1999）年に発生した重大医療過誤を契機に始まったわが国の医療安全活動であるが，その後20年以上が経過し，その業務の全体像が示されるようになった（図Ⅱ-3-1）。施設管理者にとって重要なのは，医療安全業務の細部に精通することよりも，まずは求められている業務の輪郭を把握することであり，そのうえで自施設内に不足しているものは何か，それを充足させるためにはどのような人材を育成し，配置するか等について検討することである。そこで本稿では，施設内で行われるべき医療安全業務の全体像を，主に「平時の医療安全業務」と「有事の医療安全業務」とに分けて提示し，その現状と課題について概説する。

Ⅱ 平時の医療安全業務

平時における医療安全業務とは，現場からのインシデント報告の集積やトリアージ，安全管理部門を中心に実施される発生原因の分析や課題の抽出，多職種カンファレンスなどによる検討，ルールやマニュアルの見直し，再発防止のための注意喚起や研修・教育，現場ラウンドなどのモニタリングといった業務をさす。このような，改善を目的としたサイクル活動（PDCAサイクルなど）は，既に多くの医療機関で取り組まれている。しかし，それらの活動が，組織にどれほどの改善をもたらし，医療事故防止のためにどのような効果を上げているのかを客観的データとともに説明できる医療機関は少ない。これは，わが国の多くの医療現場において，PDCAサイクルのP（plan）が，漠然とした定性的目標設定にとどまっており，具体的で定量的な数値目標を掲げられていないことに起因する。すなわち，医療現場の多くの改善活動は，わが国の産業界が育んだ，精度の高い問題解決手法に則っていない。

問題解決手法とは，図Ⅱ-3-2のように，比較的精緻に管理されるものである[1]。例えば，インシデント報告などから施設内の課題を抽出したのであれば，第一にその課題の実態や，その課題が生まれている理由などを多角的に測定し，定量化することが必要である（現状把握）。そのうえで，その課題を一定期間内に，どの程度まで抑えるか明示し（目標設定），その目標と現状の間に生まれているギャップがなぜ発生しているのか，分析手法を用いて“真因”を探る（要因解析）。そのうえで対策を立て，期限と担当責任者を決める（対策立案）。ここまでをP（plan）とする。そして，その対策を実施し（Do），効果を確認し（Check），今後の取り組みへとつなげていく（Act）。

PDCAを1周行うと，多くは業務の“標準化”（standardization）という対策に到達する。そして2周目は，その標準業務と現状の間に生まれるギャップを測定し，その要因を特定して，対策を定めていく。2周目はstandardizationが起点となることから，“P”DCAではなく，“S”DCAと呼ばれる[2]。

特に，①テーマ選定～⑤対策立案までのPlanがあいまいだと，どのような対策を行っても，それが改善につなげられているかどうかが不明となる。成果が不明であれば，現場の職員は対策の効果がわからず，ルールを守らなくなり，報告行動も陰りを見せるようになる。報告が滞れば，組織の課題を抽出しにくくなるのみならず，次項に述べる有事の際の初動対応も実現できなくなる。このような悪循環のなかで重大な事故が発生し，組織は後手の対応を強いられる。

施設管理者はこの負のスパイラルの危険性を認識し，常に平時の医療安全業務のクオリティに注目する必要が

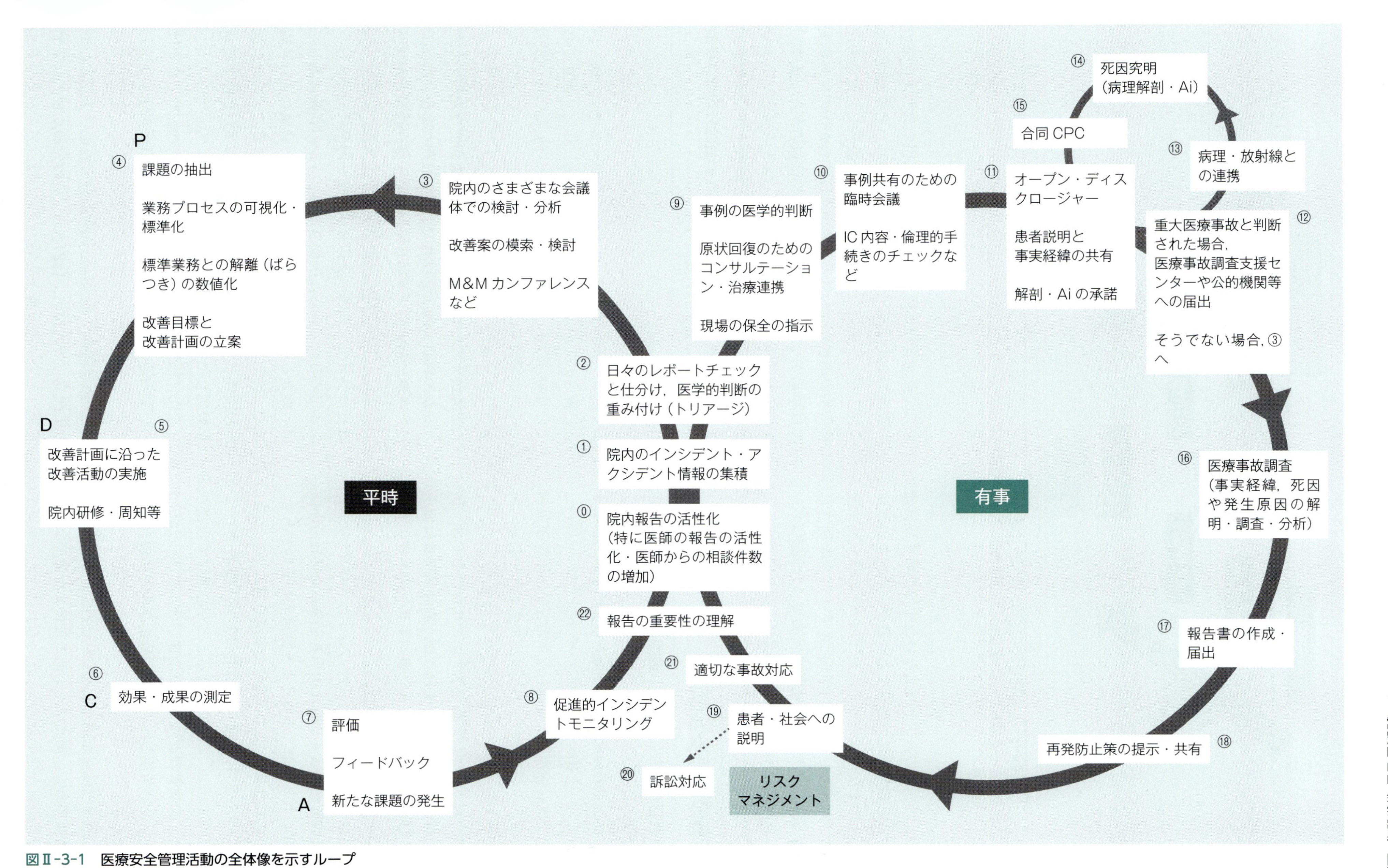

図Ⅱ-3-1　医療安全管理活動の全体像を示すループ

Ai：autopsy imaging，CPC：clinico-pathological conference

〔平成27・28年度厚生労働科学研究費補助金地域医療基盤開発推進研究事業，医療安全管理部門への医師の関与と医療安全体制向上に関する研究（研究代表者，長尾能雅）より一部改変〕

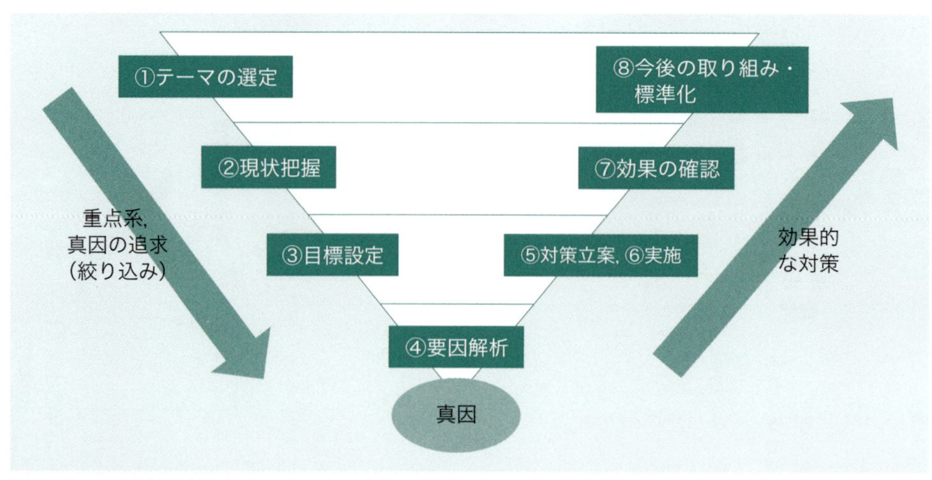

図Ⅱ-3-2 問題解決のためのPDCAイメージ
①～⑤がPlan，⑥がDo，⑦がCheck，⑧がAct。

ある。そして，悪い結果を生まないための標準手順は確立されているか，それは関与する全職種の協力を得て決定されたものか，手順の遵守率やばらつきの測定結果を入手できているか，本格的なPDCAサイクルを回すにはどのような人材の登用が必要か，といった観点から，自施設の医療安全体制を見直し，支援する必要がある。

Ⅲ 有事の医療安全業務

重大な問題が発生したとき，医療機関は機敏かつ組織的に，有事の管理体制を敷く必要がある。有事の医療安全業務とは，患者の原状回復のための部門横断的治療連携，事実確認，患者へのオープン・ディスクロージャー，病理部門や放射線部門と連携した死因究明，医療事故調査・支援センターや警察への届け出の必要性の判断，医療事故調査や報告書の作成，調査結果の患者への説明，社会への公表といった業務をさす。これらの多くは，医療安全担当者が中心となって行うが，施設管理者は要所要所で重要な意思決定を行う必要があり，最終責任を負う立場にある。

重大事故はそれほど頻繁に起こることではないため，多くの施設管理者は安全管理担当者を含めた自施設の職員が「有事」に不慣れであることを認識する必要がある。有事に不慣れな職員は，不都合な事実を前にしたとき，逡巡しつつもできる限り楽観的に対処しようとする“Story Generation”の状態に陥ることが心理学で指摘されている。施設管理者は，組織全体がStory Generationに陥らないよう監視し，客観的で公正な状況判断を導く必要がある。

有事の業務で最も先決と考えられるのが，事故発生時の治療連携である。例えば，薬剤過量投与が発生し，近日にも有害事象が発生し得る状況となれば，その事実が直ちに安全管理部門に報告され，多部門の専門家を集めて薬物の血中濃度の測定や拮抗薬の投与，血漿交換による除去など，院内のベストリソースを投入した救命のための治療連携が行われる必要がある。わが国の医療現場では現場からの報告が遅れ（あるいは報告がないまま），組織的初動が行われず，患者を失ってしまうという医療事故を幾度となく経験してきた。治療連携には臨機応変，かつ柔軟な対応力が求められる。施設管理者は事故発生時の治療連携が潤滑に実行されるよう，支援しなければならない。

同時に必要となるのが，オープン・ディスクロージャーである。オープン・ディスクロージャーとは，現在把握されている事実を速やかに患者に伝え，把握されていない事実については，今後どのようにそれを究明し，いつ頃説明できるか見通しを約束するといった，誠実なコミュニケーションのことである。

患者が死亡した場合，医療事故調査制度を適用するかどうかの判断も施設管理者の重要な役割となる。制度では，医療に起因し，予期していないと施設管理者が判断する死亡については，医療事故調査・支援センターに報告したうえで，外部の支援を求めた院内事故調査を行うよう定められている。医療事故かどうかの判断に際しては，できる限り臨時の会議等を開催し，合議による客観性と，透明性を維持する工夫が求められる。その際，医療起因性と予期性の判断過程について議事録を残すことを推奨したい。

また，医療事故調査の手法や，報告書の記載方法がばらつくことが課題となっている。医療事故調査・支援センターと日本医師会は標準調査手法を定め，提唱している[3]。標準調査手法では，丁寧な事実経緯の確認と，事前的視点での評価，事後的視点での再発防止策の立案が重視されている。調査結果については，患者が望む方法で，医療機関側から患者に説明され，導かれた再発防止策は，平時対応につなげられていく。

このように，有事対応と平時対応はループのようにつながっている。平時の活動をおろそかにしていては有事の適切な対応は得られず，逆もまた然りである。施設管理者は医療安全活動の全体的な連動を意識し，適切なリーダーシップの発揮と支援を行う必要がある。

Ⅳ クリニカルガバナンスの確立

医療事故の多発は医療の進歩と無関係ではない。例えば，医療の進歩がコンプロマイズドホストを生み，院内感染の制御を必要としたように，医療の進歩が複雑な業務工程とチーム医療を生み，大量のヒューマンエラーやコミュニケーションエラーの制御を必要とするようになった。これは医療の規模や専門性に関係なく，医療が行われるところに必ず発生する問題である。医療は安全に提供されて初めて社会的価値を帯びるのであり，エラーの制御されない医療は，凶器ともなり得る。すなわち，医療に関係するすべての者に，医療安全の考え方と，その実践が求められている。

世界保健機関（World Health Organization：WHO）の「WHO 患者安全カリキュラムガイド多職種版 2011」[1]には「患者安全プログラムの実践に必要となるのは，資金ではなく，むしろ安全な実務を実践しようという各自の固い決意である場合が多い」とある。施設管理者は，職員に対し，「こういうご時世だから……」「これをしないと訴えられるから……」といった打算的かつオプショナルな姿勢を示すのではなく，医療安全が医療の根幹概念であること，患者中心の確かな倫理基盤のうえにのみ成立することをストレートに伝えなくてはならない。そして，透明性を確保し，職員みずからが患者の安全について自然に希求できる環境をつくる，いわゆるクリニカルガバナンスの確立を展望されたい[4]。

文　献　1）大滝純司，相馬孝博監訳：WHO 患者安全カリキュラムガイド多職種版 2011，東京医科大学，東京，2012.
2）古谷建夫：問題解決の実践―働く喜びに溢れる社会を目指して―．日科技連，2018.
3）研修ワークブック「院内調査のすすめ方」．2018 年度研修資料（ver. 1.3），日本医師会．https://www.medsafe.or.jp/uploads/uploads/files/workbook_2018ver.1.3.pdf
4）武藤正樹：第 1 章はじめに，医療安全とクリニカルガバナンス．日本医療マネジメント学会監，医療安全のリーダーシップ論，メディカ出版，大阪，2011，pp8-12.

（長尾　能雅）

2 救急外来

はじめに

本書の中で唯一，外来部門の代表として，救急外来が選ばれる理由としては，院内もしくは地域において，突発的に起こり得るさまざまな内乱・外乱ともいうべき事態に対応して，初期対応する部門だからであろう。ありていに言えば，病院にとっても，地域にとってもセイフティーネットとしての役割を担っている部門だからということである。このような部門のマネジメントでは，もちろん安全の概念をシステムとして構築し，有機的に機能させなければならないことは明確であろう。院長直轄の専任の医療安全室室長の下に日々の診療を観察し，社会の諸状況を俯瞰しながら，今後起こるかもしれない有害事象を想定し，準備し，訓練を行い，やむなく起こってしまった事案に関しては，分析・評価を行い，そして改善へとつなげるといった学習を繰り返す。さらに想定外の事象にいたっては，むしろ科学的判断よりも「価値判断」のあり方が重要になってくるとも思われ，職業倫理のなかでどこまでが受認可能かなどといった院長や医療安全室のマネジメントはきわめて重要となり，それに追随する各部門のリーダーシップが大切となってくる。このように真面目に行おうとすれば，人材を含め手間や時間が費やされることは想像に難くない。

しかし，日本の病院のほとんどは 400 床以下の中小規模の病院であり，病院の中にあって，実務者となる方は，医療安全に特化した部門の方だけではなく，兼務しながら，さまざまな職種の方がなられていることが実情であろう。したがって，現状の救急外来における医療安全をさらに改善するためには，さまざまな方法論があるとは思うが，まずは，基本原則に沿った標準的な医療安全への導入を誘うことが大切になると思われる。このような社会状況における「安全」，「リスクマネジメント」は，社会における各々の分野・産業の方法論をそれぞれに適応し，進化しているが，その分，複雑である。まずは全体像がぱっと俯瞰でき，疑問に思うことがさっと理解できるようにしたほうが消化と吸収が早いと思われる。本書そのものが，ナビゲーター付きであり，要所を“かいつまんで”読めるように工夫されている理由でもある。

本稿では救急外来における，原則を主に述べ，実際の状況別での実務や取り組みは各項を参照していただきたい。

Ⅰ 救急外来における医療安全—まず実務者が注意すべき点

1．社会の諸状況に応じて，みずから学び，体制を変化しつつ，病院全体を巻き込む

一般外来と比較して，あらゆる年齢層や診療科を対象とし，発症要因や病態が多様である。さらに，緊急度なども考慮しつつ，消防・警察・郡市医師会・福祉保健・児童相談所などとの行政とも調整をしなければいけない。リスクマネジメントと概念をさらに広げれば，防災・災害・救護・感染症対策，果ては，テロや，CBRNE（chemical, biological, radiological, nuclear, explosive）といったprotect hospitalという概念，さらに，昨今は外国人やLGBT（lesbian, gay, bisexual, transgender）などに代表されるdiversityなどといったことまでも包括するようになるであろう。

救急外来は病院の玄関口であるがゆえ，社会の変化を学び，“安全”を担保するために，みずからを変化させなければいけない。そうなると，自部署ばかりではうまくいかず，総力戦にての対応となり，まさしく社会の諸状況における院内の危機管理局であり，前例のないことに立ち向かわなければならない。救急外来の医療安全は，病院全体の医療安全がどのように有機的に機能しているかといった問題も考えなければならない。

2．基本・原則はシステムの構築

医療安全元年の節目から，およそ20年経過した。少子高齢化など人口構造の変化は疾病構造の変化をもたらし，社会が医療に求める要求も変化している。「再考」すれば，医療安全のさまざまな方法論が展開され，分析し，対策が立てられ，進歩している。それは医学の分野だけにとどまらず，工業，航空業界などの産業からの安全学の導入・認識学・行動科学・臨床倫理学・コンフリクト・宗教学などさまざまな分野に拡大し，不断に学習を繰り返している。このように社会の変化に対して多様化している学ではあるが，医療安全のマネジメントには基本・原則があり，そこを理解することが大切と思われる。

救急は地場産業である。それぞれの病院ごと・地域ごと・時代ごとに展開する救急医療は変わる。院長は地域社会を鑑みて，救急外来のミッション・ビジョン・運営を考える。そのなかで医療安全を展開し，変化する社会に適応するために，大枠のシステムを考え，そのシステムは院内全体のシステムとの整合性がはかられなければならない。ここで“大枠”を書いた理由としては，ルールのみを重視するといったことではなく，「有害事象は必ず起こる」ことを前提とし，柔軟に対応するシステム，すなわち個人のレベルと有機的なつながりが本来は必要といった意味である。これは「レジリエンス」といった概念へと通じると思われる。

医療安全管理実務者の業務としては，①安全管理体制の構築，②医療安全に関する職員への教育・研修の実施，③医療事故を防止するための情報収集，分析，対策立案，フィードバック，評価，④医療事故への対応，⑤安全文化の醸成，など多岐にわたるが，基本原則である①の救急外来の安全管理の組織として・システムとしての構築といったものに要点を絞り，以下に述べていく。

Ⅱ ベクトルを合わせる

総論でも詳しく述べられているが，重要なので，本稿でも言及する。

ある組織を機能させるために，事業の定義は非常に重要とされている。顧客（患者・家族・自病院であれば開業医・他の医療機関なども含まれる）にとって価値あるものを生むために何をやるか（事業）を決め，ビジョンを描くためである（**表Ⅱ-3-1**）。

地域における病院の役割は，その病院の理念によって示されている。その病院の理念に沿いながら救急外来は運営されているであろうし，入職時より医師を含めた職員は理念に沿った教育がなされているべきである（個々人の組織化・再組織化）。つまり，“医師が行いたい医療”ではなく，“地域が求める医療”が展開されるはずである（そのうえで，それぞれの職員が，自己実現をその病院に求めることは可能であろう）。

このようなことを述べるのは，病院は一般企業と異なり，多数の専門職が集まる特有な組織であることから“縦割り構造”となり，職種間，部門間，部署間の連携・協働が希薄となりやすく，組織としての一体感をもって行動することが難しい脆弱な組織といわれている。さらに，病院をめぐる社会的な諸状況は，生産年齢人口の急減による働き手不足・働き方改革・政策による医療費の削減など，病院の運営・経営状況はますます深刻化している。（ここで考えるに，そもそも医療とは社会の“共通資本”であるべきで，個々の病院の独自の努力のみでは限界もあろうかと思う。）したがって，所属する病院の効率化・生産性向上はきわめて重要な課題となってい

表Ⅱ-3-1　組織を機能させるマネジメントの要点（P. F. ドラッガー）

- 事業の定義；何をするか！；ビジョン
  顧客にとって価値あるものを生むために何をやるか（事業）を決める。事業を定義し，ビジョンを描く。
- 現に行っている事業の評価；自己を認識する（自組織の姿の認知）；内部環境
  行っている事業は定期的に評価，更新・変更しなければならない（あくまでも成果中心に）。
- 環境トレンドの察知；広い意味でのマーケティング（環境変化の把握）；外部環境
  足下だけではなく，少し先を見る。広い視野をもつ。
  環境のトレンドは機会のありかを変える。
  高齢化と少子化（確実な未来）によって事業の定義や戦略は変更を余儀なくされる。
- イノベーションと起業家精神；（革新）；挑戦
  変化を読み取り，変化を機会と捉えて，変化に対して戦略を練り，計画を立て，実行に移す。顧客自身が気がついていない欲求をつくり出して，新しい需要をつくる。
  ＊イノベーションが行える組織風土を整える。

経営とは変化に適応すること。上昇気流（需要，機会）の在りどころを探し，己の力で己を変えて捕まえる。未来を待つのではなく，未来を創造する。

〔文献1）より引用〕

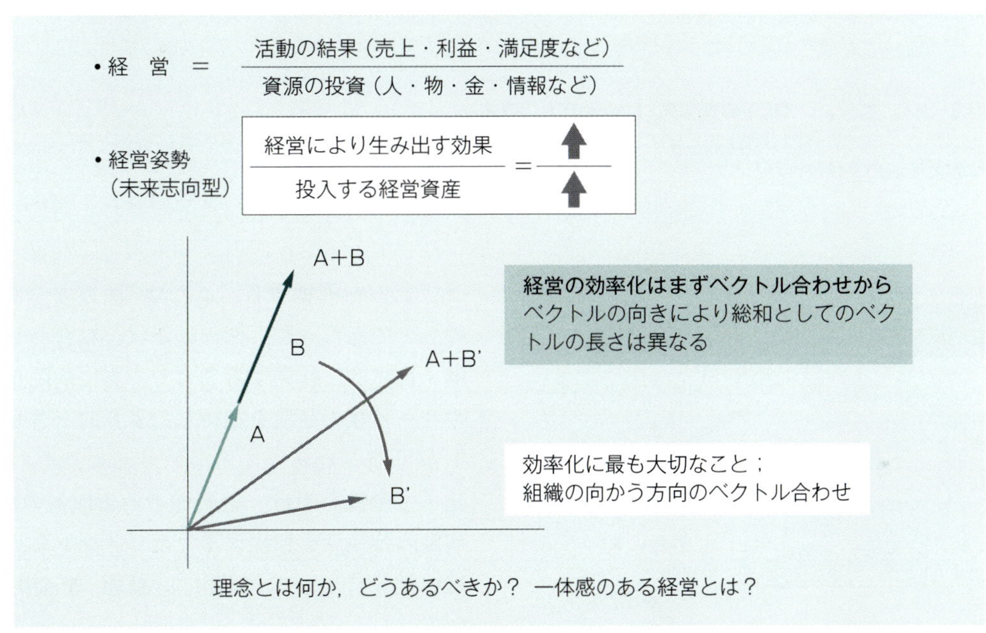

図Ⅱ-3-3　一体感のある経営（生産性の高い経営）のために必要なこと

〔文献1）より引用〕

ると思われる。生産性を向上するためには，組織としての一体感・一貫性を醸成するベクトル合わせがきわめて重要となる（図Ⅱ-3-3, 4）。（とりわけ専門職は，各々の合理性を求め，組織全体の不合理を生ずることを考えてはくれないものである。）すなわち，トップ・ミドル・ロワーのマネジメントの各層においてベクトルを合わせるために，各々の役割と行動を確認する必要がある。

1. 単なる個人の集合体の労働の成果＜組織としての労働の成果[1)]

このようにベクトルを合わせ，効率化・生産性を上げるマネジメントと医療安全（リスクマネジメント）とは，どのような関係があるのだろうか。

直観的におわかりになると思うが，組織において“結果の質”を高めるために，組織に所属するメンバー相互の“関係の質”をまず高めるべきだという考え方である（マサチューセッツ工科大学のダニエル・キム教授が提唱している成功循環モデル）（図Ⅱ-3-5）[2)]。

組織の結果の質が低ければ，直結する行動の質が原因と考えたくなる。しかし，行動の質に着目する前に，質の高い行動を生み出すためには質の高い思考が必要であり，この思考が生ずるためには，質の高い関係性が必要といった理論である。すなわち，“遠回り”に思えても組織の結果の質を高めたければ，まず組織の関係性の質を高めるべきであろう。

救急外来などでは，全体像の把握が難しく，専門家の集団によって行われ，相互作用が及ぼす結果を予測することが困難であり，有害事象が起こった問題部分を組織

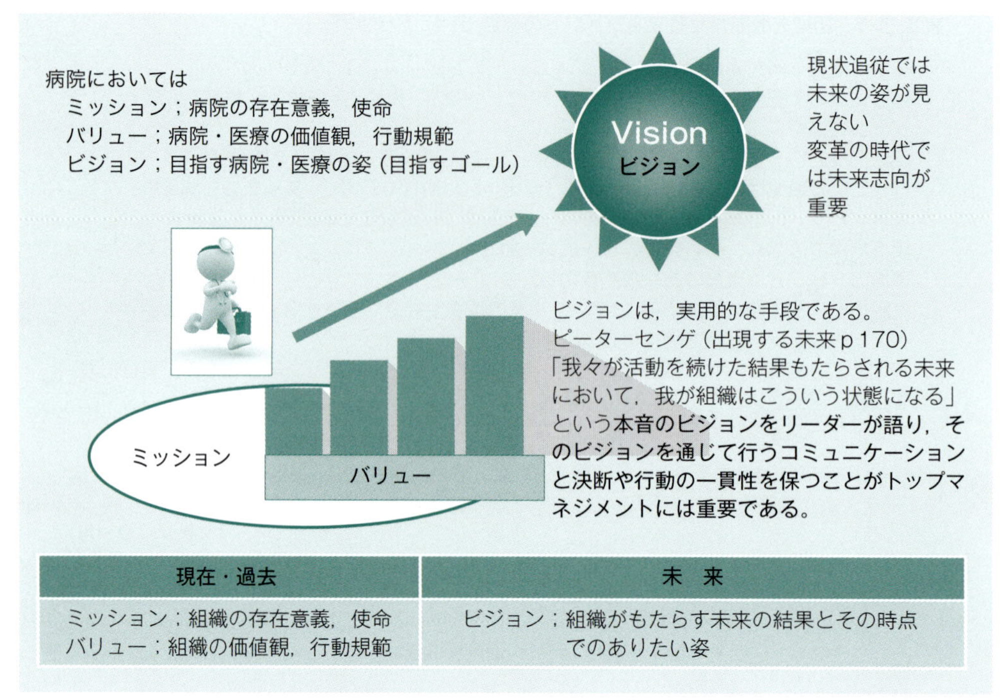

現在・過去	未　来
ミッション；組織の存在意義，使命 バリュー；組織の価値観，行動規範	ビジョン；組織がもたらす未来の結果とその時点でのありたい姿

図Ⅱ-3-4 ビジョン（未来の青写真）は組織成立の基本
ミッションは「使命」「役割」のことだが，もともとはラテン語から派生し，キリスト教の福音（多くの人に教えを広める使命）のこと。

〔文献 1）より引用〕

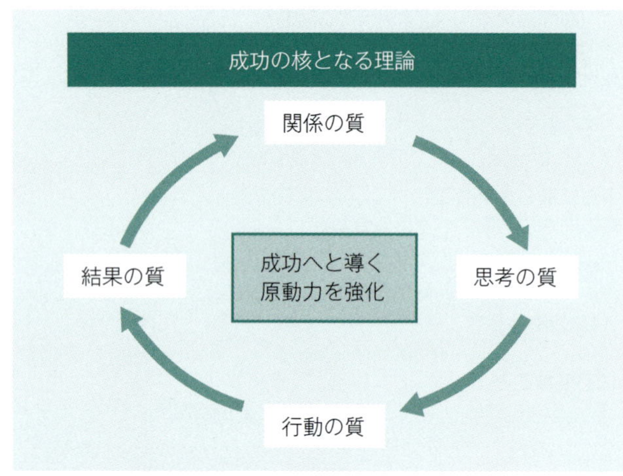

図Ⅱ-3-5 組織の成功の核となる理論は何か？
関係の質が良好となると，思考の質が向上し，最終的に行動および結果の質の向上につながる。
質の高い結果を得るために，関係の質の向上に力を注ぐことが，成功へと導く原動力をより強いものにする。

〔文献 2）より引用〕

全体から切り離して論じることが難しく，複雑である。また，社会から要求されたニーズや価値観も多様化している。

よって，ベクトルを合わせることは，「つながり」や「相互作用」といったものが，その病院の理念の下で，強固であり，個々人が複雑に行動していたとしても，根っこの部分では同方向であり，まさしく１つのチームとして，いざとなったらまとまることができるということであろう。良いチーム医療は安全・安心・信頼のあるシステムを構築する。これは“医療安全文化の醸成”そのものであろうが，個々人が状況に合わせ，柔軟に，協働・自律的に行動することで，真に病院が提供する医療やサービスの品質を維持し，より向上させるマネジメントが可能となるであろう。さらに，そのうえで，効率化・生産性を上げ，透明性のある収益の向上を目指し，病院の持続性を担保するマネジメントを行うことは，地域の社会にとって，本物の「信頼」を創出できると思われる。

付け加えれば，医療法第１条の５には，病院の定義として，「病院とは 20 床以上の入院施設を有し，科学的かつ組織的な医療を提供する機関をいう」とされている。この規定を満たすためには“科学的かつ組織的”な運営を基本概念とする質管理の考え方や方法論を導入しなさい，と謳われている。

医療を提供する個々人の質が問われると同時に，医療チーム全体がその実力を発揮することのできる運営能力と，病院・救急外来をめぐる社会的な諸状況を俯瞰する能力とが必要となるであろう[3]。しかし，医学教育において，病院運営や社会的観点などに立ち向かうための方策ないし方法論をそもそも教えられてきたわけではなく，それぞれの病院は，地域・運営する母体の事業体の理念などが異なっているので，この策や論は，画一的なものではないであろう。さらに，前述のように，救急外来は，社会のセイフティーネットとして，求められる医療に，みずから変化・対応し，看板を変えていかねばな

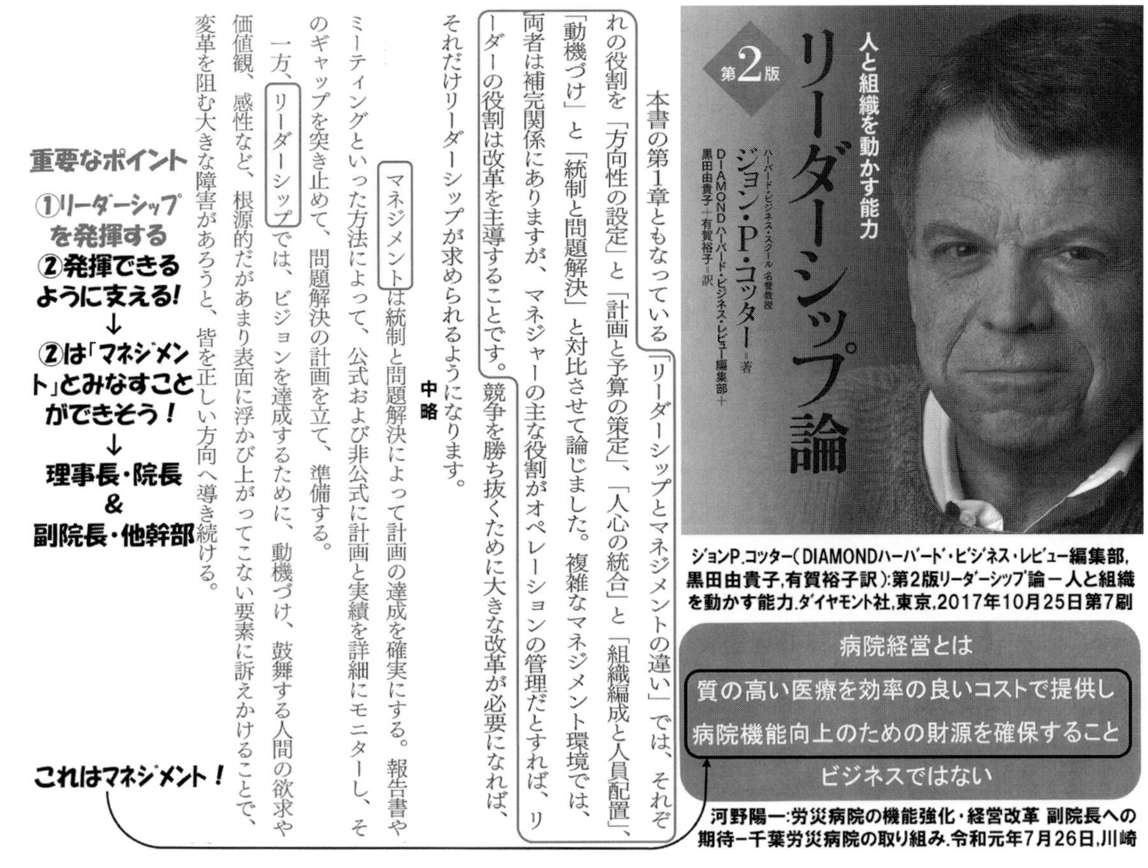
人と組織を動かす能力
第2版
リーダーシップ論
ハーバード・ビジネス・スクール 名誉教授
ジョン・P・コッター 著
DIAMONDハーバード・ビジネス・レビュー編集部＋黒田由貴子＋有賀裕子 訳
本書の第1章ともなっている「リーダーシップとマネジメントの違い」では、それぞれの役割を「方向性の設定」と「計画と予算の策定」、「人心の統合」と「組織編成と人員配置」、「動機づけ」と「統制と問題解決」と対比させて論じました。複雑なマネジメント環境では、両者は補完関係にありますが、マネジャーの主な役割がオペレーションの管理だとすれば、リーダーの役割は改革を主導することです。競争を勝ち抜くために大きな改革が必要になれば、それだけリーダーシップが求められるようになります。
中略
マネジメントは統制と問題解決によって計画の達成を確実にする。報告書やミーティングといった方法によって、公式および非公式に計画と実績を詳細にモニターし、そのギャップを突き止めて、問題解決の計画を立て、準備する。
一方、リーダーシップでは、ビジョンを達成するために、動機づけ、鼓舞する人間の欲求や価値観、感性など、根源的だがあまり表面に浮かび上がってこない要素に訴えかけることで、変革を阻む大きな障害があろうと、皆を正しい方向へ導き続ける。
重要なポイント
①リーダーシップを発揮する
②発揮できるように支える！
↓
②は「マネジメント」とみなすことができそう！
↓
理事長・院長
&
副院長・他幹部
これはマネジメント！
ジョンP.コッター（DIAMONDハーバード・ビジネス・レビュー編集部，黒田由貴子，有賀裕子訳）：第2版リーダーシップ論－人と組織を動かす能力.ダイヤモンド社，東京，2017年10月25日第7刷
病院経営とは
質の高い医療を効率の良いコストで提供し
病院機能向上のための財源を確保すること
ビジネスではない
河野陽一：労災病院の機能強化・経営改革 副院長への期待－千葉労災病院の取り組み.令和元年7月26日，川崎

図Ⅱ-3-6　リーダーシップとマネジメントの違い

〔文献3）より引用〕

らない。したがって，このマネジメントを適切に行うために，まずは，自病院が提供する医療とサービスは何かを明示した，通り一遍等ではない“具体的な”「ビジョン」が必要であり，形骸化させることなく，共有することが，まずは必要であり，不可欠と思われる。そのうえで，“管理実務者”は院長と救急外来の部門長と（他看護・薬剤・臨床工学科などの部課長なども）一緒に，具体的な理念のもとにベクトルを合わせ，体系的なシステムを構築するマネジメントを行い，医療安全につなげることが大事と思われる（図Ⅱ-3-6）。

Ⅲ チーム医療・標準化・日本医療機能評価機構・Joint Commission International

さて，ベクトルを合わせることが非常に大切であると前述した。医療法第1条の5にあるように，病院医療は組織的医療であり，チーム医療の集積である。その本質は，多職種間のディスカッションによって，個人相互の能力が向上し，必然とチーム全体の力が向上し，提供する医療の質が高まることと思われる。さまざまな職種が互いに職能を移譲し，職種間で相互乗り入れをし，パス法などによる包括的な指示によって，総力戦で戦おうということである。構図としては，患者・家族を中心に据えて医療者が周囲を取り囲み，相互に乗り入れしながら行うという理解しやすい図である（図Ⅱ-3-7）が，チームは幾層・幾重にも重なり，各職種間での連携・協働の部分は，結構複雑であり，さらに救急外来のように，内乱・外乱が起こればなおさらで，加えて特定看護師などに代表される職能の移譲という新しい方法論も含まれてきている。このように，病院の医療現場の単位は「個人×n」ではなく，「チーム×n」であり，それぞれが専門家であり，全体像の把握が複雑で結構難しい[4]。そして，ここに医療安全のシステムをどのように落とし込めるかがわれわれの命題である。

その前に，確認しておきたいことがある。その複雑系の組織的医療の責任の主体はどこにあるのであろうか？すなわち，組織の実在と責任能力といったことである。組織そのものは，責任の主体となることができるのであろうか？　それとも，組織は個人によって構成されているのだから，結局，責任をとれるのは個人だけなのであろうか？

詳細は法理論などの成書を参考にしていただければと思うが，社会において事業を展開するとき，事業主は，倫理道徳的・合理的な責任ある意思決定・行為がなしう

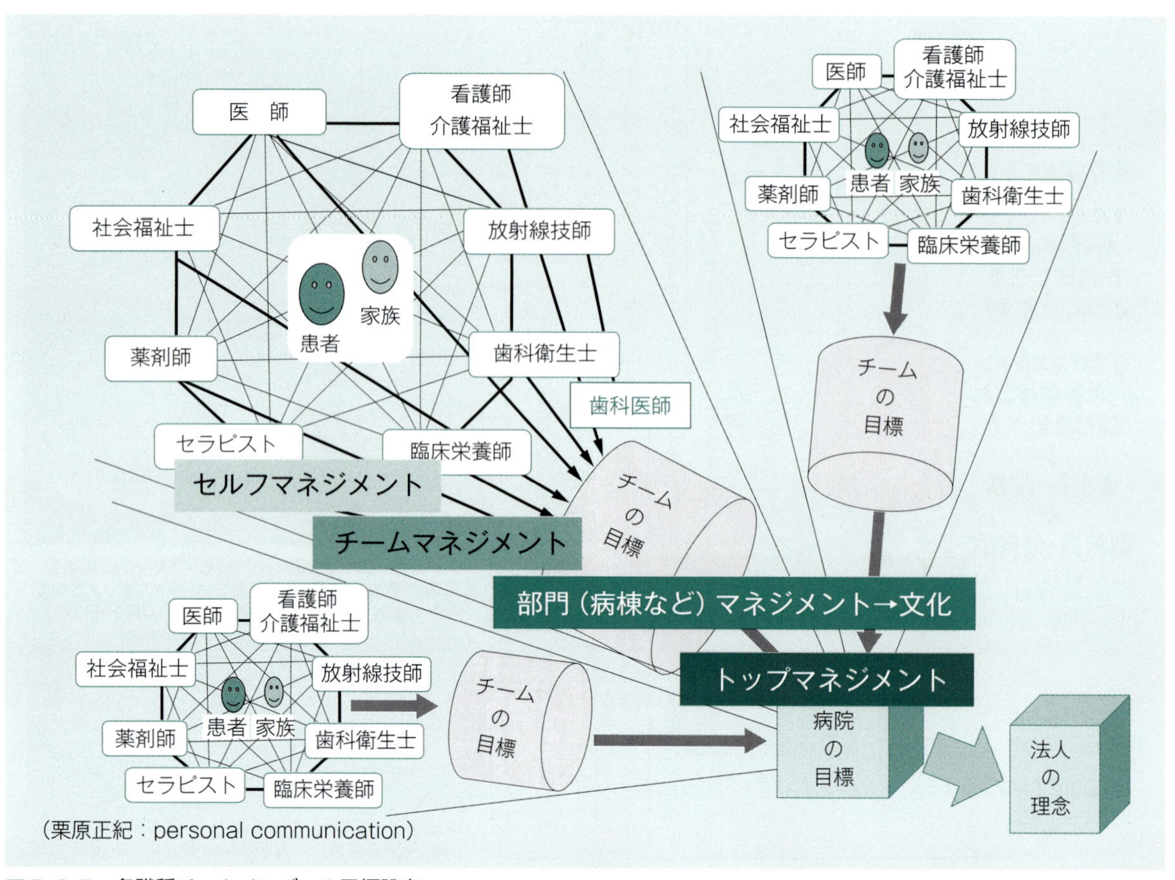

図Ⅱ-3-7 各職種チームメンバーの目標設定

〔文献3）より引用〕

る能力（責任能力）があることが最も基本的で，必要条件とされている。そのうえで，過去の行為に対する（説明）責任・社会的役割に伴う責任・義務といったものが追随する。

倫理的に責任ある意思決定のプロセスを経るということは，以下を考慮することである。

①合理性（目的を明確化し，それを達成するための代替案を提示し，それぞれの結果を予測し，冷静に最善の案を選択すること）

②他者の尊重（他者を単に手段としてのみ用いないこと）

実に，組織はそれを実行する構造を備えている。要するに，組織は協働のための諸規則を整備し，各成員の行動を調整・集約する統一的な意思決定構造をもち，成員個人には還元できない（成員レベルとは次元を異にする）独自の実体だからである。すなわち，倫理上の責任主体となり得るとの解釈である[5]。

このように考えると，チーム・組織の管理者である，医師や病院長は，病院医療をチーム医療として展開する，職能の移譲という新しい方法論を病院の中で用いるということであれば，それを社会に対する責任として，倫理道徳的に・合理的に行いましょうという話になる。

ここで管理者として，医療安全管理実務者としては，「成員を保護する」という立場から，少なくとも“標準化”された医療安全学を学び・考えないといけないということになる。すなわち，標準化されたテキストを参考に，第三者による評価といったもので，責任をチェックするといったことになると思われる。

病院組織の義務内容としては，患者が病院に滞在する間・退院後のケアプランも含め，患者の安全と福祉を保障することであり，

①安全と適切な設備・備品の保持において合理的な注意を行使する義務

②能力ある医師を選択し，保持する義務

③患者のケアに関して病院の中で，医療を行う人すべてを監督する義務

④患者に適切なケアを保障するための適切なルールおよび手続きを案出・採択・執行する義務[6]

といった内容で，日本医療機能評価機構・JCI（Joint Commission International）はそのような観点で評価し，管理者の責任をチェックする。

例えば，JCIに至っては，評価項目は，患者を中心とした基準が8章，医療機関の管理基準が6章の計14基準（standard）に分けられ，それぞれ趣旨（intent）と，

表Ⅱ-3-2　The Standards Manual：JCI 評価項目

○ Patient-Centered Functions（患者中心の基準）
1. International Patient Safety Goals（IPSG；国際患者安全目標）
2. Access to Care and Continuity of Care（ACC；ケアへのアクセスと継続性）
3. Patient and Family Rights（PFR；患者と家族の権利）
4. Assessment of Patients（AOP；患者の評価）
5. Care of Patients（COP；患者のケア）
6. Anesthesia and Surgical Care（ASC；麻酔と外科的ケア）
7. Medication Management and Use（MMU；医薬品の管理と使用）
8. Patient and Family Education（PFE；患者と家族への教育）

○ Health Care Organization Functions（医療機関の管理基準）
9. Quality Improvement and Patient Safety（QPS；品質改善と患者安全）
10. Prevention and Control of Infections（PCI；感染の予防と管理）
11. Governance, Leadership and Direction（GLD；ガバナンス，リーダーシップ，組織管理）
12. Facility Management and Safety（FMS；施設管理と安全性）
13. Staff Qualification and Education（SQE，；スタッフの資格と教育）
14. Management of Communication and Information（MCI；コミュニケーションと情報の管理）

特に IPSG；国際患者安全目標は最重要項目である。
IPSG. 1：患者を正しく識別する
IPSG. 2：コミュニケーションの有効性を高める
IPSG. 3：ハイアラート薬の安全性を高める
IPSG. 4：安全は手術の確保（手術部位，手技，および患者が正しいことを確認する）
IPSG. 5：医療関連感染のリスクを低減する
IPSG. 6：転倒・転落による患者の損傷リスクを低減する

〔文献 7）より引用〕

さらに 1,224 の測定項目（measurable content）がある（表Ⅱ-3-2，図Ⅱ-3-8）。

JCI では，誰がいつ，何をどう進めるのか，あらゆる事柄をマニュアル化・ルール化することが求められ，500 以上の規定（当院では）の作成などが求められる。規定作成の方法としては，まず，現状の救急外来において，どのような業務行程があるのかを洗い出し，受付から会計までの業務ラインで，誰が何をするのかをすべて把握する。次に，その業務行程に JCI の考え方を含みながら，自院のルールとして作成していくといった方法である。

基本的に性悪説に基づいており，日本の文化に多少そぐわない部分もあるが，このようにシビアな第三者評価により取得された認証は確かに病院のブランド化に寄与し，一番大きい影響は，医療安全に対する職員の意識の変化と思われる。まさしく，それこそが Safety-Ⅰ⇒ Safety-Ⅱ（レジリエンス・エンジニアリング）への昇華かもしれない[7]。

このように，規定に定めたように医療が行われ，これを継続的に PDCA サイクルで回して学習し，改善していくことが組織の医療として大切と思われる。また，課題としては，第三者評価というものは病院機能の評価であるから，病院の機能を改善することが結果として患者の満足度や実際の治療効果，医療の安全性が上がるところにつながることが大切である。しかし，非常に大切な方法論にもかかわらず，実際の医療現場では，患者には

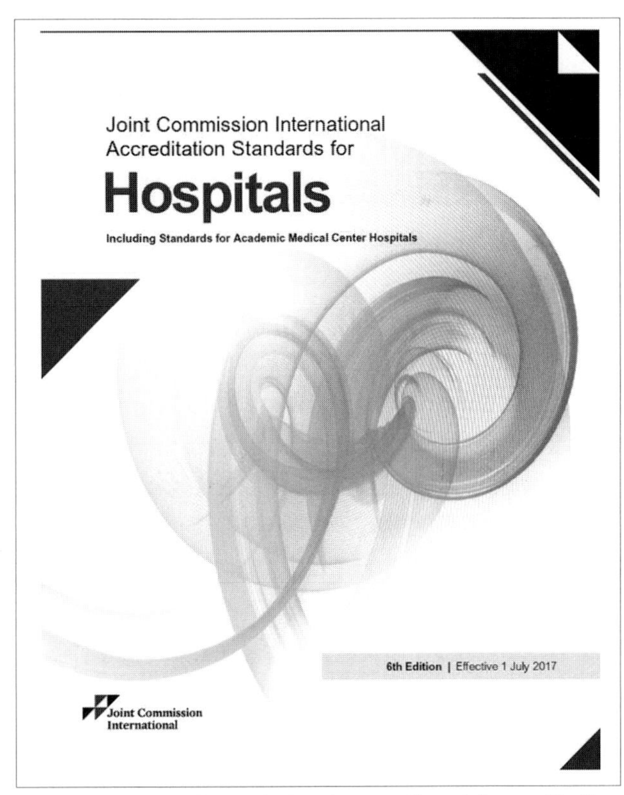

図Ⅱ-3-8　Joint Commission International Accreditation Standards for Hospitals. 6th edition, Joint Commission International, 2017 の表紙

〔文献 7）より引用〕

理解しにくい部分でもあり，現場の医療者に規定が増えた分の負担を強いることになり，忙しい救急外来では医療者の満足度が低下してしまうこともある。よって，前

述したベクトルを合わせることは,「標準化された組織としての病院医療は業務としては大変だけど，必要だよね」といった理解のためにも，ここに至って大切になってくる。

Ⅳ 特殊状況・医療倫理

救急外来特有のリスクとして，外来種感染症，虐待，違法薬物，暴言・暴力について解説する[8]。

1．外来種感染症

平成 25 (2013) 年には鳥インフルエンザが中国で流行し，中東呼吸器症候群 (middle east respiratory syndrome；MERS) がアラビア半島で発生した。そして，令和 2 (2020) 年に新型コロナウイルス感染症が中国武漢市より流行し，世界保健機関 (WHO) により,「国際的に懸念される公衆衛生上の緊急事態 (public health emergency of international concern；PHEIC)」に該当された。

救急外来では，これらの報道によって不安になった人々が容易に受診する可能性があり，感染者が受診する確率は一般的に高いと考えられる。そのため，医療従事者のみならず，その場に居合わせた受診患者および家族などの付き添い人に感染が広がる危険性も高いといえる。

これらの外来種感染症への対応として，医療安全実務者は，救急外来にて先頭を切って取り仕切るかどうかは別として，リスクマネジメントとして救急外来部門長・院内の感染対策室 (多くは，院長直属の部門として上位レベル組織であることが多い) と協働し，対策を考えなければいけない，もしくは“斜めにでも知っておく”ことは重要と思われる。

平成 25 (2013) 年 4 月の新型インフルエンザ等対策特別措置法 (以下，特措法) の施行，および，同年 6 月の新型インフルエンザ等対策政府行動計画 (以下，政府行動計画)・新型インフルエンザ等対策ガイドライン (以下，ガイドライン) の策定により，それに準拠した各医療機関の診療継続計画の策定・地域での体制づくりが求められる。

よって，外来種感染症の情報・対応・対策などは国⇒都道府県⇒地方自治体へと通達されるので，病院の所属する二次医療圏の医師会・保健所 (主に保健所が主要な窓口となると思う) と連携し，地域全体での展開を考えていかねばならないと思われる。ただ，公共の保健機関などの初動は慎重であることが多いので，まずは自病院での初動をいかに迅速に行えるかが大切であり，情報に対するリテラシーを高め，その外来種感染症の法的な解釈やリスクアセスメントを行い，感染に対する標準予防策を前提に，救急外来から出動する DMAT (Disaster Medical Assistance Team) 職員，もしくは自病院での感染症患者に対する職員の予防策として，院内職員への周知・活動制限，患者・家族への多言語での注意掲示，マスクやアルコールなどの備品の備蓄を考慮するなどであろう。

外来種感染症のレベル・フェーズに応じての対策が考慮されるが，おそらくはすべての情報は不十分であり，診療の“供給”を減らさないために“職員を守ること”を前提とし，社会のなかでの責務を考慮し，前例のない対策を決断しなければならない局面も考慮しなければならないであろう。

よって，このような危機に関して，どのような対応が必要となるのか，事前からの準備が必要で，マニュアルの作成・シミュレーションの実施なども必要かと思われる。

2．虐 待

一般的に虐待の対象は児童・高齢者・配偶者・障害者など多岐にわたるが，ここでは児童と高齢者の虐待について述べる。

虐待行為を分類すると，①身体的虐待，②心理的虐待，③性的虐待，④ネグレクトの 4 つで，高齢者ではさらに⑤経済的虐待が加わる。

①身体的虐待：身体に外傷が生じ，または生じるおそれのある暴行を加えること

②心理的虐待：言葉による暴力 (侮辱，脅迫)，拒絶的な対応などで精神的・情緒的不安に陥れること (児童では家庭における配偶者に対する暴力もこれに含まれる)

③性的虐待：わいせつな行為をする，またはわいせつな行為をさせること

④ネグレクト：成長発達や身体に影響を及ぼすような著しい減食，長時間の放置，不衛生，未受診など

⑤経済的虐待：高齢者の財産を不当に処分したり，本人の意思や利益に反して使用し経済的な危機に陥れたりすること

虐待を発見した医療者は，法律に基づく通告義務があり，児童の虐待に関しては，児童福祉法第 25 条，児童虐待の防止等に関する法律 (通称，児童虐待防止法) 第 6 条で，高齢者については，高齢者虐待の防止，高齢者の養護者に対する支援等に関する法律 (通称，高齢者虐待防止法) 第 7 条で定められている。法的に児童とは 18 歳未満，高齢者とは 65 歳以上をさす。

虐待について病院が求められている役割とは，虐待を早期に発見し，生命や身体の危険性・緊急性を判断して

早期に対応すること，そしてさらに虐待の発生予防にかかわることであろう。しかし，虐待の存在を把握し解決に導くことは，医療機関の取り組みだけでは到底不可能であり，地域の医療機関と連携し情報の共有化を図り，地域全体での支援体制をつくり上げる必要がある。

病院として虐待に対する組織対応に必要なことは次の3つである。

①早期発見のために，病院職員の虐待に対する意識を高める：虐待は，その意識をもっていないと見過ごしてしまうこともあり，不自然さを感じたら「虐待ではないか？」という視点をもつことが大事である。その1つの対応策として普段から発見チェックリストを用いることが上げられる。児童に対してはCAP（child abuse prevention）スクリーニング表，高齢者に対しては高齢者虐待発見チェックリストなどを用いて意識付けを行う。

②虐待に対して統一した対応ができる：虐待に対して，医師，看護師，医療ソーシャルワーカーが次々個人的に対応するものではなく，院内マニュアルを作成し，一人ひとりが協働して病院全体として統一した対応ができるようにする必要がある。

③病院組織として，責任ある対応ができる：組織として虐待対応への合意を形成し，危機管理対応を円滑に運ぶために院内に虐待対策委員会を設置する。これは医療安全対策室が一任してもよいであろう。

実際に疑わしい事例に遭遇したときは，可能であれば，まず入院させることが大事であり，救急の現場では，その場で虐待か否かを判断する必要はなく，疑われる場合，特に夜間は，まず入院させ患者の安全を確保することが重要である。その後に虐待対策委員会・医療安全対策室などで合議し対応すればよいであろう。

3. 暴言・暴力

救急外来では，患者やその家族のみならず医療者も高いストレス状況下にあり，一般外来に比べ，患者や家族との対応におけるトラブルが発生する確率が高いといえる。救急医療の現場では，職員に対する暴言・暴力・脅迫・ハラスメント行為・設備備品などに対する器物破損・病院内への不法侵入などの行為がトラブルとして生じ，そのうち発生件数が最も多いのは精神的暴力であり，言葉の暴力やいじめ，ハラスメント，嫌がらせなどが含まれる。

これらの行為に対して，職員の健康と安全を守るため，組織として対応する体制を構築する必要があり，各医療機関での組織的な取り組みによって，その発生を予防することや，発生後の影響を減らすことができる。ちなみに，日本医療機能評価機構は，院内暴力の組織的対応について機能評価を行っている。

暴言や暴力行為などの防止を目的とした院内の具体的な保安対策としては，監視カメラの設置，いかなる暴力・暴言も許容しないという確固たる姿勢をポスターなどで明示，制止目的に使用できる器具を常備，過去の暴力・暴言・難しいクレームなどの行為歴がある患者のスクリーニング作業，警備担当先への非常通報手段の拡大などが挙げられる。

リスクマネジメントの一環としてこれらのトラブルへの対策を準備する場合，これらのリスクを把握したうえで，その分析を行い，対応策を検討する必要がある。そして組織的対応・対策を実践するために最も重要なことはマニュアルの整備であろう。このマニュアルには異常行動レベルを設定し，それぞれのレベルでの対応を明記しておき，ポケット版など，職員に周知し，職員が迅速かつ適切に対応することができるようにすることが重要である。

それが勤務する職員全員に安心感をもたらし，万一の場合に円滑な対応をもたらす。

また，実際に暴言・暴力などが発生したときに優先すべきことは，被害者を保護し，避難または応援を要請し，暴力や器物破損などについては警察に連絡することであろう。そしてさらに重要なことは，これらトラブルの被害を受けた職員に対する精神的・身体的対応を十分に行うことと思われる。

各論　第3章

文　献

1) 相澤孝夫：社会医療法人財団慈泉会年頭所感．2020.
2) Daniel H. Kim："What is Your Organization's Core Theory of Success?" in his Organizing for Learning：Strategies for Knowledge Creation and Enduring Change, Pegasus Communications, 2001, pp 69-84.
3) 有賀　徹：日本医療・病院管理学会に期待すること．日本医療・病院管理学会第57回年次大会 Expertから学ぶ，2019.
4) 有賀　徹：チーム医療と臨床倫理．日本臨床倫理学会第5回年次大会基調（会長）講演，2017.
5) 西岡健夫：組織の倫理的責任．追手門経営論集　1996；2 (1)：191-208.
6) 峯川浩子：組織医療における損害賠償責任．日本賠償科学会第66回研究会，東京，2015.
7) Joint Commission International Accreditation Standards for Hospitals. 6th edition, Joint Commission International, 2017.
8) 斉藤　司：各論　救急外来．医療安全管理実務者標準テキスト，へるす出版，東京，2016，pp 135-138.

（吉池　昭一）

3 薬　局

はじめに

病院全体の薬剤の安全対策については他稿で詳しく記載されているので，本稿では，院内薬局での医療安全について，筆者が勤務している中小規模の病院における薬局のリスク管理を中心に記載する。

Ⅰ 通常の薬剤使用時におけるリスク管理

「WHO 患者安全カリキュラムガイド多職種版 2011」[1]では，通常の薬剤使用の流れの主なものは，処方・調剤・投与・モニタリングとされている。その各行為にリスクが伴うと記載されており，多くの場面に薬剤師が関与しているため，対策が必要となる。

Ⅱ 処　方

日本では，処方できるのは医師のみとされているが，平成 22（2010）年に厚生労働省の「チーム医療の推進について」[2]のなかでは，「チーム医療において，薬剤の専門家である薬剤師が主体的に薬物療法に参加することが，医療安全の観点から非常に有益である」とし，業務例に「薬剤選択，投与量，投与方法，投与期間等について積極的な処方の提案」と記載された。また，令和元（2019）年９月２日に行われた「第２回医師の働き方改革の推進に関する検討会」において，医師と薬剤師間の事前の合意に基づく処方関連業務や持参薬や入院継続処方の薬剤師によるオーダー入力業務など，薬剤師の専門性を生かしながら医療の質向上，医療安全の推進につなげていく必要があると議論された。薬剤師が積極的に処方業務に関与することで，処方間違いのリスク軽減に寄与できる。

処方のなかでも注意が必要なことは，医師が患者に処方した後の薬剤変更により，処方箋と実際に患者が服用している薬とが異なる場合が多いことである。医師はこの薬剤変更に気付かず，次回処方時，変更前の薬剤を処方するリスクが高い。薬剤師が処方変更歴を把握するのはもちろん，医師や看護師にもわかるようなシステムが必要となる。当院では，電子カルテの付箋機能を利用して処方変更歴を添付している（図Ⅱ-3-9）。薬剤の変更は，医師のみならず看護師への情報提供が必要となる。当院でも医師と薬剤師間で検討して変更したもののチームの看護師が情報共有していなく，トラブルになりかけたことがあり，薬変更時に看護師宛てに変更内容をメモして渡すこととした。

また，入院から外来への薬の情報として，退院時処方を薬剤情報書とお薬手帳に添付していたが，さらに入院中の薬剤調整記録をお薬手帳に添付し，外来受診時や調剤薬局に見せることで，薬剤情報の共有を図っている（図Ⅱ-3-10）。

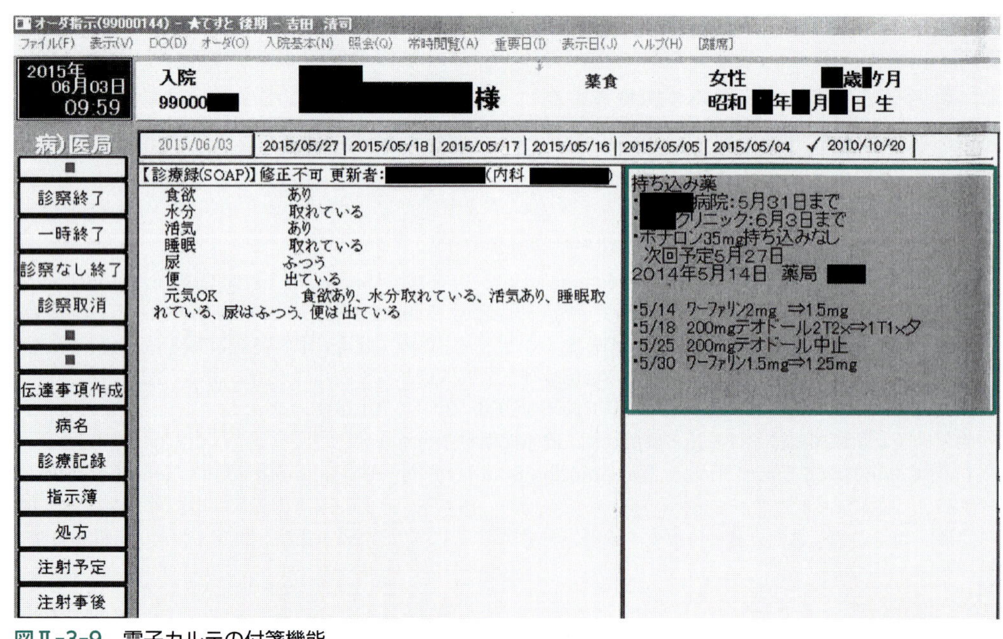

図Ⅱ-3-9 電子カルテの付箋機能

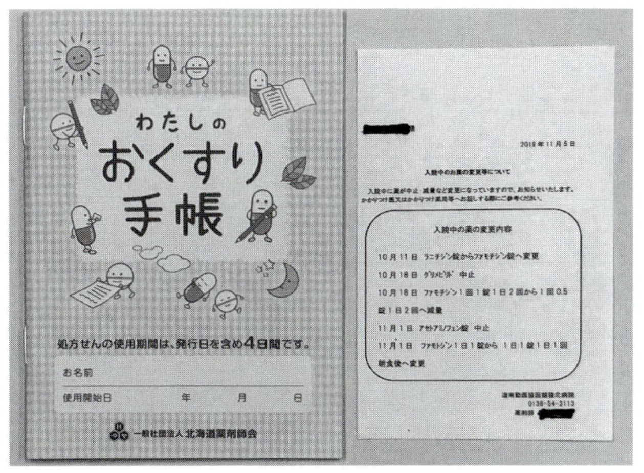

2018年11月5日

入院中のお薬の変更等について

入院中に薬が中止・減量など変更になっていますので、お知らせいたします。
かかりつけ医又はかかりつけ薬局等へお話しする際にご参考ください。

入院中の薬の変更内容

10月11日　ラニチジン錠からファモチジン錠へ変更
10月18日　グリメピリド　中止
10月18日　ファモチジン1回1錠1日2回から1回0.5錠1日2回へ減量
11月1日　アセトアミノフェン錠　中止
11月1日　ファモチジン1日1錠から1日1錠1日1回朝食後へ変更

0138-54-3113
薬剤師

図Ⅱ-3-10

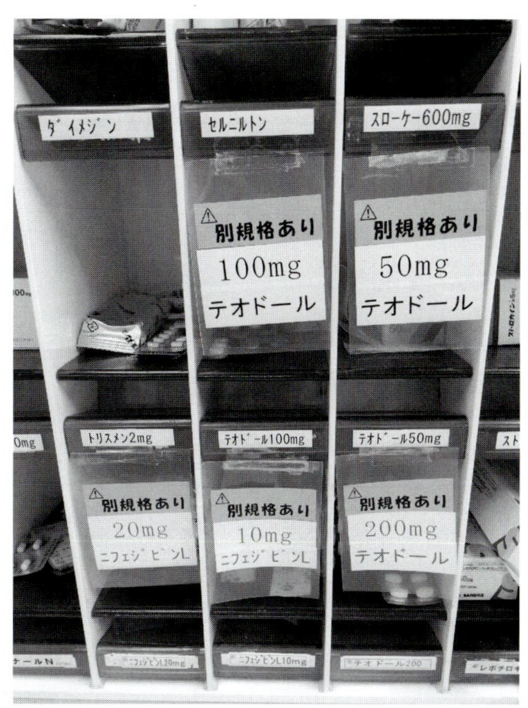

図Ⅱ-3-11　複数規格注意喚起のカーテンが設置された例

Ⅲ 調　剤

調剤は，錠剤自動分包機による分包調剤が多くなっているため，ピッキングによる調剤自体のリスクは減少しているが，薬品名や複数規格，形態が類似のものについては，採用しないことが最良である。しかし，そうならない場合も多いため，錠剤棚にはわかりやすい表示が必要である。一般的には複数規格がある薬品にはカーテン様のもの（図Ⅱ-3-11）を設置する。一方，錠剤自動分包機への充填ミスの報告が多くされており，充填時にはダブルチェックの必要性が指摘されている。しかし，薬剤師が少人数の薬局では1人しかいないときも少なくない。そのため，当院では簡易型散剤監査システムを利用して，各薬品のバーコードをメーカーに提供していただき，錠剤自動分包機のカセットに登録することで，機械による充填管理を行ってきたが，欠点として，分包後の変更などにより，分包した錠剤をばらして錠剤自動分包機に戻すときのミスはこの方法では回避できないことが挙げられる。基本は再利用しないことが最良ではあるが，経営的な面で難しい。当院でも，対応を苦慮しているが，処方1回分ずつをばらして，複数の薬剤師でダブルチェックをして戻している。現在，メーカーにより錠剤自動分包機の監査システムもできてきているため，応用できることを期待する。

また，薬をPTP（press through package）シートで患者に渡すときは，1錠ずつに切り離さないことの指導が必要である。患者だけでなく，看護師が予想指示で錠剤を患者に渡すときも，シートから取り出して渡す必要がある。シートのまま服用している事故は多く，日本医療機能評価機構の医療安全情報には2度も掲載されている[3),4)]，飲み込んだシートはX線撮影でも判明できず，内視鏡で取り出すしかないが，そのまま取り出すと食道などを傷つけるため，特殊な機器を使用しなければならない。患者のみならず職員へも，そのリスクについての啓発が必要である。

Ⅳ 持参薬管理

現在，薬価収載品が1万4,000品目を超えるなかで，持参薬と全く同じにして出すことは不可能であるため，持参薬を鑑別し自院薬への変更が必要とされる。

持参薬の管理方法については，持参薬を全く使用しない病院から最後の1錠まで使用する病院もある。当然，使用しないほうがリスクを軽減できるが，経営的な面からすべての病院がそうすることは難しい。当院は病棟の1つが回復期リハビリテーション病棟のため，薬剤費が包括になっており，経営的な面で考慮すればすべての薬を使用することが好ましい。しかし，医療安全面から持参薬の最短日数の薬に合わせて使用することとしている。それでも，多くの診療科の処方箋があると，1人の患者の持参薬の残日数が複雑化する。持参薬鑑別用紙，電子カルテの付箋などに残日数を記載していたが，自院薬に継続されないミスが起こったため，持参薬カレンダーを作成して，薬剤師全員に「見える化」している。『患者安全推進ジャーナル』の特集[5)]で当院の持参薬管理の流れを記載しているので参照されたい。

一方，処方内容と現物を確認すると，残薬が非常に多い場合がある。昼服用分だけが大量にあまっているとか，ある薬剤だけが残っているケースもある。また服薬状況が不良だったため，入院時に処方通り一包化にして服用させたとき，低血圧や低血糖になった患者がいた。処方箋通り正確に調剤しても正しい作業とはいえない。持参薬管理において重要なのは，薬剤師による患者との実際の服薬状況や薬への理解度，不安や思いなどをヒアリングすることである。当院では，コミュニケーション可能な患者には，入院当日に薬剤師が服薬指導に入り，服薬状況などを確認している。

Ⅴ 薬剤師不在時の薬局管理

薬局内に24時間薬剤師が駐在することは，中小規模病院では難しい。薬剤師不在時に薬剤の使用のため，定数化した薬剤を病棟や外来に配置し，翌日処方箋と薬剤の種類と数量の確認をする。しかし，配置薬では対応できないこともある。当院では，麻薬などの管理が必要な薬剤の投与は，オンコール制などによって薬剤師が対応するが，それ以外の薬剤についてすべてをオンコール制にすることは難しい。薬局内の配置図などで薬の配置をわかりやすくすることと，複数規格や薬剤名が似ている場合には注意を促すシステムの構築が必要である。また，麻薬・向精神薬・毒薬以外にも，ハイリスク薬や習慣性薬剤などは，数量管理をすることで，処方箋と薬剤とを照合することができる。また，盗難対策として監視カメラの設置と，当院では薬剤師不在時に薬局に入るためには，事務室でその趣旨を説明し，必ず複数の職員で薬局に入り，薬局内で患者名・内容を入室記録に記載することにしている。翌日薬剤師が入室記録を確認している。

Ⅵ ポリファーマシー対策

ポリファーマシーとは，単に服用する薬剤数が多いことではなく，それに関連して薬物有害事象のリスク増加，服薬過誤，服薬アドヒアランス低下等の問題につながる状態をさす。入院時におけるポリファーマシーへの取り組みとして，病院薬剤師の役割は重要であると，令和2（2020）年度診療報酬改定に向けた議論のなかの意見として出されている。

入院中に患者に理解をいただき，ポリファーマシー対策を薬剤師の業務として行うことが求められている。一見，医療安全とは関係ないように思えるが，服薬量を適正化することで，患者の安全だけではなく，工程内容の簡略につながり調剤業務などの安全につながると考える。当院では入院患者全員の処方見直しを医師と薬剤師で定期的に行い，不必要な薬の中止など薬剤師から提案し，ポリファーマシーの改善に努めている。

文 献
1）大滝純司，相馬孝博監訳：WHO患者安全カリキュラムガイド多職種版2011．東京医科大学，2012，pp 239-254．
2）厚生労働省：チーム医療の推進について（チーム医療の推進に関する検討会 報告書）．2010．
http://www.mhlw.go.jp/shingi/2010/03/dl/s0319-9a.pdf
3）日本医療機能評価機構 医療事故防止事業部：PTPシートの誤飲．医療事故情報集等事業医療安全情報 2011；No.57．
http://www.med-safe.jp/pdf/med-safe_57.pdf
4）日本医療機能評価機構 医療事故防止事業部：PTPシートの誤飲（第2報）．医療事故情報集等事業医療安全情報 2013；No.82．
http://www.med-safe.jp/pdf/med-safe_82.pdf
5）吉田清司：持参薬カレンダーなどを活用した持参薬管理．患者安全推進ジャーナル 2014；37：15-19．
6）長寿科学総合研究事事業・高齢者の薬物治療の安全性に関する研究（H25-長寿-一般-001）研究班，日本老年医学会，国立長寿医療研究センター編：高齢者の安全な薬物療法ガイドライン2015．
http://www.jpn-geriat-soc.or.jp/info/topics/pdf/20150401_01_01.pdf

（吉田 清司）

4 放射線部門

はじめに

放射線部門における医療安全管理は他の部門と大きな違いはなく，モダリティーごとに注意点が違うことに留意すれば，院内の医療事故等の防止・安全管理のための指針に従えばよいと考えられる。

放射線部門の医療安全を考えるときにはまず2つに分けて考える必要がある。患者を含めた人的な医療安全管理，診断および治療をするために放射線を用いる装置と放射線を用いない装置を含めた医療機器安全管理が挙げられる。また，令和2（2020）年4月1日に施行された「医療法施行規則の一部を改正する省令」にある「診療用放射線に係る安全管理体制に関する規定について」により，「エックス線装置又は新規則第24条第1号から第8号の2（医療法施行規則を参照されたい）までのいずれかに掲げるものを備えている病院又は診療所の管理者

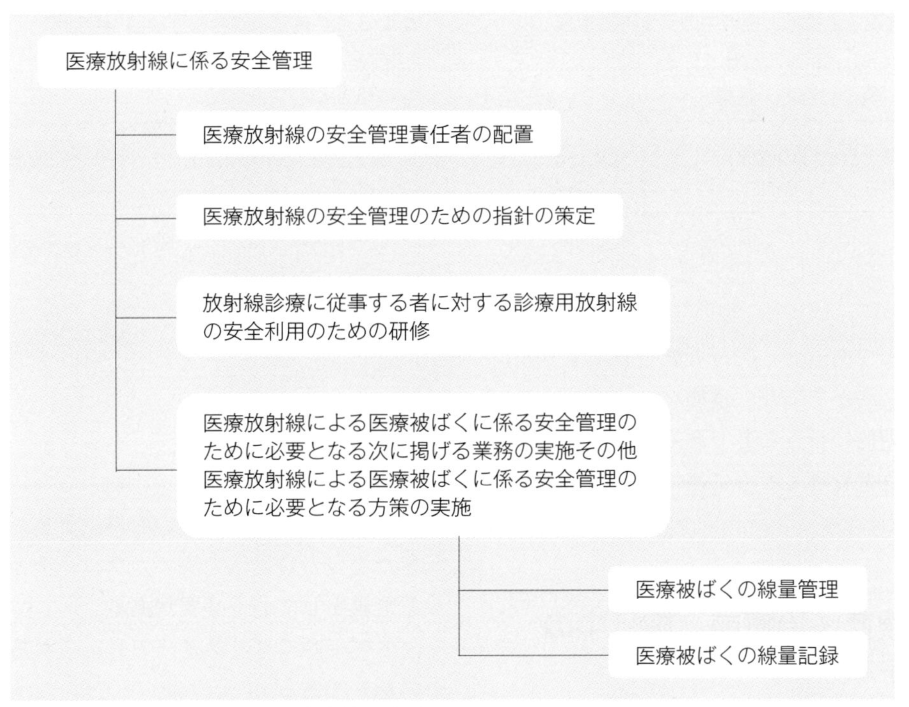

図Ⅱ-3-12 医療放射線に係る安全管理体制

表Ⅱ-3-3 線量管理および線量記録の対象となる放射線診療機器等

管理・記録対象医療機器
• 移動型デジタル式循環器用Ｘ線透視診断装置
• 移動型アナログ式循環器用Ｘ線透視診断装置
• 据置型デジタル式循環器用Ｘ線透視診断装置
• 据置型アナログ式循環器用Ｘ線透視診断装置
• Ｘ線 CT 組み合わせ型循環器Ｘ線診断装置
• 全身用Ｘ線 CT 診断装置
• Ｘ線 CT 組み合わせ型ポジトロン CT 装置
• Ｘ線 CT 組み合わせ型 SPECT 装置
• 陽電子断層撮影診療用放射性同位元素
• 診療用放射性同位元素

は，医療法（昭和23年法律第205号）第6条の12及び新規則第1条の11第2項第3号の2の規定に基づき，放射線を用いた医療の提供に際して次に掲げる体制（図Ⅱ-3-12）を確保しなければならないものであること」とされた。これにより放射線を用いた医療の提供に際して，次に掲げる体制を確保しなければならない。現段階において表Ⅱ-3-3の装置に対し被ばく線量の管理および記録が求められることとなっている。また，その他の装置に関しても被ばく線量管理と記録を行うことが望ましいとされている。被ばくに関しては患者へも従事者へも十分な説明ができる体制を構築しなければならない。

Ⅰ 放射線部門におけるリスクマネジメントと危機管理

放射線部門においても医療事故は，対応を誤れば信頼失墜のみならず，医療そのものへの不信につながりかねない。リスクマネジメントとして医療事故・事例を放射線画像診断およびInterventional Radiology，MRI，放射線治療，核医学等から減少させる必要があるが，放射線診療は放射線を取り扱うため他の診療とは異なる特殊な医療体系である。放射線科医をはじめ診療放射線技師，看護婦等への放射線の影響，放射線防護等の放射線に対する基本的な知識の教育訓練も必要である。そして，医療法施行規則の改正により，検査を行うことでの被ばくに関する患者への説明が加わったため，従来以上に注意を払う必要がある。さらに近年，読影診断レポートの未確認が問題となっているため，検査を依頼した医師が確実に読影診断レポートを確認するシステムづくりも求められる。

危機管理としては，まずどのような事故・事例なのかを的確に判断し対応することが求められる。放射線の過剰被ばくなのか患者対応による事故なのかによって，その後の行動が分かれるのは言うまでもないことである。放射線治療においては放射線の過小照射も大きな医療事故となり得るので注意が必要である。放射線の量による事故は放射線が目に見えないものであり，その影響がすぐに判別できないことから，事前に対応を施設で十分に検討し対応策を整えておくことが必要である。マニュア

表Ⅱ-3-4 一般的な検査・治療前，施行中の安全確認手順

①同意の確認（例：患者の同意書への署名）
②指示に医師の署名，電子的署名の確認
③患者の本人確認
④患者識別・検査情報の整合性の確保
⑤検査・治療中の監視
⑥診療録等への記録
⑦終了後の整理整頓

ルの整備はもちろんであるが，実行可能なものを十分に相談して作成する必要があるが，重要なのはマニュアルに基づく訓練を定期的に行うことである。そして，リスクマネジメントも危機管理もともに連絡報告体制の整備が非常に重要である。

Ⅱ 一般的な検査・治療前，施行中の安全確認手順

放射線部門に限ったことではないが，医療事故の発端は慣れや慢心，不注意等のヒューマンエラーが原因の大半を占めるとされている。日常業務で守るべき，注意すべき手順はたとえ時間をとられても遵守すべきであり，それこそ慣れれば安全確保にかける時間は手順の一つとして気にならなくなるものである。慣れても時間がかかると感じ実際に大幅に時間が延長するのであれば，それは業務一連の体制の問題である。一般的な手順は表Ⅱ-3-4 の通りであると考える。

Ⅲ 装置等の安全管理

装置由来の医療事故は日常点検を必ず行えば，最小限にとどめることが可能である。点検は必ず記録として残し，不具合の早期発見や故障部品の特定に役立てるようにする。また，記録は，装置由来の事故が万が一起こった場合には重要な証拠となる。また，異常や故障を発見した場合は使用を直ちに中止し，装置の製造会社もしくはメンテナンス会社に連絡し対応を依頼する。昨今の装置は精密な部品が多用されているため，専門的な知識のない診療放射線技師や医師が修理を行うべきではない。装置の安全管理として重要なことは，表Ⅱ-3-5 の事項を，放射線部内でフローチャートを用いてマニュアル化するなどして周知しておくことである。

Ⅳ 造影剤

一般撮影から透視，血管撮影，心臓カテーテル診断・治療，CT，MRI などと多岐にわたって使用されているが，各々で使用される薬剤について十分な検討を行い，

表Ⅱ-3-5 装置の安全管理項目（代表例）

①日常点検
　チェックリストを使用
　不具合などは備考欄に記録
　安全装置の動作確認
②品質管理
　定期的品質管理
　ソフトウェア等のアップグレード後の品質管理
③緊急時の対応
　自然災害や突然の停電
　緊急停止の方法
　復帰措置

患者への説明，同意書の取得，署名，ショック症状が起きた場合の対処法を決め，フローチャート化し院内の合意形成をしておく必要がある。

すべてのモダリティーで考えられる注意事項は，下記の通りである。

①造影適応の有無の判断，必要のない症例では行うべきではない
②ヨード系造影剤を使用する検査で「ヨードテスト」は行わない
③緊急時対応の体制整備と維持
④救急カートの整備，定期的な点検，欠品補充と緊急時動作の確認
⑤診療録への記載と署名，問診票の活用および判定結果の記載と署名

このなかで診療録への記載は次回以降の検査を行う際の重要情報となるため，副作用が起こった場合は，経過症状，処置内容を経時的に記録し，記録をした者の署名をすることが重要である。また，造影を行わなかった場合には，その理由を診療録とそのときの診断レポートに記載することが重要である。

Ⅴ 読影診断レポート

昨今，医師の見落としによる医療事故が散見されるようになってきたが，原因は人と電子的システムの整備不良の２点である。人に由来する原因は依頼医師と放射線診断医に分けられるが，依頼側の医師は受け持ち患者が多いほど依頼をしたことを忘れがちである。それを回避するには診療録へ記録する。電子的システムであれば未読の画像と読影診断レポートがあるとアラートを表示する，また，音を発するなど明確に表示する必要がある。極端なシステムとしては，依頼した検査の読影診断レポートを確認しない限り，次の画面展開をしないようなシステムが必要であるとも考える。放射線画像診断シス

テムにおいて読影診断レポートを確認するのであれば，あえて紙ベースで確認済み帳票を出力し，依頼医師が確認をしたことを放射線診断医に知らせるシステムも有効である。

Ⅵ 各　論

1. 全モダリティーに関する注意点

部屋に入って出るまで監視を怠らず，可能な限り声をかけて状態を把握することが重要である。また，車椅子の患者の場合はブレーキの確認，立つ場合，座る場合に必ず補助をする。これは医療職であれば最低限のラインであるが，必ず研修などで繰り返し確認させる必要がある。また，女性の患者を想定して，可能な限り女性の診療放射線技師を配置する配慮も必要と考えられる。感染症対策はモダリティーに関係なく必要なので，院内ルールがあればそれを遵守するべきである。しかし，放射線部門で特化したルールは必ず必要である。よって，放射線部門の感染症対策マニュアルの整備は必須である。

2. 一般撮影・透視・血管撮影・IVR・CT 系

各論として細々したことは各モダリティー担当部署で検討し，会議などで総合的に検討しマニュアル化が必要である。どの装置でも同じであるが，装置が手動および自動で動く範囲を，コールドランにより把握し，接触事故などを回避する対策を施すのも重要である。また，造影剤に関しては前術した通りである。

3. MRI

放射線部門で放射線を用いない装置で，軽微な事故・事例が頻繁に起きる装置であるので，院内全体に対する教育と安全対策が必要な装置である。国内外において患者および従事者でも死亡例などの重大な医療事故が発生しているため，強大な磁場を有し，それは電源状態に関係なく常時発生していることを十分に説明し，注意喚起を怠らないことである（図Ⅱ-3-13, 14）。特に患者への説明は必ず問診を行い，心臓ペースメーカー，体内の非磁性金属の有無，刺青，アイライン，金属製顔料を使用した化粧品などについて撮影現場での再確認も必須となる。これらについては診療放射線技師のみならず，患者対応を行う現場の人間すべてが把握し確認し合うことも必要である。また，磁性体所持品の確認，使い捨てカイロなどの確認を行うには検査着に着替えさせ，所持品を患者用ロッカーに収納させることが望ましい。そして，検査室入室前に必ず金属探知機で最終確認をすることが必要である。金属探知機は，図Ⅱ-3-15 のような全身検索タイプを備えると簡便かつ迅速に行えるため，

図Ⅱ-3-13　従事者向け注意

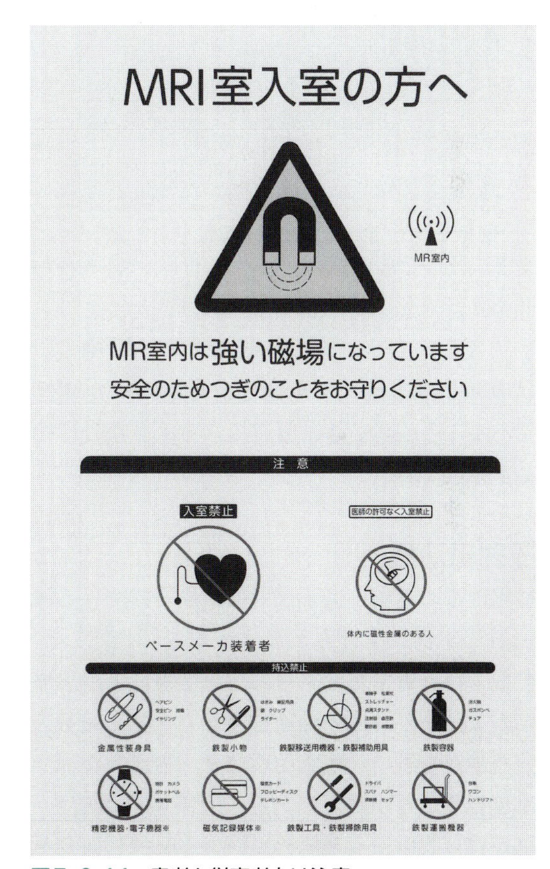

図Ⅱ-3-14　患者と従事者向け注意

費用対効果を考慮すれば備えるのが望ましい。救急患者対応時は特に十分な金属に対する確認が必要であるため，ハンディータイプの金属探知機も備えておくことが望ましい。また，患者はドーム状の装置に入ってしまうので目視での状態把握が不完全になるため，各種モニターの整備を用い状態把握に努めるべきである。MRI においても造影検査を行う場合があるので，ショック状態に陥ったときに備え救急カートを準備し，必ず MRI 対応の非磁性の物であるか確認することが必要である。

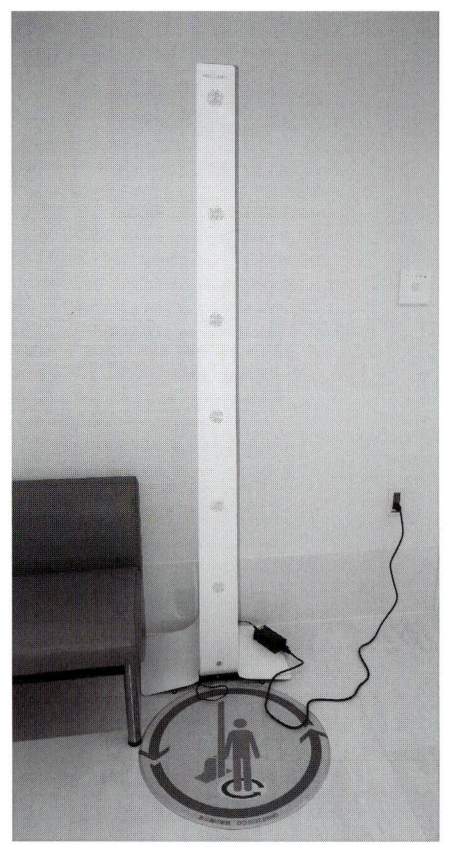

図Ⅱ-3-15 全身検索金属探知機

車椅子，ストレッチャー，点滴台，ベッド，酸素ボンベなどは吸着事故を起こす可能性が高いため，MRI専用の物であることがはっきり目視できるような目印を付けることを推奨する。

4．放射線治療

放射線治療の過剰，過小照射は，放射線関係の医療安全に関して声高に上げられるようになったきっかけと言ってもよい分野である。医師，医学物理士，診療放射線技師が普段より意思の疎通を図りカンファレンスなどで十分な検討を行い，臨床的な部分，物理的な部分の情報共有を行うことが重要である。患者への説明は十分な時間をかけ，誤解や不理解のないよう配慮し同意を得ることが重要である。放射線治療計画においてチェックリストは医療事故防止に必須なアイテムであり，間違えを発見する重要な手段である（表Ⅱ-3-6）。また，複数の目で確認することは放射線治療全般にわたり必須であるため，そのようなシステムを作成するべきである。

患者確認は可能な限り顔写真を撮影し，診療録または放射線治療情報システムで確認できるようにすべきである。ただし，患者が顔写真撮影を拒否する場合，撮影は行わず別の方法を考える必要がある。また，シミュレーションでの体位の再現性を保証するために，セットアップ状態，補助具，固定具なども写真撮影をして説明を加えておくことを推奨する。

放射線治療装置は治療計画装置，CT，外部照射装置，小線源治療装置などの精度管理は必須であり，方法，頻度，解析などはガイドラインに沿って適切に実施する。

照射記録は万が一事故が起こった場合の有用な情報となるため，正確に記録することが必要である。

治療時には治療室内で患者が１人きりになるため，必ず誰かが監視し，緊急時にはすぐに入室できる体制をつくっておくことが重要である。また，迷路などの死角が多いため，監視カメラの設置を十分検討し，死角ができないようにする必要がある。治療中に患者が異変を感じた場合，伝える手段を説明しておくのも重要である。

5．核医学

核医学は放射性同位元素を体内に投与するため，患者への説明を誤解のないよう丁寧に行うことが重要である。医療法施行規則の改正により核医学においては投与量の記録が義務付けられたため，どのように記録するか部署および院内で検討し，保管する方法などを検討することも重要である。一般的には診療用放射性同位元素使用の帳簿であれば用件を満たすものである。

核医学に従事する医師，診療放射線技師，放射線医薬品を取り扱う薬剤師，看護師への被ばくに関する研修は定期的に必ず行うことが重要である。また，患者も他の患者から無用な被ばくをしないような設備を備えるのも重要なことである。

患者に対しては，検査に際し薬剤を投与して核種ごとに検査開始までの時間があることの説明，PETでは可能な限り安静な状態を保つなど，検査結果に大きな影響を与える因子を丁寧に説明することが重要である。また，説明は患者にとってわかりやすいように，平易な言葉を使った資料を準備するなど工夫しつつ行い，その際，次に掲げる点もふまえて説明する必要がある。

- 当該検査・治療により想定される被ばく線量とその影響〔組織反応（確定的影響）および確率的影響〕
- リスク・ベネフィットを考慮した検査・治療の必要性
- 当該病院で実施している医療被ばくの低減に関する取り組み

検査時に負荷をかける検査もあるため，緊急時対応のマニュアル，救急カートなどは必ず整備しておく必要がある。

おわりに

各論でも注意点をすべて挙げるのはページ数的に不可能であるが，各モダリティーで検討しマニュアル化するのは重要なことである。インシデントレポートは事故・

表Ⅱ-3-6　放射線治療計画チェックリスト

治療計画チェックシート			
ARIA チェック項目			
ID	□	□	□
患者氏名	□	□	□
Plan ID	□	□	□
Course ID	□	□	□
Machine ID	□	□	□
Setup Field	□	□	□
Treatment Field	□	□	□
Dose Rate	□	□	□
Gantry Check 180 or 180E	□	□	□
処方線量/回数の確認	□	□	□
Reference Point-Doseと処方線量が一致する	□	□	□
照射野形状のチェック	□	□	□
DRR（パラメータのセット）確認	□	□	□
Tol.Table の設定or確認	□	□	□
Plan-Schedule（Setup Field 含）の確認	□	□	□
照射部位に相違ない	□	□	□
Isocenterの座標がすべてのFieldで一致している	□	□	□
ExacTrac , visionRT & RIS 送信	□	□	□
RIS チェック項目			
Plan ID - 紐付け	□	□	□
1st / 2nd Planを分割（111 と 112 etc）	□	□	□
治療日程の変更（111 と 112 etc）	□	□	□
計画画像の貼り付け	□	□	□
Simple MU or 検証レポート 貼り付け	□	□	□
Field情報の取得（CourseとLabel）	□	□	□
セットアップ情報の反映	□	□	□
計画変更ありなしのチェック	□	□	□
治療装置が一致しているかの確認	□	□	□
プラン会計登録	□	□	□
IGRT / SGRT チェック項目			
Exac Trac 登録	□	□	□
vision RT 登録	□	□	□
確認者サイン			

コメント

事例より教訓を得る重要な方法であるが，事故の教訓は絶対ではないと理解しておくべきである。インシデントレポートから対策を立てたとしても，対策がすべて正しいのではなく，状況により臨機応変に対処することが求められるということである。マニュアルによる対応の限界は明確であり，それぞれの事故において状況を見極め，対応を判断する力の強化，想定外に対する訓練が不可欠だということが真の教訓であると考える。

医療安全文化の醸成・コンプライアンスの徹底において重要な言葉が2つある。

①医療安全の ABC

A：当たり前のことを

B：馬鹿にしないで

C：ちゃんとやる

②複数の目と一言にいうが，これも「非常に危険な状態とは，【ヒト】は正しいと信じること」

①は当院院長の三木保先生，②は当院医療安全管理室の高橋恵先生が提唱している言葉である。これらは他の診療部門とは少し異なる特殊な医療体系である放射線部門でも，必ず実践すれば安心・安全な医療を提供することにつながると確信する。

参考文献　1）日本医学放射線学会：放射線診療事故防止のための指針．Version 4，2004.
2）診療用放射線の安全利用のための指針策定に関するガイドライン．2019.

（筑間晃比古）

5 臨床検査部門

はじめに

近年，病院において臨床検査技師が患者と接する業務を担当する機会は多くなってきている。特に，平成27（2015）年４月に「臨床検査技師等に関する法律」の一部改正により，臨床検査技師による鼻腔・咽頭の拭い液の採取や皮膚からの検体の採取，それに味覚検査が追加されたことから，今後さらに臨床検査技師と患者の接点が増加していくものと思われる。検体検査においても，その後の治療を大きく左右する検査結果を提供していることを自覚して日々の業務に当たることが必要である。現に，病理検査用の検体の取り違えにより，誤った手術が実施されたり[1)]，治療が遅れたりする重大なアクシデントにつながった例が報告されている。また，感染症検査で誤って陽性と報告され，患者に計り知れない精神的苦痛を与えた事例も報告されている。このようなアクシデントでは，訴訟にまで発展する可能性の高いことを日々認識して仕事に当たる必要がある。

Ⅰ 検体採取について

1．採 血

外来採血のみならず病棟採血も臨床検査技師が担当している病院が増えている。採血時の注意事項について挙げる[2)]。

1）患者誤認の防止

患者自身に姓名を名乗ってもらい採取ラベルと照合する。同姓同名の患者は初診時に受付で発行する診察券にマークをつけるなどの取り決めをして，生年月日の確認対象者であることを知らせる。入院患者ではリストバンドの利用が効果的である。

2）感染対策とアルコール消毒の注意

採血担当者は患者ごとにゴム手袋を付け替える。もし，血管確保が難しく素手の指で血管を触知しなければならないときはその前後に手指消毒を行う。また，患者にアルコールのアレルギーがないか聞き，ある場合はベンザルコニウム塩化物液やクロルヘキシジン塩酸液などを使用する。

3）神経損傷の注意

静脈採血時は，腕の肘関節窩付近の①橈側皮静脈，②正中静脈の順で選ぶ。やむなく尺側皮静脈から採血する場合は細い針（23Gなど）を用いて深く刺さないよう注意する。翼状針の利用によって神経損傷の発生比率が低下することも実証されている。

4）採取容器の選択と採取順

検査項目に合った採血管を選ぶことは当然であるが，真空採血管を用いる際は採血順序にも気を配る必要がある。例えば，血算用の採血管に入っているEDTA（ethylenediaminetetraacetic acid）が微量でも生化学用のプレーン管に混入するとCaや酵素のアルカリホスファターゼ（alkaline phosphatase；ALP）が低下する。

5）使用した針の処理

使用後の針は，針刺し事故に十分注意してリキャップすることなく所定の容器に処分する。万一，針刺し事故を起こした際の対応マニュアルを院内の感染対策委員会で整備し，その手順に従う必要がある。

6）神経損傷への対応

採血後の患者から，異常な痛みやしびれが持続するとの申し出があった際の対応についてマニュアル化することも必要である。患者の痛みの症状や採血時の状況を記載する用紙を用意し，対応をマニュアル化する。その概要は，最初に担当の臨床検査技師（役職者）と臨床検査科の医師が聞き取り調査を行い，状況に応じて麻酔科やペインクリニックの受診を手配する手順となっている。

2．その他

「臨床検査技師等に関する法律」の一部改正により，診療の補助として鼻腔や咽頭から拭い液を採取する業務が臨床検査技師に認められたことから，採取時に綿棒で鼻腔を傷つけたときの対応もマニュアル化が必要である。

Ⅱ 採取検体の取り扱いについて

1．紛 失

近年は，バーコードの採用により，検体の取り違えは限りなく減少したが，検体にまつわるトラブルは時として発生する。病棟で採取した検体が検査室に届いていないとか，外来採血室で採血した検体が行方不明になることは多くの検査室で経験されることである。その対策として，微小なICチップを採取ラベルに組み込んだ

RFID (radio frequency identifier) 検体情報統括管理システム[3]を採用する病院もある。

検体が放置されて検査が遅れることもあるが，このような場合は「忘れていた」で済まさず，原因を分析して再発を防ぐ改善策を講じることが重要である。

2. 不適切な保管

採血後の生化学用検体が血清分離されずに冷蔵庫に保管されると血清KやLD (乳酸脱水素酵素) が高値となってしまう。このように不適切な保管をされた検体が検査室に届けられることのないよう，検査室内のみならず病棟なども含めて院内全体にアナウンスする必要がある。また，夜間や休日に届けられる検体を翌日以降の測定として預かる場合，専門外の夜勤者や日直者でも適切な処理・保管ができるよう対応手順を明示しておく必要がある。

3. 病理検体の扱い[4]

バーコードの採用により，採血検体の取り違えは限りなく減少したが，マーキングの難しい病理の微小検体は包埋工程での紛失や取り違えの防止策を十分に講じる必要がある。

Ⅲ 測定値の報告について

1. 誤報告

誤報告は誤診や誤った治療につながる可能性がある。特に，病理診断，感染症検査，腫瘍マーカーなどの検査結果が誤って報告されると治療に大きく影響する。臨床検査の多くは自動分析機からオンラインで結果がコンピュータに入力されるが，手入力は皆無ではなく，誤入力を防止する方策の構築が欠かせない。

2. 報告の遅延[5]

一刻を争うような状態悪化が疑われる検査結果をパニック値と称している。このパニック値が出現した際は，直ちに担当医に連絡することが重要である。このパニック値の報告の遅れや[6]，報告しても担当医まで伝わっていないなど，運用上の不備に起因する医療事故にも注意が必要である。臨床検査の現場では，パニック値が出現した際，再測定を行うことに気をとられて時間を費やしてしまう傾向が高いが，測定値の妥当性をすばやく判断して，迅速に担当医に伝えるためのルール化とその訓練が重要である。

電子カルテの導入後，病理診断結果報告書が未確認状態になっている事例が繰り返し発生しており，報告書の発行側と受ける側の両者でシステム的な改善に取り組む必要がある。

Ⅳ 生理機能検査

心電図，超音波，脳波など，患者と直接接する検査では誤認の注意と急変時の対応が重要となる。

1. 誤　認

病棟へ移送の依頼の連絡時などに誤認が発生して別患者が検査室に現れることがある。必ず氏名をフルネームで伝えることとし，同姓同名の患者のいる病棟では生年月日を確認するなどのルールの厳守が基本となる。検査開始時は必ず患者自身に姓名を名乗ってもらう。

2. 急変時の対応

トレッドミル (負荷心電図) 検査では，患者の急変に備えて，必ず医師が同席して行うことになっているが，一般の心電図検査でも発作で心停止を起こすことがある[6]。また，脳波の検査では，光刺激などで時としててんかん発作を誘発する。このような急変時の対応として，

- コードブルーやRRS (rapid response system) の発信
- 除細動装置の準備
- 救急カートの準備

を行う。

実際の急変時に慌てずにルール通りの行動ができるように，日頃シミュレーションを行い，各人の役割を確認しておくことも大切である[7),8)]。

Ⅴ クレーム対応

患者と直接接する採血室や生理機能検査の場では，時として患者からのクレームを受けることがある。最近は，患者側のわがままと思われるクレームも少なくないが，クレームには真摯に対応し，その状況を正確に把握して記録に残すべきである。

文　献
1) 日本医療機能評価機構医療事故防止センター：(1) 臨床検査に関連した医療事故の現状．医療事故情報収集等事業第7回報告書，2016，pp 109-127．
2) 日本臨床検査標準協議会標準採血法検討委員会編：標準採血ガイドライン；GP4-A3．日本臨床検査標準協議会 (JCCLS)，東京，2019．
3) 平沢修：RFIDを利用した検体管理システム；検体紛失，到着遅れを未然に防止．日本臨床検査自動化学会会誌　2012；37 (4)：442．

4) 荒川揚子，井上雅文，塙峰秋，他：病理検査室における医療安全の取り組み；検体取り違え防止対策．共済医報　2012；61 (Suppl)：174.
5) 日本医療機能評価機構医療事故防止事業部編：Ⅲ 医療事故情報等分析の現況．医療事故情報収集等事業 2018 年年報，2018，pp 31-79.
6) 志茂豊，白井良雄，石田明，他：当院におけるパニック値報告の現状と問題点．共済医報　2012；61 (Suppl)：151.
7) 合原則隆：胸痛；急変発生 !? そのとき，どうする？医師が来るまでに行うこと，来てから行うこと（“よくある” 状態別先を見越した “準備” のコツ）．Expert Nurse　2012；28 (11)：52-59.
8) 山本修：診療科への適切な検査報告の取り組みについて；生理機能検査全般における医師との連携と患者容態急変時の対応．臨床検査栃木　2011；7 (1)：21.

（山舘　周恒）

6 臨床工学部門

はじめに

臨床工学技士は昭和 62 (1987) 年に法制化された比較的新しい国家資格を有する医療職種である。医療施設内で医師の指示の下に，生命維持管理装置（人の呼吸，循環または代謝の機能の一部を代替し，または補助することが目的とされている装置）の操作および保守点検を行う。業務内容から他の医療職種との連携（チーム医療）は必須であり，それを裏付けるものとして，「臨床工学技士法」に「他の医療関係者との連携」，さらに業務指針ではより具体的に，「医療チームの一員」「チーム医療の実践」により円滑で効果的な医療を確保することに協力するものとあり，医療機器の専門医療職として積極的に医療機器安全管理委員会等へ参加し，連携の下に医療機関における安全対策に努めることが明記されている。

主な業務としては次のようなものがある。大きく分けると臨床技術提供業務と医療機器保守管理業務である。前者は，生命維持管理装置の操作を中心とした呼吸治療業務，人工心肺・補助循環業務，血液浄化業務，心・血管カテーテル業務，ペースメーカー・植込み型除細動器業務，高気圧酸素治療業務，その他の治療関連業務である。後者は，医療機器を安全に使用するために医療機器管理台帳整備（一元管理の実施），保守点検計画および実施，適正使用方法の教育を担うものである。

業務は多岐にわたり年々拡大傾向にあり，また専門分化しているため，より専門知識を深める目的で各学会が主催するセミナー・講習や学術集会への参加，免許取得後に一定の経験や教育を経て各種専門認定資格を取得することは「医療の質の向上」ならびに「医療安全」に大きく寄与するものと考える。臨床工学技士認定制度の主な認定資格を表Ⅱ-3-7 に示す。そのほかに日本臨床工学技士会が独自に実施している「専門臨床工学技士」認定制度がある。

Ⅰ 臨床技術提供業務（生命維持管理装置の操作）にかかわる安全管理

臨床工学技士の業務のなかで，医療チームとして患者の治療にかかわるものが生命維持管理装置の操作である。この項では特に高度なチーム医療が求められる心臓血管外科医療チームで遂行される業務である人工心肺・補助循環業務を例にとり，その安全管理について説明する。

1. マニュアル・チェックリストの整備

1) マニュアルの整備[1),2)]

チームのなかで目的をもって仕事をするためには，「標準化」「ルール」「マナー」というものが必要であり，それらを明文化したものがマニュアルである（図Ⅱ-3-16）。マニュアルは安全に対する配慮，技術に付帯するルール，質や効率など経験や知識等が集約されている大切なものであり，いわば体外循環にかかわる一定の質や安全が担保できる重要なバイブルなのである。また，マニュアルはそれに縛られすぎず，患者の安全を守り良質の体外循環を提供するという目的を実践とした，業務の基本と本質に立ち返れるものにする必要がある。

2) チェックリストの活用

人工心肺は，心肺装置のほかに多くの周辺装置と人工心肺回路によって構成されている。

装置の機能や回路の組み立て，操作の順番や確認項目等は頭にたたき込まれその記憶によって行われているが，人間の記憶が必ずしも万能とは限らない。体外循環の安全を確保するうえで，準備や操作手順を間違えや抜けがないように備えをするのが「チェックリスト」（図Ⅱ-3-17）でありその活用が推奨されている（図Ⅱ-3-18）。

チェックリストには，正常時のチェックリスト（プレバイパス・チェックリスト，標準操作手順チェックリスト），正常でないときのチェックリスト，異常時・緊急

表Ⅱ-3-7 学会認定資格

認定資格	認定試験受験資格		認定学会
	経験年数	要 件	
体外循環技術認定士	臨床工学技士：3年以上 看護師：3年以上 准看護師（高校卒業）：4年以上 准看護師（中学卒業）：5年以上	学会主催のセミナー受講 症例数の提示	日本人工臓器学会 日本胸部外科学会 日本心臓血管外科学会 日本体外循環技術医学会
人工心臓管理技術認定士	臨床工学技士：3年以上 看護師：3年以上	学会主催のセミナー受講 症例数の提示	日本人工臓器学会 日本胸部外科学会 日本心臓血管外科学会 日本体外循環技術医学会 日本臨床補助人工心臓研究会
透析技術認定士	臨床工学技士：2年以上 看護師：2年以上 准看護師（高校卒業）：3年以上 准看護師（中学卒業）：4年以上	指定講習会の受講	日本腎臓学会 日本泌尿器科学会 日本人工臓器学会 日本移植学会 日本透析医学会
日本アフェレシス学会認定技士	学会会員5年以上	学会への参加 指定講習会の受講	日本アフェレシス学会
3学会合同呼吸療法認定士	臨床工学技士：2年以上 看護師：2年以上 准看護師：3年以上 理学療法士：2年以上 作業療法士：2年以上	指定講習会の受講	日本胸部外科学会 日本呼吸器学会 日本麻酔学会
高気圧酸素治療専門技師	臨床工学技士：3年以上 看護師：3年以上 准看護師（高校卒業）：4年以上 准看護師（中学卒業）：5年以上	指定講習会の受講	日本高気圧環境・潜水医学会
臨床ME専門認定士	医療関係職種の国家資格を有する者：2年以上 准看護師：3年以上	第一種ME技術実力検定試験に合格した者	日本生体医工学会 日本医療機器学会

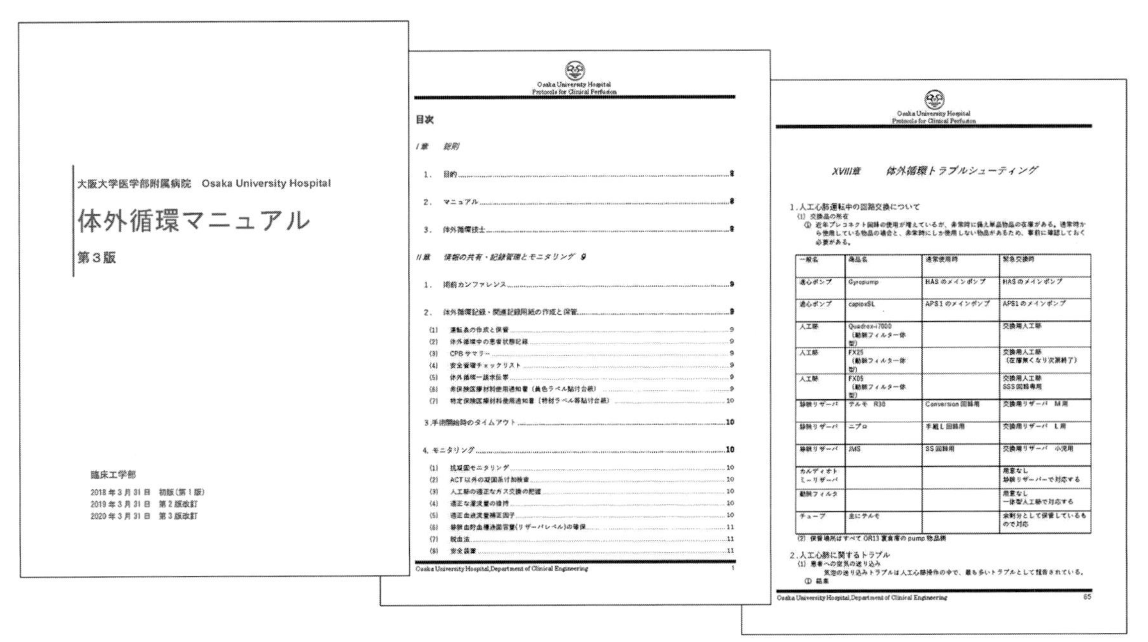
大阪大学医学部附属病院 Osaka University Hospital

体外循環マニュアル

第3版

臨床工学部

2018年3月31日 初版（第1版）
2019年3月31日 第2版改訂
2020年3月31日 第3版改訂

Osaka University Hospital
Protocols for Clinical Perfusion

目次

Osaka University Hospital,Department of Clinical Engineering 1

Osaka University Hospital
Protocols for Clinical Perfusion

XVIII章 体外循環トラブルシューティング

1.人工心肺運転中の回路交換について
(1) 交換品の所在
① 近年プレコネクト回路の使用が増えているが、非常時に備え単品物品の在庫がある。通常時から使用している物品の場合と、非常時にしか使用しない物品があるため、事前に確認しておく必要がある。

一般名	商品名	通常使用時	緊急交換時
遠心ポンプ	Gyropump	HASのメインポンプ	HASのメインポンプ
遠心ポンプ	capioxSL	APS1のメインポンプ	APS1のメインポンプ
人工肺	Quadrox-i7000（動脈フィルター一体型）		交換用人工肺
人工肺	FX25（動脈フィルター一体型）		交換用人工肺（在庫無くなり次第終了）
人工肺	FX05（動脈フィルター一体型）		交換用人工肺 SSS回路専用
静脈リザーバ	テルモ R30	Conversion回路用	交換用リザーバ M用
静脈リザーバ	ニプロ	手組L回路用	交換用リザーバ L用
静脈リザーバ	JMS	SS回路用	交換用リザーバ 小児用
カルディオトミーリザーバ			用意なし 静脈リザーバーで対応する
動脈フィルタ			用意なし 一体型人工肺で対応する
チューブ	主にテルモ		余剰分として保管しているもので対応

(2) 保管場所はすべてOR13裏倉庫のpump物品棚

2.人工心肺に関するトラブル
(1) 患者への空気の送り込み
気泡の送り込みトラブルは人工心肺操作の中で、最も多いトラブルとして報告されている。
① 結果

Osaka University Hospital,Department of Clinical Engineering 65

図Ⅱ-3-16 マニュアル例（大阪大学医学部附属病院における体外循環マニュアル）

体外循環安全チェックリスト

チェック1（メイン）:

チェック2（サ ブ）:

手術日:
ＩＤ:
患者名:
年 齢:
術 式:

1.準備

		準備者
人工心肺装置	電源接続、正常起動、各ポンプ動作確認	（ ）
心筋保護装置	電源接続、正常起動、ポンプ動作確認、循環水動作確認	（ ）
冷温水層	電源接続、正常起動、循環水動作確認	（ ）
自己血回収装置	電源接続、正常起動	（ ）
CDI	電源接続、正常起動	（ ）
術野モニタ	表示確認	（ ）
バイタルモニタ	表示確認	（ ）
医療ガス	接続確認、ブレンダー出口でのガス流出確認	（ ）
緊急対応品	手回しハンドルの所在確認	（ ）
回路確認	人工肺、回路サイズ、CP回路等を開封前に確認	（ ）
コストシール	ラベル貼付台紙に貼り付ける	（ ）

2.プライミング（pump）

		メイン	サブ
固定確認	各ホルダーの固定確認	（ ）	（ ）
回路組み	接続の緩み、タイバンド固定、エア抜き確認	（ ）	（ ）
ローラー	回転方向・occlusion（Vent□ 黄□ 白□ 桃□ ECUM□）	（ ）	（ ）
送血用ローラー	回転方向・occlusion確認 （小児症例・分枝送血のみ）	（ ）	（ ）
冷温水槽	熱交換器への接続、水流方向	（ ）	（ ）
VAVD	動作確認、陰圧設定、陽圧開放弁	（ ）	（ ）
各種センサー動作確認	レベルセンサー	（ ）	（ ）
	人工肺圧 □、送血圧 □、リザーバー圧 □	（ ）	（ ）
	SVO_2モニタ	（ ）	（ ）
	温度センサー（送血 □ 脱血 □）	（ ）	（ ）
	flowセンサー （遠心ポンプ症例のみ）	（ ）	（ ）
	bubbleセンサー	（ ）	（ ）

3.プライミング（CP）

回路組み	接続緩み、充填液量、エア抜き確認	（ ）	（ ）
ポンプチューブ	回転方向・occlusion（master □ slave □）	（ ）	（ ）
設定の確認	アラーム動作、注入量	（ ）	（ ）
	standby設定（1液 、master slave on 、4℃）	（ ）	（ ）
各センサー動作	気泡センサ □、回路内圧 □、温度センサ □	（ ）	（ ）
K^+濃度確認	10倍希釈 K^+値：（ mEq/L） （理論値4.4mEq/L）	（ ）	（ ）

4.sign in/time out

GAIA起動、患者名の確認	（ ）	（ ）
人工心肺管理上の問題点の共有	（ ）	（ ）
準備物確認（使用カニューレ類、使用薬剤、輸血/自己血）	（ ）	（ ）
チューブ鉗子（10本）	（ ）	（ ）

5.CPB開始直前・開始直後

チューブ屈曲、clamp確認（各バイパスラインなど）	記入不要	（ ）
拍動チェック、送血テスト	記入不要	（ ）
ACT確認、酸素吹送開始、CPBスタート	記入不要	（ ）
回路色調・血液流量・回転数・回路内圧・バイタル	記入不要	（ ）
センサーon確認（レベル□ バブル□）	記入不要	（ ）

6.終了後

薬剤伝票 □、体外循環請求伝票 □、ラベル貼付台紙 □	（ ）	（ ）
清拭、廃棄物や不要物の片付け	（ ）	（ ）
チューブ鉗子（10本）	（ ）	（ ）

図Ⅱ-3-17 チェックリスト例（大阪大学医学部附属病院で使用する体外循環前安全チェックリスト）

時のチェックリストを備えることが望ましい。

3) マニュアル・チェックリストの改訂

われわれは「人間はミスをする」ことを前提に，「どうやってミスを減らすのか」ということを重視している。そこから生み出されるマニュアルやチェックリストに従うことによって，安全な臨床技術提供業務を目指している。基本的には「マニュアルに従って行動していれば安全に施行できる」というスタンスで，それに従っている範囲で起こったインシデントであれば，個人を責めるのではなく，ミスを防げなかったマニュアルを改善することを最優先している。われわれは「どんなミスやインシデントでも報告する」という病院医療安全のルールと報告システムを取り入れており，どんなに小さいことでも部員みずからが進んで報告し，そのミスが再発しないように部署内で業務マニュアルを改善することに注力している。これらは部署の医療安全管理実務者が各業務担当者に啓発している。

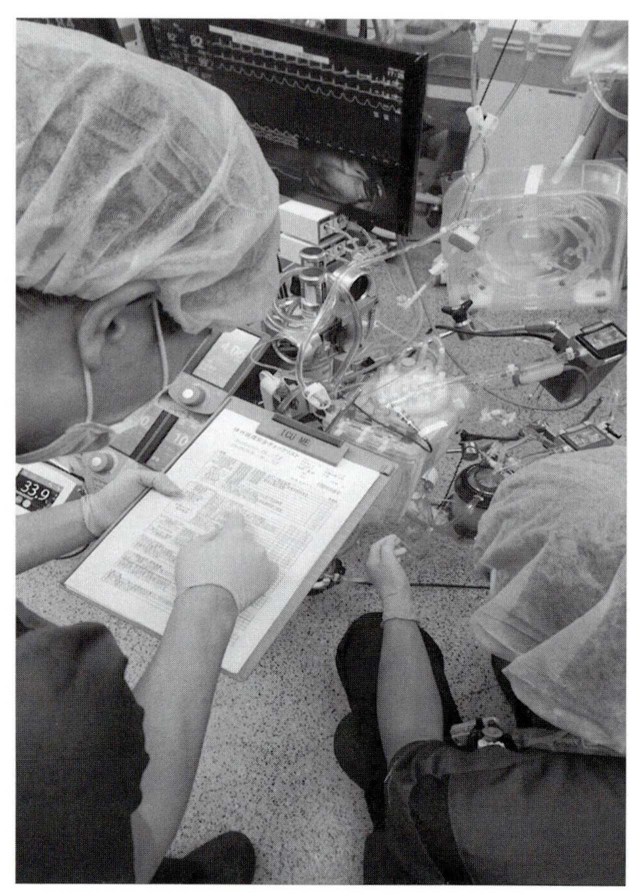

図Ⅱ-3-18 チェックリストによる体外循環前の確認作業

2. 生命維持管理装置の安全管理対策，安全装置の整備設置

人工心肺安全管理対策は平成 12（2000）年以前には明確な基準や規定はなく，人工心肺を担当する技士の考え方に依存しており，また，安全装置の整備・設置は施設により格差が存在していた。その考え方の根底には，「下手な技士がレベルセンサーを着けるのだ」「いつも注意深く観察しているから大丈夫」などといった誤った認識が存在していた[3]。

平成 13（2001）年に発生した人工心肺に関連する医療事故を受け，平成 15（2003）年に 3 学会合同（日本心臓血管外科学会，日本胸部外科学会，日本人工臓器学会）で「陰圧吸引補助脱血体外循環に関する勧告」が出された。さらに体外循環の安全を求めて日本体外循環技術医学会（The Japan Society of Extra-Corporeal Technology in Medicine；JaSECT）より「人工心肺における安全装置設置基準」が勧告された。今では定期的にインシデント・アクシデントならびに安全装置設置状況の調査が行われ，安全性情報や安全速報についても随時報告[4]されており，各施設においてはこれらの確認と更新をすることが重要である。

その他の生命維持管理装置においても，その安全使用や安全装置に関する指針やマニュアル，ガイドラインといったものが関連学会から出されている。例えば，人工呼吸療法業務では日本呼吸療法医学会など，血液浄化業務では日本透析医学会などからそれぞれ発刊されているので，最新のものに更新しておくことが大切である。

3. 教育と訓練[3)]

人工心肺装置の操作は，患者の生命にかかわる重要な操作であり，安全に運行・運用するためには操作者に十分な教育や訓練が施されるべきであるが，その教育・訓練方法に統一されたものはないのが現状である。問題は「訓練」だけを受け「教育」がなされていないことが往々にして存在する点である。施設では効率化を優先させるあまり，人工心肺の「操作」ができる技士をつくり上げるための訓練が重要視される傾向にあるが，十分な教育がなされていないと事象への理解や対応，トラブルなどに対応できないのである。もちろん，教育だけでは実務を行うことはできないため，その両者の充実とそのバランスが重要である。

4. 臨床技術提供の定期技量チェック

前項で述べた教育・訓練については，これから当該業務を担う新人や業務獲得者へ向けたものである。既に当該業務を獲得している者，後進に業務の教育を行っている者に対しての技量確認は行われていないのが現状であろう。

そこでわれわれは臨床技術提供にかかわる生命維持管理装置の操作を行う臨床工学技士全員に対して，定期的な技量確認を行うトライアルを進めている。その目的は，業務マニュアルに従って普段通りの操作・確認・コミュニケーションなどができるかを客観的にチェックし，臨床技術提供技量定期チェックリスト（図Ⅱ-3-19）を用いて確認している。そのなかで，幾つかの質問も行われるが，難しい質問やチェックというよりも基本的な部分に関する質問およびチェックとしている。その結果を受審者である各臨床工学技士にフィードバックして，その評価から改善すべき点を見直す機会としている。

生命維持管理装置の操作というクリティカルな業務を安全に実施されているか，その業務を担うだけの技量を個々の臨床工学技士が獲得・維持されているかを定期的に確認することは，安全な医療を提供するために部署の医療安全管理実務者は把握して，適宜指導を入れる等の介入が必要であると考える。

体外循環技量　定期チェック確認表

実施日（　　　　　　　　）
年1回実施（誕生月）

対象者（　　　　　　　　）
体外循環技術認定士取得　有（取得年：　　　）・無　　　査察者（　　　　　　　　）

セットアップ	
回路は、清潔を保持し適切に取り扱っている	□OK □NG（理由：　　）
60分以内にすべての準備を完了した	□OK □NG（理由：　　）
CPB安全チェックリストに沿って正確に点検を行った	□OK □NG（理由：　　）
術前に、管理方法やプランニングについてチームで共有した	□OK □NG（理由：　　）
開始直前・直後	
拍動確認の適切な実施	□OK □NG（理由：　　）
開始時、酸素化・送血圧の確認の実施	□OK □NG（理由：　　）
安全装置の設定確認（レベルセンサの on 確認など）	□OK □NG（理由：　　）
脱血の評価は適切か、医師に報告できるか	□OK □NG（理由：　　）
血行動態を正確に把握し対処できるか	□OK □NG（理由：　　）
大動脈遮断（心筋保護）・解除	
心筋保護の準備は出来ているか確認した(サブ任せになっていないか)	□OK □NG（理由：　　）
Flow down の方法は適切か	□OK □NG（理由：　　）
backup 後の確認は適切か	□OK □NG（理由：　　）
心停止の確認は出来ているか	□OK □NG（理由：　　）
離脱	
電解質・Hb は調整できているか	□OK □NG（理由：　　）
呼吸が開始されていることを確認したか	□OK □NG（理由：　　）
離脱時、術者・麻酔医とコミュニケーションをとれているか	□OK □NG（理由：　　）
離脱後	
酸素の吹送を停止しているか	□OK □NG（理由：　　）
re-pump の準備ができているか	□OK □NG（理由：　　）

コメント：

図Ⅱ-3-19　臨床技術提供定期技量チェックリスト

Ⅱ 医療機器保守管理業務

1. 医療機器安全管理体制

医療機器を使用するに当たり，機器の取扱書・マニュアルを整備し，その内容を遵守しなければならない。

平成19（2007）年より医療機器の安全管理体制が強化され，医療機器安全管理責任者を病院ごとに配置し，医療職に対し医療機器の安全使用のための研修実施，医療機器の保守点検計画の策定および実施，医療機器安全情報の獲得など，医療機器の安全運用に関する体制の確立と運用が義務付けられた。医療機器保守点検においては医療機器管理台帳の整備，医療機器の保守点検計画から実施とその記録を一元管理することが求められている。

病院内において整備しなければならない医療機器安全管理は下記の通りである。

- 保守点検に関する計画の策定
- 保守点検の実施
- 安全使用のための研修
- 安全使用に関する情報収集

これは医療機器を扱う部門のみが対策・対応するのではなく，医療安全管理部門との連携の下に体制を整備しなければならず，医療機器安全管理という側面から医療安全管理部門への参画が期待されるものである。

2. 保守点検

医療機器の管理をするには，個々の機器名，機種名，製造番号，製造元，購入年月等が記載された，いわゆる医療機器のカルテが必要であり，医療機器の購入，定期点検，修理履歴，廃棄までのライフサイクル管理ができ，すべてを一元管理できる医療機器管理台帳を整備することが大切である。

3. 保守点検計画書の策定

医療機器の保守点検は機種別にその計画を立てる必要がある。保守点検計画書として，医療機器の管理番号，機種・機器（装置）名，製造番号，点検周期，点検予定などを記載したものを作成する。医療機器のなかでも「特定保守管理医療機器」に指定されているものがある。下記にその対象医療機器を示す。

- 人工心肺装置および補助循環装置
- 人工呼吸器
- 血液浄化装置
- 除細動器
- 閉鎖式保育器
- 診療用高エネルギー放射線発生装置※
- 診療用放射線照射装置※

（※ 臨床工学技士が管理する装置でないもの）

4. 保守点検の実施と記録

保守点検は，当該機器の製造販売業者から出されている添付文書，取扱説明書やマニュアルにある保守点検項目および方法に従い実施する必要がある。清掃，校正，消耗部品の交換等が求められ，保守点検計画に沿った点検周期とする必要がある。医療機器の定期点検においては外部委託を検討してもよい。

何より大切なのは，医療機器の保守点検の過程で得られた情報は機器別に記録し，その履歴が把握できるようにしなければならないことである。これは外部委託した保守点検においても同様である。

5. 安全使用のための研修と記録

医療機器の安全使用のための研修は，医療機器を適切に使用するための知識と技能の習得のために実施されるものであり，医療機器の概要，使用方法，保守点検，不具合への対応等の研修を行う。研修対象者は当該医療機器を使用する医療者全員であり，新規導入する機器についても同様である。特に技術の習熟が必要な医療機器（前述の特定保守管理医療機器）の研修は，年２回程度実施されなければならない。

医療機器安全使用のための研修においても，医療機器保守点検と同様にその実施の記録（研修開催日，対象医療機器，講師，出席者，研修内容等）を残しておく必要がある。

6. 安全使用に関する情報収集

医療機器に関する情報として，まずそろえておかなければならないものは機器ごとの取扱説明書と添付文書である。その他，日本臨床工学技士会から出されている医療機器管理に関する報告書・指針[5]には，医療機器全般の管理について，さらにはトラブルシューティング，安全情報報告まで詳細に記されているので，一読のうえファイルするとよい。また，適宜更新される医療機器安全情報，医薬品医療機器総合機構（Pharmaceuticals and Medical Devices Agency；PMDA）や日本医療機能評価機構などから出されている安全情報等，常に最新の情報収集することが臨床工学技士に求められている。

おわりに

臨床工学技士がかかわる医療安全は，法制度のなかでも医療安全，とりわけチーム医療の推進が盛り込まれている医療職種であり，その範囲は全病院的に医療安全・医療機器安全管理の重責を担っていることを理解し整備しておく必要がある。

文 献
1) 和田重恭：「Professional User」プロはマニュアルを読む．ANAラーニング，和田重恭著，TEAMで安心を育てる：ヒューマンエラー対策からリスクマネージメントへ，角川学芸出版，東京，2010，pp13-45.
2) 畑村洋太郎：組織を強くする技術の伝え方．講談社，東京，2006，pp101-120.
3) 南茂：人工心肺装置使用における安全管理；人工心肺の安全装置とPitfall．安全医学 2008；4（2）：25-33.
4) 一般社団法人日本体外循環技術医学会（JaSECT）：安全性情報．https://jasect.org/category/iinkai/anzentaisaku-iinkai/安全性情報
5) 公益社団法人日本臨床工学技士会：医療機器管理に関する報告書・指針．https://www.ja-ces.or.jp/for-ce-medical-staff/publication/report-and-guidelines/

（南 茂）

7 リハビリテーション部門

はじめに

リハビリテーション（以下，リハ）は「全人的復権」を目指し，身体機能や高次脳機能や精神機能に障害をもった患者に対して，理学療法・作業療法・言語聴覚療法等を行うものである。また，多様な疾患に加えて年齢層も幅広く，急性期，回復期，維持期などのリハ介入環境もさまざまである。特に急性期病院においては，全身状態が不安定な早期よりリハを行わなければならず，このことからも急変リスクの確率がとても高い部門であるといえる。そのためセラピストは，事前に患者の状態についての情報収集を行い，リハ実施中も患者の様子や訴えに注意し，さまざまな情報を統合（解釈）したうえで，緊急の対応を要するかどうかを瞬時に判断し，急変とならぬように初期対応を行わなければならない。さらにリハ医や主治医と十分なコミュニケーションをとり，リスク予想および急変発生時の対応方法〔DNR（do not resuscitate）有無を含む〕についても事前に話し合いをしておくべきである。

リハ実施中の医療事故については「転倒・転落」が最も多く，次いで「チューブ類の抜去」や「誤嚥」が上位となっている。これは医療機関全体においても同様の傾向がみられ，転倒は医療機関全体における重大なリスクとなっている。それに比べて，リハ実施中に生じる急変の頻度についての報告はあまり多くはないが，「嘔吐」や「気分不快」が多くを占めるという報告がある（図Ⅱ-3-20）。特に嘔吐は心疾患やがん，脳疾患などで多くみられ，嘔吐物による誤嚥や窒息につながる危険性があるため，患者が不調を感じたときに訴えやすいコミュニケーション（ラポール形成）を築いておくことが，急変リスクを未然に防ぐうえでとても重要である。また，入院患者の合併症についても急変リスクとなるため，感染症や心疾患，静脈血栓塞栓症などの緊急性が高い疾患についても頻度は低いが注意が必要であり，今後はさらなる高齢化に伴い増加および重症化が予想される。

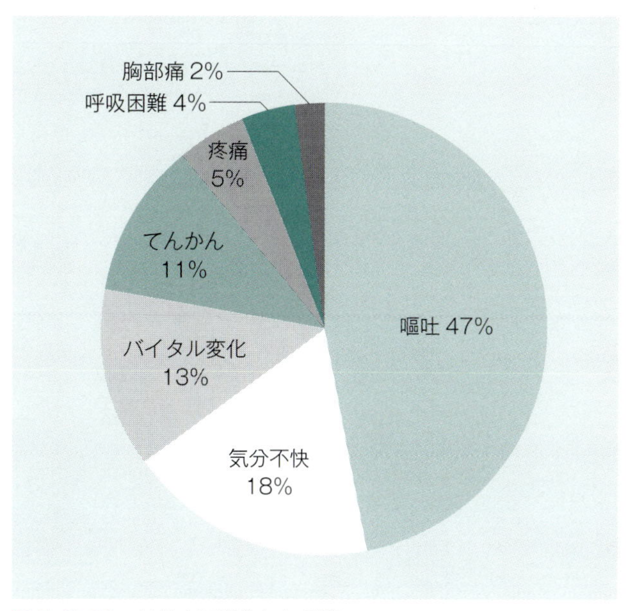

図Ⅱ-3-20　リハ中に発生した急変
嘔吐や気分不快など軽度なものが多くを占める。低頻度ではあるが，胸部痛や呼吸困難も生じている。〔文献1）より引用〕

Ⅰ リハ実施中の急変時対応と情報報告

リハ実施中の急変時の対応として最も重要なのは，現場での救命処置である。実際には心停止に対するBLS（Basic Life Support：一次救命処置）などの対応（図Ⅱ-3-21）が必要となるケースはあまり多くはないが，必須の技術である。現場のセラピストに求められることは，患者から体調不良の訴えがあった場合に，緊急性の判断（トリアージを含む）および必要な情報をリハ医や主治医へ効率よく伝達することである。しかし，混乱している急変現場では実際に必要な情報を効率よく伝えることは容易ではない。最低限申し送りをしなくてはならないのは，意識レベル，バイタルサイン，発症時と現在の状況である。また医療事故ではコミュニケーションエラーが生じることが多いため，評価情報は的確に申し送ることが重要である。

Ⅱ リハ部門の教育と管理

リハ対象の患者は多様な疾患に加え年齢層も幅広く，なおかつ急性期からのリハ介入が多くなっているため，リハにおけるリスクはますます増大している。高度な安全性を確保するには，リハに精通した専門医が必要となる。日本リハビリテーション医学会（以下，リハ医学会）では，リハ専門医の認定を行っている。しかしリハ専門医は増加しつつあるが，リハ施設数やセラピスト数を考えると十分とはいえない。このため実際にはセラピストが急変現場でBLSなどの対応をしなくてはならない状況となる。しかし，セラピストの養成課程において，リハ介入時の医療安全教育に対する教育時間は十分ではない場合もあるため，セラピストの医学的知識の教育は，入職後早期に医療現場で行う必要がある。

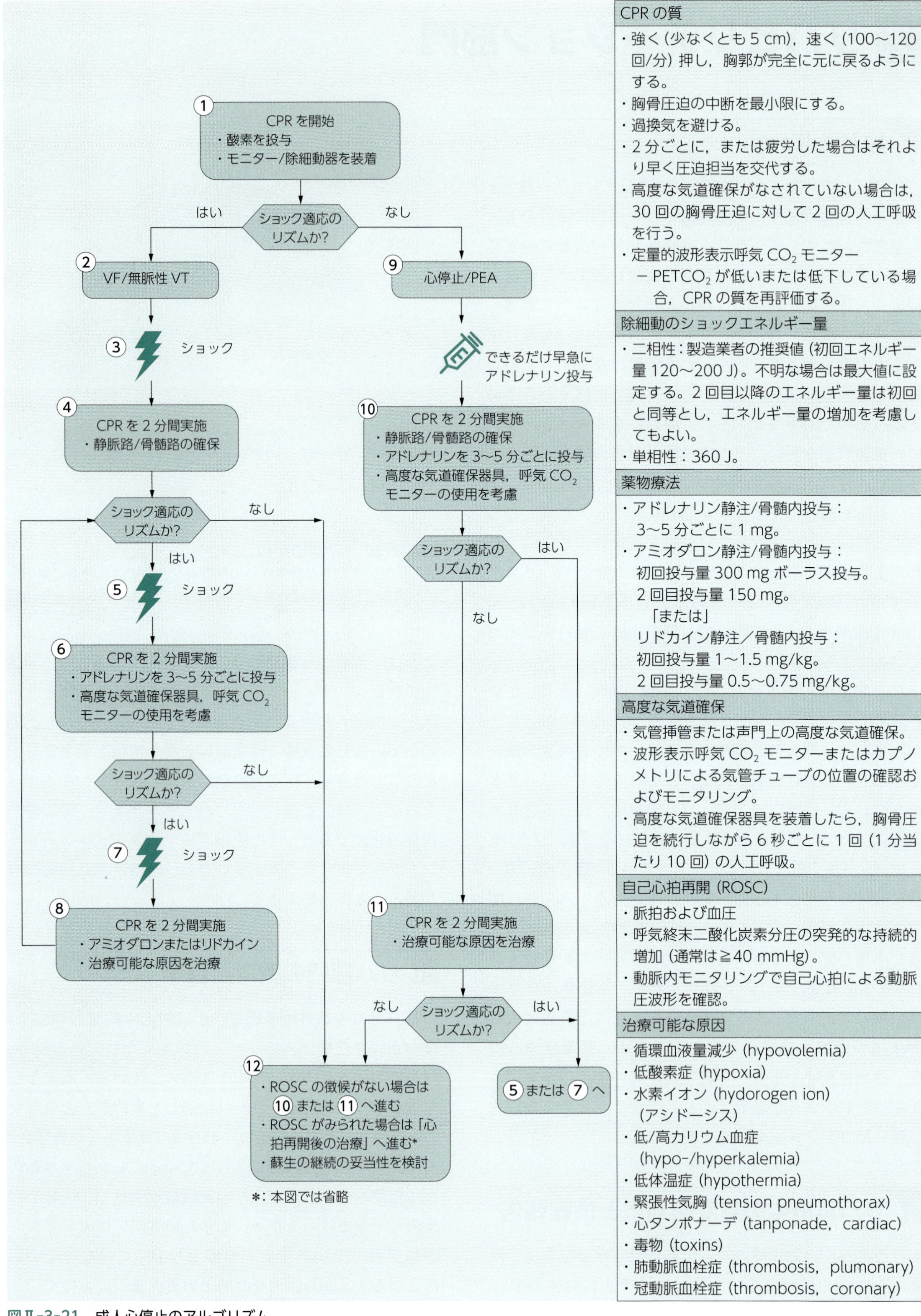

図Ⅱ-3-21 成人心停止のアルゴリズム

CPR：cardio pulmonary resuscitation（心肺蘇生法），VF：ventricular fibrillation（心室細動），VT：ventricular tachycardia（心室頻拍），PEA：pulseless electrical activity（無脈性電気活動），ROSC：return of spontaneous circulation（自己心拍再開）

〔文献 3）より一部改変して引用〕

特に知っておかなくてはならないのが，リハ医学会がまとめた『リハビリテーション医療における安全管理・推進のためのガイドライン』に記載されている「運動負荷を伴う訓練を実施するための基準」である。そのほかにもリハに関連するものとして，脳卒中や肺血栓塞栓症および深部静脈血栓症に関する治療ガイドライン，日本整形外科医学会が発行する各種ガイドラインなどがある。

もちろん新人だけではなく，すべてのセラピストが，そのなかから自分が必要とする専門分野の知識を効率よくアップデートしていくことが必要である。また，知識の習得だけでは急変時に対して冷静に行動することは難しいため，模擬症例を通してのシミュレーションや，救急部の医師や臨床工学技士等に協力してもらい，BLSを含めた急変対応と機器の使用方法等の講習を定期的に実施することが重要であり，必ず実際の急変現場でも役立つと思われる。

院内の各部門の安全管理として，リスクマネジャー（安全管理者）が配置されていることが多い。これは厚生労働省が平成14（2002）年より医療機関の医療安全体制の整備義務化とともに，院内配置を義務付けたことによるものである。リハ部門におけるリスクマネジャーの役割は，リハ現場での医療事故予防活動の促進（インシデント・アクシデントレポート提出の促進および集約・分析を含む），院内の医療安全管理委員会とリハ部門との相互連携を図ること，対象者からの苦情を聴取することなどがある。そのためリハ部門内でもリスクマネジャーを中心に安全で安心なリハを提供すべく，①医療従事者としての身だしなみ，言葉遣い，個人情報保護・守秘義務の重要性を理解する，②毎日使用する車椅子・杖・装具平行棒などの訓練用具・機器，バイタルサインの測定機器，検査用具・機器の安全性（衛生面なども含む）と状態の確認，③アクティビティなどで患者が直接使用するハサミ，ADL訓練で使用する爪切り，家事訓練で使用する包丁などの鋭利な刃物の個数を含めた日々の安全管理，④救急カート，AED（automated external defibrillator），酸素，吸引器の状態を含めた安全管理，⑤天井，床，壁，空調，照明などの状態を含めた環境管理，⑤積極的なインシデント・アクシデントレポートの作成などが重要となる。

また，外部の医療安全および質管理機関として，日本医療機能評価機構，国際病院評価機構（Joint Commission International；JCI）などがある。

Ⅲ リハ安全管理・推進のためのガイドライン

リハ医療はリスクを伴う医療行為であり，リハ介入時はリスクを最低限に抑えながら，短期目標・長期目標・リハゴールへと目指すことが重要となる。しかし，EBM（Evidence-Based Medicine）が求められる現代の医療において，リハ業務に当たって要求される疾患分野ごとの知識量は膨大なものであり，そのアップデートも要求される。

近年はEBMに基づいた各種ガイドラインが，関連する学会から発行されている。セラピストは，関連する専門の診療ガイドラインを活用することにより，セラピスト全体の質が保たれ，アップデートも効率よくできるというメリットがある。

リハ医学会，および関連する団体により『リハビリテーション医療における安全管理・推進のためのガイドライン』（以下，リハ安全ガイドライン）の初版が2006年に刊行され，2018年の第2版では内容が大きく改訂された。そこには「リハ医療における安全管理・推進のための診療アルゴリズム」（図Ⅱ-3-22）をはじめ，①「安全管理総論」，②「運動負荷を伴う訓練を実施するための基準」（表Ⅱ-3-8），③「安全対策」，④「感染対策」が含まれている。セラピストは『リハ安全ガイドライン』に加えて，担当患者の身体機能面・精神機能面・ADL面等を評価し，個別に検討する必要性がある。

「運動負荷を伴う訓練を実施するための基準」は『リハ安全ガイドライン』の中心となる部分で，あくまでも指針であり，明確な中止基準とはなっていない。したがって，実際の訓練場面でのセラピストの裁量を拘束するものではないとしている。セラピストは重篤化しないように個々の患者の合併症等に注意しつつ，専門的知見に基づいて訓練の実施を判断しなければならない。

Ⅳ リスク管理の情報収集

急変を生じる症例は，事前に何らかの前兆を示していることが多い。重篤な急変を予測する因子としては，バイタルサインや頭痛や胸痛などが挙げられ，これらには循環器系の問題を疑わせる所見が多く含まれている。また，「運動負荷を伴う訓練を実施するための基準」に記載されている内容も併せて知っておくことで，リハ介入でのリスク予防が可能と考えられる。その他，軽度な急変を予測する因子としては，併存疾患が多いこと，ADLが低いことなどが挙げられる。さらにICUなどの全身状態が安定していない患者のベッドサイドには，血圧計，心電図，パルスオキシメータなどのバイタルサインをリアルタイムでモニタリングできるベッドサイドモニターが設置されていることが多いため，リハ実施時にはバイタルサインの変動に注意しつつ慎重な介入が必要となる。

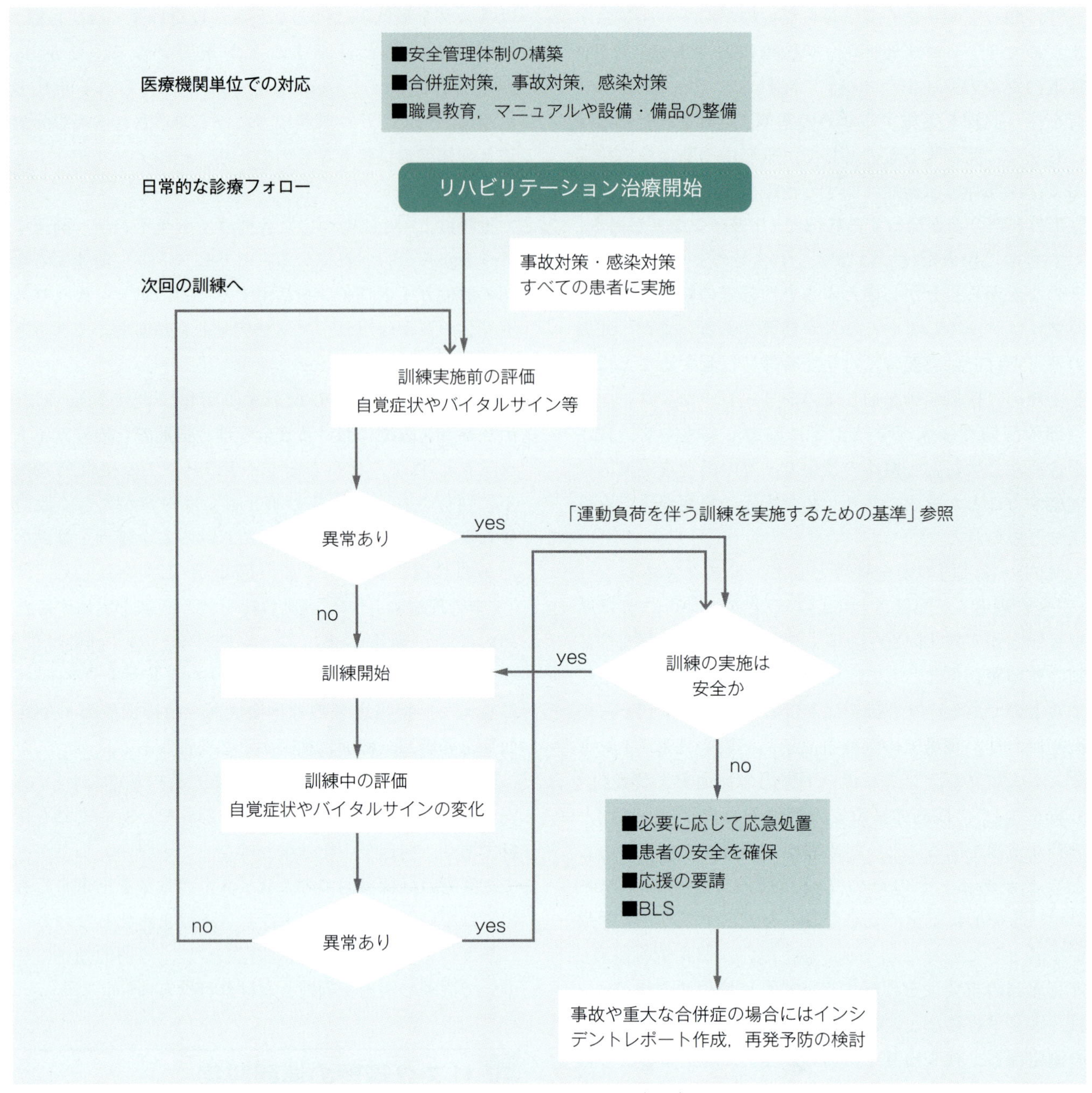

図Ⅱ-3-22 リハビリテーション医療における安全管理・推進のための診療アルゴリズム

〔文献５）より引用〕

特に心電図からは心血管系のイベントを早期に予測することが可能であり，心血管系の急変は重篤化となるケースが多いため，必要な知識である。

パルスオキシメータはガス交換の評価方法であり，経皮的に動脈血酸素飽和度を推測することができる。非侵襲的で，安静時・動作時の状態を経時的に評価できるのが利点である。また，呼吸困難という自覚症状をスコア化する方法も幾つか報告されており，修正 Borg スケール（表Ⅱ-3-9），修正 MRC 息切れスケール質問票（表Ⅱ-3-10）などがある。

血液検査にはさまざまな項目があり，診断や治療効果の判定をするための情報が含まれる。しかし，すべてを記憶しておくことは容易ではないため，最低限リスク管理に必要と思われる検査の正常範囲とその病的意義を知っておくことが必要である。また経時的変化についても把握する必要がある。

薬剤情報についても多数のものがあるが，担当患者のリスク管理に必要と思われる薬剤知識と血液検査などとの関連性についても知っておくことが必要である。特に全身状態の悪化に影響を与え得る薬剤として抗けいれん薬や降圧薬などが，転倒・転落に影響を与え得る薬剤として睡眠薬・精神安定剤・降圧薬・利尿薬が挙げられている。

画像所見では単純Ｘ線画像，CT 画像，MRI 画像な

表Ⅱ-3-8　運動負荷を伴う訓練を実施するための基準

CQ1	血圧上昇・血圧低下がある場合に運動負荷を伴う訓練を行うか？	血圧変動の原因が明確であり，全身症状が安定していると判断できる場合は，訓練を実施することを提案する。ただし，訓練を実施する際には，症状やバイタルサインの変化に注意し，訓練内容は患者の状態に応じて調整する必要がある。
		訓練中止を考慮する目安として，収縮期血圧 180～200 mmHg を超える場合，または収縮期血圧 70～90 mmHg 未満を参考値とすることを提案する。
CQ2-1	不整脈が生じている場合に運動負荷を伴う訓練を行うか？	不整脈の原因が明確であり，全身症状が安定していると判断できる場合は，訓練を実施することを提案する。ただし，訓練を実施する際には，症状やバイタルサインの変化に注意し，訓練内容は患者の状態に応じて調整する必要がある。
CQ2-2	訓練中に不整脈を生じた場合はどのようにするか？	新規に不整脈を生じた場合，または脈拍の変動が顕著な場合，または症状を伴う不整脈を生じた場合は，当日の訓練は中止して精査を行うことを推奨する。
		訓練中止を考慮する目安として，脈拍 40/分未満，または 120/分～150/分を超える場合を参考値とすることを提案する。
CQ3-1	意識障害がある場合に運動負荷を伴う訓練を行うか？	意識障害の原因が明確であり，全身症状が安定していると判断できる場合は，訓練を実施することを提案する。ただし，訓練を実施する際には，症状やバイタルサインの変化に注意し，訓練内容は患者の状態に応じて調整する必要がある。
CQ3-2	訓練中に意識障害を生じた場合はどのようにするか？	意識障害を新規に不生じた場合や，意識障害が増悪傾向にある場合は，当日の訓練は中止して精査を行うことを推奨する。
CQ4-1	呼吸状態が不良な場合に運動負荷を伴う訓練を行うか？	呼吸状態が不良となっている原因が明確であり，全身症状が安定していると判断できる場合は，訓練を実施することを提案する。ただし，訓練を実施する際には，症状やバイタルサインの変化に注意し，訓練内容は患者の状態に応じて調整する必要がある。また，必要に応じて排痰・呼吸介助，酸素使用等も考慮する。
CQ4-2	訓練中に呼吸状態が不良となった場合はどのようにするか？	呼吸状態が急速に悪化した場合，または呼吸数や SpO_2 の変動が顕著な場合，またはその他のバイタルサインに異常を伴う場合は，当日の訓練は中止して精査を行うことを推奨する。
		訓練中止を考慮する目安として，呼吸数 30～40 回/分を超える場合，または呼吸数 5～8 回/分未満，または SpO_2 値 88～90% 未満を参考値とすることを提案する。
CQ5-1	胸痛がある場合に運動負荷を伴う訓練を行うか？	胸痛の原因が明確であり，全身症状が安定していると判断できる場合は，訓練を実施することを提案する。ただし，訓練を実施する際には，症状やバイタルサインの変化に注意し，訓練内容は患者の状態に応じて調整する必要がある。
CQ5-2	訓練中に胸痛が生じた場合はどのようにするか？	新規に発症した胸痛がある場合は，急性冠症候群や大動脈解離，肺血栓塞栓症，緊張性気胸等，重篤な疾患の可能性もある。このような疾患を疑う場合，原因が不明である場合や，その他のバイタルサインに異常を伴う場合は，当日の訓練は中止して精査を行うことを推奨する。
CQ6	筋骨格系の疼痛がある場合に運動負荷を伴う訓練を行うか？	筋骨格系の疼痛の原因が明確であり，全身症状が安定していると判断できる場合は，訓練を実施することを提案する。ただし，訓練を実施する際には，症状の変化に注意し，訓練内容は患者の状態に応じて調整する必要がある。
CQ7-1	頭痛がある場合に運動負荷を伴う訓練を行うか？	頭痛の原因が明確であり，全身症状が安定していると判断できる場合は，訓練を実施することを提案する。ただし，訓練を実施する際には，症状やバイタルサインの変化に注意し，訓練内容は患者の状態に応じて調整する必要がある。
CQ7-2	訓練中に頭痛が生じた場合はどのようにするか？	新規に発症した頭痛や激しい頭痛がある場合は，意識障害や高血圧，神経巣症状を伴う場合は，脳血管障害や髄膜炎等の二次性頭痛の可能性もある。このような疾患を疑う場合や原因が不明である場合，その他のバイタルサインに異常を伴う場合は，当日の訓練は中止して精査を行うことを推奨する。
CQ8	訓練中に腹痛が生じた場合はどのようにするか？	新規に発症した腹痛がある場合は，緊急性を要する急性腹症の可能性もある。このような疾患を疑う場合，原因が不明である場合や，その他のバイタルサインに異常を伴う場合は，当日の訓練は中止して精査を行うことを推奨する。
CQ9-1	嘔気・嘔吐がある場合に運動負荷を伴う訓練を行うか？	嘔気・嘔吐の原因が明確であり，嘔吐がおさまり，全身症状が安定していると判断できる場合は，訓練を実施することを提案する。ただし，訓練を実施する際には，症状やバイタルサインの変化に注意し，訓練内容は患者の状態に応じて調整する必要がある。
CQ9-2	訓練中に嘔気・嘔吐が生じた場合はどのようにするか？	新規に発症した嘔気・嘔吐がある場合は，急性心筋梗塞，脳血管障害，腸閉塞，髄膜炎，大動脈解離等の可能性もある。このような疾患を疑う場合，原因が不明である場合や，その他のバイタルサインに異常を伴う場合は，当日の訓練は中止して精査を行うことを推奨する。
CQ10-1	めまいがある場合に運動負荷を伴う訓練を行うか？	めまいは高頻度にみられる訴えであり，慢性的なめまいは予後良好なものであることも多い．原因が明確であり，全身症状が安定していると判断できる場合は，訓練を実施することを提案する。ただし，訓練を実施する際には，症状やバイタルサインの変化に注意し，訓練内容は患者の状態に応じて調整する必要がある。

（つづく）

CQ10-2	訓練中にめまいが生じた場合はどのようにするか？	新規に発症しためまいがある場合は，中枢性神経疾患や循環器疾患等重篤な疾患の可能性もある。このような疾患を疑う場合，原因が不明である場合や，その他のバイタルサインに異常を伴う場合は，当日の訓練は中止して精査を行うことを推奨する。
CQ11	訓練中に新たな痙攣が生じた場合はどのようにするか？	患者の安全を確保し，気道・呼吸・循環動態を確認しつつ，痙攣発作の様式を観察し，必要時には薬物治療を行う。当日の訓練は中止として，精査を行うことを推奨する。
CQ12-1	発熱がある場合に運動負荷を伴う訓練を行うか？	発熱の原因が明確であり，全身症状が安定していると判断できる場合は，訓練を実施することを提案する。ただし，訓練を実施する際には，症状やバイタルサインの変化に注意し，訓練内容は患者の状態に応じて調整する必要がある。
CQ12-2	浮腫がある場合はどのようにするか？	新規に発症もしくは急速に増悪した浮腫がある場合は心不全，静脈血栓塞栓症（深部静脈血栓症）等，重篤な疾患の可能性もある。このような疾患を疑う場合，原因が不明である場合や，その他のバイタルサインに異常を伴う場合は，当日の訓練は中止して精査を行うことを推奨する。

〔文献5）より引用〕

表Ⅱ-3-9　修正 Borg スケール

0	感じない（nothing at all）
0.5	非常に弱い（very very weak）
1	やや弱い（very weak）
2	弱い（weak）
3	
4	多少強い（some what strong）
5	強い（strong）
6	
7	とても強い（very strong）
8	
9	
10	非常に強い（very very strong）

〔文献6），7）をもとに作成〕

表Ⅱ-3-10　修正 MRC 息切れスケール質問票

グレード０	激しい運動をしたときだけ息切れがある。
グレード１	平坦な道を早足で歩く，あるいは緩やかな上り坂を歩くときに息切れがある。
グレード２	息切れがあるので，同年代の人よりも平坦な道を歩くのが遅い，あるいは平坦な道を自分のペースで歩いているとき，息切れのために立ち止まることがある。
グレード３	平坦な道を約 100m，あるいは数分歩くと息切れのために立ち止まる。
グレード４	息切れがひどく家から出られない，あるいは衣服の着替えをするときにも息切れがある。

〔文献8），9）をもとに作成〕

どにより，脳・心・肺・骨・筋・血管などの状態情報を得ることができる。

患者と 24 時間接していることが多い看護師により書かれた看護記録は，日々のバイタルサインだけではなく身体的・精神的側面などを含めたさまざまな経時的情報を得ることができる。そのなかでも意識レベル，バイタルサイン情報の把握は必須であり，加えて食事摂取量，水分摂取量，排尿・排便等の情報も重要である。

Ⅴ 転倒（転落）対策

転倒（転落）事故はリハ介入時だけではなく，入院中事故の多くを占める。骨折や頭部外傷，時に死亡事故に至ることもあるため，訴訟事故に発展するケースもみられる。その損害賠償金額は 1,500 万円以上となる場合もあるが，多くのケースは 500 万～600 万円と報告されている。このため医療機関においては，十分な転倒対策が求められる。しかし実際は，看護師・介護職の人員不足や転倒予防用具不足などにより十分な対策がなされていないことが多い。

このため転倒予防対策をとるに当たっては，限られた資源を有効に活用することが重要であり，転倒リスクの高い症例を入院時のスクリーニングにて検出することが必要である。このことは『リハ安全ガイドライン』でも述べられており，数多い転倒予測ツールのなかでも予測精度の検証報告が多いものとして「STRATIFY の予測精度の検証」（**表Ⅱ-3-11**）や「MFS の評価点数表」（**表Ⅱ-3-12**）を紹介している。しかし，自施設に転倒予測ツールを導入する際には，施設や病棟の特徴と対象患者の質（年齢，疾患，重症度など）を考慮したうえで，各種ツールのなかから選択することが重要である。さらに，導入後に自施設における予測精度の検証を行うことが望ましい。また，リハの対象となる患者に対しては，転倒リスクが高いと判断されたとしても過剰な予防策による活動制限とならないように，患者の状態変化に対する評価と医師・看護師などとともに情報を共有することが重要である。

表Ⅱ-3-11 STRATIFYの予測精度の検証

評価項目	点　数
転倒経験	1
興奮している	1
視力障害	1
頻回なトイレ	1
移動スコア	1
合計	5

5項目，5点満点で構成される。2点以上で転倒のリスクが高いと判断される。

〔文献4）のp296の表3を一部改変して引用〕

表Ⅱ-3-12 MFSの評価点数表

評価項目		点　数
転倒経験あり		25
合併症あり		15
補助具の使用	なし，安静，ナース介助	0
	松葉杖	15
	伝い歩き	30
静脈注射あり		20
歩行レベル	正常，安静，車椅子	0
	不安定	10
	歩行障害	20
精神状態	自分の能力を判断できる	0
	過剰評価	15
合計		125

6項目，125点満点で構成される。45点以上が転倒のリスクが高いと判断される。

〔文献4）のp296の表5を一部改変して引用〕

表Ⅱ-3-13 反復唾液嚥下テスト（RSST）の手順と強化基準

手　順	30秒間できるだけ唾液嚥下を繰り返すように指示をする（口腔内乾燥が著明な場合は，口腔内を湿らせてから実施可）。
評価基準	2回以下は異常

表Ⅱ-3-14 改訂 水飲みテスト（MWST）の手順と強化基準

手　順	①冷水3mLを口腔底に注ぎ嚥下を指示する。 ②嚥下後，反復嚥下を2回行わせる。 ③評価基準が4点以上なら最大2施行繰り返す。 ④最低点を評点とする。
評価基準	1. 嚥下なし，むせるand/or呼吸切迫 2. 嚥下あり，呼吸切迫（不顕性誤嚥の疑い） 3. 嚥下あり，呼吸良好，むせるand/or湿性嗄声 4. 嚥下あり，呼吸良好，むせない 5. 4に加え，反復嚥下が30秒以内に2回可能
検査方法	3mLの冷水を口腔底に注ぎ嚥下を指示する。嚥下可能な場合には，さらに2回の嚥下を追加して4点以上の場合は最大3回まで実施し，最低点を記載する。

〔文献14）のp16の表を一部改変して引用〕

表Ⅱ-3-15 フードテスト（FT）の手順と強化基準

手　順	①プリン茶さじ1杯（約4g）分を舌背前部に置き嚥下を指示する。 ②嚥下後，反復嚥下を2回行わせる。 ③評価基準が4点以上なら最大2施行繰り返す。 ④最低点を評点とする。
評価基準	1. 嚥下なし，むせるand/or呼吸切迫 2. 嚥下あり，呼吸切迫（不顕性誤嚥の疑い） 3. 嚥下あり，呼吸良好，むせるand/or湿性嗄声 4. 嚥下あり，呼吸良好，むせない 5. 4に加え，反復嚥下が30秒以内に2回可能
検査方法	プリンや嚥下訓練ゼリーをティースプーン1杯（約4g）分を舌背前部に入れて嚥下を指示する。嚥下が可能な場合には，さらに2回の嚥下を追加して4点以上の場合は最大3回まで実施し，最低点を記載する。

〔文献14）のp19の表を一部改変して引用〕

Ⅵ 窒息（誤嚥）対策

医療事故において誤嚥の報告は上位であり，「窒息」につながるケースも少なくない。窒息による死亡は0～4歳の乳幼児と65歳以上の高齢者に多く発生し，65歳以上の高齢者では90%を占める。リハでは食事場面などで摂食嚥下障害に対する訓練やADL訓練が多職種により行われるため，誤嚥による窒息事故のリスクがある。そのためスクリーニング検査として「反復唾液嚥下テスト（Repetitive Saliva Swallowing Test；RSST）」（表Ⅱ-3-13），「改訂 水飲みテスト（Modified Water Swallowing Test；MWST）」（表Ⅱ-3-14），「フードテスト（Food Test；FT）」（表Ⅱ-3-15）などを実施し評価することで効果的に摂食嚥下障害の発見や窒息事故の防止にもつながる。また，もしリハ実施中に完全閉塞性窒息が生じた場合には，「腹部突き上げ法（Heimlich法）」（図Ⅱ-3-23）や「背部叩打法」（図Ⅱ-3-24）などの異物除去手技を実施し，その後患者の意識が消失した場合は早急にBLSを開始する。

Ⅶ 感染対策

リハでは，セラピストによる徒手的な訓練が主な治療手段となるため，患者への直接的な接触が多い。また，治療用器具は複数の患者で共有することが多く，間接的な接触による伝播を生じる可能性もある。しかも患者との距離も近いため，飛沫感染や空気感染のリスクも高いと予想される。したがって，リハは感染リスクが高い医療行為といえる。また，医療機関全体としては院内感染対策の体制確保が，2007年4月に施行された改正医療法により義務付けられている。

感染対策ガイドラインについては，米国疾病管理予防センター（Centers for Disease Control and Prevention；CDC），世界保健機関（World Health Organization；WHO）から発行されているものが代表的である。感染対策としては「標準予防策」と「経路別感染予防策」があり，標準予防策はすべての患者に対して日常的に実施されるべき感染対策である。なかでも手指衛生を遵守することは特に重要であり，複数のガイドラインでも強く推奨されている。また，血液や体液などにより汚染される可能性がある場合には，手袋・マスク・ガウン・ゴーグル・フェイスシールドなどの個人用防護具（Personal Protective Equipment；PPE）を使用することが重要である。経路別感染予防策は，病原体の感染経路遮断のために標準予防策に加えて実施する予防策である。予防策には，接触予防策，飛沫予防策，空気予防策の3種類があり，個々の患者に限定した対応の実施が求められる。

最後に，2019年に発生し現在も世界中で猛威を振るっている「新型コロナウイルス感染症（COVID-19）」についてふれなければならない。これはSARSコロナウイルス2（SARS-CoV-2）が人に感染することによって発症し，短期間で重症化すると死亡につながる危険性の高い疾病である。CDC，WHOや，わが国でも厚生労働省，日本感染症学会，日本環境感染症学会，国立国際医療研究センターなどからガイドラインが随時更新発表されているため，そちらを参考にしていただきたい。現在も急ピッチで臨床研究やワクチン開発がすすめられているが，いまだ決定的な治療法が確立されていないため，今後さらに世界中での医療崩壊が懸念されている。これは医療現場だけではなく，一人ひとりが新しい生活様式を取り入れ，全人類が一丸となって挑まなければならない疾病であるといえる。

図Ⅱ-3-23　腹部突き上げ法（Heimlich法）

1. 患者の後ろに回り，ウエスト付近に手を回す。
2. 一方の手で「へそ」の位置を確認する。
3. もう一方の手で握りこぶしを作って，親指側を，患者の「へそ」の上方で，みぞおちより十分下方に当てる。
4. 「へそ」を確認した手で握りこぶしを握り，すばやく手前上方に向かって圧迫するように突き上げる。
5. 腹部突き上げ法を実施した場合は，腹部の内臓を傷める可能性があるため，救急隊にその旨を伝えるか，速やかに医師の診察を受けさせる。

妊婦や乳児では，腹部突き上げ法は行わない。背部叩打法のみ行う。

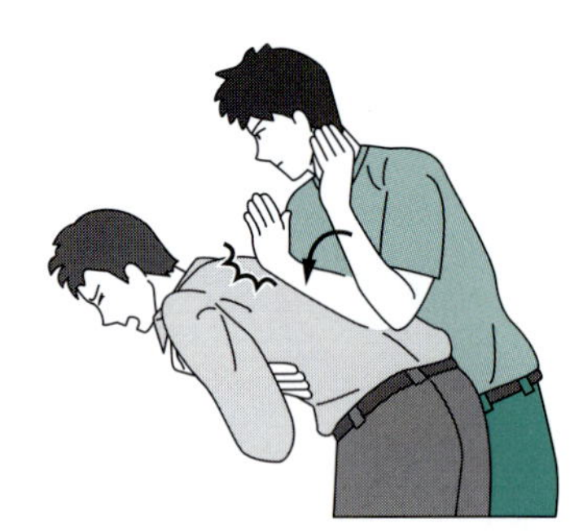

図Ⅱ-3-24　背部叩打法

患者の後ろから，手のひらの基部で，左右の肩甲骨の中間辺りを力強く何度も叩く。

今後さらなる医学の進歩に加えて，リモート医療などの新しい医療提供体制についても期待したい。

文　献
1) 坂崎ひろみ，早川美和子，才藤栄一，他：リハビリテーション訓練時に発生した急変・事故について．総合リハビリテーション　2009；37（11）：1067-1072.
2) 日本作業療法士協会福利部：「作業療法場面における医療事故実態調査」アンケート結果報告．作業療法　2005；24（3）：302-311.
3) American Heart Association：CPRおよびECCのガイドライン—ハイライト．2020. https://cpr.heart.org/-/media/cpr-files/cpr-guidelines-files/highlights/hghlghts_2020eccguidelines_japanese.pdf
4) 亀田メディカルセンター編：リハビリテーション　リスク管理ハンドブック．改訂第3版，メジカルビュー社，東京，2017.
5) 日本リハビリテーション医学会　リハビリテーション医療における安全管理・推進のためのガイドライン策定委員会編：リハビリテーション医療における安全管理・推進のためのガイドライン．第2版．診断と治療社，東京，2018.
6) Borg GA：Psychophysical bases of perceived exertion. Med Sci Sports Exerc. 1982；14（5）：377-381.
7) Gunnar Borg：Borg's Perceived Exertion and Pain Scales. Human Kinetics Publishers, Illinois, 1998.
8) 日本呼吸器学会　COPDガイドライン第4版作成委員会編：COPD（慢性閉塞性肺疾患）診断と治療のためのガイドライ

ン．第5版，メディカルレビュー社，東京，2018.
9) 日本COPD対策推進会議（日本医師会，日本呼吸器学会，結核予防会，日本呼吸ケア・リハビリテーション学会，GOLD日本委員会）編：COPD診療のエッセンス2014年版「補足解説」．
http://dl.med.or.jp/dl-med/nosmoke/copd_essence2014_hosoku.pdf
10) American Heart Association：心肺蘇生と救急心血管治療のためのガイドライン2010.
11) American Heart Association：BSLヘルスケアプロバイダー受講マニュアル；AHAガイドライン2010準拠．シナジー，東京，2011.
12) 宇田憲司：訴訟事例にみる転倒・転落予防への提言．オステオポローシス・ジャパン　2008；16 (3)：555-557.
13) 古笛恵子編著：事例解説　リハビリ事故における注意義務と責任．新日本法規出版，名古屋，2012.
14) 青柳陽一郎編：これでナットク！ 摂食嚥下機能評価のコツ（Medical Rehabilitation No. 240　2019.9増大号）．全日本病院出版会，東京，2019.

（三神　敬弘）

8 患者・家族の相談・苦情対応

はじめに—患者相談・苦情対応の歴史

日本における患者相談・苦情対応の歴史は，医療安全対策の歴史と重なるところが多い。日本の「医療安全元年」と言われる平成11 (1999) 年に，横浜市立大学医学部附属病院における患者取り違え事故，都立広尾病院における消毒薬誤投与事故という，マスコミにもセンセーショナルに取り上げられた2つの事故が発生して以降，患者からの医療不信が大きくなり，これまでは問題にならなかった場面において患者からの不安心配，苦情などが発生するようになった。

このような状況において，平成14 (2002) 年4月に「医療安全推進総合対策〜医療事故を未然に防止するために〜」が取りまとめられ，「国として当面取り組むべき課題」の一つに，「患者の苦情や相談等に対応するための体制の整備」という項目が掲げられた。また医療法が改正され，特定機能病院および臨床研修病院に対しては，平成15 (2003) 年4月から，患者からの相談に適切に応じる体制（患者相談窓口など）を確保することが義務付けられた（「医療法施行規則の一部を改正する省令の一部の施行について」医政発第1007003号，平成14年10月7日）。つまり，わが国の医療機関における患者相談・苦情対応は，医療安全対策を主目的とし，その目的を達成する一つの手段として体制が整備されたといえよう。

I 東京大学医学部附属病院における患者相談・苦情対応

東京大学医学部附属病院（以下，当院）においては，厚生労働省に医療安全対策検討会議が設置されたのと同じ，平成13 (2001) 年に患者相談を所管する部門が設置された。同年4月より，医療安全管理対策室が新たに設置されるとともに，事務部に医療サービス課が新設され，医療安全対策室事務および患者相談業務を医事課との分担により担当するようになった。平成16 (2004) 年には，医療サービス課は医療支援課に改称され，医療支援課の患者業務係が患者サービスを担当するようになった。翌平成17 (2005) 年には，医療支援課が解消され，医事課内に新設された患者業務チームが，患者相談業務を継承することとなった。平成18 (2006) 年10月，現在の形態の原型となる患者相談室（窓口）が独立した部門として設置され，それまで患者相談業務を担ってきた医事課患者業務チームに加え，専任患者相談担当マネージャー（副看護部長）が配置された。そして，平成19 (2007) 年4月，通常の患者相談業務に臨床倫理的な相談対応機能が付加されるかたちで，「患者相談・臨床倫理センター」が設置された。

先述したように，当初は医療安全対策の一環として設置された患者相談対応組織であるが，昨今では医療安全対策としては収まりきらない，患者の意思決定支援やモンスターペイシェントへの対応など幅広い対応が求められており，当院の患者相談対応組織は患者相談・臨床倫理センターとして倫理コンサルテーションサービスも含めた多種多様な機能を有している。また，院内には各種のサービス部署が存在しており，患者にとってどの窓口に相談してよいか不明な際に，問い合わせ窓口を一元化しその相談内容によってしかるべき部署へ振り分けるといったフリーアクセスを保証する機能も担っている。

II 院内に寄せられる相談・苦情対応の種類

医療機関に対して患者から寄せられた苦情や相談，要求や要望などの訴えを分類したものが図Ⅱ-3-25である。

縦軸は相談，要求，要望の表現方法の強さの度合い，横軸は主張内容の妥当性を表している。具体的には，縦軸は，表現方法が感情的であったり興奮していたりと過剰であるかどうか，横軸は，主張内容が客観的に見て受け入れ可能な妥当なものかどうかを評価している。

通常，建設的な話し合いが成立しやすいのは，A（右下）の群であり，診療現場において特に問題視されることはなく，相談窓口が関係することは少ない群といえる。

B（右上）の群は，激しい口調で攻め立てるなど表現が強いためにクレーマーのように感じるものの，主張している内容は妥当なものである。このような場合，相手の表現の激しさに対応者側が態度を硬化させてしまったり，腰が引けてしまい主張内容をよく理解できなかったりして，問題がこじれていくことが往々にしてみられる。一方で，上手に対応すれば主張内容は妥当なだけに建設的な話し合いが可能な群であるし，極端な例ではその場で収めてしまうことも可能な群であるとも言える。つまり，しっかりと共感をもって傾聴することでＡへと移行させられるのである。Ｂは，患者相談窓口の介入がなくとも現場レベルで対応可能になることが望ましい群であるといえる。

D（左上）の群では，建設的な話し合いを成立させるどころか，話し合いの場を設定すること自体が困難な場合も存在する。また衝動の統制が悪かったり，ルールを守らなかったりと，しばしば円滑な診療や院内の安全に影響を与えることがある。診療現場のスタッフのみでは対応困難な群であり，診療機能の停止を未然に防止するためにも患者相談窓口の積極的な介入が理想的である。また，場合によっては院内のみでの解決が困難なケースも存在するため，警備員や警察官への介入要請が検討されることもあり得る。時に院内における暴力行為が発生するのもこの群である。

また，C（左下）の群は，冷静かつ丁寧な表現で要求・主張するため，一見したところ，その要求・主張内容も妥当なものと思えるものの，よくよく聞いてみると不当・過剰な要求である場合が考えられる。最初は小さな特別扱いを要求してくるので，「それくらいならば」とスタッフは応じてしまう。そして次第に大きな要求へと変わっていき，断りきれずに特別扱いが慢性化してしまうのである。初期の段階で毅然と明確に断ることができれば，相手に理性がある分，引き際をわきまえて引き下がる場合も多いが，小さな特別扱いに応じたり応じなかったりとあいまいな態度で対応していると，問題が大きくなりがちである。

一般に，縦軸をコントロールするためには，相手の感情や過剰さ，言い換えれば衝動性をコントロールする必要がある。そのためのスキルとしては，相手の話を傾聴して共感する能力が必要となる。また，相手の興奮に反応してしまえば相手も刺激されてしまうため，みずからの感情をコントロールし冷静に努めることも大切な能力となる。一方で，横軸をコントロールするためには相手の話を理解・整理する能力が必要となる。理解・整理するためには，情報を相手から引き出せることが必要であり，そのためにはどのような話であっても好奇心を抱けることが大切である。また，相手の主張を理解・整理したのち，その内容が受け入れ不可能なものであったり，不当なものであったりした場合，そのことを論理的に説明できる能力，そして，妥協可能な落としどころを模索できる能力が必要となる。

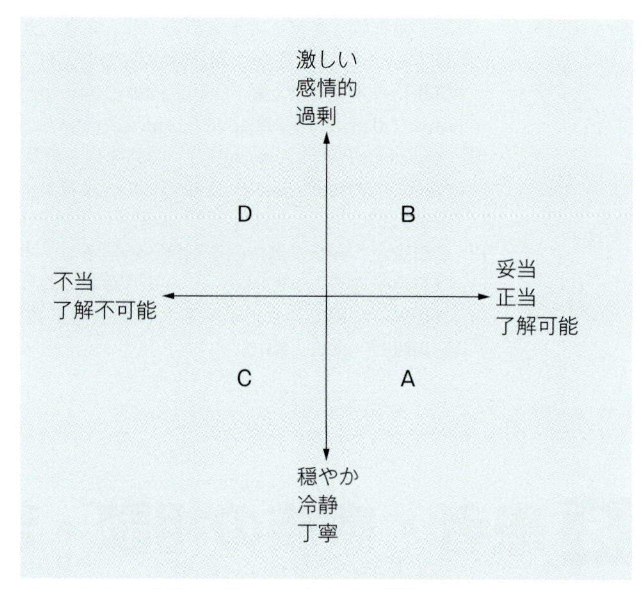

図Ⅱ-3-25　院内の相談・苦情対応の分類

Ⅲ 患者・家族からの相談・苦情対応の方法

院内で発生した患者・家族からの相談・苦情への対応方法について説明する。

最初に行うのは，相談・苦情の内容を分類することである。苦情を分類することによって，みずからが対応すべきことか相談窓口に依頼するべき内容かを見極めることになる。苦情の分類における，A（右下）であれば，患者の主張を積極的に取り入れるかたちで対応することになる。Ａの苦情には，医療機関の改善のヒントも多く含まれている。また，仮に対応に失敗した場合，医療機関側に非があることが多いことから問題としては大きくなることが予測されるため，誠実に対応する必要がある。そのためには，患者の表面上の訴えの背後にある真に患者が訴えたいことを理解しようとする姿勢が重要となる。これは，すなわち患者の訴えをナラティブとして捉えようとすることである。Aに分類される苦情は，各現場で対応することが適切な苦情といえる。Aに分類される苦情が，現場レベルで即時に対応できず苦情相談部署に上げているうちに，その対応の悪さに感情的なしこりが生じてAからBの状態に移行する危険性が存在する。

苦情の分類におけるB（右上）の場合は，特にナラティブとして捉えることが問題解決の鍵となる。Bの場合，訴えの内容は妥当なものである。では，妥当な訴えの内容にだけ対応していれば解決するかといえばそうではない。Bの場合の患者は感情的であり，しばしば行動が過剰であったりする。その際，単に患者の表面上の訴えだけに対応していては，逆に火に油を注ぐ結果となることもあり得る。患者がこのような訴えをするに至ったナラティブを理解することによって，患者のこじれた感情などを解きほぐし，真に訴えたいこと，解決したいことにアプローチすることが可能となる。こうしたアプローチは，Bに分類される訴えからAに分類される状態に変化させることだと捉えられる。また，理想的にはBの苦情をAの状態することも現場レベルでの対応が望ましいが，そのためにはナラティブを把握し，落としどころを探すスキルの訓練が必要となる。具体的には，患者のナラティブを把握した後，苦情といった現状をもたらしている「問題」，怒りや不信感といった「問題」によって引き起こされている「結果」，「結果」が周囲に及ぼしている「影響」を区別して，患者に提示することを行う。そのうえで「問題の解決」を目指すことを提案する。ここで大切なのは，一方的に「問題」だけを扱うのではなくて，あくまでも医療機関と患者の両者が共通の目標として目指すように提案して同意を得ることである。これは，解決を目指す物語，オルタナティブストーリーの提案といえる。

ナラティブストーリーを把握して，オルタナティブストーリーを提案するといった解決方法は，苦情分類のC（左下）にも有効な方法である。ただしCの訴えの内容は不当なものであるため，オルタナティブストーリーの作成には適切な落としどころを見極める必要が出てくる。その点で，現場レベルでの対応は困難であり，苦情相談窓口などの専門部署が対応すべき問題といえる。また，訴え内容が不当であることから，ナラティブを把握する方法とは別に，枠を用いた対応を行う必要が生じる。枠を用いた対応とは，「ここからここまでは医療機関として対応可能であり，ここから先は医療機関では対応不可能である」といった限界設定を明確に提示し，それに対して患者と契約を結ぶものである，そして，一度枠を設定したならば，その枠を逸脱する行動などに対して毅然とした対応をすることによって，訴えの内容や表現のしかたなどある程度対応可能なところまで落ち着かせることが期待できる。一方で，D（左上）に含まれる苦情の場合，枠を用いた対応を行ったとして対応可能な範囲に落ち着かないこともみられるため，その場合は枠を維持するために当該患者の排除や警察への通報なども行うことになる。

おわりに
―相談・苦情対応の背後にあるもの

ここまで述べたように相談・苦情対応はきわめて実践的な行為である。そして，他の医療安全の実践とは異なり，医療の質を上げて患者に資するものというより，医療機関を守るものでもある。この意味では，苦情対応は医療機関の利益を志向するものであって，そこには医療と直接関連した思想的背景が希薄であるように思われる。実際，医療機関においても相談・苦情対応業務は事務方が担当することが多く，ある種の雑事として扱われている傾向が現に存在している。

では，本当に苦情対応の背景には思想がないのであろうか。筆者は相談・苦情対応の背景には医療倫理的な背景が存在しており，適切な相談・苦情対応とは医療倫理の実践の一側面であると考えている。診療における倫理的問題とは価値にまつわるものであり，その多くは価値観と価値観の対立によって生じている。また，価値観と価値観の対立は，そこに不安，不満，不信感といった感情的な衝突を生じさせる可能性が高い。つまり，医療機関と患者の価値観の対立による倫理的問題であるが，結果的に苦情問題に発展することがあり得る。逆に，苦情対応の対象となる苦情は，医療機関側の価値観と患者側の価値観が異なるために生じていることがほとんどであり，苦情には倫理的問題の要素が含まれているといえる。つまり，診療場面において価値観の対立が生じた場合，倫理的問題の要素が大きければ臨床倫理問題とみなされ，不安や不満といった感情の対立を伴い苦情として問題の要素が大きくなれば苦情対応の問題とみなされるのである。この捉え方に従えば，苦情対応を行う際の思想的な背景として，臨床倫理的な見方が不可欠なものであるといえる。つまり，院内における相談・苦情対応はトラブル解決のような雑事ではなく，医療における意思決定に準じた行為であるとみなすことが適切であると考える。

医療が複雑化している昨今，意思決定支援の重要性が注目されているものの，現状では意思決定支援を担当する部門は存在せず，各医療者個人に委ねられている。相談・苦情対応部門は意思決定にまつわる臨床倫理の一側面にかかわっていることから，医療機関において積極的に患者の意思決定支援を担っていくことも期待できる。医療安全対策の一環として相談苦情窓口の設置が始まった歴史的背景に立ち返るならば，院内の相談・苦情対応は，意思決定支援の面からも医療安全に資していくことが必要であろう。

（瀧本 禎之）

第4章 状況別医療安全

1 ダブルチェック

Ⅰ ダブルチェックの定義

どんなに努力しても人はエラーを犯す可能性を秘めており，人のエラーをシステムで防ぐことが必要になる。ダブルチェックは，その典型的な方法であり，作業内容を再度確認することで，誤りを発見しそれを正す方法である。しかしこれまで，国内外でダブルチェックが正確に定義されてきたことはない。そのため，2人で作業すればそれはダブルチェックだ，と誤解が生じていることもある。

「再度」の確認，すなわち2通りの目を経ていることを「ダブルチェック」と呼ぶのが最も自然であろう。それは，例えるならば，大事な機器は常に2つ備えておき1台が故障しても機能が維持されることを狙った冗長化の仕組みと原理は同じである，

Ⅱ 多重化よりも多様化

多重度を上げて，3重のチェック，4重のチェックと多重化することも考えられる。しかし，多重度を増すことが必ずしも効果を上げるとは限らない。このことは既に実験で示されている[1)]。実験室内で行われた検証だが，300名分の住所リストと封筒の宛名の照合作業において，住所と氏名の記載エラー各1つを発見できるかを，多重度1（1人でチェック）～5（5人でチェック）までの連続チェックで比較した結果が図Ⅱ-4-1である。各重度20組で実験した結果，何組がエラーを発見したかをプロットしてある。しかもこの実験では，①順序が後方で確認する人ほど発見率が低くなること，②1人目の発見率は後方に人が多いほど低くなること，も明らかになっている（図Ⅱ-4-2）。

多重度が増すほど精度が下がるという結果は，多重化が効果を生むための前提である「独立性」の条件が崩れたことによる。複数の人で同じ作業をする場合，人は他人に依存し手を抜く，いわゆる「社会的手抜き」現象が起こりやすい。前述の実験結果は，個々の人の手抜きが，全体のパフォーマンスすら下げてしまう可能性を示唆している。この結果は，多重度を増やすよりも，少ない回数にとどめ，独立性を高めた信頼性の高い確認作業を行うことの重要性を示すものである。ダブルチェックで独立性を確保するためには，チェックの質を変えること，すなわち質的な多様性を取り入れることが効果的であろう。

Ⅲ 効果的なダブルチェックの方法

質的な多様性を取り入れた方法を具体的に考えてみよう。ダブルチェックの方法は，2人で実施する方法と1人で実施する方法とに大別される。

1．2人で実施する場合

最もシンプルな方法は2人が順番に同じ確認を繰り返す方法である。全く同じ方法での繰り返しでも，2人の経験，エラーの癖などが異なれば，互いの見落としを補える可能性がある。実際，新人同士の場合には，誤りやすいポイントで2人同時に誤ることがあり，一方で，経験者同士の場合は，相手に頼ってしまう依存現象の発生が予想される。質の多様性という意味からも，経験者と新人の組み合わせがよいと考えられるが，その場合，新人が経験者の誤りを指摘できる風土が必須となる。

2人がペアで確認する方法も多くの医療機関で採用されているが，注意しなければならないのは，1人が読み上げ1人が確認する方法はダブルチェックではなく，2人で行うシングルチェックであるということである。ダブルチェックには，2回繰り返すことが必要であり，リ

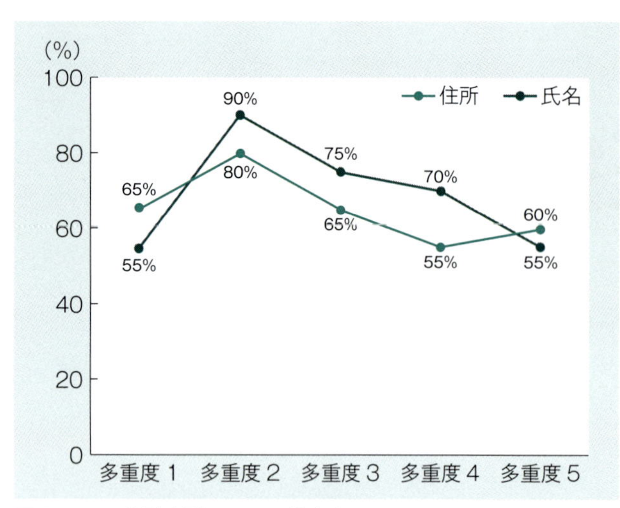

図Ⅱ-4-1 多重度別のエラー検出率

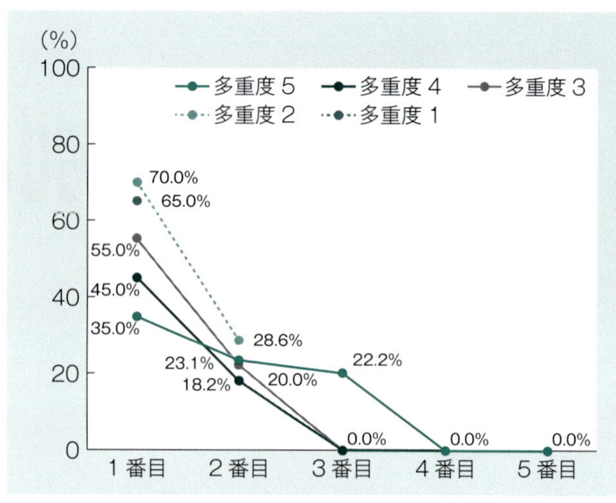

図Ⅱ-4-2 順序別のエラー検出率 (住所)

ストの読み手と確認者が 2 回目に入れ替わるなど役割を交換することで，質の変化が実現できる。

2. 1 人で実施する場合

1 人でも 2 回確認を繰り返すダブルチェックの実施は可能である。その場合，視点を変える方法が多様性の観点から望ましい。リストから現物，現物からリストと，確認の方向を変えることで，誤りやすい状況を回避できる可能性がある。あるいは，リストの上から順に確認したものを，2 回目は下から確認するなど，順番を変えるだけでも，類似名称によるエラーを避ける効果が期待できる。

1 つの課題での実験室実験の結果に過ぎないが，2 人で実施する方法，1 人でも視点を変えたダブルチェックの方法は，精度の点で効果的であることが示されている[2]。ただし，2 人ペアで 2 回行う場合には，1 人で 2 回，あるいは 2 人が 1 回ずつ行う場合に比べて，トータルで 2 倍の延べ時間が必要になることが欠点といえる。

Ⅳ 留意点

2 人で実施する方法は効果が高いことを既に指摘したが，その導入を検討する際，次の 2 つの点に留意して決めることが必要となる。

①協力者を探すための時間が必要である。

協力を依頼できる他者 1 名を探し出すための 1 回当たりの平均必要時間を 10 秒としても，1 日で病院全体での総時間で考えると大きな時間の投資となる。

②協力者が作業中断を発生させることがあり，新たなリスクが生まれる可能性がある。

協力者は作業を中断して参加するため，中断作業の前後に，忘れる，間違えるなどの作業エラーを引き起こす可能性がある[3]。

特に①の点から，1 人でのダブルチェックが効果的と主張する者もいるが，1 人で行う場合，たとえ視点を変えて行ったとしても，その人の癖や疲れによる影響などは排除できない場合がある。

Ⅴ 作業全体からの視点で

それぞれの方法の長所，短所を念頭に，どのような時間帯のどのような作業には，どの方法が望ましいのか，作業の重要性やスタッフの人数なども考慮し，病院全体で検討し，標準化することが望まれる。

その際，局所的な検討ではなく，作業全体の流れのなかでの検討が必要であろう，例えば，与薬作業では，医師の指示，薬剤師による調合，看護師による配薬など多くの作業を経ることになるが，あらゆる作業の場面で 2 人でのダブルチェックを行うことは，労力がかかりすぎであり，また，全体視点での社会的手抜きが発生することも考えられる。最終的に誤薬投与を防ぐために必要なポイントを作業全体の流れのなかで特定し，各ポイントでの確実な確認を実施するプロセス設計が望まれる。

文 献
1) 田中健次：人間による多重チェックの落とし穴．行待武生監，ヒューマンエラー防止のヒューマンファクターズ，テクノシステム，東京，2004，pp631-634.
2) 田中健次：ダブルチェックの方法とその選択；有効性と効率性を探るシステム安全学の研究から．看護管理 2014；24 (5)：426-431.
3) 稲葉緑，田中健次，宇佐美稔，他：医療現場での作業中断によるヒューマンエラーの分類と要因．医療の質・安全学会誌 2011；6 (3)：313-331.

(田中 健次)

2 患者取り違え

はじめに

患者取り違えは，あってはならない大きな事故だが，平成5(1993)年に熊本で，平成9(1997)年には大阪で，平成11(1999)年には神奈川でと繰り返し発生している。本稿では，日本の医療界が安全性向上に目覚める大きなきっかけとなった，平成11年1月の神奈川県の大学病院にて発生した患者取り違え事故[1)]に着目し，その原因と対策のあり方を検討してみよう。

I 患者取り違え事故の発生

対象とするのは，心臓疾患の患者（A氏）と肺疾患の患者（B氏）が手術室への移送途中に入れ替わり，各患者に異なる手術が実施されてしまった事故である。

病室から移送された2人の患者が，手術室入口にて誤認され異なる手術室に運ばれたことが直接の原因だが，その背景には，運び方のルール違反[注1]，患者の受け渡し方法や，その後の多重の患者確認作業における潜在的な問題点など，幾つもの落とし穴が存在し，それらが同時に発生して事故につながったものである。組織事故のスイスチーズモデル（図Ⅱ-4-3）では，ルール（仕組み）と組織（人）による深層防護に潜む穴を一気に通過する直線が事故に結びつく様子が見事に示されているが，まさに組織事故の実例として教訓の多い事故であった。

Ⅱ 事故の経緯

1．病棟から手術室交換ホールへの移送

病棟の看護師1名が，2人の患者A氏，B氏を，エレベーターを使って同時に手術室交換ホールまで移送した。ルールでは，1人の看護師が1人の患者のみを移送することになっており，複数の患者を同時移送することは回避されていた。

各論
第4章

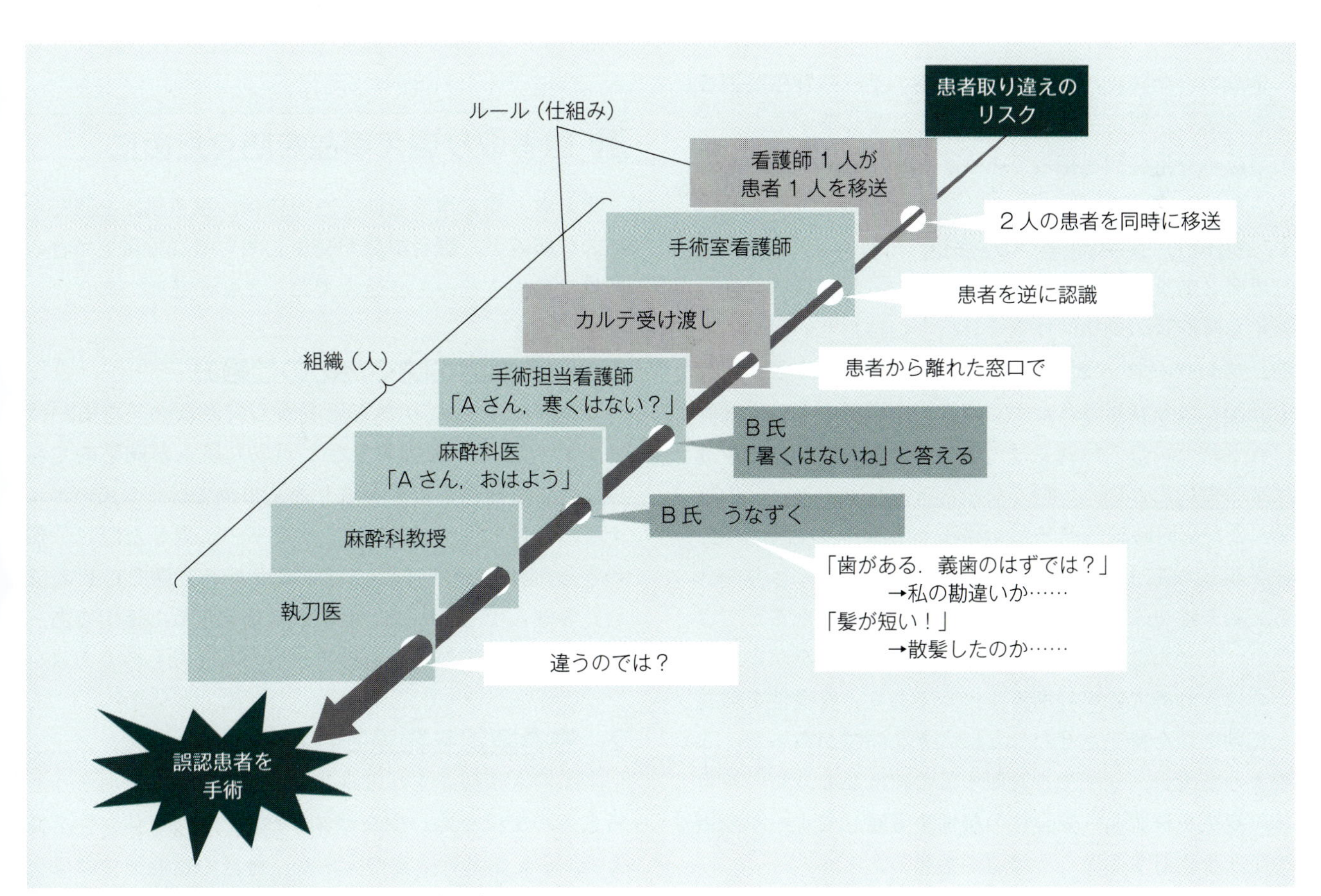

図Ⅱ-4-3　患者取り違え事故のスイスチーズモデル

注1　明文化された規則ではなく，慣習的に実施されていた暗黙のルールを意味する。

2. 手術室交換ホールでの患者の受け渡し

病棟看護師は手術室交換ホールに到着後，ハッチウェイを通して，はじめにＡ氏を手術室看護師に引き渡した。手術室看護師が「Ｂさん，よく眠れましたか」とＡ氏に声をかけたが，「はい」と答えたために，そばにいたＢ氏担当の手術室看護師２名はＢ氏だと思い込み，Ａ氏をＢ氏のための手術室に誤って運んでしまった。次にＢ氏が引き渡されたが，Ａ氏であると思い込んだ手術室看護師が，Ｂ氏をＡ氏のための手術室に運んだ。しかし，２人のカルテは，病棟看護師から手術室看護師に，ハッチウェイではなくカルテ受け渡し台から申し送り事項とともに渡され，正しい手術室に運ばれていった。

3. 手術室看護師，麻酔科医，執刀医らによる本人確認

両方の手術室で，担当看護師や担当医師による本人確認が，挨拶の言葉のなかで多重に行われたが，両方の患者ともに氏名の訂正を口にしなかった。「Ａさん，寒くはないですか」との問いかけに（Ｂ氏は）「暑くはないね」と答えた。このため，患者の入れ替わりに気付くことはなく，手術が行われてしまった。

Ⅲ 背景要因

事故の再発防止のためには，作業エラーの背景要因までを追求し，根本的な問題に対策を施す必要がある。この事故の背景要因を探ってみる。

1. 病棟から手術室への移送

患者２名を同時に移送するというルール違反は，朝の多忙な時間帯の効率的作業を目指した結果といえる。実際，エレベーターまでは，Ａ氏とＢ氏はそれぞれ別の看護師により移送されたが，そこで両者が１人の看護師に託された。この病院では，他の看護師も同じルール違反をしていたという。軽くなったストレッチャーでの移動，２人を同時に運べる広いエレベーターの設置など，作業環境の向上がもたらした結果と考えることもできる。効率性を求めること自体は決して間違ったことではない。しかしこのルールは，患者の取り違えを防止するためにきわめて効果のあるルールであり，安全性を軽視して効率性を優先させたことに大きな問題があった。このような場合，ルールを逸脱するのではなく，ルール自体の変更を提案し，安全性の確保を考慮してルール変更の是非を検討するという姿勢が必要であろう。

2. 手術室での患者の受け渡し

患者とカルテを別の窓口から渡す方法に大きな落とし穴があった。常に患者とカルテを離さない，ということが患者確認では重要な鉄則といえる。

3. 手術室看護師，麻酔科医，執刀医らによる本人確認

当時は，患者に名前を直接聞くことは失礼に当たる，という風潮があり，挨拶のなかで名前を呼びかけて，本人確認をしていた。このやり方自体にも問題はあるが，確認作業の多重化に本質的な問題があったことに注目すべきである。確認作業が多重化すると，１人が疑問を抱いても，その人はむしろ，その疑問を消すための理由を探すという行為に出てしまうことが一般に知られている。

実際，麻酔科医の１人は疑問を感じ，病棟に確認をとっているが，患者の取り違えを特定できなかった。「義歯だったと記憶していたが……それは自分の勘違いか」「頭髪はふさふさのはずだったが今日は短い……理髪店に行ったのか」などと自分の疑問を打ち消す説明を考え，疑問を自分のなかで解消してしまったという。それは，人間誰もが有する一般的な性質といわれている。

「多くの人が確認したのに見抜けなかった」のではなく，「多くの人が確認したからこそ１つの疑問が消されてしまった」事故であり，まさにチェックの多重化がもたらした落とし穴であった（前節「ダブルチェック」を参照）。

Ⅳ 患者取り違え事故を防ぐために

患者取り違え事故を防ぐためには，患者誤認を防ぐための仕組みと，患者誤認が発生してもそれを発見できる仕掛けの両方をつくり込んでおくことが必要である。

1. 患者誤認を防ぐための仕組み

カルテを一時たりとも患者から外さない，あるいはネームバンドを装着するなどの取り組みが効果的である。熊本で発生した患者取り違え事故では，Ｃ氏のカルテを一時的にＤ氏のストレッチャーに置いた際に，別の看護師がＤ氏を，置いてあるカルテを見てＣ氏と思い込み運んでしまったことが取り違え事故の原因であった。一瞬の乖離が思わぬ結果をもたらしたものである。

2. 患者誤認を発見できる仕掛け

多くの人が確認すれば誰かが誤りに気付くであろうと考えるのではなく，少ないメンバーによる（独立性を備えた）確実な患者確認の方法が，確認の精度獲得には有効である。また，疑問を感じたときに，誰でもがそれを口に出して言える雰囲気，結果として誤りがなかったとしてもそれを責めない風土も，事故防止には必要な文化

といえる。

おわりに

患者誤認を防ぐためのネームバンドは既に普及しているが，事故後，導入された当初には予想外の問題が発生した。ネームバンドの付け間違いによるエラーである。複数患者のバーコードを同時に製作したために，装着時に別の患者に誤って装着してしまったのである。当初はバーコードのみが印刷されていたが，その後，名前が表示されるようになり，患者本人による確認も可能になった。付け間違いを事前に予測できていれば防げた事故といえる。安全対策では，対策を確実に講じることが大事だが，その対策で発生する新しい問題点までも予測し，それを回避する姿勢があることがさらに効果的である。

文　献　1) 厚生省健康政策局総務課監：患者誤認事故防止に向けて―患者誤認事故防止方策に関する検討会報告書．患者誤認事故防止方策に関する検討会編，エルゼビア・サイエンス・ミクス，東京，1999.
※有識者による患者誤認事故の防止方策に関する検討会の報告書と平成11（1999）年の事故報告書とを併せもつ書籍である。

（田中　健次）

3 転倒・転落

I 医療施設における転倒・転落事故

わが国における超高齢化社会の到来において，医療施設での転倒・転落事故防止の課題は重要さを増している。しかし，その対策については混沌としており，特に看護師は閉塞感を抱いている状況にさえある。こうした現状において，何が緊急課題なのか改めて直視していくことが重要である。

事故の実態について，その背景や事故の発生機序を見直し，行動目標を設定して総合的な転倒・転落事故防止活動をマネジメントの視点から実践することが急務である。

転倒・転落事故は，いつでも，どこでも，誰にでも無制限に発生する事故である。医療施設内においても患者，利用者のみならず，医療者にとっても仕事上での労働災害として発生することがある。病院をはじめとする医療施設の物理的構造や設備，療養環境としての「しつらえ」に使用されているベッドをはじめとする種々のハード類について，より詳細に考慮していくことが重要と考える。転倒・転落事故防止は，病院経営においても欠くことのできない課題となっている。

II 転倒・転落事故の実態と事故要因

わが国においては，転倒と転落を区別して捉えている。一般的な定義として，転倒は「自分の意思に反してバランスを崩してしまい，足底以外の身体の一部が地面または床面に付いた状態」である。一方，転落は「高低差のあるところから転がり落ちること」である。しかもその大方が当事者による自損事故であり，多くの場合患者自身が自分で自分の身体を動かすことによって転倒・転落が起こり，医療者の直接的なケアの結果であることはごく少ない。それゆえ，医療者の直接的ケアの手順（プロセス）が存在しないことから，注射や検査による事故などの「手順があるプロセス型」の発生メカニズムとは区別して「非プロセス型」としている。

「非プロセス型」とするのは，医療者がそばにおらず，患者が1人で動き出して転倒・転落してしまったという事故であり，医療者は大きな物音等で初めて気付くという状況になるからである。別途，医療者が搬送時のストレッチャーの安全ベルトをし忘れて，急に廊下の角を曲がった際に患者が転落したとか，ベッドから車椅子への移乗の際，医療者のスキルの不足で転倒したなどの例は，医療者のケアとしての手順のプロセスが存在しているので，区別が必要となる。

医療者を悩ましているのは，「非プロセス型」の場合であり，このタイプが転倒・転落事故のほとんどを占めている。しかも，転倒・転落の約7割はベッド周囲で発生している。また，転落より転倒のほうがはるかに件数は多い。転倒に至った患者行動について詳細にみていくことが大切である。転倒・転落に及ぶ患者の行動形態には，滑る，つまずく，ぶつかる，ふらつく，よろける，落下するという人間行動が直接的な要因となる。こうした行動の起因要因としては，患者の身体機能の低下や疾患，視力や聴力の感覚低下，服用している薬物や多剤の服用時，さらに患者症状としての疼痛や発熱などの要因があり，ハイリスク要因となっている（表II-4-1）。

医療現場では，患者個別の要因である行動と，動作能

表Ⅱ-4-1 転倒・転落リスク

1. 患者の行動	患者が動くことで事故発生
2. 患者の動作能力	行動の達成能力不足で事故発生 （身体機能の低下や疾患，視力や聴力の感覚等）
3. 患者の置かれた環境	突発的な環境：その行動に影響を与える環境 （濡れていたため滑って転倒した→濡れた床は「歩いた」という行動のみに影響を与えた突発的な環境である） 定常的な環境：あらゆる行動に影響を与える環境 （パジャマやスリッパは常に身につけているもので，どんな行動にも影響する定常的な環境である）

No.1
転倒・転落アセスメントシート

＊査定日は入院・転入時、2・3日目(生活に慣れたころ)術後2日目
1週間後(患者の特徴なども把握できるころ)、その後
1週間ごと、事故発生時、その他状態変化時・術後2日目に行う
ただし、意識レベルJCSⅢ200-300、四肢麻痺
(MMT1以下)の患者には実施しなくて良い
＊各分類で一つ以上チェックがあれば評価スコアの得点となる。

分類	特徴	評価スコア	患者評価 入院時 /	2・3日目 /	1週間後 /	/	/
年齢	65歳以上、9歳以下	2	☐	☐	☐	☐	☐
認識力	痴呆症状がある	4	☐	☐	☐	☐	☐
	不穏行動がある		☐	☐	☐	☐	☐
	判断力・理解力・記憶力の低下がある		☐	☐	☐	☐	☐
	見当識障害・意識混濁・混乱がある		☐	☐	☐	☐	☐
薬剤	以下の薬剤のうち1つ以上使用している 睡眠安定剤・鎮痛剤・麻薬・下剤・降圧利尿剤・抗凝固剤	4	☐	☐	☐	☐	☐
患者特徴	ナースコールを押さないで行動しがちである	4	☐	☐	☐	☐	☐
	ナースコールを認識できない・使えない		☐	☐	☐	☐	☐
	目立った行動を起こしている	2	☐	☐	☐	☐	☐
	何事も自分でやろうとする		☐	☐	☐	☐	☐
	環境の変化(入院生活，転入)に慣れていない	1	☐	☐	☐	☐	☐
病状	38℃以上の熱がある	3	☐	☐	☐	☐	☐
	貧血がある		☐	☐	☐	☐	☐
	立ちくらみ(起立性低血圧)を起しやすい		☐	☐	☐	☐	☐
	手術後3日以内・ドレーン類が挿入されている	2	☐	☐	☐	☐	☐
	リハビリ開始時期・訓練中である	1	☐	☐	☐	☐	☐
	病状・ADLが急に回復・悪化している時期である		☐	☐	☐	☐	☐
既往歴	転倒・転落したことがある	2	☐	☐	☐	☐	☐
感覚	平衡感覚障害がある	2	☐	☐	☐	☐	☐
	聴力障害がある	1	☐	☐	☐	☐	☐
	視力障害がある		☐	☐	☐	☐	☐
運動機能障害	足腰の弱り、筋力の低下がある	3	☐	☐	☐	☐	☐
	麻痺・しびれがある	1	☐	☐	☐	☐	☐
	骨・関節異常がある(拘縮、変形)		☐	☐	☐	☐	☐
活動領域	ふらつきがある	3	☐	☐	☐	☐	☐
	車椅子・杖・歩行器を使用している	2	☐	☐	☐	☐	☐
	自由に動ける	2	☐	☐	☐	☐	☐
	移動に介助が必要である	1	☐	☐	☐	☐	☐
	寝たきりの状態であるが、手足は動かせる		☐	☐	☐	☐	☐
排泄	尿、便失禁がある	3	☐	☐	☐	☐	☐
	頻尿がある(昼8回以上、夜2回以上)		☐	☐	☐	☐	☐
	トイレまで距離がある		☐	☐	☐	☐	☐
	夜間トイレに行くことが多い(夜2回以上)		☐	☐	☐	☐	☐
	ポータブルトイレを使用している	1	☐	☐	☐	☐	☐
	車椅子トイレを使用している		☐	☐	☐	☐	☐
	膀胱内留置カテーテルを使用している		☐	☐	☐	☐	☐
	排泄には介助が必要である		☐	☐	☐	☐	☐
		合計					
		危険度					
		看護計画修正・変更	有・無	有・無	有・無	有・無	有・無
		サイン欄					

危険度Ⅲ：20～45点・・・転倒転落をよく起こす
危険度Ⅱ：10～19点・・・転倒・転落を起しやすい
危険度Ⅰ：1～9点・・・転倒・転落する可能性がある

＊危険度Ⅱ以上または、薬剤・認識力・病状にチェックされた患者は、看護計画を立案する

2007年12月改定

図Ⅱ-4-4 転倒・転落事故アセスメントシート

力の「内的要因」，環境要因である「外的要因」とが複雑に重なり合って発生している。さらに，管理的要因（人的管理体制や教育）が加わっていることにも着目していく必要がある。

「非プロセス型」の事故では，前述したように患者自身がもっている要因に大きく影響されている。そのため，患者の転倒・転落発生要因についての予測をすること，アセスメントをすることが第一となる。その際，有用となるアセスメントシートとは，1人の患者に対して，その患者がもっている患者要因をチェックすることで，患者状態を詳細に把握するための評価表である。アセスメントシートの目的としては，①患者要因の総合点から転倒・転落の危険性を評価する，②チェックされた要因から危険な患者行動を予測する，③複数回使用することで患者要因の変化に対応するなどである。平成14（2002）年に日本看護協会より提案されて以来，これまで転倒・転落防止ツールとして各医療施設でアセスメントシートの工夫と精度のアップが研究されてきた。一般に8～10の項目分類したアセスメントシートが使用され，危険度が点数化されている。このシート内容は，医療者への患者把握の教育としても有用である。しかし，アセスメントシートによる評価だけでは，危険度の高い患者の抽出にとどまっており，このアセスメントから具体的な対策立案をすることが大きな課題である。図Ⅱ-4-4に転倒・転落事故アセスメントシートの例を示す。

Ⅲ 転倒・転落事故の防止対策

転倒・転落事故防止ケアとしてのシステム・アプロ―チを提案したい。事前にどういったケアプロセスの標準化をしておくのかということであり，そのための業務フローを明確にすることである。例えば，

①アセスメントシート活用のフローとして，入院当日のアセスメントシートへのチェックの実施（対象者を明示）→アセスメントシートから導いた具体的な対策の実施と記録（看護計画または対策表の使用）→入院後2～3日目でのアセスメントの見直しやカンファレンス（転倒・転落が発生した場合，あるいは状態が急変した場合の再評価）

②やむなく転倒・転落が発生した場合の対応フローとして，患者状態の確認項目→医師への連絡方法→必要な検査実施とその判断→家族への連絡対応

③病棟内あるいは転倒チームによる安全ラウンドの実施要領

等々，詳細については書ききれないが，医療者誰でもが同一に対応実施ができるように標準化（文書化）しておくことであり，全体としてのシステム化が必要である。個別対応のみに終始していては，転倒・転落事故防止に向けてのケアの質そのものを向上させることは難しい。

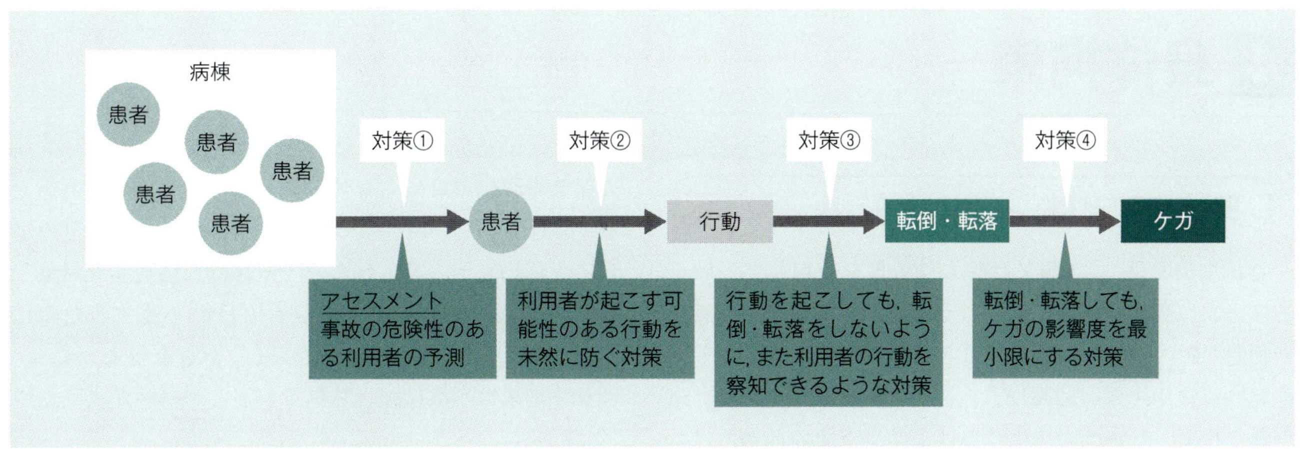

図Ⅱ-4-5　4つのステップによる対策フロー

防止対応としてスタッフが経験知としてもっている暗黙知を形式知に換えて共有することが求められている。

こうしたシステム化のなかでの具体的な対策の実施に向けた考え方として，対策が可能な各段階で効率よく挙げていく対策について示す（図Ⅱ-4-5）。

対策①はアセスメントの実施であるが，具体的な防止対策そのものではない。

対策②は事前の患者行動の予測に基づいた対策であり，低床ベッドにしておくとか，適正なサイドレールやグリップの取り付け，スリッパはやめてかかとのある靴にする等が具体策として挙がる。

対策③は患者の危険行動の直前対策としてのセンサー類の使用である。

対策④は影響緩和として，仮に転落しても大けがかがないようにベッドの脇に緩衝マットを敷いておく等である。

また，「モノ」であるハードと「ヒト」に関するソフトの側面で分けて，ケア業務をバックアップしていく対策についても考えてみる。ハードでは，a．未然防止策として情報共有を支援するピクトグラムや患者の転倒防止教育のDVD，「眠りSCAN」（夜間の患者の睡眠状況を把握し，夜間の患者覚醒時における行動リスクを軽減するケアを支援するもの），b．患者のリスク動作を検知する直前防止策である離床センサーやクリップ式センサー類（直接的な事故防止対策ではなく，患者のリスク行動を医療者に伝えるための支援ツール），c．損害軽減策として事故の重度化を抑制できる低床ベッドや緩衝マットがある。離床センサーは開発が進み，誤報率の低下と検知率のアップで性能が向上してきている。環境要因の床材，照明，段差，手すり等々の設備改善も必須である。ソフトとしては，d．転倒・転落アセスメントスコアシート，e．危険予知トレーニングの実施，f．転倒防止対策ワーキンググループの設置や安全ラウンドがある。

これらのソフトとハードを組み入れた連携システムによる対策が，これからは展開されていくことになろう。

Ⅳ 課　題

自施設の現状を見据えて，できることからの対策を実施していくことが急務である。転倒・転落事故防止対策として，身体抑制が行われてきたという経緯があるが，これは改善する必要がある。さらに，人海戦術は今や無理な策であり，「モノ」を上手に活用した物的対策が期待されている。ポイントは，ソフトとハードの新しい対策の連携，融合によって患者（安全・安心）と医療者（業務軽減）と病院経営（事故費用の削減），さらにメーカー（現場に役立つ製品の機会創出）の全員にメリットを生み出していくこと，そして，アウトカム（転倒・転落事故発生率）評価に寄与することである。

参考文献　1）杉山良子編著：転倒・転落防止パーフェクトマニュアル．学研メディカル秀潤社，東京，2012.
※転倒・転落事故の考え方やハイリスク要因，危険性の予測，対策のシステムアプローチを記載している。

（杉山　良子）

4 身体拘束

Ⅰ 身体拘束とは

身体拘束とは，「衣類又は綿入り帯等を使用して一時的に当該患者の身体を拘束し，その運動を抑制する行動の制限」をいう（昭和63年4月8日厚生省告示第129号における身体拘束の定義）。

ところで，日本国憲法下においては，下記の通り，自由は最大限に保障されている。

【日本国憲法】

個人の尊重と公共の福祉

第13条 すべて国民は，個人として尊重される。生命，自由及び幸福追求に対する国民の権利については，公共の福祉に反しない限り，立法その他の国政の上で，最大の尊重を必要とする。

奴隷的拘束および苦役の禁止

第18条 何人も，いかなる奴隷的拘束も受けない。又，犯罪に因る処罰の場合を除いては，その意に反する苦役に服させられない。

居住，移転，職業選択，外国移住および国籍離脱の自由

第22条 何人も，公共の福祉に反しない限り，居住，移転及び職業選択の自由を有する。

本人の意思に反して「不法に」身体拘束を行った場合には，逮捕・監禁罪（刑法第220条）として，刑事罰の対象ともなりかねない。医療機関において身体拘束が実施されることがあるが，この点について明確に定めた法律は存在しない。「精神保健及び精神障害者福祉に関する法律」において「精神科病院の管理者は，入院中の者につき，その医療又は保護に欠くことのできない限度において，その行動について必要な制限を行うことができる」（第36条第1項）との定めはあるが，これは精神科領域に関するものであることから，一般の医療機関における身体拘束の根拠とすることはできない。

この点，介護老人保健施設に関しては，厚生労働省の定めた「介護老人保健施設の人員，施設及び設備並びに運営に関する基準」において，「介護保健施設サービスの提供に当たっては，当該入所者又は他の入所者等の生命又は身体を保護するため緊急やむを得ない場合を除き，身体的拘束その他入所者の行動を制限する行為（以下「身体的拘束等」という。）を行ってはならない」（第13条第4項）との規定が存する。つまり，「生命又は身体を保護するため緊急やむを得ない場合」には，介護老人保健施設においても身体拘束が許容されているといえる（反対解釈）。介護老人保健施設においても一定の場合に身体拘束が許容されるのであれば，傷病者を対象とした医療機関において，その治療目的を達するために「生命又は身体を保護するため緊急やむを得ない場合」に身体拘束は当然に許容されているとの解釈が成り立つ（勿論解釈）。

Ⅱ 「身体拘束ゼロへの手引き」と「身体拘束予防ガイドライン」

介護老人保健施設に関する「身体拘束ゼロへの手引き」[1]では，「『緊急やむを得ない場合』として身体拘束を行っているケースは少なく，むしろ身体拘束に代わる方法を十分に検討することなく，『やむを得ない』と安易に身体拘束を行っているケースも多いのではないだろうか」と介護老人保健施設における身体拘束の問題が指摘され，「介護老人保健施設の人員，施設及び設備並びに運営に関する基準」が身体拘束を許容する「生命又は身体を保護するため緊急やむを得ない場合」は，「切迫性」「非代替性」「一時性」の3つの要件をすべて満たし，かつそれらの要件の確認等の手続きがきわめて慎重に実施されているケースに限られるとしている。各要件の詳細については**表Ⅱ-4-2**を参照されたい。

また，平成27（2015）年に日本看護倫理学会臨床倫理ガイドライン検討委員会が作成した「身体拘束予防ガイドライン」[2]でも，「個々の看護職の判断で身体拘束を解除して，対象者がチューブ類を抜いてしまったことの責任を問われたり，身体拘束は不要と判断しても自分の勤務時間帯に何かあったら困るので，一歩踏み出せないという声も聞きます。……（中略）……あまり考えず，悩まず，いつもこうしているからと漫然と身体拘束を続けることは，ケアの危機状態であります」と医療現場における身体拘束の問題点を浮き彫りにし，身体拘束をしない取り組みの重要性を指摘している。

このように，介護老人保健施設ならびに医療機関においても，できる限り身体拘束を行わないというのが趨勢といえよう。

Ⅲ 身体拘束に関する裁判所の考え方

ミトンによる身体拘束が問題となった事案につき，最高裁判所平成22年1月26日判決では「入院患者の身体

表Ⅱ-4-2 「身体拘束ゼロへの手引き」からの抜粋

切迫性：利用者本人または他の利用者等の生命または身体が危険にさらされる可能性が著しく高いこと

- 「切迫性」の判断を行う場合には，身体拘束を行うことにより本人の日常生活等に与える悪影響を勘案し，それでもなお身体拘束を行うことが必要となる程度まで利用者本人等の生命または身体が危険にさらされる可能性が高いことを，確認する必要がある。

非代替性：身体拘束その他の行動制限を行う以外に代替する介護方法がないこと

- 「非代替性」の判断を行う場合には，いかなるときでも，まずは身体拘束を行わずに介護するすべての方法の可能性を検討し，利用者本人等の生命または身体を保護するという観点からほかに代替手法が存在しないことを複数のスタッフで確認する必要がある。
　また，拘束の方法自体も，本人の状態像等に応じて最も制限の少ない方法により行われなければならない。

一時性：身体拘束その他の行動制限が一時的なものであること

- 「一時性」の判断を行う場合には，本人の状態像等に応じて必要とされる最も短い拘束時間を想定する必要がある。

を抑制することは，その患者の受傷を防止するなどのために必要やむを得ないと認められる事情がある場合にのみ許容されるべきものである」との判断が示された。

人身の自由が原則であり，やむを得ない事情がある場合に限って身体拘束が「許容」されるということであれば，医療機関においては身体拘束をすべき「法的義務はない」という解釈も成り立つ。しかし，この最高裁判決は「ミトンによる身体拘束が許容されるか」が問題とされた事例であったことから「許容される」という表現が用いられたにすぎず，最高裁判所が医療機関において身体拘束をすべき義務がないとまでの積極的な解釈を示したものとはいえないであろう。実際，裁判例のなかには身体拘束をしないことで転倒・転落事故等が発生した場合に，医療機関の法的責任を認めたものもある。つまり，受傷を防止するなどのために必要やむを得ないと認められる事情がある場合に身体拘束が許容されると同時に，必要な身体拘束を怠った場合には法的責任の対象となり得るというのが，現時点における裁判所の立場といえよう。

1. ミトンによる身体拘束（抑制）（最高裁平成22年1月26日判決　請求棄却）[3),4)]

名古屋高裁は，下記事案に関し，身体拘束について，医療機関であっても，患者の同意を得ることなく患者を拘束してその身体的自由を奪うことは原則として違法であるとしたうえで，これが許容されるのは緊急避難行為の場合に限られるとして70万円の損害賠償を認めた。具体的には，緊急避難行為の判断の基準として介護老人保健施設に関する「身体拘束ゼロへの手引き」の「切迫性」「非代替性」「一時性」を参考とし，これについて非常に厳格な当てはめを行い，本件具体的状況の程度では，①転倒，転落により重大な傷害を負う危険性があったとまでは認められない（切迫性なし），②看護師が付き添って入眠を待つという対応が不可能ではない（非代替性なし），③抑制の態様も軽微とはいえない（一時性なし）として，ミトンによる身体拘束（抑制）を違法とした。

この名古屋高裁判決のように「切迫性」「非代替性」「一時性」を厳格に評価するとすれば，およそ医療現場において身体拘束の余地はないものとなりかねない。これを是正し，損害賠償義務を否定したのが本最高裁判決である。

<事案の概要>

腎不全，変形性脊椎症等にて入院中の患者（80歳）は，平成15（2003）年10月22日～11月5日にかけて，せん妄の症状がみられた。同月4日には，何度もナースコールを繰り返してオムツをしてほしいと要求し，これに対する看護師の説明を理解せず，1人でトイレに行った帰りに車椅子を押して歩いて転倒したことがあった。

患者は，11月15日午後9時の消灯前に入眠剤リーゼを服用したが，消灯後も頻繁にナースコールを繰り返し，オムツが汚れていない場合にも替えてもらいたいと要求した。また，同日午後10時過ぎ頃，車椅子を足でこぐようにして詰所を訪れ，病棟内に響く大声で「看護婦さんオムツみて」などと訴えた。これに対応した看護師は，車椅子を押して病室に連れ戻し，オムツを交換して入眠するよう促したが，患者は，その後も何度も車椅子に乗って詰所に向かうことを繰り返し，オムツの汚れを訴えた。看護師らは，その都度，患者を病室へ連れ戻し，汚れていなくてもオムツを交換するなどした。患者は，同月16日午前1時頃にも車椅子で詰所を訪れ，車椅子から立ち上がろうとし，「おしっこびたびたやでオムツ替えて」「私ぼけとらへんで」などと大声を出した。そこで，ベッドごと詰所に近い個室に移動させた。

その後，個室でも「オムツ替えて」などと訴えたため，看護師らは，声掛けをするなどして落ち着かせようとしたが，患者の興奮状態は一向に収まらず，なおベッドから起き上がろうとする動作を繰り返した。このため，抑制具であるミトンを使用して，患者の右手をベッドの右側の柵に，左手を左側の柵に，それぞれくくりつけた。詰所から時折患者の様子をうかがっていたが看護師らは，同日午前３時頃，入眠したのを確認してもう片方のミトンを外し，明け方に患者を元の病室に戻した。

患者には，ミトンを外そうとした際に生じたと思われる右手首皮下出血および下唇擦過傷がみられた。

<判決要旨>

本件抑制行為当時，せん妄の状態で興奮した患者が，歩行中に転倒したりベッドから転落したりして骨折等の重大な傷害を負う危険性はきわめて高かった。看護師らが約４時間にもわたって落ち着かせようと努めたが興奮状態は一向に収まらなかった。

当時の深夜帯の体制において，長時間にわたり，看護師が当該患者に付きっきりで対応することは困難であった。そして，腎不全のため薬効の強い向精神薬を服用させることは危険であるなど，身体抑制のほかに患者の転倒，転落の危険を防止する適切な代替方法はなかった。抑制行為の態様は，ミトンを使用して両上肢をベッドに固定するというものであり，拘束時間は約２時間に過ぎなかったというのであるから，その転倒，転落の危険を防止するため必要最小限度のものであったといえる。

2. ベッドからの転落事故（広島高裁岡山支部平成22年12月9日判決　約4,500万円認容）[5)]

<事案の概要>

平成12（2000）年４月１日に意識を消失して倒れた患者（52歳）は，救急車で搬送され，集中治療室で経過観察となった。翌４月２日，患者の意識は回復し，看護師が患者の家族の連絡先を聞くために患者から目を離している間，患者は，ベッド横の柵を乗り越え，転落した。

患者には再度の転落の危険性があることから，できるだけ拘束感が生じないように抑制帯の使用は避け，監視を強化するとともに，ベッドの右側を壁に付け，左側に同じ高さのベッドを接着して並行に設置したうえ，２台のベッドとも左右両脇の柵を立てた。

患者は，同日19時30分頃から落ち着きを失い，19時40分には「アリがおる」とシーツを指差して訴えたり，ベッドの端に寄ったり，ベッドから降りようとしたりした。20時には傾眠中であったが，23時には「これははずれんのん」と訴え，ベッド上でふらついたり，立ち上がったりし，また，帰ろうとしたり，マットに倒れ込んだり，三方活栓をしきりに触ったりするなどしていた。そこで，23時10分頃，セレネース１アンプルを筋肉注射したところ，入眠様となった。

４月３日１時頃，他の患者の対応のため，担当看護師が当該患者のもとを離れた１，２分の後，「ドスン」という音がし，その方向に向かうと，患者がベッドの足側に倒れていた。この事故により，患者は四肢麻痺となった。

<判決要旨>

セレネースの鎮静効果は限定的であり，同日23時に患者がベッド上に立ち上がってマットに倒れ込んだ時点で，セレネースを筋注しても，鎮静効果がすぐに期待したほど得られる見込みは薄かった。転落の危険が非常に大きい状態であり，その他にベッドから降りようとしたり，アリがおるなどと幻覚を有していたのであるから，起き上がって，ベッドから転落する現実的な危険が高度の状態であった。しかも，柵を乗り越えて転落した場合，重大な傷害を負う危険がきわめて高かったから，そのような事態は極力防止するべきであった。看護師等による常時監視もできない体制であったことなどの具体的状況からすると，ベッドからの転落を防止するには，抑制帯を用いて体幹を抑制する必要性があり，その義務があった。

3. 転倒・転落/身体拘束（抑制）における裁判所の判断のポイント

医療裁判では，①予見可能性（「（悪しき）結果の発生」を具体的に予見できるか），およびこれを前提とした，②結果回避義務（「（悪しき）結果の発生」を防止するために必要な措置を行う義務）が争われることになる。この点，転倒・転落事故では，①転倒・転落が具体的に予見できたか，②それに応じた結果回避措置が実施されていたか，が問われることになる（図Ⅱ-4-6）。

そもそも，身体拘束は，自由に対する制限を伴うのみならず患者の尊厳を傷つけるものであることから，転倒・転落の具体的危険性がない場面において身体拘束をしたとすれば，それ自体が違法であることは明白である。

難しいのは，転倒・転落が具体的に予見できる場面である。身体拘束（抑制）は，転倒・転落を防止するための措置の一つであるが，ほかに選択可能な方法があれば，これが望ましいことはいうまでもない。「1. ミトンによる身体拘束（抑制）」の事案で最高裁判所は，事案に即して，①危険を防止するための必要最小限度の措置といえるか，②他の代替方法の有無，③重大な傷害を負う危険を避けるため緊急やむを得ず行ったものか，個別に違法性の有無を判断するとの立場を採ったといえる。

つまり，具体的状況によって，身体拘束が違法となることも適法となることもあり得る。また，裁判官が患者の生命・身体の安全，患者の尊厳のいずれを重視するか

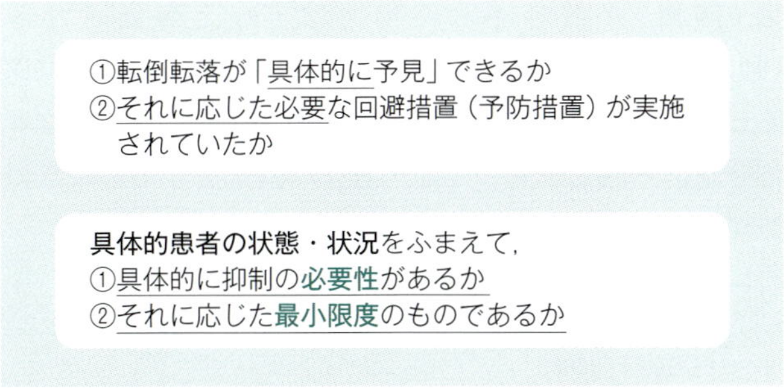

①転倒転落が「具体的に予見」できるか
②それに応じた必要な回避措置（予防措置）が実施されていたか

具体的患者の状態・状況をふまえて，
①具体的に抑制の必要性があるか
②それに応じた最小限度のものであるか

図Ⅱ-4-6　転倒・転落/抑制（身体拘束）に関する裁判のポイント

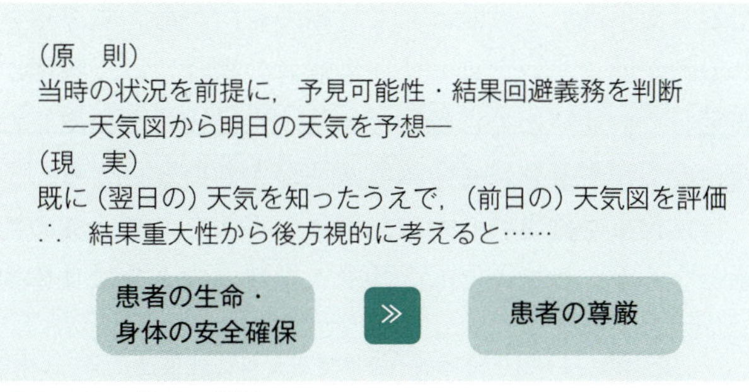

図Ⅱ-4-7　裁判の特徴

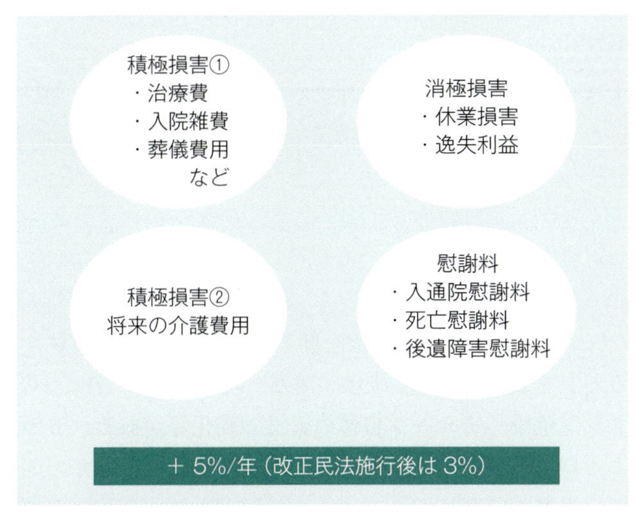

図Ⅱ-4-8　民事賠償の範囲

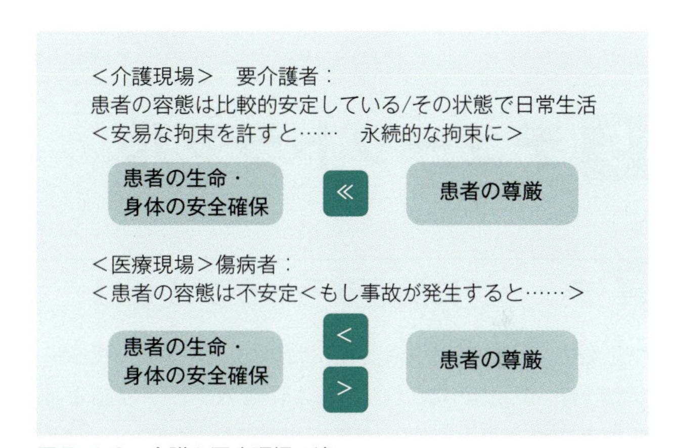

図Ⅱ-4-9　介護と医療現場の違い

によっても，その判断は大きく異なるといえる。裁判における「過失（注意義務違反）」の評価は，当時の状況を前提に，予見可能性・結果回避義務を判断する（前方視的評価）のが原則であるが，医療裁判では，ともすると結果の重大性や被害者救済に目が奪われがちである。現実には「悪しき結果」が発生し，そのことを裁判所も把握しているために，前方視的評価の衣をまとった後方視的評価がなされる場合も少なくない（図Ⅱ-4-7）。

その結果として，身体拘束により傷害が発生すれば身体拘束の必要はなかった，逆に身体拘束をせずに転倒・転落事故が発生すれば身体拘束をすべきであったと評価をされる可能性がある。いかに身体拘束が例外的措置とはいえ，転倒・転落により重度後遺障害が発生した場合には，高額な損害賠償義務が課される可能性がある。現実に，「2.　ベッドからの転落事故」では約4,500万円という高額な賠償が命じられた。できるだけ拘束感が生じないように抑制帯の使用は避けつつ，監視を強化するなどの対応をしていた医療従事者にとって，これは厳しい判断と思われるかもしれない。しかし，損害額は過失（注意義務違反）の程度ではなく，現実に発生した損害によって決定される。そのため，過失（注意義務違反）の程度が軽度であったとしても，その結果が重大であれば高額な賠償となる（図Ⅱ-4-8）。

このような裁判の特質も理解する必要があるであろう。

Ⅳ 介護老人保健施設と医療機関の性格の違い

「1. ミトンによる身体拘束（抑制）」の事案に関し，名古屋高裁は介護老人保健施設に関する「身体拘束ゼロへの手引き」に示された基準に厳格な当てはめを行った。しかし，比較的容態の安定している要介護者に対する支援をする介護の場面と，傷病者を対象とした医療施設とを同列に扱うことはできない（最高裁判所においては，「身体拘束ゼロへの手引き」を前提とした判断はしていない）。

要介護者の場合には，その状態が一時的なものではなく日常とも評価される。そのため，身体拘束を行った場合には繰り返しの身体拘束（日常的永続的身体拘束）が実施されることともなりかねず，患者の尊厳を大きく傷つけるため人道上も問題といえるであろう。「身体拘束ゼロへの手引き」において「一時性」を要件の一つとしている実質的理由もこの点にあるものと推測される。これに対し，傷病者は容態が安定していない。入院加療自体が一時的なものであり，要介護者ほど身体拘束が長期間にわたって実施される可能性は，そもそも少ないといえるであろう。一般論として行動の自由が最大限尊重されるのが望ましいとはいえ，傷病者の場合には，容態が安定していないために転倒・転落，自己抜管が発生した場合の生命や身体に対する危険性が大きいといえる。

身体拘束が許されるかは，個々の事情をふまえての判断となるが，少なくとも介護老人保健施設よりは身体拘束（抑制）が許容される場面は広いと評価される（図Ⅱ-4-9）。医療従事者には，患者の尊厳を最大限保障して必要のない身体抑制はしない，同時に，必要な身体抑制は実施し患者の生命・身体の安全を守るという姿勢が求められる。

文 献 1) 厚生労働省「身体拘束ゼロ作戦推進会議」：身体拘束ゼロへの手引き．2001.
2) 日本看護倫理学会臨床倫理ガイドライン検討委員会：身体拘束予防ガイドライン．2015.
3) 平成 22 年 1 月 26 日最高裁判所判決．判例時報 2070 号：54.
4) 平成 20 年 9 月 5 日名古屋高等裁判所判決．判例時報 2031 号：23.
5) 平成 22 年 12 月 9 日広島高等裁判所岡山支部判決．判例時報 2110 号：47.

（蒔田 覚）

5 チューブトラブル

Ⅰ チューブに関連するトラブルとは

患者の疾病治療や生活支援においては，多様なチューブ類（管）が使用されている。これらのチューブ類を通して患者の体内へ薬液，栄養剤，酸素等が注入され，また体内からは排出されている。また，身体の測定値をモニターするチューブもある。これらのチューブ類（ドレーン，カテーテル，カニューレとも呼ばれている）は実に多種多様であり，体内に挿入あるいは設置されている部位によって，気管チューブ，胃チューブ，膀胱カテーテル，腹腔ドレーンなどと呼称されている。使用目的もさまざまであることに加えて，チューブの特徴や機能性について熟知していることが必要となる。

- 体内に注入することを目的としているもの：気管チューブ，胃チューブ（経管栄養チューブ），胃ろうチューブ，中心静脈チューブ，末梢静脈チューブ
- 体内から排出することを目的としているもの：尿道留置カテーテル，胃チューブ（胃内容吸引用），脳室ドレーン，胸腔ドレーン，腹腔ドレーン等
- その他（身体の状態を観察するため，血液循環に関するもの等）：動脈ライン，透析用ライン，IABP (intra-aortic balloon pumping) ライン等

こうしたチューブ類を取り扱い，操作する医療プロセスには，①準備プロセス，②チューブ挿入時，③挿入中（留置中），④抜去時がある。このプロセスにおいてインシデントやアクシデントが発生する。なかでも③の挿入中の管理においては困難な面があり，患者によるチューブ類の自己抜去，あるいは医療者の事故抜去という事態が発生している。

チューブに関連するトラブルの内容としては，誤挿入（チューブを挿入する部位を間違える），誤接続（接続する器具を間違える），抜け，閉塞，接続外れ，切断，ちぎれ，感染，チューブ自体の素材の変化等がある。このように，医療者の操作性や管理に関するソフト面での問題，患者の行動に関する面での問題があり，これらが複雑に絡み合ってチューブトラブルが発生していることを認識しなければならない。チューブトラブルが発生した段階で，何が主要因なのか，何が誘発要因なのか，何が間接要因なのかについて考え，対策をとっていくことである。

Ⅱ チューブトラブルの発生要因と対応（エラープルーフ化）

1．準備プロセス

チューブ類の選択を間違わないことである。チューブには規格が多くあり，その太さ，長さなどは使用する患者の状況に応じて適切に選択することである。チューブの太さの選択では患者に与える苦痛も考慮する。また材質においても，注入する場合には注入物との適合性も考える必要がある。末梢点滴ラインの場合には薬物の性状によっては注意を要するため，チューブの取扱説明書の内容に配慮する。例えば，材質として，塩化ビニールやポリプロピレン，プラスチック，ゴム等，どのチューブを使用するかは患者，注入物によって異なる。さらに，どういうチューブ類を病院として購入しておくと選択間違いが起こりにくいのか，そのデザイン，コストも含めて検討することが大切である。現在では，チューブ類は感染防止のため１回の使い捨てとなっている。

2. チューブ挿入時

このプロセスには，誤挿入の問題があり，医療者の手技的な適切性と挿入後の位置確認がある。ブラインドでチューブを挿入する際には，特に挿入後の位置確認をしないと誤挿入となっていた場合に，生命の危険を招くことさえある。

例として，経鼻から経管栄養のためのチューブを挿入した際に，チューブが気管を突き破って胸腔に入っていたという事故もあった。するっとチューブの挿入ができたので安心し，誤挿入になっていることに気付かず，経管栄養剤を胸腔内に注入してしまったわけである。必ず，チューブの先端が目的の場所に入っているのかを確認する必要がある。この場合はX線によるチューブの先端確認が確実であるが，毎回注入前にX線確認というのも無理なことではあるので，胃内容物を吸引してそのpHを確認する，チューブに空気を注入してその気泡音を確認する，チューブが口内でまるまっていないか抜けてないかチューブの長さを確認する等，複数の確認手順を遵守する必要がある。

また，排出目的の尿道留置カテーテルは性別で挿入する長さが異なり，中途半端な挿入のままチューブのバルーンを膨らませて尿道損傷を起こし患者に苦痛を与えることになったという事例は多々報告されている。チューブ類の固定にチューブのバルーンを膨らませるものにおいては，気管チューブには空気，尿道留置カテーテルには蒸留水であり，その量も異なる。

3. 挿入中

抜け，閉塞，接続外れ，誤接続，切断，ちぎれ，感染の問題が発生する。チューブ挿入中はチューブ状態の継続的な観察が重要である。観察ポイントとしては，①挿入の長さとマーキングの位置，②固定状態，③チューブ自体の状態（ねじれ，屈曲，接続部の状況），④排出物の流れ，⑤患者状態（患者のチューブに対する理解や体動）がある。

1）抜　け

外的負荷による事故抜去（自然抜去を含む），患者のせん妄状態や認知症による自己抜去がある。本来患者行動の抑制は禁忌であるが，生命維持に欠くことのできない気管チューブ等を挿入している場合には，一時的な最低限の抑制については，組織内で十分な検討の結果，配慮することもあろう。

2）閉　塞

血栓やその他のものでチューブの内腔が詰まり交通が遮断されることで，チューブの交換が考慮される。末梢静脈留置チューブを閉塞させないために，ヘパリンロックや陽圧・生食ロックをすることがある。各種排出用のドレーン類では，患者の検査移動でチューブをクランプしてその後の開放を忘れたインシデントも多い。ドレーンの構造や機能を理解することと，スタッフ間のコミュニケーションを良くして防ぐことが必要である。

3）接続外れ

チューブ類同士の接続部の材質や形状の不適合，はめ込む行為が緩い，チューブ内を流れる内容物の圧力による外れ，ベッドのサイドレールに引っかかっている等の環境整備不良で起こる。接続外れはルート感染の原因ともなる。この防止対策としては，メーカーが製造段階でエラープルーフ化を実践してきた。例えば，点滴ラインの接続はルアーロック式とした等である。しかし，こうした器具においては，国際規格が適応されてきており，その際に，従来のわが国での使用方法が変更となったものもあるため，注意を要する。

4）誤接続

誤接続防止においても，エラープルーフ化は著しく実践されてきた。輸液ラインとは接続できないような経管栄養ライン専用の注射器（筒先が通常の注射器より太くなっており輸液ラインとは接続できない形状）等，目的に適合した専用の器具の使用が望まれる。

5）切断，ちぎれ

医療者のミスによるものや，医療者が処置中にハサミで誤って切断したとか，患者自身が引きちぎった等である。こうした場合には，チューブの先端確認を怠ってはならない。先端が血管内や皮下組織内に遺残したというトラブルが生じることがあるからである。

チューブ管理は重要な看護ケアのポイントであることを認識しなければならない。一方，医療器材としてのチューブ類は，メーカーでの改良が進んできており，エラープルーフ化（ヒューマンエラーが発生しても致命的な欠陥を発生させない工夫や操作性を考慮した使いやすさの工夫）されたものができている。

Ⅲ チューブの取り扱いと適応の課題

チューブトラブルの要因は実にさまざまである。①患者の身体的および理解的状況，②医療者の器具選択，操作手順，環境管理，③ものづくり（メーカー），④組織としての管理体制（機器選択の判断や購入のしかた，搬送，保管，現場への適切なものの提供）の多角的視点でみていくことなしには，全体としてのチューブトラブルの解消はできない。また，実際にチューブを取り扱う医療者への教育の課題は重要である。器具の特徴や機能，注意事項について知らないまま使用しているという現状がある。静脈の点滴ラインに接続した三方活栓の取り扱い不足で，血液が逆流して失血死を招いたという事例もある。しかし，当事者のみならず多くの看護師が使用方法を知らなかった（理解できていなかった）という要因も浮かび上がってきた。チューブトラブル事例においても，潜在している発生誘発要因に地道に対応していくことが重要と考える。

（杉山　良子）

6 誤嚥防止

はじめに

食物以外の物を飲み込んでしまう誤飲や気道を封鎖してしまう窒息とは異なり，食物や唾液などが声門を越えて気道に侵入し声帯を越えた場合が誤嚥である。誤嚥防止の手法は，口腔から咽喉頭にかけての解剖学的，生理学的基礎知識を得ておくと理解できる。

咀嚼により形成された食塊（口腔内で唾液と混合され，一塊となった食物）は，嚥下反射にて咽頭に移送される。喉頭挙上とともに食塊は喉頭蓋谷に達し，気管口を封鎖するために喉頭蓋が反転したところで，左右二手に分かれ梨状窩にいく。二手に分かれた食塊は 1 つに収束し，食道括約筋が弛緩して開いた食道入口部から食道の蠕動運動にのって胃へ向かう（図Ⅱ-4-10）。

こうした口腔から咽喉頭および食道への諸器官の動態イメージをもちながら，摂食姿勢と食物形態の観点で，病態の変遷に応じた誤嚥防止の方法を紹介する。

Ⅰ 食物誤嚥の防止

1．急性期における経口摂取開始時期

1) 姿　勢

意識状態が安定し，食事意欲が認められ，口腔においては口唇の開閉，また咽頭においては喉頭挙上が認められるようであれば，経口摂取開始を試みる。座位が困難でベッド上であったり，口腔内で食塊移送がまだ困難であったりする場合に，姿勢は 30° 仰臥位頸部前屈位から始める（図Ⅱ-4-11）。30° 傾斜位にして口腔内後方に食塊を移送しやすくし，頸部を前屈することで気管への通路を屈曲させ，気管への侵入を防止する。この姿勢で問題がなければ，段階的に座位に近づけていく。

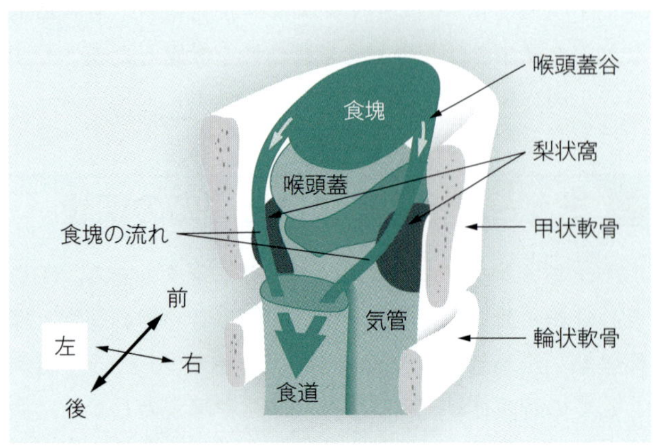

図Ⅱ-4-10　咽頭部における食塊の流れ
喉頭蓋谷に食塊が達し，左右の梨状窩に分かれるところである。

2) 食物形態・性状

経口摂取開始時に推奨される固形食が 1.6％ゼラチンゼリーである。理由は，①嚥下しやすい，②安全性が高い，③親和性があるといったことによる。ゼラチンゼリーは，18℃以上で溶解するので，仮に誤嚥したとしても気管に侵入した時点で液体になってしまうため他の固形食に比較すると安全性が高いといえる。また$COOH^-$，CH_3^+といった遊離基を含んでいるために，咽頭部に残留している唾液や分泌物等と吸着して残留物を一掃する役割を果たせる。ゼラチンゼリーを嚥下することで，口腔ケアならぬ咽頭ケアにも貢献できる。

ゼリーの次の段階として，ペースト食が一般的である。ペーストの流動性は，食材によって異なるが，スプーンですくって返したときに，一塊となって落ちる程度の粘度が適している（図Ⅱ-4-12）。これよりも固いと噛まなくてはならないし，反対にこれよりも流動性が高いと口腔内でまとめて舌の上に保持するのが困難になる。

3) 水の流動性

口腔や咽頭諸器官の協調性が低下し，機能が緩慢で水のフローに対応できない場合には，増粘剤等を使用してとろみ付きにする。とろみの加減は，水に対してはスプーンですくって返したときに，細い糸を引くような状態であることが目安である。それ以上粘度を付けると増粘剤の粘度が顕著となり，咽頭内腔に付着する糊状の膜を形成し，かえって咽頭部貯留を引き起こしてしまう。

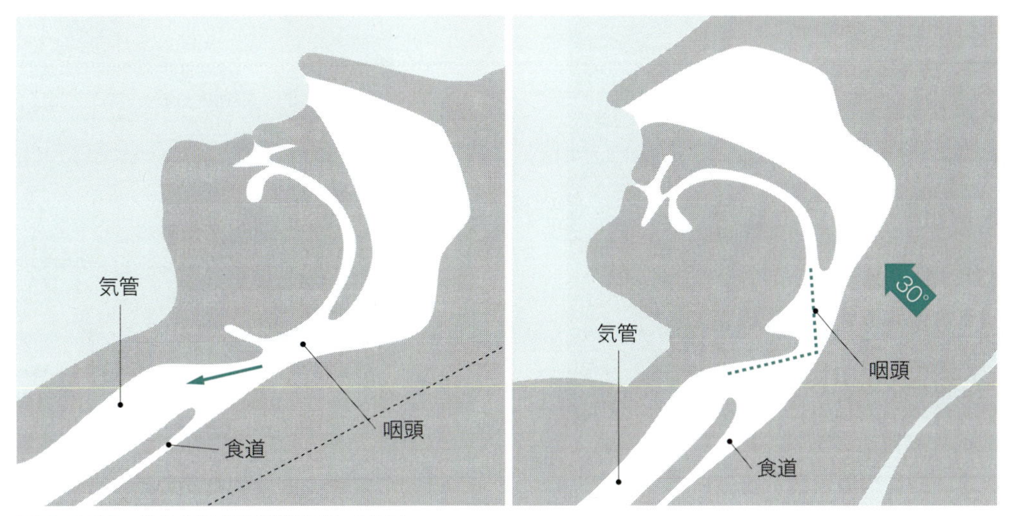

図Ⅱ-4-11　30°仰臥位頸部前屈位（図右）
頸部伸展状態（図左）では咽頭から気管にかけて直線的になり誤嚥を生じやすいが，前屈位（図右）は，気管への通路が屈曲するため食塊は気管にいきづらい。〔文献1）より引用〕

図Ⅱ-4-12　ペースト食の適正な性状（写真右）
左は流動性が高く舌上でまとめにくいが，右は食塊として舌上に保持しやすく円滑な嚥下を導く。

2. 回復期から維持期（生活期）にかけて経口摂取をしている場合

1）姿　勢

誤嚥の危険性の高い摂食姿勢が3つある。これらの姿勢を是正するだけでも誤嚥防止に貢献できる。

①横倒れ：体幹が麻痺側に傾斜した姿勢である。この姿勢は，食塊が咽頭を通過する際に，麻痺側の梨状窩に移送されてしまう。麻痺側梨状窩は，蠕動運動が働きづらいために，咽頭部にたまりやすくなる。咽頭部に貯留した食塊は痰などの分泌を促し，気管への流入のリスクが高まる（図Ⅱ-4-13）。

②滑り座り：椅子の座面に浅く腰掛け，背板との距離が生じ，体幹から頸部にかけて後伸した姿勢である。頸部が後屈した状態では喉頭挙上が困難なので，喉頭蓋による気管口の封鎖が果たせず，食塊は気管内へ流入しやすくなる。

③前倒れ：円背で座高が低いにもかかわらず，机の高さが変わらない場合に生じやすい姿勢である。机上の食物を補食するときに顎を突き出すかたちになり，結果的に滑り座りのときと同様に頸部後屈姿勢での嚥下になってしまう。

2）食物形態

ミキサー食（ペースト食）は，咀嚼する必要のない食物なので丸のみを助長している場合がある。また刻み食は，ばらけているために舌上で食塊としてまとめあげるのがかえって困難になる場合がある。

口腔内形態（歯，義歯等）が整っており，自身で食物を口腔内に取り込め（補食），左右どちらかに食物を寄せ，寄せた側の口角偏位が認められるようであれば，咀嚼サイクルが成立している証拠である。この場合には，ミキサーや刻みではかえって誤嚥を起こしやすく，形のある食感（歯ごたえ）のある食材のほうが咀嚼を惹起し，さらに味わいが生じるために丸のみが抑制され，ひいては誤嚥防止につながる。

Ⅱ 誤嚥の診断・誤嚥防止の着眼点

誤嚥の診断には，ビデオX線造影検査，ビデオ内視鏡検査に代表される装置診断法と，視診，触診，聴診による臨床診断とがある。

装置診断法は確定診断ではあるが，食事のたびに実施できるわけではないので，その結果のみで，患者の食事のあり方すべてを決定するのには無理がある。顔色，口腔内粘膜，嚥下反射誘発部位（舌根部・口蓋弓・咽頭後壁）（図Ⅱ-4-14）の視診，喉頭可動域の触診，嚥下時の咽頭部産生音や残留音による聴診，術者の患者への印象などを主軸にして，誤嚥防止に努めるべきと考える。

経口摂取は一切していなくても，食道からの逆流によ

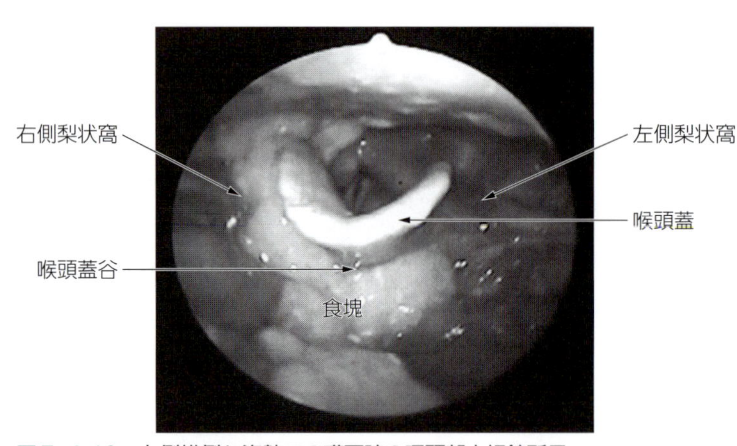

図Ⅱ-4-13 右側横倒れ姿勢での嚥下時の咽頭部内視鏡所見
右側梨状窩に食塊が貯留している状態である。

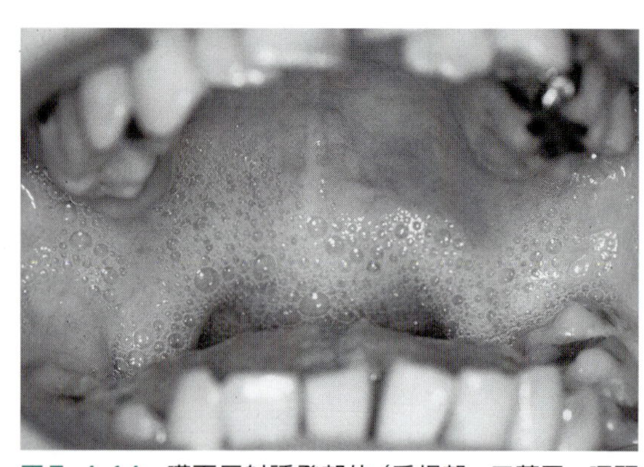

図Ⅱ-4-14 嚥下反射誘発部位（舌根部，口蓋弓，咽頭後壁）に唾液が付着している状態
視診における嚥下反射低下の診断となる。

り誤嚥の生じることがある。経管栄養中，および後には座位時間を確保し，それでも逆流が頻発するようであれば栄養や水分の減量等の調整を検討する。

Ⅲ 誤嚥防止の因子

誤嚥の有無は，口腔や咽喉頭の機能だけで決まるものではない。同じ食物性状（流動性，粘度）でも，本人の嗜好やそのときの食事環境（雰囲気）の違いで，むせや誤嚥の頻度は変わる。

食事に対する意欲も，摂食嚥下障害の予後に影響する。誤嚥防止を優先するあまり，禁食やミキサー食を継続し，食事意欲ひいては生活意欲を低下させてはならない。たとえ，一口だけの摂取であっても，栄養改善など医学的な効力はないが，患者や家族の生きる意欲につながることを認識していきたいと考える。

文 献 1）藤島一郎：口から食べる；嚥下障害Ｑ＆Ａ．第４版，中央法規，東京，2011.
※嚥下障害や誤嚥性肺炎の症状と対処法を，Ｑ＆Ａ形式で図解を主に解説した実践書である。

（植田耕一郎）

7 誤薬防止

はじめに

誤薬事故は薬を用いる医療の形態上，常に起こり得る事故である。ここで言う誤薬事故は，薬に関して誤ることを広く含むこととする（投与薬剤の取り違えのほか，いわゆる患者，量，ルート，時間の間違いを含む）。医師，薬剤師，看護師といった医療従事者のほか，患者（および家族）も関係するが，ここでは与薬の最終実施者となることが最も多い看護師に焦点を絞り記載する。

Ⅰ 誤薬防止のための 6R

誤薬防止のためにすべきこととして，5R または 6R の確認が広く奨励されている。5R は幾つかバリエーションはあるが，一般的なものは，「正しい患者」（Right patient），「正しい薬」（Right drug），「正しい用量」（Right dose），「正しい経路（ルート）」（Right route），「正しい時間」（Right time）である。なお，この日本語の 5R のうち「時間」には注意が必要である。「時間」は“いつ”という意味であり，「1 時間かけて」という言葉は「時間」ではなく，「○○ mg/時間」という速度，つまりは「用量」の一部である。時間は“いつ”，速度は時間でなく“量”，そう頭にとどめたい。ちなみに，日本看護協会では time を「投与時間」，route を「用法（経路）」とし，さらに「正しい目的」（Right purpose）を加えた 6R を採用する[1]。「目的」があることで，看護師は医師のただの手足ではなく自分で考える存在だという意識を再確認できる。海外では「目的」ではなく「記録」（Documentation）を含めた 6R とするものもある。与薬に限ったことではないが常に記録も心掛けたい。さらに投与後観察も忘れてはならない。

6R（以下，日本看護協会の 6R のことをさす）（図Ⅱ-4-15）

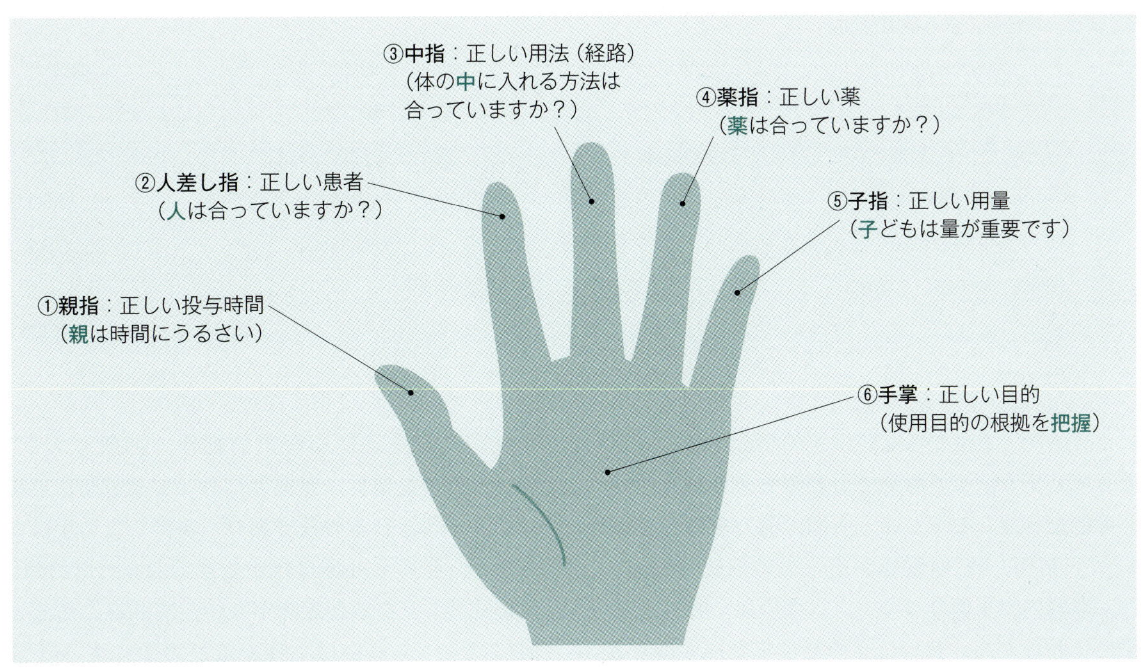

図Ⅱ-4-15 6Rの一般的な覚え方

の確認はどう行うか。一例として，看護師が医師から投与指示を受けて，薬品棚から薬（病棟配置薬）を取り出し，薬を注射器等の投与用の容器に取り分け，患者のもとへ行って投与する，という流れで考えてみる。まず，指示を確認する際，投与全体を確認することになる以上，指示内容に関して6Rすべて〔患者，薬，用量，用法（経路），投与時間の指示がそもそも何か，それらと目的が矛盾していないか，目的自体が正当か〕を確認する。やむを得ぬ口頭指示の場合，各種コミュニケーションツール（「チームSTEPPS」p.88参照）の活用やその場でのメモ書きによって正確を期したい。次に，薬品棚から薬を取り出す際は，意図した薬を取り出すことが唯一目標であるので，薬の確認のみでよい（同一製品名での“容”量や濃度間違いには注意する）。容器に取り分ける際は，別の薬と取り違えにくい状況（別の薬を一緒に扱わない等）を設定していれば，用法（経路）の確認（容器が何か），および用量の確認〔分けようとする量（数字）が正しいか，分けられた量（現物）が正しいか〕が必要である。ちなみに，看護師複数人によるダブルチェックが一般的ではない海外でも，用量の計算では複数人ダブルチェックを励行している文献がみられる。計算は間違いやすい，このことは特に小児において強く意識したい。なお，この段階では，時間，患者，目的については改めて考える必要はない。今やっているのは薬を取り分けるという作業であり，いつ誰にどういう目的で投与するかは“この瞬間は”どうでもよい。そして，最後に患者に投与する場面である。あとは投与するのみという段階での確認であるため，欠陥があってはならず，特に割り込みが入らないよう注意する。ある心理学的実験では，与薬作業中に“嫌な”割り込みとなる出来事が起こった場合，被験者看護師27人中7人で誤薬状況になっている[2]。割り込みとなることは後回しにする，もしくは割り込まれたらやり直す，どちらかである。この場面では，本人を見て患者を，容器やポンプの設定等を見て用量（「速度は量！」）を，時計を見て時間を，体内挿入部（注射器で刺入しようとする部位やルートが体内に挿入されている部分）を見て用法（経路）を，それぞれ確認することが絶対であり，また，患者を実際に観察したうえでの目的の再確認（必然的に薬の確認も含まれる）が必要となる。チューブに接続する場合のルートは触れない程度に指でなぞる，患者はネームバンドと名乗りの2通りの方法で照合するといったより確実な方法を実践したい。

この一例からもいえることであるが，6Rの確認は簡単そうで複雑である。与薬業務は多種多様でマニュアル化も難しい。その上，「間違っていないかどうか」の確認の作業は人間の本質的な性質的にやりにくい。さらに，期待や先入観，再確認しにくい雰囲気，その他さまざまな要因がこじつけ解釈を生む。共同作業であっても，社会的手抜きや傍観者効果（傍人効果：bystander effect）が生じれば確認精度が落ちる（「ダブルチェック」についてはp.151を参照）。では，システムで対応をと考えたくなるが，システムが比較的整っている輸血業務でも異型輸血事故は起こってしまう。システムだけでは事故は防げない。システム相手に期待や先入観，社会的手抜き，傍観者効果が生じる状況があるからである。また，各種誤薬防止機器・器具によるハード面の対応も一定の効果はあるが，それでも6Rの確認を軽んじる実施

表Ⅱ-4-3 フェーズ理論による意識付け

フェーズ	意識のモード	注意の作用	生理的状態	信頼性
0	無意識，失神	0（ゼロ）	睡 眠	0
Ⅰ	subnormal，意識ボケ	inactive	疲労，単調，いねむり	0.9 以下
Ⅱ	normal，relaxed	passive，心の内方に向かう	安静起居，休息時，定例作業時	0.99～0.99999
Ⅲ	normal，clear	active，前向き注意野も広い	積極活動時	0.99999 以上
Ⅳ	hypernormal，exited	1点に凝集，判断停止	緊急防衛反応，慌て→パニック	0.9 以下

〔文献5）の図を一部改変して作成〕

者の手にかかれば，「起こらないはずの事故」があっさりと起こってしまう。よくも悪くも困難を乗り越え，時として不可能を可能にしてしまう人間の能力を侮ってはならない[注1]。結局，6R の確認が不可欠の前提であり，システム，機器の力を借りつつも，人間の悪い特性を発揮させず，信頼性が高い良いほうの特性を発揮する「達人技」（ノンテクニカルスキルと言い換えると印象はだいぶよくなるであろうか）を磨くことがどうしても必要である。一人ひとりが日々，何のために何を確認しているのか意識し，全体の流れのなかで 6R を漏らさず確認できるようになっていかねばならないし，管理者は丹念でたゆまぬ指導をしていかねばならない。

Ⅱ 指差し呼称

「1人ダブルチェック」とも言うべき指差し呼称がある。注意の焦点化，行為の意識化，行為の記憶化，行為調節の4つの効果があるといわれ[3]，状況によっては焦燥反応や無意識的な習慣的動作の抑制もある[4]とされる。日本の鉄道界，産業界において事故防止で実績を上げた誇るべき日本の技であり，実践しない手はない。もちろん，指差し呼称自体が無意識的な習慣的動作（いわば儀式化）となると意味がない。実践をここぞという場面に限る，あるいは，時々は逆の手にする等慣れない（つまり意識せざるを得ない）やり方をとるといった工夫をしたい。

また，人は常に緊張感を保つことはできない。フェーズ理論[5]で説明すれば（表Ⅱ-4-3），フェーズⅢが最も信頼性が高い状態ではあるものの，勤務中の作業者の 2/3～3/4 はフェーズⅡにとどまり，フェーズⅠに落ちてしまうこともある（ダブルチェックすり抜け事故がその典型）。指差し呼称はこのフェーズ調節に役立つ。焦燥反応の抑制はフェーズⅣ→Ⅲ，無意識的な習慣的動作の抑制はⅠ→Ⅱへの切り替えに相当する。局面ごとフェーズを切り替える（メリハリを付ける）のが目指すべき達人技である。

文 献
1）日本看護協会：医療安全推進のための標準テキスト．2013，p21．
https://www.nurse.or.jp/nursing/practice/anzen/pdf/text.pdf
2）奥津康祐，松下由美子，小林美雪，他：実験下での看護師の注射業務の水準（安全確認行為の実施状況）の検証；刑事責任の観点から．看護管理 2010；20（2）：142-146．
3）海保博之，宮本聡介：安全安心の心理学─リスク社会を生き抜く心の技法 48．新曜社，東京，2007，pp95-99．
4）芳賀繁，赤塚肇，白戸宏明：「指差呼称」のエラー防止効果の室内実験による検証．産業・組織心理学研究 1996；9（2）：107-114．
5）橋本邦衛：安全人間工学．第4版，中央労働災害防止協会，東京，1988，pp93-94．

（奥津 康祐）

注1 高濃度カリウム製剤を例にすれば，パッケージに注意事項を目立つように記載→別のシリンジに取り分けて他者に渡す⇒希釈済みのプレフィルドシリンジを導入→高濃度カリウム製剤を持ってきてシリンジに取り分ける⇒高濃度カリウム製剤を病棟に払い出せないようにする→高濃度カリウム製剤を別部署から入手して常備して使う，といった具合である。

8 皮膚障害

はじめに

医療現場にはさまざまな皮膚障害が存在する。「褥瘡」「医療関連機器圧迫創傷」「テープによる皮膚剥離」「脊椎麻酔後の紅斑」「電気メスによる皮膚障害」「失禁関連性皮膚障害」「接触性皮膚炎」「放射線性皮膚障害」「化学療法による皮膚障害」「スキン-テア」などである。いずれも，予見し注意を払うことができれば，予防が可能であることが多い。

現在の日本の背景は，世界の先端を走る高齢社会となり，加齢に伴う皮膚の脆弱な対象者は増え続けている。一方で医療も進歩し続け，その両方が複雑に絡み合い，新たな問題が生じることが予測されるため，今後も医療現場から皮膚障害がなくなるとは言い難い。

本稿では，「褥瘡」の温故知新について，さらに最近のトピックスとなっている「医療関連機器圧迫創傷」「スキン-テア」を取り上げ，説明する。これらが問題となる理由も併せて述べる。

I 用語の定義

・**褥瘡**：身体に加わった外力は骨と皮膚表面の間の軟部組織の血流を低下，あるいは停止させ，この状況が一定時間持続されると組織は不可逆的な阻血性障害に陥り褥瘡となる。

・**医療関連機器**：薬事法に規定される「医療機器」以外の機器や物品が創傷の原因となることもあるため，薬事法に基づいた「医療機器」とは異なる。

・**医療関連機器圧迫創傷**（medical device related pressure ulcer；MDRPU）：機器装着時に局所的な外力によって発生する創傷であり，褥瘡と一致する点はあるものの，自重が関与するとは限らない。また，医療関連機器圧迫創傷は耳介や腹部などに発生する場合もあって，必ずしも骨と皮膚表層の間の軟部組織に発生するわけではない。

日本褥瘡学会では，図Ⅱ-4-16 のように定義付けることを策定している[1]。

・**スキン-テア**：主として高齢者の四肢に発生する外傷性創傷であり，摩擦単独あるいは摩擦・ずれによって，表皮が真皮から分離（部分層創傷），または表皮および真皮が下層構造から分離（全層創傷）して生じる[2]。

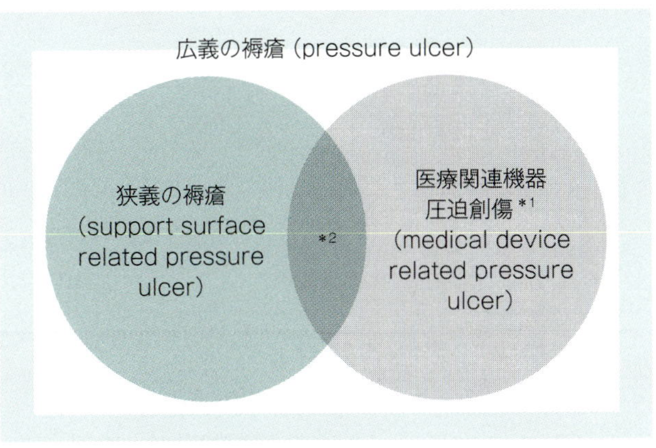

図Ⅱ-4-16 日本褥瘡学会の考え方から

＊1 機器によって尿道・消化管・気道などの粘膜に発生する“pressure ulcer”は除く。

＊2 医療機器による外力か，または自重による外力か判明が不明な“pressure ulcer”。 〔文献1）より引用〕

Ⅱ 褥 瘡

1．リスクアセスメント

平成16（2004）年に開始された褥瘡管理未実施減算から褥瘡管理加算を経て，現在，褥瘡管理は入院基本料に包括されており，当然実施すべき項目の一つとなっている。褥瘡管理を実施する際，まずリスクアセスメントが重要となる。また，「褥瘡予防・管理ガイドライン」[3]（以下，ガイドライン）でも，褥瘡発生をアセスメントする際は，アセスメントツールを使用することが望ましいとされている。したがって，病院ではいずれかのアセスメントツールを用いて，統一したアセスメントを実施する必要がある。その例をガイドライン推奨度とともに表Ⅱ-4-4 に示す。

厚生労働省は，病院における褥瘡管理では，障害老人の寝たきり度ならびに危険因子評価票の使用を推奨している。

2．褥瘡予防と発生時の対応

1）予 防

医療安全管理者は，院内の褥瘡予防管理体制を把握し，リスクにいかに対応する必要があるか考え，院内で共有することが重要である。

①誰が責任者となっているか
②体圧分散寝具の整備等がなされているか
③褥瘡予防対策マニュアルの整備がなされ，適宜改訂されているか
④褥瘡管理報告経路の把握

表Ⅱ-4-4 褥瘡発生予測リスクアセスメントスケール

スケール名	特 徴	推奨度
ブレーデンスケール	米国の Braden 博士と Bergstrom 博士が開発し，日本語に翻訳・導入された。褥瘡発生要因から抽出した 6 項目を評価する。 〔カットオフポイント〕 介護力の違いにより，病院では 14 点，施設・在宅では 17 点が褥瘡発生の危険点とされている。	B
褥瘡危険因子評価表	厚生労働省から示されている「褥瘡対策に関する診療計画書」*を使用した評価である。日常生活自立度によって褥瘡予防・ケア介入の必要性をスクリーニングする。	C1
OH スケール	日本人高齢者に用いる。他のツールに比べて項目が少なく，評価方法が簡易である。	C1
K 式スケール（金沢大学式褥瘡発生予測尺度）	寝たきり入院高齢者に用いる。簡便な YES/NO の二者択一，前段階評価と引き金要因のツーステップ評価で予測妥当性に優れている。	C1
在宅版褥瘡発生リスクアセスメント・スケール	在宅療養者に用いる。K 式スケールに介護力評価スケール 2 項目を加えたもの。	C1
ブレーデン Q スケール	小児患者に用いる。	C1
SCIPUS スケール	脊髄損傷者に用いる。	C1

SCIPUS；spinal cord injury pressure ulcer scale
＊ 厚生労働省：基本診療料の施設基準等及びその届出に関する手続きの取扱いについて（平成 18 年 3 月 6 日保医発第 0306002 号厚生労働省保険局医療課長，厚生労働省保険局歯科医療管理官通知），別紙様式 4，参照。
〔文献 4）より改変して作成〕

⑤褥瘡管理者がいる場合は，毎月報告されるデータの詳細を把握したほうがよい
⑥組織啓発や研修制度のあり方がどうなっているのか

褥瘡管理者が報告するデータには，院内褥瘡発生率や件数だけでなく，重症度や発生原因なども含まれているはずである。それらのデータから，筋層に至るような重症な褥瘡の有無を見るだけでなく，予防が適切に行われていたかも読み解くことができる。予防が適切になされていれば，発生件数や発生率は小さい数字となって現れる。また，褥瘡管理者と協働して，褥瘡発生の原因を分析し，医療安全の視点から次の予防ケアにつなげられるように問題点を洗い出し，対策を立てることもできるだろう。

2）褥瘡（皮膚障害）の予見と説明義務

褥瘡（皮膚障害）は予見できるものとされていることから，リスクに応じて患者への事前の説明が重要である。医療事故が起こった場合は，患者や家族への説明が十分だったかという点は必ず問われる。したがって，主治医を含む患者にかかわる職員が以下のことを説明できるよう教育しておく必要がある。

①治療や薬物等の副作用で，褥瘡に限らず皮膚障害が発生する可能性があること
②医療者は皮膚障害を予防するために介入すること
③十分な介入ができない場合は完全な予防に至らない可能性があること
④介入を拒否した場合は，皮膚障害が発生する確率が高くなること
⑤予防ケアよりも，症状緩和を優先する場合は，褥瘡（皮膚障害）の発生や悪化が想定されること

など，患者の状況を想定して説明し，カルテにその内容を残す必要がある。また，問題が起こった場合は，記録により医療が証明されることになるため，実施した予防対策内容とその評価もカルテに記載することが重要である。

3）発生時の対応

発生原因をアセスメントし，提供した医療に過失がなかったか検証し，以下の点について患者や家族に説明する。患者と医療者間の関係再構築のためには，コンフリクト・マネジメントは欠かせない。

①予防ケアを実施していたが褥瘡（皮膚障害）が発生した事実を伝える
②発生に際し，患者のどのような点が影響したと考えられるか（例えば，低栄養，浮腫，やせなど患者の身体的特徴）
③発生した褥瘡（皮膚障害）の重症度
④現在どのように対応（治療）しているか
⑤治癒する見込みがあるか，どのくらいの期間が必要か

稀なケースかもしれないが，病院で発生した皮膚障害であるため治癒するまで退院しない，治療費を支払わない，自宅でセルフケアする際の材料費を病院側に請求するなどトラブルになることもある。したがって，発生後の説明も重要となる。また，誰が説明するか院内で取り決めておく必要がある。

3. 褥瘡発生報告義務

厚生労働省は，平成16（2004）年9月21日に「医療法施行規則の一部を改正する省令の一部の施行について」を発令した。

そのなかで，医療機関における事故等の範囲を明確にするとともに，国立高度専門医療センター，国立ハンセン病療養所，独立行政法人国立病院機構を開院する病院，学校教育法に基づく大学の付属施設（分院を除く），特定機能病院は，「入院中に発生した重度な褥瘡（筋膜や筋層に達するⅢ度・Ⅳ度）」について報告の義務を課せることにした。

したがって，該当する病院では，褥瘡発生報告書を医療安全管理者と褥瘡管理者が情報として共有する必要がある。

4. 訴訟事例

褥瘡に関する判例は昭和49（1974）年に名古屋地裁で行われた裁判が最初の事例だと思われる。

「褥瘡は看護の怠慢」と新聞の見出しを沸かせた。その後，目立った報道はないものの，今でもひそかに褥瘡に関する訴訟は起こっている。下記に事例を挙げる。

【事例1】平成16（2004）年の大分地方裁判所

腰椎圧迫骨折で入院中に褥瘡が発生。主病の治療が完治したため退院したが，褥瘡は未治療。かかりつけ医に相談し，介護付き有料老人ホーム施設に入所したが，患者の容態が悪化し，病院へ再入院。褥瘡を起因とした軟部組織感染症と判明し，外科的切除などを行ったがMRSA（methicillin-resistant *Staphylococcus aureus*）感染を起こし，多臓器不全で死亡した。死亡と感染について因果関係が認められ，施設側が敗訴した（その後和解）。

【事例2】平成29（2017）年の東京地方裁判所

誤嚥性肺炎のために入院していた患者がリハビリテーション目的で転院した先の病院でステージⅡの褥瘡を発生。不適切な処置によりステージⅣへ悪化。ワセリン塗布以上の適切な局所処置も行われず，褥瘡の治療のために再度転院するが多臓器不全で死亡した。家族は，褥瘡の発生要因など経過の説明を求めたが，適切に予防策を講じても防ぎ得ないもので病院には責任がないとしていた。この患者の既往歴や体型を考えるとエアマットレスの使用が適切だが，入院後のみならず，褥瘡発生後もエアマットレスの使用はなかった。裁判は，最終的に被告側の最高裁への上告も棄却され，病院側は敗訴し，660万円の支払いが命じられた。

いずれの判決でも，褥瘡と過失の因果関係が認められる結果となった。

罪名に関しては「診療契約上の債務不履行」「注意義務違反」「褥瘡発生防止義務違反」「褥瘡治療義務違反」などが問われ，病院や担当医師，担当看護師の責任が追及された。

5. 法的責任

医師の場合，厚生労働大臣が命ずる行政処分について，医師法第4条および第7条に定められている。看護師の場合も同様に，厚生労働大臣が命ずる行政処分について，保健師・助産師・看護師法第9条および第14条の第1項に定められている。

医師も看護師も業務上の過失があった場合，法的責任が問われる。刑事上の責任は注意義務違反による「業務上過失致死傷害」，民事上の責任は「債務不履行」「不法行為」となっている。

以上のことから，褥瘡発生に関連した一つの裁判結果がこれからの高齢者医療のあり方に大きな一石を投じたことになり，全国に多数存在する褥瘡対策が不十分な病院，施設，あるいは褥瘡にあまり関心のない医療者に対する大きな警告を鳴らしたといえる。

医療安全管理者は，これらを念頭に危機意識をもち，院内の医療安全をどうすべきか考える必要がある。

Ⅲ 医療関連機器圧迫創傷（MDRPU）

1. なぜトピックスとなっているのか

これまでの褥瘡予防方法だけでは防ぐことができない創傷の存在が確認され，新たな対策が求められる創傷として，クローズアップされた。また，医療関連機器圧迫創傷は入院治療費等のコストだけでなく，看護師のケアの時間の増大などの問題がある。

さらに，高度医療を受けたために機器によって発生した創傷が医療事故ではないかと疑われる事態が起こり，機器を外してほしいなどの訴えを家族から受けることになりかねない。しかし，患者にとって治療上必要なため装着している機器であり，創傷が発生したからといって機器の使用を中止できない。以上の理由から，リスク感性を高めて取り組むべき問題であると認識され，日本褥瘡学会は，『ベストプラクティス　医療関連機器圧迫創傷の予防と管理；MDRPU』[5]を発刊した。

2. 原因となる医療関連機器

該当する主な医療関連機器を**表Ⅱ-4-5**にまとめる。

3. 予防ケア

前項で述べた内容に加えて，圧迫が主な原因であるため，圧迫される位置を変更する，圧迫を受けた部位を観

表Ⅱ-4-5 創傷の原因となる主な医療関連機器（代表的なもの）

1	非侵襲的陽圧換気（NPPV）マスク
2	酸素マスク
3	経鼻酸素カニューレ
4	パルスオキシメータ
5	気管内挿管チューブ
6	気管カニューレ
7	胃管，イレウス管
8	経尿道膀胱留置カテーテル
9	動脈，静脈，CV ラインとコネクター
10	ドレーン，チューブ類（に伴う三方活栓）
11	ギプス，シーネ
12	フィラデルフィアカラー（ネックカラー）
13	弾性ストッキング
14	フットポンプ
15	抑制帯
16	上肢・下肢・体幹装具
17	牽引具

NPPV；noninvasive positive pressure ventilation，CV；central vein

察するなど患者ごとのきめ細やかな対応が求められている。日本ではまだガイドラインが確立していないが，ベストプラクティスが発表され，疫学から発生要因，MDRPU の予防と管理の基本を記している。

その基本について，概要を以下に示す。

・外力低減ケア：機器を適切に選択し，フィッティングを行うことで，適切なサイズと患者へのフィット感を強化するためにテープや皮膚保護材を用いる
・装着中の管理：正しい位置かどうか確認し，毎日機器を持ち上げて除圧する
・スキンケア：1 日 2 回は局所を観察する。視診触診後，痛み・不快がないか確認し，局所を清潔に保ち，洗浄または清拭する
・全身管理：褥瘡ガイドラインに基づき，栄養管理と基礎疾患の管理を行う
・患者・家族教育：皮膚の観察方法を指導する。MDRPU 発生のリスクを説明する
・多職種連携：MDRPU 発生は事故であり，予防の重要性についてスタッフを教育する

などである。

ベストプラクティスには，医療安全委員会との連携が記されている。これは，褥瘡管理と同様，発生要因，悪化要因など事故分析をする必要があるためである。

また，米国褥瘡諮問委員会（National Pressure Ulcer Advisory Panel；NPUAP）[6]では，ガイドライン上，以下のこと実施するよう推奨している。

・患者に適合する正しいサイズの医療関連機器を選択する
・発生の危険性が高い部位に創傷被覆材を用いてクッションとし，皮膚を保護する
・皮膚観察のため医療関連機器を毎日移動させる，あるいは除去する
・過去または現在，圧迫創傷がある部位上に機器を装着することを避ける
・正しい機器の使用と皮膚損傷予防について医療スタッフを教育する
・機器の当たっている部位に浮腫があり，損傷が起こり得ることを認識する
・寝たきりあるいは可動性のない患者の身体の下に医療関連機器を直接置かないようにする

4. 報告義務，法的責任

院内における報告義務のシステムは必要である。また，MDRPU が原因で壊疽や外科的切除，感染症，多臓器不全などを起こした場合の法的責任等に関しては，褥瘡と同様と考えてよいと思われる。

医療機器の使用に関しては，医師に決定権があり，臨床工学技士などの多職種もかかわってくる。そのため，機器や患者ごとにチームで問題を解決するという視点が必要である。また，予防ケアについても，治療方法を妨げず，患者の安全安楽を考慮した方法を施設ごとに考案することが望ましい。

Ⅳ スキン-テア

現在，高齢者の新たな皮膚障害であるスキン-テアを取り上げる。スキン-テアがなぜ問題となっているのか，それは，治りにくく，大量に出血し，非常に痛みを伴う苦痛な皮膚障害であることがわかっているからである。

1. 原 因

・四肢がベッド柵に擦れて皮膚が裂けた（ずれ）
・絆創膏を剝がすときに，一緒に皮膚が剝がれた（摩擦）
・車椅子等の移動介助時にフレーム等に擦れて皮膚が裂けた（ずれ）
・ネームバンドが擦れて皮膚が裂けた（摩擦）
・リハビリテーション訓練時に身体を支持していたら皮膚が裂けた（ずれ）
・体位変換時に身体を支持していたら皮膚が裂けた（ずれ）
・更衣時に衣服が擦れて皮膚が裂けた（摩擦・ずれ）

・転倒したときに皮膚が裂けた（ずれ）
・ポータブルレントゲンのときにカセッテを入れた際に皮膚が裂けた（ずれ）

など，実は日常のケアやリハビリテーション，検査の際，移送など何気ないシーンで発生している。つまり，かかわっている職種は看護師だけではない。スキン-テアも多職種で考える必要がある問題の一つである。治療は褥瘡とほぼ同じだが，ドレッシングの交換そのものにも痛みを生じ，ドレッシング材の剥離時にさらに皮膚障害を悪化させる危険性も孕んでいる。

2. スキン-テアを起こしやすい皮膚の特徴と全身の要因

表Ⅱ-4-6にまとめる。

褥瘡の項で，褥瘡リスクアセスメント実施は診療報酬上の義務であることを述べたが，平成30（2018）年の診療報酬改定からは，スキン-テアもリスクの一因として，評価することが義務付けられた。

全国の病院，施設でもスキン-テアの知識と予防について教育されるべき問題となっている。このことは，医療安全管理室として，所属する委員会のみならず，院内全体に周知する必要がある。

スキン-テアにかかわる問題点としては，必要な抑制や体位変換，リハビリテーションなど日常のケアの際に起こってしまうことであり，それが患者の家族に「虐待ではないか」という疑念をもたせてしまうことである。たとえ患者みずからがベッド柵に打撲した創傷であっても，見舞いに来た患者の家族には，原因がわからない。原因がわからないが傷が増えていく等の状況だけを取り上げると，病院や施設側に問題があるのではないかと思われる可能性がある。

したがって，スキン-テアについても患者や家族に丁寧に説明する必要があり，院内で統一した予防方法を確立していくことが重要である。

表Ⅱ-4-6　スキン-テアを起こしやすい皮膚の特徴と全身の要因

皮膚の特徴	
・乾燥 ・紫斑 ・浮腫 ・ティッシュペーパー状 ・色素脱出	・血腫 ・瘢痕 ・水疱 ・色素沈着
患者の全身状態	
・75歳以上 ・長期ステロイド剤使用 ・抗凝固療法薬使用 ・活動の低下 ・日光曝露歴	・抗がん剤，分子標的治療薬使用 ・放射線治療歴 ・低栄養，やせ ・認知機能低下

今後の展望

褥瘡も医療関連機器圧迫創傷，スキン-テアのいずれも，原因がはっきりわかっており，発生を予測でき，予防が可能な皮膚障害である。①医療安全対策，②院内感染対策，③院内褥瘡対策の3つの柱は切り離せない関係にある。また，それぞれがチームを結成して活動しているため，チームの推進力を上げて医療事故防止に取り組む必要がある。チームからの情報をもとに，院内全体の患者と接する職種すべてがこの3つの皮膚障害について理解し，予防と治療に尽力する必要がある。

文　献
1) 須釜淳子：寄稿　新たな対策が求められる医療関連機器圧迫創傷とは何か．週刊医学界新聞　3081号 2014年6月23日，医学書院，東京，2014.
2) Payne R, Martin M：Defining and classifying skin tears: Need for a common language. Ostomy Wound Management 1993；39（5）：16-20.
3) 日本褥瘡学会編 著：褥瘡ガイドブック；褥瘡予防・管理ガイドライン（第4版）準拠．第2版，照林社，東京，2015.
4) マルホ：褥瘡の予防（ケア）；リスクアセスメント，褥瘡辞典 for MEDICAL PROFESSIONAL. http://www.maruho.co.jp/medical/jokusoujiten_fm/prevent/prevent3/（Accessed 2015-5-30）
5) 日本褥瘡学会編：ベストプラクティス　医療関連機器圧迫創傷の予防と管理；MDRPU．照林社，東京，2016.
6) NPUAP　Website. http://www.npuap.org/?s＝definition＋of＋a＋pressure＋ulcer＋（Accessed 2015-5-30）

参考文献
1) 厚生労働省：医療法施行規則の一部を改正する省令の一部の施行について．平成16年9月21日 医政発第0921001号 厚生労働省医政局長通知.
2) 日本創傷・オストミー・失禁管理学会編：ベストプラクティス；スキン-テア（皮膚裂傷）の予防と管理．日本創傷・オストミー・失禁管理学会，東京，2015.
3) 医療事故研究会編：医事紛争と医療関係者の責任；裁判例による具体的な問題解説．第一法規出版，東京，1979.
4) 医療訴訟判例研究会編：医療訴訟判例データファイル．新日本法規出版，名古屋，2010.

（小林　智美）

9 異型輸血

はじめに

輸血実施時における患者のABOおよびRh（D）式血液型は，外来受診時あるいは入院時に実施した血液型検査と交差適合試験用血液（交差血）提出時に実施した血液型検査とでダブルチェック（別採血検体による2回以上の検査）が行われたときに，初めて確定される。また，不規則抗体による溶血性輸血副作用を防止するため交差血が提出されたときには，不規則抗体スクリーニングを実施し，臨床的に意義のある抗体が検出された場合，対応する抗原が陰性の赤血球製剤を検索し供給を行っている。しかしながら，交差血が提出できない，あるいは緊急を要する場合には十分な輸血前検査が実施できないため，ABO不適合などの異型輸血が実施される危険性が高くなる。このような緊急事態に適切かつ迅速に対応するためには，輸血マニュアルを作成し輸血医療に従事するスタッフの認識を統一しておくことが大切である。

かつてABO不適合輸血（**表Ⅱ-4-7，8，9**）の多くは，バッグの取り違え，血液型判定ミス，患者の取り違えなどの医療過誤が原因で起こっていた[1),2)]。最近では臨床検査技師による輸血検査の24時間体制が整備され，また電子カルテによる認証システムの導入により，異型輸血は減少しているものの輸血事故は依然として発生しており，輸血実施時に患者と血液製剤の確認を怠ったものが多くみられる[3)]。

最近，冠動脈バイパス術後に別患者の回収式自己血を異型輸血した医療事故が報告された[3)]。日本自己血輸血学会が公表している回収式自己血輸血実施基準（2012）[4)]の術中回収式に関する返血方法では，過誤輸血防止のため原則として手術室内で返血を開始することを推奨しており，手術室退室後に返血する場合には，患者取り違えに最大限の注意を払うよう周知している。回収式自己血はバッグに患者名やID番号などを手書きで記載しており，製剤番号や製剤の払い出し伝票が添付されておらず認証システムを利用することができないため，複数の回収式自己血が保管されていると製剤の取り違えにつながりやすい。各施設が状況を反映させたマニュアルを作成することが望まれる。

電子カルテなどのコンピュータシステムの導入は，迅速かつ正確に患者と血液製剤の照合ができるため異型輸血の防止には大変有用であるが，そればかりに依存していると災害時やレスポンスの遅延など予期せぬ状況に陥ったとき，特に緊急輸血時には，患者認証が十分に行えない場合が発生する。したがって，普段の輸血業務においても電子カルテの認証システムを利用し患者と血液製剤を照合するだけでなく，医師や看護師など2人以上で，さらに患者と一緒になって血液製剤の照合をするなど，日頃から緊急事態に対応できるようにしておくことが必要である。また，血液製剤のラベルの色（A型：黄，B型：白，O型：青，AB型：赤）と患者に装着するリストバンドやベッドネームカードの色を同色にし，輸血実施直前に輸血バッグの色とリストバンドの色の照合を厳守することにより，最低限ABO異型輸血は回避することができる。

以下は，当院で実施している緊急輸血時や輸血実施時のマニュアルである。

Ⅰ 交差血が提出できないときの対応

患者からの採血が不可能で交差血が提出されない場合には，異型輸血防止のため次のように対応する。

血液型が未検査，または一度しか実施されていないとき（ダブルチェック未実施）は，赤血球製剤はO型・Rh（D）陰性（陽性でも可）を，新鮮凍結血漿はAB型を出庫する。

血液型検査が2回以上実施されている場合（ダブルチェック済み）は，登録されている患者血液型と同型の血液製剤を出庫する。

そして，交差血が提出された時点で速やかに血液型，交差適合試験を実施し適合血の供給を行う。

またRh（D）陰性が判明した場合は，できるだけRh（D）陰性の血液製剤を供給するよう努力する。

Ⅱ 緊急輸血時の対応

出血が多量のために出血性ショックの状態にあり緊急輸血が必要な場合には，患者の状態を輸血検査担当者に把握してもらうために，患者の状態を次のようなレベル分類で示して血液をオーダーするよう緊急輸血に関するルールを定めておくとよい（**表Ⅱ-6-10**）。

1．レベル0―出庫所要時間0分（目安：心停止が切迫している状態）

ABO式血液型検査を実施する余裕もない場合，赤血球製剤はO型・Rh（D）陰性（陽性でも可）を，新鮮凍結血漿はAB型を出庫する[5),6)]。

表Ⅱ-4-7　原因の分類と過誤の当事者（175人）

原　因		看護師（人）	医　師（人）	検査技師（人）	事務員（人）	薬剤師（人）	不　明（人）
バッグの取り違え※1	71件（42.8%）	47	25	2	2	2	1
血液型判定ミス	25件（15.1%）		17	9			
患者の取り違え※2	19件（11.5%）	17	2				
輸血依頼伝票への血液型の誤記	14件（ 8.4%）	3	11				
カルテの血液型の確認ミス	8件（ 4.8%）	1	6	1			
カルテに血液型の誤記	5件（ 3.0%）		4	1			
患者検体の取り違え	4件（ 2.4%）	2	2				
輸血依頼伝票の血液型の確認ミス	2件（ 1.2%）			2			
添付ラベルへの血液型の誤記	2件（ 1.2%）			2			
添付ラベルの取り違え	1件（ 0.6%）		1				
血液型のコンピュータへの誤入力	1件（ 0.6%）		1				
母子手帳の母親の血液型を記入	1件（ 0.6%）		1				
ベッドの血液型の誤記	1件（ 0.6%）	1					
血液センターへの発注ミス	1件（ 0.6%）				1		
不　明	11件（ 6.6%）	7	2	1			1
合　計	166件	78（44.6%）	72（41.1%）	18（10.3%）	3（1.8%）	2（1.1%）	2（1.1%）

※1　バッグの取り違え：別の患者用の血液バッグを誤って当該患者に輸血した場合をいう。
※2　患者の取り違え：当該患者用の血液バッグを誤って別の患者に輸血した場合をいう。
〔文献1）より引用〕

表Ⅱ-4-8　過誤の発生場所
（複数回答2件，無記入1件：合計167件）

病　棟	93件（55.7%）
ICU	33件（19.7%）
手術室	17件（10.2%）
救急外来（救命救急センター）	11件（ 6.6%）
その他	13件（ 7.8%）
内訳：透析室（腎センター）	4件
CCU	3件
NICU	1件
内科外来	1件
中央処置室	1件
リカバリールーム	1件
外来中央注射室	1件
HC室	1件

ICU；intensive care unit，CCU；coronary care unit，NICU；neonatal intensive care unit，HC；high care
〔文献1）より引用〕

血液製剤出庫後に血液型検査および交差適合試験を行い，できるだけ速やかにABO式血液型同型の赤血球製剤に切り替える。

注意：O型を相当量輸血している場合は，新たに採取した患者血液で交差適合試験を行い，主試験が陰性であることを確認してから，患者と同型に切り替える。

2. レベル1―出庫所要時間5分以内（目安：心停止が危惧される状態）

血液型検査を行い（2人以上で確認），同型の血液製剤を出庫する。

血液製剤出庫後に交差適合試験を行い，合否を連絡する。

3. レベル2―出庫所要時間30分以内（目安：昇圧剤が必要な状態）

血液型検査を行い，同型の血液製剤で交差適合試験を行って出庫する。

間接抗グロブリン試験の結果が出るまで待てない場合は，生理食塩液法が陰性であれば出庫する。

4. レベル3―出庫所要時間30分以上（目安：出血しているが循環は安定）

血液型検査を行い，同型の血液製剤で交差適合試験を行って出庫する。

出庫所要時間は血液製剤1バッグ当たりの時間である。また，目安はあくまでも目安であるので，患者状態に応じて適切に判断していただきたい。

「危機的出血への対応ガイドライン」[7]，および「産科

表Ⅱ-4-9 ABO 型不適合輸血の発生原因による分類

No.	分類	件数	時間外	緊急輸血	間違えた製剤					病床数×100 床				
					RBC（major）	RBC（minor）	FFP	PC	不明	1～3	4～5	6～7	7～	不明
1	患者・製剤の照合間違い	27	7	5	14	4	7	1	1	3	7	12	3	2
2	血液型検体採血時の間違い	2	2	0	2	0	0	0	0	0	0	0	0	2
3	輸血依頼伝票への血液型記入間違い	8	5	2	0	0	4	4	0	2	2	2	2	0
4	時間外の医師による検査間違い	10	10	7	5	1	1	2	1	0	0	4	6	0
5	時間外の輸血業務の間違い	6	6	2	0	3	2	1	0	0	0	3	3	0
6	日勤時間帯の輸血業務の間違い	4	0	3	0	0	4	0	0	0	2	1	1	0
7	ABO 不適合骨髄移植患者の輸血間違い	2	1	0	1	1	0	0	0	0	1	1	0	0
8	輸血製剤管理の不備※	1	1	1	0	0	1	0	0	0	0	0	1	0
	合計	60	32	20	22	9	19	8	2	5	12	23	16	4

RBC；red blood cell，FFP；fresh frozen plasma，PC；platelet concentrate
※ 手術室に凍結血漿を備蓄。

〔文献 2）より引用〕

表Ⅱ-4-10 患者出血状態に基づく血液製剤の供給

緊急度	所要時間	患者状態	照射赤血球※	新鮮凍結血漿	交差適合試験
レベル 0	0 分	大量出血・心停止が切迫	O 型	AB 型	出庫後に交差
レベル 1	5 分以内	心停止が危惧される出血	同型	同型	出庫後に交差
レベル 2	30 分以内	昇圧剤が必要な出血	同型	同型	適合血を出庫
レベル 3	30 分以上	出血しているが循環は安定	同型	同型	適合血を出庫

※ 輸血後 GVHD（graft versus host disease graft-versus-host disease）を防止するため，赤血球製剤は放射線照射したものを準備しておく。
Rh（D）陰性が判明した場合は，Rh（D）陰性の血液の入手に努める。

危機的出血への対応ガイドライン」[8),9)]も参照されたい。

輸血後移植片対宿主病（post transfusion-graft versus host disease；PT-GVHD）を防止するため，放射線照射済製剤を在庫として準備しておく。

同型血が不足した場合は，ABO 異型適合血を用いる（表Ⅱ-4-11）。

Ⅲ 異型輸血や患者誤認防止対策

輸血検査室から血液製剤を持ち出す際は，患者氏名，血液型，血液製剤の種類，単位数，製造番号，有効期限，使用予定日，放射線照射の有無などを，持ち出し者と輸血検査技師の 2 人で交互に声を出し合って照合（ダブルチェック）してから持ち出す。

輸血施行前にも，医師と看護師の 2 人以上で，同様にダブルチェックを実施しておく。

さらに，輸血実施直前にも必ず再確認を行うことが重要であり，1 患者 1 製剤の輸血準備とし，看護師と看護師，あるいは看護師と患者とで確認する。患者に自分の名前を言ってもらい確認し，これから輸血することを説明する。そして，患者のバイタルサインを測定し入力する。電子カルテが導入されている場合は，「患者認証業務」でバーコードリーダーを用いて，①患者リストバンド，②血液型，③製剤種，④製造番号を読み取り，「○」であれば実施ボタンをクリックする。やむを得ずリストバンドを装着できない場合は，ベッドネームカードのバーコードで血液型を確認する。

ABO 不適合輸血などの重篤な副作用は発現時間が早いため，輸血開始後，少なくとも 5 分程度はベッドサイドにいて患者の状態を観察する（その後も適宜観察を続ける）。輸血副作用が発生したときは直ちに輸血を中止し（血管は確保する），適切な処置を行う。

おわりに

異型輸血を含め医療事故は現場の複雑な業務のなかで

表Ⅱ-4-11 緊急時の適合血の選択

患者血液型	赤血球濃厚液	新鮮凍結血漿	血小板濃厚液
A	A>O	A>AB>B	A>AB>B
B	B>O	B>AB>A	B>AB>A
AB	AB>A=B>O	AB>A=B	AB>A=B
O	Oのみ	全型適合	全型適合

異型適合血を使用した場合，投与後の溶血反応に注意する。〔文献7）より引用〕

起こっている。新しい医療機器やコンピュータシステムが導入され，業務の流れや運用が少し変わっただけでも予想していなかったような状況が発生する。将来起こり得ることを予測し，これを制御する方法を考えなければならない。普段仕事をしている現場でマニュアルにある仕事のやり方と実際の仕事のやり方の違いを検証し，そのギャップを小さくして，誤りが起こりにくい作業体制を構築することが大切である。

日本輸血・細胞治療学会は，臨床輸血に精通し安全な輸血に寄与することのできる看護師の育成を目的として他学会の協力の下，学会認定・臨床輸血看護師制度を発足させた。医師，認定輸血検査技師そして臨床輸血看護師がそれぞれの専門性を発揮しながら一体となり，輸血医療や輸血療法委員会などの組織的な活動の中心となりこれらの問題に取り組んでいくことが重要である。

文 献
1) 柴田洋一，稲葉頌一，内川誠，他：ABO型不適合輸血実態調査の結果報告．日本輸血学会雑誌 2000；46（6）：545-564.
2) 藤井康彦，松崎道男，宮田茂樹，他：ABO型不適合輸血の発生原因による解析．日本輸血学会雑誌 2007；53（3）：374-382.
3) 日本医療機能評価機構：医療事故情報収集等事業．
http://www.med-safe.jp/
4) 日本自己血輸血学会：回収式自己血輸血実施基準（2012）．自己血輸血 25：会告，2012.
5) 高橋典子，柏村眞，興野智美，他：一般病院における緊急輸血体制の確立にむけて；特にO型緊急輸血について．日本輸血学会雑誌 2006；52（1）：36-43.
6) 森脇義弘，杉山貢，豊田洋，他：消化管出血ショック例に対する緊急未交差赤血球輸血の経験；ABO型不適合輸血の回避．日本臨床外科学会雑誌 2009；70（6）：1604-1609.
7) 日本麻酔科学会，日本輸血・細胞治療学会：危機的出血への対応ガイドライン，2007.
http://www.anesth.or.jp/guide/pdf/kikitekiGL2.pdf
8) 日本麻酔科学会，日本輸血・細胞治療学会，他：産科危機的出血への対応ガイドライン，2017.
http://www.anesth.or.jp/files/pdf/guideline_Sanka_kiki.pdf
9) 竹田省編著：産科救急ハンドブック；『産科危機的出血への対応ガイドライン』に基づく管理法．総合医学社，東京，2010.

（並木 浩信）

10 在宅医療

Ⅰ 在宅医療の現状

日本の少子高齢化が言われかなりの年月が過ぎた。高齢化の現状は誰もが知るところであるが，在宅医療の観点から，認知症高齢者の食事については早期から自分で食べられなくなったときにはどうするかの意思表示をする時代となっている。ACPを関係者と一緒に考えることも必要になっている。現在，在宅胃ろう管理は在宅医療のなかでも多くを占めている。

そして，目覚ましい医療の発達において，近年の小児事情も変わってきている。それは医療的ケア児の増加である。医療的ケア児は病院の退院待ち児として病院に多くいる。入所施設も一杯で入所ができず，在宅療養にも踏み切れず病院にとどまっている。在宅の医療支援体制が整えば医療的ケア児の在宅療養は普及し，入院児が減少することが予測できる。在宅の医療支援体制の充実に，医療支援ができる短期入所施設の充実や医療的ケア児が看れる訪問看護事業所の増加，往診可能な小児科医の増加，緩和医療ができる往診医の増加などが挙げられる。

Ⅱ 在宅医療安全管理の特徴

在宅医療のなかでも自宅で直面する「在宅における医療安全管理」は，病院とは異なる点が多くある。在宅医療現場の医療安全管理からみた特徴を先に述べる。

①在宅医療提供の場が自宅であるので，安全環境が整備されていないなかでの医療提供である。また，そばに相談者のいない現場であり，１人でケアをすることがほとんどである
②医療行為の担い手が必ずしも医療職ではなく，本人，家族やヘルパーになることも多くある
③療養者は自宅であることから，抑制や拘束はなく自由気ままにできる環境である
④訪問時の「いつもと違う症状」の判断は検査データに頼れないことがほとんどである
⑤事故発生時も，直後は１人で判断・対応を強いられる現場である
⑥自宅から自宅へと移動を必要とするので，移動中の事故が発生する危険が大である

上記の特徴をふまえると，在宅における医療安全管理は非常に困難をきわめることがわかる。医療職でない医療行為の担い手も含めた「在宅における医療安全管理」を以下に述べる。

Ⅲ 事例別　在宅医療安全管理

在宅で起こる頻度の高い事故事例を紹介する。

1. 訪問看護で歩行リハビリテーション中の転倒事故（特徴①に関連）

【事例１】

転倒の原因：たいていの事例は利用者がバランスを崩し転倒をしている。バランスを崩す原因はさまざまである。

転倒防止策：
①利用者から絶対に目を離さない（安全）
②万が一を予測し利用者の体が支えられる位置に必ず立つ（技術）
③利用者のフィジカルアセスメントが正しくできることで転倒する方向や危険性の予測が立つ（知識）
④歩行する場所の環境整備（安全）

事故直後対応：
①骨折がないかの確認とバイタルサインの確認
②骨折が疑われる場合は，安全な場所を確保し救急車を依頼と同時に家族，事務所，主治医に連絡する→救急車に同乗し利用者の状況を確認する
②'骨折が疑われない場合は，ベッドに臥床してもらい，安静にして家族に連絡する。事務所に帰り報告する→必ず電話・訪問をして家族に様子を聞く

事故後対応：
①誠意ある対応で，本人・家族へ，訪問した看護師と管理者・責任者とで謝罪をする
②市，町やケアマネジャー（介護支援専門員）に報告する
③損害賠償責任保険会社に事故報告（賠償責任の有無）
④具体的な賠償責任を果たす

ポイント

転倒防止策で挙げたことを実施し，訪問看護師の責任を果たすことで事故を未然に防ぐことができる。このことを怠れば適切な配慮を怠ったとして契約上の義務違反として，損害賠償責任を負うことになる。誠意ある対応で，日頃の信頼関係が功を奏して賠償責任を負わなくてよい場合もある。

2. 訪問リハビリテーションで四肢の他動訓練中の骨折事故（特徴④に関連）

【事例２】

骨折の原因：骨粗鬆症の方への配慮不足と実施者の技術，知識不足。

骨折防止策：
①疾患の理解や利用者の身体状況の確認を医師から事前に医療情報提供してもらい，訪問時に関節可動域を確認し，事業所内で情報の共有（安全）
②骨折のリスクに対して知識をもち，利用者のリスクアセスメント（知識）
③骨折のリスクに対し，適切なリハビリテーション計画の立案と実施（技術）

事故直後対応：事例１と同様であるが，身体に触ってのことなので，Ｘ線写真を撮るために必ず医療機関の受診をする。

事故後対応：事例１と同様。

ポイント

過失の存在がはっきりしているので，利用者に損害賠償金が支払われるが，今後の訪問看護事業への影響も考え，誠心誠意事故後の対応には気を配る。

3. 訪問看護でヘルパーと入浴介助中の熱傷事故（特徴②に関連）

【事例３】

熱傷の原因：ヘルパーと２人で入浴介助をしての配慮不足と責任の分担。

熱傷事故防止策：
①個人の入浴手順のマニュアル化（マニュアルに湯を

掛けるときには必ずケアをする者の手に掛けてから利用者に掛けることを入れる）して全員（ヘルパーも含む）で共有し，入浴のシミュレーションをする（技術）

②ヘルパーとの信頼関係を構築（安全）

③入浴時のリスクに対して知識をもち，利用者への個別の配慮（知識）

事故直後対応：

①全身の観察をしながら衣服を装着させ，熱傷部位の冷却

②バイタルサインの確認

③熱傷重度アセスメントをして受診か自宅で様子観察かの判断

④家族，事務所，主治医に連絡し指示を待つ

⑤受診の場合は同行し利用者の状況を確認

⑥継続処置が必要な場合は誠意をもって実施

事故後対応：

①誠意ある対応で，本人・家族へ訪問した看護師と管理者・責任者と謝罪する。ヘルパー事業所との同行がよい

②市，町やケアマネジャーに報告する

③損害賠償責任保険会社に事故報告（賠償責任の有無）し，ヘルパー事業所の損害賠償責任保険会社とどのように賠償するか話し合ってもらう

ポイント

過失の存在がはっきりしており，ヘルパーとの２人で担う過失である。双方，取り扱い代理店を使い賠償責任を果たす。誠心誠意の対応が今後の訪問看護事業への影響を最小限にする。

4．点滴時，点内に混点の薬液の数を間違えた事故（ケアレスミス事故）

【事例４】

間違いの原因：１アンプルと思い込みがあり，指示書の見直しをしなかった。

間違い防止策：

①事業所や医療機関で指示書の確認をダブルチェック（知識）

②自宅で実施前に指示書の呼称（安全）

③投薬を準備する段階で指差し呼称（安全）

④空アンプルやバイアルの数の確認（安全）

⑤指示書の本人であることの確認をして実施（安全）

間違い事故直後：間違いに気付いたときの状況

①点滴開始後すぐに気付いた

・薬剤を追加してよい場合は追加する

・利用者の状況確認

②点滴が終了してから気付いた

・主治医と事務所に報告し指示を待つ

・利用者の状況確認

間違い事故後：

①主治医に謝罪

②利用者へ謝罪し，利用者に変わりがないことを確認

ポイント

薬剤の内容にもよるが，薬剤の指示受け間違いは生命に大きく関係してくる。絶対に防止しなくてはならない事故である。各事業所で防止策を必ず文章化し，実施時に開いて見ながら実施する。

注意：間違えた薬剤によっては防止策や事故後の対応が異なる。

5．服薬カレンダー使用の利用者が薬を飲み間違える事故（特徴②の関連）

【事例５】

服薬間違いの事故防止策：

①利用者の理解力や認知機能をアセスメントするために，関係サービス機関から情報を収集して，利用者像を正しくアセスメントする（知識）

②服薬の整理を医師とする（技術）

③利用者に合った服薬管理方法を関係サービス機関と一緒に考案する（家族，ヘルパー，デイサービス，薬剤師などの協力を得る）（安全）

服薬間違い発見直後

①飲み間違えを発見したのが誰であっても医師に報告

②看護師であればフィジカルアセスメントを行う

③他の職種であれば異常がないか観察する

④異常があれば医療機関を受診する

⑤ケアマネジャーに報告

＊この事故の場合は賠償事故にはならないが，次に起こらないように防止策を事例に合わせチームで作成する。

おわりに

在宅医療を担う医療職自身に医療安全に対する関心が非常に薄い。今回事例にはないが，胃ろう交換時の事故や浣腸による事故や，頻度としては非常に少ないが多彩な事故事例がある。訪問においては，医師も訪問看護師も他職種も，家族や本人と良い関係性を築けていれば，訴訟にはほとんどならない。しかし，事故によっては賠償責任が発生している。今後，特定看護師の在宅普及も時間の問題である。在宅医療事故の責任は，医師はもちろん，訪問看護師にも，他の職種の者も，家族にも責任がある内容の事故が起こり得る現場である。どの職種にもいえるが，特に医療行為を担う医師や訪問看護師の事

業所全体が，在宅医療安全管理について，研修，教育を 徹底し，安全文化の醸成を心掛けなければならない。

参考文献 1) 日本臨床医学リスクマネジメント学会テキスト作成委員会編：医療安全管理実務者標準テキスト．へるす出版，東京，2016.
2) 上野桂子他：事例から学ぶ訪問看護の安全対策．第２版，日本看護協会出版会，東京，2013.

（原田 典子）

第5章 重大事故発生後の対応と再発防止

1 重大事故発生後の院内対応（病院管理者）

はじめに

重大事故発生時に病院管理者がとるべき院内対応といっても，「重大」という定義に大きな幅があるため一言でまとめることはできない。そこで本稿では，医療行為に関係した死亡事例と，特別な対応を必要とした可逆的あるいは永続的な高度の身体的障害が発生した事例を「重大事故」と考え，発生直後から外部への公表まで，病院長あるいはそれに準じた病院管理者がもつべき安全意識や，指示すべき対応について説明する。なお，「予期せぬ死亡」事例の対応としては，医療法第6条の10と第6条の11（**参考資料**）に定められているため，その制度に沿った院内対応が必要となる。

事故被害の程度に関係なく，すべての医療事故発生時での院内対応について必要なことは，安全を高めるために，1つの事例の解析と改善策の提案にとどまらず，管理者みずからが，また組織そのものが，事例から学ぶ姿勢を意識することである。そのためには，事例から学んだ対策立案，対策の実行，さらなる改善点の模索，新たな改善策の実行と安全文化の継続的成長といったPDSA（plan-do-study-act）サイクルを回し，1つの事故対応を糧にして，組織の安全文化を醸成させる姿勢を強調することが望まれる。有効なPDSAサイクルのためには，まずは重大事例が迅速に報告され，管理者がフロントラインで起こっていることを認識できる体制をつくり出す必要がある。その報告に基づき，患者や現場職員の安全確保を指示するとともに，現場対応，患者・家族へのコンセンサスの得られた説明などを指示し，その後，詳細を明らかにするための検討会の開催と，対策の立案・継続的取り組みなどの段階が必要となる。医療者や病院組織の責任の有無によりその後の対応は変わってくるが，結果が起こる前には多くの段階があり，結果はたまたまうまくいったこと，あるいは，たまたまうまくいかなかったことであるという安全管理学の基本を認識し，結

参考資料　医療法第6条の10，第6条の11

第6条の10　病院，診療所又は助産所（以下この章において「病院等」という。）の管理者は，医療事故（当該病院等に勤務する医療従事者が提供した医療に起因し，又は起因すると疑われる死亡又は死産であって，当該管理者が当該死亡又は死産を予期しなかったものとして厚生労働省令で定めるものをいう。以下この章において同じ。）が発生した場合には，厚生労働省令で定めるところにより，遅滞なく，当該医療事故の日時，場所及び状況その他厚生労働省令で定める事項を第六条の十五第一項の医療事故調査・支援センターに報告しなければならない。

2　病院等の管理者は，前項の規定による報告をするに当たっては，あらかじめ，医療事故に係る死亡した者の遺族又は医療事故に係る死産した胎児の父母その他厚生労働省令で定める者（以下この章において単に「遺族」という。）に対し，厚生労働省令で定める事項を説明しなければならない。ただし，遺族がないとき，又は遺族の所在が不明であるときは，この限りでない。

第6条の11　病院等の管理者は，医療事故が発生した場合には，厚生労働省令で定めるところにより，速やかにその原因を明らかにするために必要な調査（以下この章において「医療事故調査」という。）を行わなければならない。

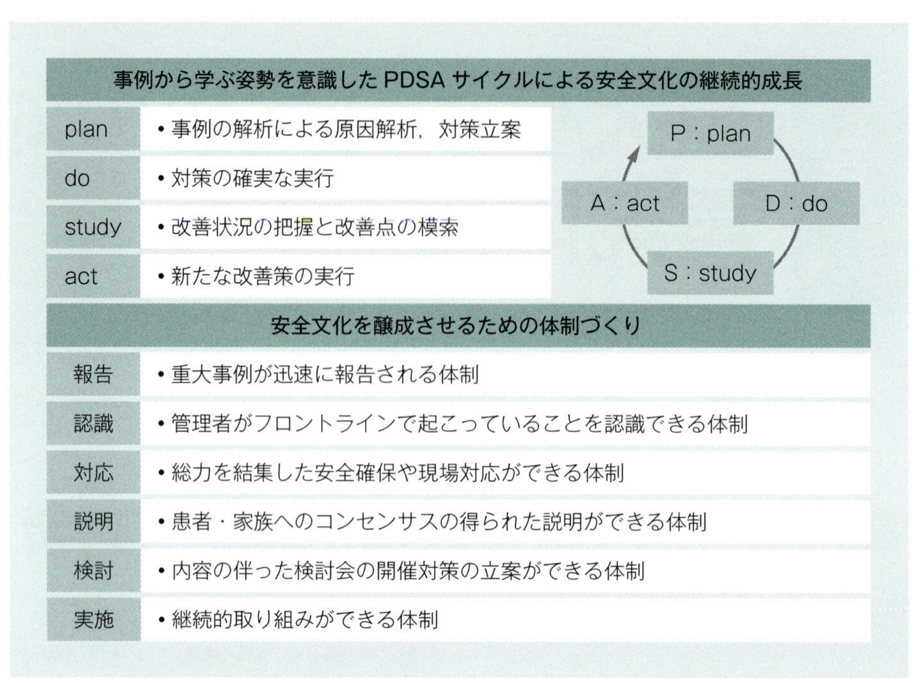

図Ⅱ-5-1 重大事故発生に備えた院内体制整備について必要なこと— PDSAサイクルと安全文化を醸成させる体制

表Ⅱ-5-1 重大事故発生後に病院管理者が行うべきこと

院内での報告体制の拡充	•報告体制の整備，活用（オカレンス・レポーティングシステムを含む） •安全管理者との密な連絡，休日夜間の直接連絡体制の整備
指示すべき対応	•安全確保と対応に関しての総力体制の指示 •公平で詳細な情報収集，記録の整備
患者・家族への対応・説明	•対応者の統一，患者・家族・医師間での説明と理解の確認 •早期の暫定的説明と対応決定後の詳細説明
詳細解明と対策立案のための検討会の開催	•議事進行における関係者の先導性剝奪 •リスキーシフト，集団浅慮の回避，ノンテクニカルスキルの理解
外部機関への報告	•監督官庁，警察，マスコミ

果の重要性だけではなく，経過の重要性も認識した対応が病院管理者には求められる（図Ⅱ-5-1）。

本稿では，院内での報告体制の確立，指示すべき対応，患者・家族への対応・説明，詳細解明と対策立案のための検討会の開催，外部機関への報告などに分けてまとめた（表Ⅱ-5-1）。

Ⅰ 院内報告体制の確立と運用

事故発生後になされるのは管理者への報告であり，これがすべての始まりとなるため，管理者は現場からの報告が遅滞なく行われるよう報告制度を定め，報告が安全を高めるという文化を根付かせる必要がある。事故報告形態には，アクシデント・レポーティングシステム，オカレンス・レポーティングシステム，オカレンス・スクリーニングシステム等さまざまあるが，事故発生報告を積極的に行う文化がないと，どんなことを報告すべきかわからなかったり，報告にマイナスなイメージをもっていたりして，報告そのものがなされない可能性をも考えられる。

オカレンス・レポーティングシステムは，再手術や緊急のICU（intensive care unit）入室など，あらかじめ報告すべき事象項目を決め，それに該当する場合には必ず報告するシステムである。報告すべきオカレンスの種類を継続的に見直していくことで，より広い情報収集が可能となる。特に，手術合併症に対してはいまだに，事前に説明したから，合併症だから，と考える風潮が残っており，病院管理者が実態を把握できず，後手に回る危険性が危惧される。病院管理者が事故発生早期から把握・介入するためにもオカレンス・レポーティングシステムは活用されるべき報告形式である。

病院管理者は院内で発生したすべての3b以上の事例の報告を受け把握すべきであり，その報告をもとに安全管理担当部門と協働して対応に当たる。休日や夜間など

表Ⅱ-5-2　発生時に指示すべき対応

予期せぬ死亡事例に対して最低限行うこと	•診療録，その他の診療に関する記録の確認 •当該医療従事者のヒアリング •その他の関係者からのヒアリング •解剖や Ai の実施の有無 •医薬品，医療機器，設備等の確認 •血液，尿等の検査などについての確認
情報収集に際して指示指導すべきこと	•該当職員全員からの公平な意見聴取 •結果ではなく経過に関した幅広い情報収集 •事例に関与した人間特性の解明 •事例にとどまらない人の行動に注目した幅広い情報収集

表Ⅱ-5-3　患者・家族への説明

可及的速やかな事実の説明	•何が発生したか •どのような状況で発生したか •これまでに行った対応は何か •現在進行中の対応は何か •過誤や過失が明らかな場合は謝罪
詳細判明後の経過・責任の説明	•事実経過 •発生原因 •責任の所在（個人の責任＜医療機関の責任） •医療機関としての対策 •医療機関がとるべき保証と窓口

は当直者が病院長業務を代行することが多いが，特に重大な医療事故に関しては，代行者ではなく，必ず病院管理者や安全管理の責任者に遅滞なく連絡が入るような流れをつくり，すぐに対応を協議する。常日頃から，重大事例以外の事例が確実に報告されているかをチェックし，重大事例発生に備える体制をつくり出しておくことが求められる。

Ⅱ 発生時に指示すべき対応

病院管理者は医療安全管理部門の担当者からの報告をもとに，患者，医療者，組織を守るための適切な対応と事故に関する情報収集，原因究明と再発防止に関する検討会の開催を指揮する。過誤の有無により若干対応は異なり，明らかな過誤があり，医療機関が提供した医療で患者に重篤な傷害を与えた場合には，現場や使用物品の現状保存の指示が加わる。また，厚生労働省からの通知にあるように，予期せぬ死亡事例に対しては，診療録やその他の診療に関する記録の確認，当該医療従事者へのヒアリング，その他の関係者からのヒアリング，解剖や Ai（autopsy imaging）の実施の有無，医薬品・医療機器・設備等の確認，血液・尿等の検査などについての確認は最低限行う必要がある。

情報を収集する担当者に対しては，情報収集が個人からの固定された意見の聴取にとどまることなく，該当職員全員から公平に意見を聴取することを徹底して指導する。代表者からの聴取のみでは，偏った見方，自分たちを保護するコメントが主たるものになる傾向があり，また職種によっても同じ事例に対する考え方が異なるため，医師，看護師，薬剤師，各種技師，事務員など，すべてから対等に聴取することを意識させる。特に，専門家である医師は，専門性や医療行為の不完全性を理由に，発生した結果はしかたがないことだと，結果を正当化する傾向にある。安全管理の面からは，結果ではなく経過に関する情報を，関係した職員全員から幅広く収集するよう指示しないと，組織としての判断を誤る可能性が生じる。言い換えると，病院管理者は，不安定な人間の行動，事故につながる生理特性，認知特性，集団特性といった，人としての事故発生要因や，社会心理学，行動心理学，人間行動学などを十分に理解したうえで，一つの結果解析にとどまることなく，事例にどのような人間特性が関与していたかについての聴取も併せて行うよう指導すべきである（表Ⅱ-5-2）。見えやすい表面上の事例発生理由だけでなく，その背後にある人の行動を解析していかないと，事故の本質解明には至らず，次につなげる安全推進策にも結びつかない。また，当然のことではあるが，患者・家族への説明，経緯，対処などは診療録に正確に記載するよう指示するとともに，すべての関係書類・検査結果などの保存を指示する。

Ⅲ 患者・家族への対応・説明

事故がいまだ継続中の場合は，当然のことであるが，院内の総力を結集して，また，場合によっては他機関の協力を得て，患者救命，事故拡大防止に取り組むよう，資源を惜しまず投入する姿勢を病院管理者が強調し，組織として対処する。人は間違えを認めたがらない特性があるため，担当者や担当部署だけに任せていると，事故結果のさらなる拡大につながる。チームワークが悪い職場環境では，緊急事態でのいきなりの協力には限界があるため，日頃からの協力体制の確立，組織のレジリエンス（柔軟性）の確保が必要となる。

平行して，患者あるいは家族へ経過や事実を説明することになるが，その場合は，説明する時期，内容，責任の所在，謝罪の必要性などに配慮する（表Ⅱ-5-3）。説明時期については，状況を調査してすべてがわかってから説明しようとする傾向があるが，このような調査にかかる若干のタイムラグは，患者や家族には結果を隠蔽したと解釈される可能性を高めることにつながる認識をもたなければならない。こちらからの説明の前に，患者・家族側から疑問を投げかけられた場合には，なおさら隠蔽していたと誤解される可能性が高まるため，事故発生

表Ⅱ-5-4 発生要因解明と対策立案のための検討会開催

検討会で事例を解析する際に重要なこと	• 当該診療部門からの会議進行権の剥奪 • テクニカルスキルを中心とした医療専門家的解析の回避 • ノンテクニカルスキルの面からの解析の重視 • 個人の責任追及ではなくチームとしての行動の質の検討 • 現場のリーダーシップやコミュニケーションの状況

時には概要のみでも説明することが重要である。このような初期の説明では，すべてを詳細に伝える必要はなく，また伝えることもできないため，何がどのような状況で発生したのか，事実のみ説明し，責任の可否や詳細についてはこれから検討し連絡するというスタンスを崩さない。

その後，検討を重ね，詳細が明らかにされ，責任の所在も明確になった時点で，改めて説明の場を設けることになる。もちろん，この間も随時説明の機会を設けることは当然である。複数名あるいは複数部署が関係している場合には，説明内容がばらばらになり，誤解や不信感の誘因になるため，関係者を集めて状況の理解や説明内容についてのメンタルモデルを共有する検討会をもち，認識を共有してから，責任者が親身になって説明することになる。担当者個人が説明することは，自分を擁護した説明になるため，また，感情というバイアスが双方にかかるために好ましくない。別の責任ある立場の者が説明に当たる。詳細の説明に際しては，医療者と患者・家族との認識や常識のギャップに注意して行う必要がある。認識のギャップを解消せず一方的な説明に終わると，内容が全く理解されず，疑問や不信感を深めることにつながるため，十分な質問の機会を設け，その内容を詳細に記録に残す必要がある。説明に際しては，医療者は，医療の複雑性や不完全性を念頭に置き，さまざまな理由をつけて，今回の事例がしかたのないことであった，と説明することが多いのだが，ルールの無視や間違いなど医療者側に問題がある場合には，その旨を説明し明確な謝罪姿勢を見せる。

Ⅳ 発生要因解明と対策立案のための検討会開催

病院管理者は，自己の責任において事例解析，対策立案に関する検討会を開催させる。検討会で事例を解析する際に最も重要なことは，当該診療部門（当該医療者）に会議進行のペースを握らせないことである。当該診療科の医師は，患者病態についての知識を最も多くもっている専門家であるため，彼らに進行を任せると，彼らの報告を確認し，医学的には問題なかったのでしかたのない結果だった，という医師寄りの解釈になることが多い。そのような場合では，「社会の常識とはかけ離れた医療者の常識」あるいは「社会では非常識な病院の常識」が認められることが多くなるため，中立的立場の担当者に会議の進行を任せ，参加者全員から意見を聴取するよう日頃から意識し，指導する。事故関係者の院内での立場によっては，自由に発言できない環境がつくり出されてしまい，リスキーシフトあるいは集団浅慮などの集団心理が働いてしまう可能性がある。そのため，病院管理者は，アサーティブに言い合える環境形成に配慮するとともに，場合によっては関係者を除外した検証会の開催も検討すべきである。当該者が主体となった事故調査会議という，一般常識からかけ離れた対応のおかしさを認識すべきである。

また，安全に関する認識が低い場合に，このような検討会では医療行為の解析に特化した，テクニカルスキルを中心とした医療専門家的解析が行われることが多く，新たなマニュアルを作成して今後遵守する，という結論になりやすい。病院管理者が，医療安全管理学の基本を理解し，事故の原因にはテクニカルスキルよりもノンテクニカルスキルの不良が関係していることの多い実態を認識していれば，なぜそのとき，個人は，チームは，そのような行動をとったのか，なぜ本人や周囲の気付きがなかったのか，気付きの発信や共有はどうだったのか，現場のリーダーシップやコミュニケーションはどうだったのか，などのノンテクニカルスキルの側面からの解析が，より重要であることが理解されるだろう。個人の技術的責任にばかり終始することなく，個人やチームの行動やノンテクニカルスキルに焦点を当てた解析を意識的に行わせるよう，病院管理者が会議の進行役と，目的についてのメンタルモデルを共有して検討を進めていくことが望まれる（表Ⅱ-5-4）。

Ⅴ 外部機関への報告（医療事故調査・支援センターを除く）

死亡までの経過が臨床的に説明可能で，その間に過失あるいはその疑いがない場合を除き，医療行為に関係した死亡事例と，特別な対応を必要とした可逆的あるいは永続的な高度の身体的障害が発生した事例はすべて報告対象となる。報告する外部機関としては厚生労働省や都

表Ⅱ-5-5　外部への報告

対　象	•過失が明らかな，あるいは否定できない3b以上の症例（転機は問わない） •事例把握後早期に第一報，詳細判明時に第二報
届け出先	•監督官庁，日本医療機能評価機構 •所轄警察（過失が明らかな，あるいは外因が考えられる場合） •マスコミ（被害者が多人数である場合，患者に連絡がつかない場合，明らかな過誤により重大な障害をもたらした場合，社会的に問題が大きいと考えられる場合，等）

道府県などの監督官庁，日本医療機能評価機構，所轄警察などが，また，それに加えてマスコミへの公表が必要となる場合がある。報告対象の選択に悩むことも多いが，前述のように過失が明らかな，あるいは否定できない3b以上の症例は死亡にかかわらず報告の対象になる。公的報告先は医療機関の規模により異なってくるが，監督官庁への報告が最も重要である。この報告に際しては，患者・家族への説明と同様に，後日詳細が判明してから行うというスタンスではなく，発生後できるだけ早期に事実の報告をするというスタンスを保つべきである。まず，口頭で連絡し，その後，事例の詳細や対応が明らかになった時点で文書あるいは対面で報告を行う二段階姿勢が望ましい。その際には事例の時系列，実害の有無，患者・家族への説明内容，それに関する対応，検討会の開催日時・参加者・内容などの報告が必要となる（表Ⅱ-5-5）。

過失が明らかな場合，あるいは外因の関与が考えられる場合には所轄警察への届け出も必要になるが，マスコミへの対応についてのコンセンサスは得られていない。啓発的あるいは重大事例の場合，監督官庁からマスコミへの公表を指示される可能性もあるが，一定した公開基準はつくられていない。患者・家族への説明が十分に行われていない場合，事後しばらく経ってから，修飾された内容がさまざまな方法で広められ，医療機関がマスコミを介して攻撃を受けてしまうことにもつながる可能性がある。理解が得られる説明に努めることは当然であるが，後日指摘されても，隠蔽していなかったことを明らかにできるよう，監督官庁への詳細な報告とその記録，患者・家族への説明内容と反応の記録がより重要である。マスコミへの発表が必要な場合としては，被害者が多人数である場合，患者に連絡がつかない場合，明らかな過誤により重大な障害をもたらした場合，社会的に問題が大きいと考えられる場合などである。公表する場合も，謝るべきことは謝る，言うべきことは言うという姿勢を崩さず，かといって自組織の保護に傾かず，患者や家族を尊重して，明確に発信する。いずれにしても，公表あるいは公表後のやり取りを行う部署や担当者を一本化し，異なる情報が発信されないような体制づくりは必須である。

Ⅵ 医療事故調査・支援センターへの報告

医療法第6条に定められた通り，提供した医療に起因し，または起因すると疑われる死亡または流産で，管理者が予期しなかった死亡と判断した場合は，医療事故調査支援制度の対象となるため医療事故調査・支援センターに届け出る必要がある。この判断は管理者に任されているため，管理者は制度の概要や目的を正確に理解しておく必要があり，該当する場合は報告や第三者を交えた利害関係のない会議体による医療事故調査委員会の開催を指示する。届出の定義にある「提供した医療」という単語について十分に理解されておらず，手術や投薬など積極的に行った医療行為だけが対象になると勘違いしている場合も少なくないが，療養や管理を含めた病院で提供される医療・管理行為全般が対象となることは意識する必要がある。いずれにしても懲罰が目的ではなく，原因究明と再発防止が目的である本制度の本質を理解し，理念に則った判定とその後の対処が求められる。

おわりに

病院管理者は，院内で発生した事例の責任を有しており，事例を個人の行為に責任転嫁することなく，組織の安全文化の欠如として捉え，事故を次につなげるような解析を行い，対策を立てて実行し，PDSAサイクルを有効に回すことで，安全性が高まる文化をつくり上げる責任がある。そのためにも，報告体制の確立，安全第一の事故発生時の指揮，患者目線に立った納得できる説明，必要な機関への遅滞なき報告など，全体の流れを日頃より意識しておく必要がある。また事故発生後の検討会に際しては，結果のみに注目した個人の責任に終始することなく，人間の特性や集団心理特性など事故発生要因についての知識をもって，より広い見地からの検討を行い，安全文化の醸成に努めていく必要がある。

危険な環境で，危険な行為を行い，社会から認められる結果を残す組織のことはHRO（high reliability organization：高信頼性組織）と呼ばれており，最近では，医療機関もHROであるべきという考えが広がってきている（表Ⅱ-5-6）。HROになるためには，①常に事故の

表Ⅱ-5-6　HRO（高信頼性組織）を目指す

定　義	危険な環境で，危険な行為を行い，安全で質の高い結果を残し，社会から信頼される組織
HROとしてすべき5つの基底要因	•常に事故の可能性を念頭に置き，成功例も解析する •簡単に結論を出さず，多くの意見や経験を集積し検討する •出来事に敏感になり，現場で起こっていることを共有する •回復力や柔軟性（レジリエンス）を意識し，高め，活用する •内部の固定観念を捨て，周囲の意見に耳を傾ける
HROのキーワード	•全員参加 •チームワーク •事例からの学習姿勢 •レジリエンス •組織横断的配慮 •他部署統合意識

可能性を念頭に置き，成功例も解析する，②簡単に結論を出さず多くの意見や経験を集積し検討する，③出来事に敏感になりフロントラインで起こっていることを共有する，④柔軟性や回復力（レジリエンス）を意識し高める，⑤内部の固定観念を捨て周囲の意見に耳を傾けるといった５つの基底要因が知られているが，まさに発生時にレジリエンスを発揮できる組織にしていくことが，管理者に求められる事故発生時から発生後の対応につながるものと考えられる。

事故はいつか起こるものであり，減少させることはできても，その発生自体を防ぐことは不可能である。事故発生時を想定した事前対応，レジリエンスを高める組織文化の醸成，事故から学び前向きにつなげる姿勢，隠蔽は身を滅ぼすことを自覚した積極的な相手への情報公開と共有などが，病院管理者のもつべき基本姿勢である。

（海渡　　健）

2 重大事故発生後の院内対応（当事者・対応者）

Ⅰ 重大事故は「遅かれ早かれ」必ず起こる—「ハインリッヒの法則」の正しい解釈と適用

「ハインリッヒの法則」は，医療安全関係の講習会や講演などでは必ずふれられるといっても過言ではないほどよく知られている（p.8参照）。しかし，多くの医療関係者（講演者も含めて）が，「1件の重大事故の背後には，29件の軽微な事故，そして300件のヒヤリ・ハットが発生している」というこの法則の趣旨から「ヒヤリ・ハットを減らせば，軽微な事故を減らすことができ，重大事故は避けられる」と誤った結論を導いている（図Ⅱ-5-2）。Heinrichは単に「事故は階層化された一定の確率で起こる」ということを述べているに過ぎない。

ハインリッヒは，1929年に刊行されたIndustrial accident prevention；a scientific approach 第2版[1)]の図（p 27）の説明のなかで「重大事故は，最初の事故，またはどの時点の事故でもあり得る」と記述している。さらに没後の1980年に刊行されたIndustrial accident prevention: a safety management approachの第5版[2)]では，ハインリッヒ自身以下の通り記述している。

「全米の安全担当者が，『無傷（傷害なし）あるいは軽傷の労働事故を減らせば労働能力の喪失につながるような重傷事故も減少する』と信じて取り組んできた結果，ある州では労働事故の総件数は33%減少したが，重傷事故の件数は逆に増加した。これは無傷・軽傷事故と重傷事故の原因が異なるためである。労働安全に費やせる労力には限りがあり，無傷・軽傷事故の原因の除去に注力するほど，重傷事故の原因の除去に費やせる労力は減少し，結果的に重傷事故は増加する。」

近年，医療リスクマネジメントにおいても，災害時などの事業継続性（business continuity）という概念が取りざたされているが，「ハインリッヒの法則」によれば，「事業（医療）を継続する限り，重大事故は遅かれ早かれ必ず起こる」のである。医療安全のシステムを考えるに当たり，ヒヤリ・ハットを検証し減らす方策も重要な要素ではあるが，筆者は「重大事故は必ず起こる（避けられない）」という認識をもち対応を準備することが，より重要であると考える。本稿では，重大事故発生時に患者の被る不利益を最小化すること（被害拡大の防止）を

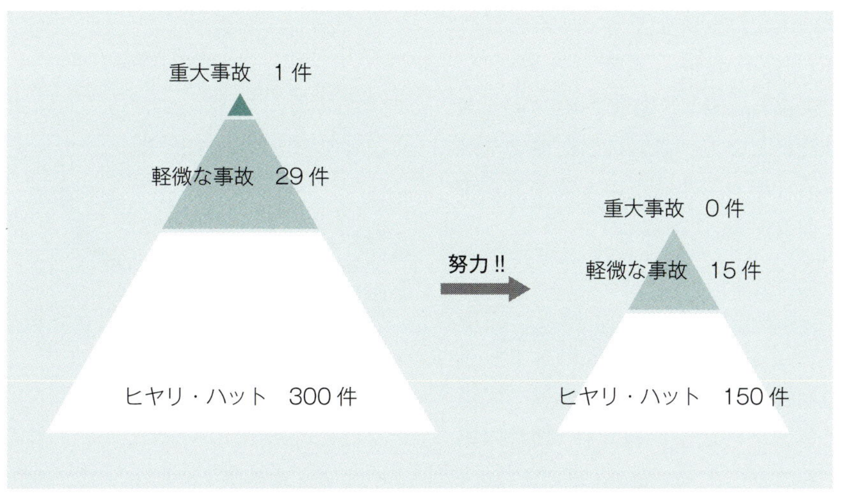

図Ⅱ-5-2 「ハインリッヒの法則」をめぐる医療関係者にありがちな誤解

目的とした現場での緊急的な対応とそのシステムについて述べる。

Ⅱ RRT と MET

医療における緊急時対応システムと聞くと，RRS（rapid response system）を思い浮かべる諸氏も多いかと察する。RRS は患者の異常を早期に発見し介入することにより，危機的状況ひいては死亡を回避することを目的とした包括的なシステムである。RRS は「急変の発見」「急変に対応するチーム」「評価と改善」「管理」の 4 つの要素から構成される。RRS の詳細は他の章に譲り，ここでは「急変に対応するチーム」すなわち RRT（rapid response team）と MET（medical emergency team）について重点的に解説する。

RRT と MET は，急変あるいはその危険性の通報に基づき起動される即応チームである。RRT は，看護師やコメディカルから構成されるチームで可及的速やかに現場に参集し，情報収集とバイタルサイン安定化のための基本的な医療処置（酸素投与や気管吸引など）を行う。一方 MET は，集中治療医を中心とした医師主導のチームで，モニタリングの強化などを通じて病態を把握し，それに即した緊急治療と安定化を担う。さらに MET のリーダーは，必要に応じて外科医など専門スタッフの招集と情報共有を行いつつ，手術室や集中治療室への移送の判断までを主導する。

欧米では通常，集中治療医が MET のリーダーとなるが，わが国では集中治療医が少数あるいはゼロという施設も少なくないのが現状である。そのような施設においては，蘇生や集中治療の知識・技能，手術室や集中治療室へのアクセスなどの点から麻酔科医がリーダーとなるのが適当であろう。

MET の構成メンバーに求められる要件は「要請に対して即時対応できること」「院内にいて常時アクセス可能であること」「緊急を要する病態の評価と対応に必要な集中治療に関する知識技能を有すること」の 3 点である。一定規模以上の病院では，複数の MET が交代制にてその任に当たる。この場合，業務時間中に MET の任にあるスタッフについては，通常業務から即時離脱できる体制を確保する必要がある。

Ⅲ 現場での役割分担

1. コマンダー

重大事故発生時に現場に到着した MET リーダーが最初に行うべき業務は，役割分担の明確化である。まず自分が名乗り，現場指揮者（コマンダー）であることを宣言する。現場に RRT が先着している場合には，コマンダーに情報共有を行ったうえで，その指揮下に入る。現場内外を問わず，いかなる場合にもコマンダーの指揮権に対する疑義は認められないことを，医療機関の管理者は明示し周知しておく必要がある。

2. 記　録

コマンダーは記録担当者を指名する。記録担当者には通常，当該病棟あるいは部門のスタッフが当たる。重大事故発生時およびその対応にとどまらず，医療全般における時系列に基づいた記録の重要性については，多くの文献やマニュアルにてふれられている。切迫した状況のなかで，次々と判断→指示→評価のサイクルを矢継ぎ早に繰り返すコマンダーにとって，自分の出した指示をすべて記憶することは至難の業である。経時記録を頻回に参照することによって，自分の出した指示を確認し，判断の評価や修正を行うことは，さらなる誤りや合併症を回避しつつ，正しい診断や治療にたどり着くために不可欠な手順である。

「評価と改善」もまたRRSの重要な要素である。経時記録は，重大事故への対応における現場のスタッフ，RRT，METの活動を検証・評価し，各々へのフィードバックに際し不可欠な資料となる。さらに，医療安全対策部門が重大事故の原因究明や再発防止の方策を策定する際にも，重要な一次資料となる。

3. 情報管理

コマンダーは可能であれば，情報管理を担当するスタッフを指名する。情報管理担当者の主な役割は，現場となった病室や部門と外部との間の情報共有（情報の出入り）を適切に管理することにより，後述のSCR（sterile cockpit rule）を確実に適用することにある。また，現場にいない主治医など当該患者にかかわるスタッフ，管理部門，他部署，患者の家族などの関係者との情報共有も管理する。

現場と外部の情報共有は，すべてコマンダーと情報管理担当者の間で行われる。情報管理担当者はさまざまな外部からの情報に優先順位をつけ，それに沿ってコマンダーに伝達する。緊急性を要しない，あるいは当該患者と無関係な連絡については，情報管理担当者が保留するか，現場外のスタッフに対応を依頼する。一方，コマンダーからの情報や問い合わせについては，速やかに該当部門・部署に対応を依頼する。

当該患者の家族など関係者に対する情報共有（説明・対応）をコーディネートすることも，情報管理担当者の役割である。この関係者対応に当たるのは，当該部門の上席（責任）医師，あるいは施設の管理医師が望ましい。情報管理担当者（いない場合は現場のコマンダー）からの情報に基づき，家族などの関係者への対応に当たるスタッフは，まず氏名・職位など自己紹介をしたうえで，自分が医療機関を代表して事態の説明に当たることを明言する。重大な事故が発生したことを伝え，簡潔に患者の現況を説明する。そのうえで，「患者の利益を最優先し，施設として総力を結集して可能な対応をすべて行っている（行ってゆく）」という点を強調することが重要である。

Ⅳ CLCとSCR

現場においてMETのリーダーは，バイタルサインや病態の安定化に向けて数多くの指示を出す。この指示に際してはCLC（closed loop communication）の原則に基づくことが重要である。CLCにおいて，リーダーは指示を出す相手を特定し，一度に1つの指示のみを発する（例：リーダー「受け持ち看護師さん，エピネフリンを1mg皮下注してください」）。このとき，特定されたスタッフはこの指示を実行する前に，自分が理解した通りに復唱する（看護師「エピネフリンを1mg皮下注ですね」）。ここでリーダーは自分の指示が，意図した相手に，意図した通りに理解されていることを検証し，実行を許可する（リーダー「はい，実行してください」）。復唱された内容が自分の意図と異なった場合（看護師「エピネフリン1mg静注します」），実行を許可せずこれを訂正する（リーダー「違います。エピネフリンを1mg皮下注です」）。このあとループが再度実行される。発信（指示）→復唱→検証の情報伝達のループが閉じて（closed loop），初めて指示は実行され，リーダーは次の指示を出す（図Ⅱ-5-3）。

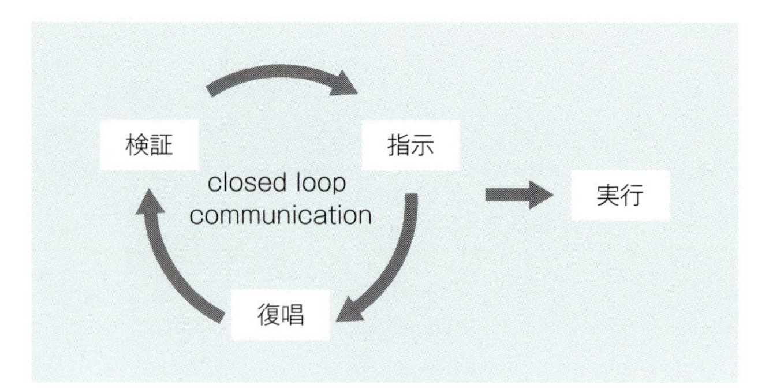

図Ⅱ-5-3　CLC (closed loop communication)

重大事故発生時の緊迫した場面でこのCLCの原則を遵守することは困難に感じられる向きもあるであろう。しかし，重大事故発生時の対応の最大の目的は「不利益の最小化」であり，「さらなる不利益を与えない」ことはその大前提である。緊迫し混乱した現場では，一つの誤りがさらに別の誤りにつながる「ミスも連鎖（増幅）」がきわめて起こりやすい状況であることを想起すれば，CLCの原則を遵守することの重要性は十分に理解されるであろう。

もう一つ現場において遵守されるべき原則はSCRである。SCRは航空業界において国際的に定められている規則で，「高度3,000m以下を飛行する際には，操縦室内では定められた用語を使った会話のみ許可し，緊急事態を除き客室からの連絡を禁ずる」というものである。これは緊迫しかつワークロードが増大する離着陸時（いわゆる魔の11分間）に，パイロットに余分な負荷をかけず集中を確保するための規則であるが，医療の現場でも重大事故発生時のMETや当事者を含めたスタッフが直面する状況にも適用できる。医療現場で定められた用語による会話のみを許可するのは現実的ではないが，情報伝達ミスを最小化するためにMET内である程度の用語の統一を図ることは有用であろう。さらに，現場への事故対応と無関係な連絡を禁止することにより，METや他のスタッフが対応に集中できる環境を保つことはきわめて重要である。具体的な例で示すと，「X先生，Y病棟のZさんが眠剤を希望されています」といった緊急でない連絡や問い合わせ（contamination）については，現場外のスタッフが対応し遮断することにより，現場を無菌的（sterile）に保ち，スタッフの負荷の増大や注意の分散を抑止する。

SCRの徹底は，内線電話のみが院内のコミュニケーション機器であった（古き良きともいえる）時代には比較的容易であったが，院内PHS（personal handy phone system）をはじめとする携帯情報端末が普及した現在では，意外に困難を伴う。現実的には，重大事故発生時に現場に入るMETや他のスタッフのPHSなどを現場外のスタッフ（前述の情報担当者）が一時的に管理し，現場へ至急伝えるべき情報のみを取捨選択し，他は現場外で対応するといった取り決めをあらかじめ確立しておくことが必要であろう。重大事故発生時には，医療機関の管理者は事態をできる限り早く把握したいとの欲求（あるいは責任感）から，現場に連絡を入れ状況の報告を求めがちである。しかし，航空業界では，エアラインの社長が客室に搭乗していようともSCRの例外とはみなされないのと同様に，医療機関の管理者も（あるいは管理者こそが）SCRの重要性を理解し遵守すべきである。むしろ管理者には，重大事故発生時に情報管理担当者による管理者への情報共有を単純かつ容易に行うための手順（いわゆる連絡網）を整備しておくことが求められる。

V 専門スタッフの招集と移送の判断

重大事故発生時の初期対応の最終段階，すなわち一定の安定化が達成された段階で，あるいは現場での処置・対応が限界に達した段階で，METリーダーは，病態に応じた専門スタッフの招集ならびに手術室または集中治療室への移送の必要性についての判断を行う。もし，両方とも不必要であると判断した場合には，リーダーは主治医ならびに現場スタッフにそれまでの処置などについて申し送りを行ったうえで，RRTおよびMETの活動の終了と撤収を明示的に宣言する。

専門スタッフの招集が必要と判断した場合，リーダーは情報管理担当者に，「（心臓緊急です。）循環器内科の応援をお願いします」のように，簡潔に対象診療科・部門（複数の場合もある）を明示して招集を依頼する。この各診療科の緊急招集の連絡先（いわゆる「コール番」）となるスタッフをあらかじめ定め周知しておくことは重要である。この「コール番」は，METリーダーとは異なり，必ずしも自分が対応する必要はない。自分が直ちに日常業務を離れて対応することができない場合には，当該診療科のなかで適切と思われるスタッフに対応を依頼すればよい。業務時間外には「コール番」は当直医がなることが普通と思われがちだが，業務時間内外を問わずリーダーが常時各診療科・部門の「コール番」を把握できるようなシステムが不可欠である。また，リーダーがコマンダーの権限を専門スタッフに移譲することが適切と判断した場合には，「以降は，循環器内科のX医師にコマンダーをお願いします」と明示的に移譲する相手を特定し宣言する。

手術室や集中治療室への移送の判断は，専門スタッフの意見，移送に伴う利益と不利益（危険性）のバランスを考慮しコマンダー（METリーダーあるいは権限を移譲された専門スタッフ）が行う。当該部門への連絡（収容要請およびそれに対する回答）は，コマンダーが直接あるいは情報管理担当者を通じて行う。当該部門への移送および申し送りが完了した段階で，METリーダーはRRTおよびMETの活動の終了と撤収を明示的に宣言する。

おわりに

本稿では，現場で医療に従事あるいは管理する立場にある読者を対象に，重大事故発生時の当事者を含めた現場での対応の指針を考えるに当たり，METの活動を中心に理解を深めていただくことを目的とした。しかし，MET自体の概念，位置付け，そして役割にも国や医療機関により大きな差異があることから，さまざまな文献や会合の記録などを参照しつつ，わが国における中規模以上の医療施設の現状を念頭に置いて筆者の視点（独断と偏見ともいえる）を交えて解説した。細かい点は，各施設の実情や考え方に応じて改変して利用されることを望むものである。

わが国の医療安全体制に関する議論や教育においては，事故の把握・原因究明・再発防止に力点が置かれるあまり，「努力により重大事故は防げる」という誤った認識が生まれ，重大事故発生後の対応に関する議論や方法論が軽視されているように筆者には感じられる。本書が「重大事故は必ず起こる」という認識の下に，発生した場合に「患者の不利益を最小化する（被害の拡大防止）」ことの重要性を理解していただく一助となれば幸いである。

文　献　1) Heinrich HW：Industrial accident prevention; a scientific approach 2nd ed. McGraw-Hill Book Company inc, New York, 1941..

2) Heinrich HW, Petersen D, Roos N：Industrial accident prevention: a safety management approach 5th ed. McGraw-Hill, New York, 1980.

（澤野　　誠）

3 院内事故調査委員会

はじめに

平成 27（2015）年 10 月より改正医療法に基づく「医療事故調査制度」が施行となった。本制度の目的は，医療の安全を確保するために医療事故の再発防止であり，この根幹をなすのが，当該医療機関が行う医療事故調査である。医療事故の検証・原因究明することなしに，再発防止，患者安全への還元はあり得ないことは自明である。医療事故調査を特段の作業と位置付けるのでなく，経験したインシデント・アクシデントから学ぶことが医療安全文化の一つの要素であり，今日では事故原因を究明し再発を防止するための作業は，医療機関のルーティンワークとして求められおり，医療のプロフェッショナルに課せられた重要な責務でもある。

特に死亡事例に関しては，今回の調査制度の有無とは関係なく，医療者のプロフェッショナリズムに基づき，説明責任を果たさなければならない。報告対象事例か否かは本質的な問題ではないことをきちんと把握しておく必要がある。

Ⅰ 事故調査委員会の区別

各医療機関では日常診療のなかでのインシデント・アクシデント事例に対して，原因究明，再発防止策策定を目的に，院内臨床病理検討会（clinico-pathological conference；CPC），病因死因検討会〔morbidity & mortality conference；M&M（別項を参照，p.93）〕，クオリティーマネジメント委員会，臨時安全管理委員会，安全管理部会，院内事故調査委員会などさまざまな名称，形態で院内調査が行われている。このように多種多様な院内調査関連業務名が存在して若干の混乱を招いていることも事実である。しかし，前述の観点から，診療関連死と判断された事例については，すべての事例でまず院内で事故調査が行われることは必須であり，その結果をもって病院管理者が法律（改正医療法第 6 条の 10，p.181 の参考資料を参照）によって「医療事故調査制度」に基づく事例に当たるかどうかを判断すべきである。「医療事故調査制度」に該当する事例であると判断されれば，この委員会は第 1 回事故調査委員会として明記され，2 回目以降は第三者の外部委員の参加を得て事故調査委員会（「外部参加型院内特別事故調査委員会」）として公式に報告書作成への作業を行う（図Ⅱ-5-4）。したがって，CPC や M&M カンファレンスのような目的の明確な比較的事例発生後遅れて開催される会議はこの調査には該当しないと考えられ，臨時安全管理委員会，医療安全調査委員会，院内事故調査委員会などの名称を使用する医療機関が多い。外部参加型院内特別事故調査委員会における第三者の外部委員の選定に当たっては，公平性を担保するため，医療事故調査・支援センターまたは医療事故調査等支援団体（以下，支援団体とする）に人材の選任および派遣を依頼することが望ましい。今後この調査制度の位置付けは，医療事故における死亡例（死産例）の院内事故調査のレベルの最も高位となり，この制度の適正運用が社会に対する医療への信頼につながるものと期待される。

Ⅱ 目的と位置付け

今回本稿で示す院内事故調査委員会（定例・臨時）では，報告対象事例か否かは本質的な問題ではない。したがって，そのなかには前述の改正医療法に基づく「医療事故調査制度」にある「外部参加型院内事故調査委員会」へと発展していく事例もあれば，警察届け出案件と判断される場合もあるが，基本的にすべての死亡（死産）例，重大有害事象，重大警鐘例の検討を目的としている（図Ⅱ-5-5）。委員会の最大の目標は原因究明と当該医療機関での再発防止，医療の質・安全の向上のための提案を行うことである。個人の責任を追及する場としないことは言うまでもなく，本委員会を含めたすべての医療事故調査においては，正確な情報収集および検証に基づいた再発防止策の策定，医療の質・安全の向上のための提案を行う。医療に関する有害事象の報告システムについての WHO（World Health Organization：世界保健機関）ドラフトガイドライン上の「学習を目的としたシステム」に沿わなければならない。報告書は，当該医療者が特定されないようにするものであり，ガイドラインで示すところの非懲罰性，秘匿性，独立性は担保されるべきである。また委員会の立ち位置的には，医療機関として可及的速やかに医療事故に対応し本委員会を開催することによって，患者との信頼関係と社会的信頼の維持を損なわないという大きな副次的目的ももち合わせる。

Ⅲ 対象事例

提供した医療に起因（その疑いが否定できないものも含む）し，かつ予期可能性の有無にかかわらず，その結

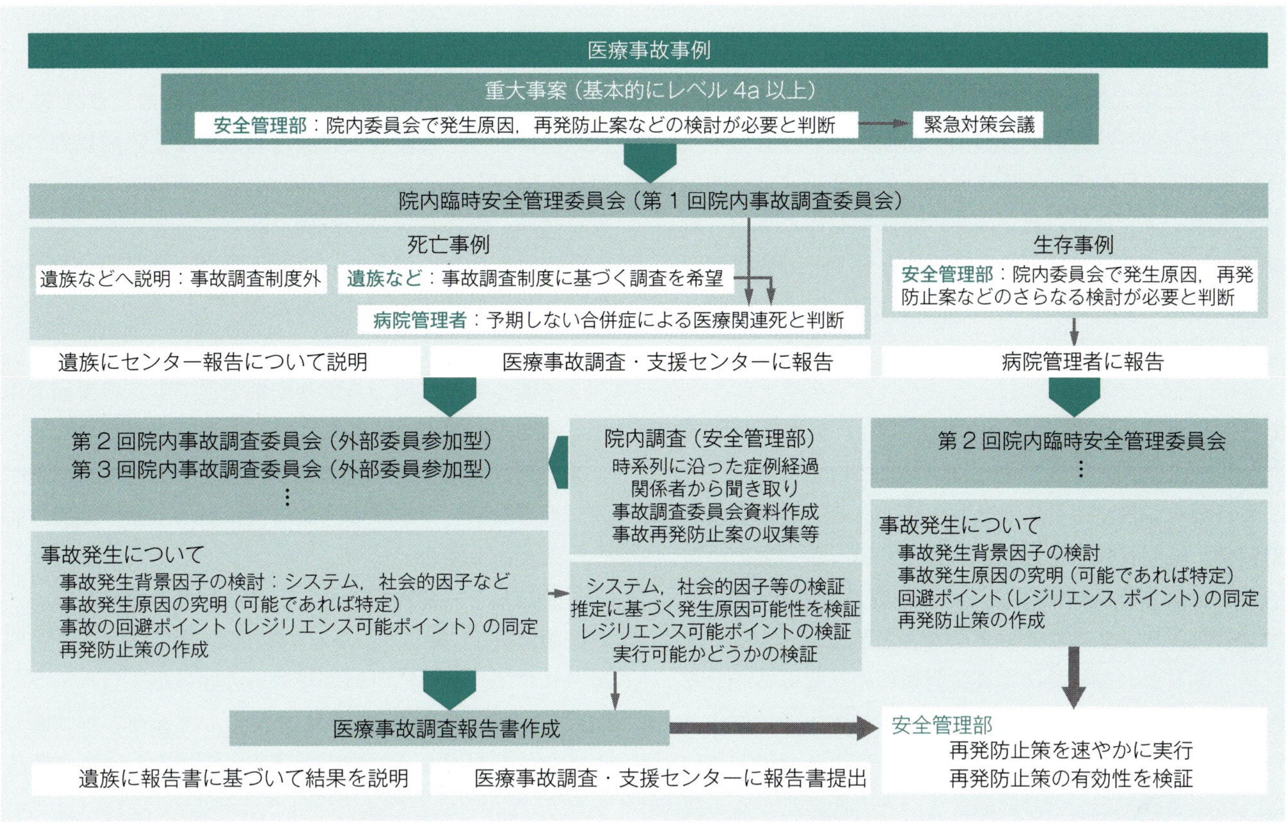

図Ⅱ-5-4　医療事故発生時の対応─医療事故調査・支援センターへの届け出と院内事故調査委員会との関係および安全管理部の役割

医療事故調査・支援センターへの届け出事例と判断された場合には，院内臨時安全管理委員会は第 1 回の院内事故調査委員会として機能し，報告書への記載を行う。この場合には，通常 2 回目以降は外部委員参加型の院内事故調査委員会となる。

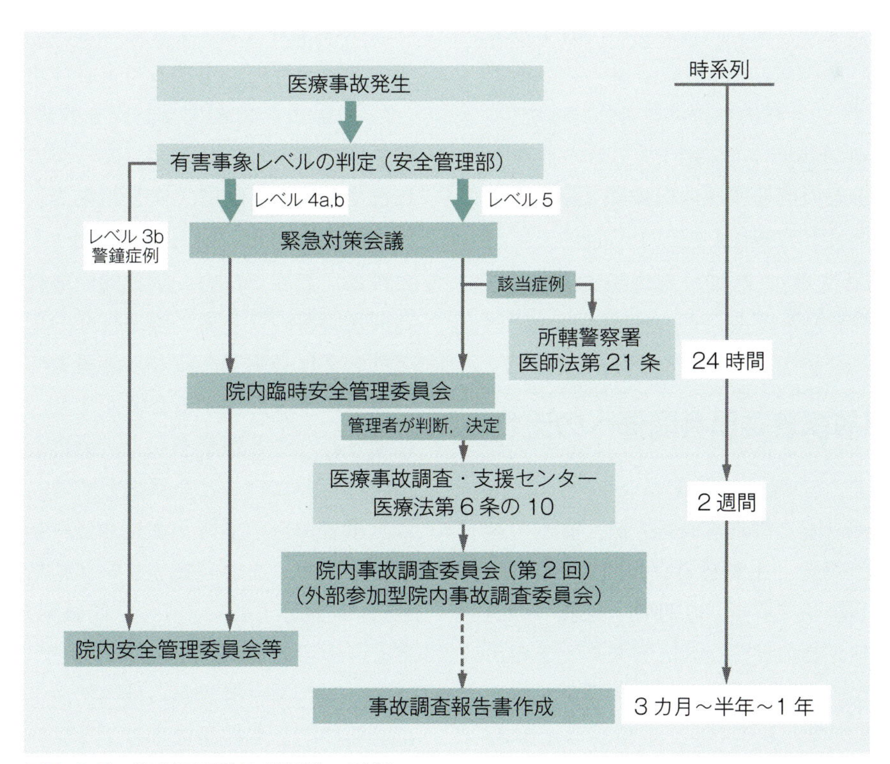

図Ⅱ-5-5　事故調査委員会開催への流れ

緊急対策会議は，正式な会議である必要はなく，部会あるいは病院長との協議，という形でも差し支えない。重要なのは医師法第 21 条案件（24 時間以内）などの迅速な判断である。

各論
第5章

果において，死亡または重篤な後遺障害をもたらした有害事象レベル 3b 以上の事例，あるいは患者への影響度を除外した重大警鐘的事例（Never Event）が対象である。また，本委員会の上部機関で医療安全管理者あるいは医療機関の管理者等で構成される最高意思決定機関である医療安全管理委員会が調査の必要を認めた事例も対象とされる。これには対外的に病院としてその責任範囲を明確にする必要がある事例，患者・家族に病院組織として説明責任を果たす必要がある事例等が含まれる。

Ⅳ 委員会の構成員

委員会を設置する責任者は病院長である。委員会の設置運営，説明責任を含む対外的責任も担うが，実際の運営などは医療機関に設置された医療安全管理者を含む，安全管理部（安全管理センターなど名称はさまざま）で行う。委員会の委員長は本委員会委員の互選あるいは病院長が指名する。委員長は委員会の進行と報告書作成等の事務を執り行うので，スムーズな委員会運営のためには，医療事故対応の研修経験者等がその任に当たる必要がある。委員会は次に掲げる構成員で組織する。円滑な運営を行い，日程調整がつけやすい点からもおよそ 10～15 名の委員数が適当である。

①病院長，②医療安全管理担当副病院長，③安全管理の責任者，④診療部門（外科系，内科系）を代表する者各数名，⑤看護部長（副院長），⑥薬剤部長，⑦事務部長，⑧医療安全管理者〔（一般的なゼネラルリスクマネジャー（general risk manager；GRM）〕，⑨その他委員長が認めた者〔有害事象の関連領域の医療職（院内外委員を問わないが，透明性と客観性を担保する目的で可能な限り外部委員を招聘する），病理解剖担当医（死亡例で病理解剖を行った場合）等〕注1。

Ⅴ 定例・臨時事故調査委員会開催への流れ

事故調査委員会開催への流れを図Ⅱ-5-5 に示す。医療安全管理担当責任者（安全管理部長等）が，前述の対象事例の報告を受けた場合，まず必要な初期対応（①患者に必要な治療，②現場状況収集，③患者・家族への説明，④記載カルテ，検証物の保全，⑤医療スタッフのケア）の指示確認を行う。事故の概要把握後，事象レベルが 3b であれば定例委員会に上程する。事象レベルが 4a 以上の有害事象であれば，第一報を病院長に報告し，臨時の委員会設置の可否を，即時性およびその必要性から安全管理部にて検討する。この会議（緊急対策会議）は，医療安全管理担当責任者（安全管理部長），病院長，副病院長（医療安全管理担当）を中心に情報の覚知後 24 時間以内に行う。臨時の委員会はおおよそ 2 週間以内の開催を原則としている。この間，患者・家族への対応担当者を決め，進捗状況等の説明は適宜行っていく。

緊急対策会議にて臨時安全管理委員会の設置の判断要件となる事項は次の通りである。

①事象レベル 4a 以上の重大な有害事象の場合
②予期された重篤な合併症や併発症でも，結果回避の適切な処置が講じられていない場合
③予期された重篤な合併症や併発症であっても記録が不備な場合や家族の当該事案に対する強い疑義，訴えがある場合
④予期しない合併症であると現場が考えた場合

医師法第 21 条のいわゆる「異状死」例に該当すると判断されれば，直ちに所轄警察署への届け出を行う。

改正医療法第 6 条の 10 に該当すると管理者が判断した場合は，遅滞なく医療事故調査・支援センターに報告する。

Ⅵ 委員会

1．調査資料の準備

医療安全管理者（安全管理部）は初期の情報収集，現場の確認を行い，主たる当事者等から事案の診療経過表（案）の提出を依頼する。安全管理部は，当事者および関係職員等のヒアリング，ならびに診療録その他の診療に関する記録（画像，検査結果等）を確認し，客観的調査を行う。当事者から提出された診療経過表（案）の内容確認，整理を行い，総合的に最終版診療経過表の作成と関連資料の取りまとめを行う。なお，当事者からのヒアリングは必須であるが，当事者への精神的ケア，権利の尊重に十分配慮する必要があり，安全管理部内で適切に執り行うことが望ましく，委員会等公の場への当事者出席は行わないことを原則とする。患者・家族，あるいは当事者からの事情と意見も資料として医療安全管理者が聴取する。なお，ヒアリング結果は内部資料として取り扱い，開示しないこと（法的強制力がある場合を除く）とし，その旨をヒアリング対象者に伝える必要がある。また，モニター機器から抽出データ，血液，尿等の検体は必要に応じて提出できるように分析，保存しなければならない。

注 1　当該事故等に関係した当事者，利害関係のある者は委員となることはできない。基本的に当事者，および現場での聞き取りは安全管理部が適正に行い，時系列に沿った経過を作成して事故調査委員会，臨時安全管理委員会等での検討資料として提出する。

2. 議事内容

委員会冒頭において，委員会の目的は「当該医療事故を客観的に検証，分析し，今後，同じような事案の再発防止に資するもの」と，内容について個人の責任追及でなく非懲罰性，秘匿性，独立性が担保されることを明示しなければならない。議論の展開は，①「当該医療事故で何が起こったのか？」，②「なぜその医療事故が起こったのか？」，そして③「再発防止のためにどうすべきであったか？」の3点に主眼をおいて徹底的に行う必要がある。しかし資料等が不十分な場合では，調査後に改めて2回目の委員会開催も検討されるべきで，効率的な運営を目指すべきである。

具体的議事進行として，①患者プロフィール，②有害事象発生の経緯の検証，③発生した事象の確定，④論点（病態，発生原因・要因）の整理，列挙，⑤発生原因・要因の考察，⑥事故回避（レジリエンス）ポイントの同定，⑦再発防止策およびシステムの改善の提言へと議論を進める。原因の検討には既存の分析方法等があるがその手法を問わない。

また委員会では，副次的に病院組織としての患者・家族への対応状況，ならびに当事者への対応状況の確認も必要に応じて行う。

3. 報告書の作成等

委員会は当該医療事故等に関する，次に掲げる事項について審議を行い事故調査報告書にまとめる。

①結果報告書の位置付け・目的

②当該事例が生じた背景（社会的背景，医療システムなど）

③当該事象の詳細と医学的評価

臨床経過の概要，解剖結果の概要（死亡の場合），臨床経過と解剖結果をふまえた死因に関する考察（死亡の場合），臨床経過に関する医学的評価，結論（要約）

④再発防止への提言

⑤患者・家族等からの出された疑問があればそれに対する回答

⑥評価関連資料

4. 報告書の取り扱い

報告書のその後の取り扱いは各医療機関の基準や判断に委ねられるが，経験した事故から学ぶ（失敗学）ものとして，まずは院内の医療安全管理体制の改善，向上に資するために，再発防止策を上部機関（医療安全管理委員会）へ提言し，建設的な改善策へつなげる。また，再発防止案が現場で実践可能であること，その再発防止案が有効に機能していることの確認を，事後に必ず安全管理部で行うことが必要である。

患者への説明や公開に際し，報告書の取り扱いについては，基本的には委員会ならびに報告書の趣旨に則ったうえで，各病院組織において事前に，その基準，方法については取り決めておく必要がある。特に議事録，ヒアリング資料等は非公開とし，患者への提出が必要な場合には「報告書」を患者の理解が得やすいように修正した「説明書」として作成することも考慮する。

改正医療法第6条の10に該当した事例であれば，本報告書によって患者家族（遺族）に対して管理者が説明する義務があるが，この場合にも「報告書」を患者の理解が得やすいように修正した「説明書」として作成することも考慮すべきである。患者家族への説明後に，報告書を医療事故調査・支援センターに提出する。

Ⅶ 今後の課題

平成27（2015）年10月1日施行の改正医療法に基づく医療事故調査制度では，医療事故を「当該病院等に勤務する医療従事者が提供した医療に起因し，又は起因すると疑われる死亡又は死産であって，当該管理者が当該死亡又は死産を予期しなかつたもの」と規定し，「遅滞なく，当該医療事故の日時，場所及び状況その他厚生労働省令で定める事項を，第6条の15第1項の医療事故調査・支援センターに報告しなければならない」「病院等の管理者は，医療事故が発生した場合には，厚生労働省令で定めるところにより，速やかにその原因を明らかにするために必要な調査（医療事故調査）を行わなければならない」とした。これにより各病院において整備されていた従来の院内事故調査体制においても，前述に定義される医療事故においては，まず改正医療法に基づくものでの対応が義務付けられたことになる。したがって，すべての病院で，改正医療法に基づく医療事故調査制度との整合性をもたせた従来の院内事故調査との調整が必要である。本稿では，この点について考慮した中規模以上の病院の院内事故調査委員会の運営について概説した。

本稿は中規模以上の病院を想定したが，小規模の医療機関での運用については現実的に容易ではない。医療法に基づく医療事故調査制度において公的支援団体が整備されており，日常的な院内医療安全体制，さまざまなレベルでの院内の医療事故調査において，人的支援，運営指導など地域での支援体制を得る必要がある。医師会を中心とした地域単位でのさまざまな連携システムが構築されており，こうした地域レベルの支援を得て医療事故発生時には対処していただきたい。また，院内において事故調査対応に長けた人材育成もきわめて喫緊の課題である。

最後に，院内のインシデント・アクシデントに対して，さまざまなレベルでの各調査委員会における究極の目的とは，再発防止と医療の質と安全の向上に資することである。これらは組織としての医療機関等が，患者・家族だけでなく現場の医療従事者に対しても責任を果たすもので，組織やシステムの問題として，これに取り組むことが医療機関の責任である。

まず，事故調査の前段階である院内でのインシデント・アクシデント報告制度を基盤に，恒常的事故案件の抽出が行われること，さらに，これらが間断なく評価，分析され，対策立案の提案される調査委員会が，組織として自発的に抵抗なく開催されること，そして，それが継続的に維持されること（コンプライアンス）が，当たり前の体制となるのが「真の医療安全文化」のあるべき姿である。

参考文献 1）全国医学部長病院長会議：医療事故調査制度ガイドライン．2016.
2）日本救急医学会 診療行為関連死の死因究明等の在り方検討特別委員会，中島和江監訳：有害事象の報告・学習システムのためのWHOドラフトガイドライン．へるす出版，東京，2011.

（河内 正治・坂本 哲也）

4 死因究明―解剖の種類と役割―

Ⅰ 解剖の種類と目的

解剖には，表Ⅱ-5-7に示す５種類があり，病理解剖に加えて，法医解剖も，医療行為に関連した（可能性のある）死亡（「診療関連死」）を対象とすることがある。

病理解剖および監察医制度のない地域の承諾解剖は，死体解剖保存法第７条により，遺族の承諾を得て，各々，病理医，法医が行う。

行政解剖は，死体解剖保存法第８条により，監察医制度のある東京23区内，大阪市内，神戸市（と近郊）において，監察医の判断で行われる。これらの解剖は，死因究明のため行われるが，医療事故調査に関する解剖では，事故原因の究明と再発防止が求められる。

これに対して，司法解剖は，警察，検察官（東京）の嘱託により，遺族の意思にかかわらず，殺人，傷害，または，（医療を含む）業務上過失の捜査のため，法医によって行われ，鑑定書が捜査や刑事裁判の証拠とされる。医療機関，老人ホーム，保育所，精神科病院，拘置所などにおける予期しない死亡について，警察等が必要と判断した場合，司法解剖，死因身元調査法解剖（「調査法解剖」と呼ぶ），または承諾解剖が行われる。

調査法解剖は，犯罪死の見逃し防止，身元確認等の目的で，警察の判断で遺族の承諾を得ず行える。法医解剖の要否・種別は，警察の責任者（東京では，検察官）が決める。犯罪・業務上過失被疑事例に加えて，遺族が関係者に不信感をもつか死因に関心の強い事例には，法医解剖のいずれかが行われる。診療関連死については，明確な過失がない限り，医師を被疑者として煩雑な法的手続きの必要な司法解剖より，調査法解剖を選ぶことが多い。

医療事故調査制度に関する病理解剖は，死体解剖保存法第７条により，遺族の承諾を得て行われる。遺族，医療関係者ともに解剖に対する理解不足から，解剖が実施される事例は多くない。

Ⅱ 類型別の医療事故に対する対応と解剖

事故調査委員会（以下，事故調会）の調査対象となるのは，「医療に起因し，または起因すると疑われる死亡または死産であって，管理者が死亡または死産を予期しなかった“事故”（厚生労働省令）」である。病院，診療

表Ⅱ-5-7 解剖の種類

	法規定	実施機関	承 諾	情報開示
司法解剖	刑事訴訟法	法医学教室	不 要	不 可
行政解剖	死体解剖保存法	監察医機関	不 要	遺 族
新法解剖	死因・身元調査法	法医学教室	不 要	遺 族
承諾解剖	死体解剖保存法	法医学教室	必 要	遺 族
病理解剖	死体解剖保存法	病院病理学教	必 要	遺族・主治医（CPC）

CPC；clinico-pathological conference〔臨床病理検討会〕

所，助産所の管理者は，事故発生時には，遅滞なく“医療事故調査・支援センター”に報告しなければならない。

解剖により，臨床診断，画像診断の2〜3割以上が訂正されている（論文が多い）以上，欧米先進国のように，診療経過中（比較的直後）に発生した予期しない“診療関連死”は，原則，公的死因究明（法医解剖）すべきである。しかし，日本では，法的問題により，院外での解剖や死因究明が難しい。そもそも，事故調会の実施を，事故調査の結論である起因性（因果関係）に基づいて，当事者（管理者）が決めると，事故原因の究明や再発防止の目的や調査の公正性を損ない，医師との間に利益相反を生じ得る。また，医師が「予期していた」事実の証明，インフォームドコンセントに関する問題もある。一方で，医療関係者には，事故調査の内容を，弁護士や警察が利用することへの不信感がある。遺族が医療過誤を疑う事例，転倒・転落等による外傷事例，他の医療機関から搬送され死亡した事例を警察に届け出るべきか否かに迷うこともある。予想される状況ごとに対応を考える。

①ある手術・手技の予期される危険性や合併症について，患者・家族に事前説明していた内容（診療録に記録）により死亡し，遺族が死後の説明に納得した場合，事故調査の必要はない。それ以外の場合，医療事故調査・支援センターに届け出で，地域支援団体の支援を受け，病理解剖を行い，院内の事故調会で検討すべきである。

②薬物関連死，予期しない院内死亡等（心血管系疾患，肺塞栓症が多い）は，病理解剖より，法医解剖に利点がある（後述）。特に，診療行為中・直後に容態が悪化して死亡した場合，原因が病死と診断できても，警察に対応を委ね，法医解剖を行ったほうが，争訟化のリスクが軽減されることが多い。

③薬物の過誤投与，手技上の過誤が明らかな事例でも，院内事故調会を優先すべきである。ただし，遺族が過誤を疑う事例（転倒，誤嚥，肺塞栓など），病院の管理責任を問われ得る事例では，第三者の関与した事故調査を行うか，警察に届け出ることが望ましい。司法解剖情報には開示制限があるが，現在は，調査法解剖が多く行われ，遺族に解剖結果が伝えられる。

④転倒・転落，交通事故等の後に死亡した場合，心疾患，てんかん等の既往症が端緒となる場合（病死），薬物・アルコールによる意識低下に起因する場合（中毒死，転倒・転落死）がある。このような場合，民事訴訟上，既往症，交通事故，医療行為の死への寄与度が賠償の決定要因となるので，警察による死亡状況調査，法医解剖を要する。遺族が過誤を主張しても，刑事介入は稀であり，経験上，法医解剖は，争訟化防止の利点がある。

なお，費用に関しては，保険料を支払った病院に対して事故調会の費用を支給する損害保険（院内調査費用保険）が平成27（2015）年10月より開始された。院内の病理解剖は病院の負担で行われるが，一部の自治体の医師会は，第三者機関（大学等）における病理解剖に要する費用を提供し，中小規模の医療機関の診療関連死の調査を支援する方針を表明している。なお，司法解剖，調査法解剖は，遺族および医療機関に費用の負担を求めない。

Ⅲ 法医解剖の問題点

欧米諸国では，医療事故死，診療関連死は，病理解剖ではなく法医解剖により公的死因究明され，関係者に情報が開示される。日本では，制度上，法医解剖がうまく機能していないが，警察は，遺族が死因等に疑問をもつ場合，法医解剖を行う。医療関係者は，その利用も考慮するとよい。

医療機関にとって，司法解剖情報の開示制限は深刻な問題で，遺族を争訟化に導く要因である。司法解剖以外の法医解剖の情報開示に関して，法的制限はないが（解剖医の裁量事項），遺族に開示されても，病院には開示されない例が多い。法律上，司法解剖の情報は，刑事裁判において検察官が開示する前に公開できないが，情報を厳しく管理すれば，第三者専門家の解剖立ち会いや意見聴取，そして，学術利用に問題はない。筆者には，診療関連死事例を学会，英文論文等で早期に発表した結果，医療関係者に情報をフィードバックし，再発防止，裁判に好影響を与えた体験が少なくない。

法医は，当事者医師と医療・解剖情報を交換できない。また，法医全般に医療の知識・経験が乏しいのに，第三者専門医の助言や解剖立ち会いを頼め（ま）ない。筆者は，専門医に解剖立ち会いを依頼し，診療経過の評価について助言を求め，さらに，複数の臨床・法医専門家の討議を経て専門的で公平な鑑定を提供する試みを行った成功体験がある。一方，遺族に対する解剖の説明の遅れや不備のため，司法解剖対象者の遺族が民事訴訟を起こす例が多いが，筆者には，解剖直後に遺族に説明をして成功した体験が少なくない。

当事者医師，解剖医，調査担当医師の適切な情報交換が，事故の原因究明や再発防止，医療・解剖の質の向上，紛争防止の鍵を握る。そのため，刑事訴訟法や個人情報保護法の運用（公益目的における医療情報の提供）を見直し，過失追求を排し，事実認定のため，専門家が協議する枠組みを，関係省庁・学会が協議してつくるべきである。

Ⅳ 死亡時画像診断が解剖に代われるか

臨床・画像診断は，解剖によって2～3割以上訂正される（論文多数）が，臨床・画像診断の限界および解剖の意義に関する理解が一般人，医療関係者ともに不十分である。

脳出血，くも膜下出血，心嚢血腫，大動脈解離は画像診断できるが，各々，病的出血（解離），外傷性出血（解離）を鑑別するため，交通事故等の後など，外傷性の可能性のある事例では，解剖が必要となる。加えて，医療行為中や比較的直後の死亡の場合には，病的出血と事故の鑑別等，法的問題となり得るので，解剖を要する。

一般に，死亡状況が不明か，事故・第三者・医療行為・虐待の寄与を除外できない死亡においては，画像で出血・解離が見つかっても，原因究明，因果関係の判断，外因死の可能性を除外するため，解剖が求められる。解剖の結果，予想外の死因が見つかる事例も少なくない。一方，事故後の救急医療において，びまん性脳損傷，脊椎・骨盤骨折，発症まで時間経過のある胸腹部内臓損傷による出血性ショック・腹膜炎等は，画像所見の見逃しが少なくないうえ，死因究明に捜査や法医解剖を要する。さらに，頭蓋内損傷等が画像診断されても，その原因となり得る転倒・転落，交通事故がある場合，あるいは，意識消失や注意力低下の原因となり得る心疾患，糖尿病，薬物・飲酒の影響があり得る場合にも解剖が必要となる。特に，心臓突然死，肺塞栓症，薬物関連死は，画像診断できないため，予期しない死亡には解剖が必要である。薬物関連死が疑われた場合，血液を保存し，警察に情報を伝えるべきである（法的問題はない。むしろ，促す法律がある）。

（吉田　謙一）

5 異状死体の届け出

Ⅰ 医師法第21条とは

医師法第21条（以下，医師法21条）は，「医師は，死体又は妊娠四月以上の死産児を検案して異状があると認めたときは，二十四時間以内に所轄警察署に届け出なければならない」という規定であり，この規定に違反した者には，医師法第33条の2第1項により，50万円以下の罰金に処せられる。異状死体を公的機関へ届け出る制度自体は必要なものであろう。

なぜならば，都立広尾病院事件最高裁判決が指摘する通り，異状死体には犯罪の痕跡が残ることが多く，犯罪の発見・抑止のために必要であり，また，異状死体を認知した公的機関には緊急に被害の拡大防止措置を講じて社会防衛を図る必要があるからである。

もっとも，今の強制申告のあり方はそのままでよいとは思えない。以下，問題点を指摘しながら，現場の医療安全管理者としての現実的な対応を考えることにしたい。

Ⅱ 警察への「橋渡し」をする医師法第21条

医師法において，「診断」と「検案」は一応使い分けられており，かつては診療中の患者が死亡した場合には「死亡診断」，それ以外の者が死亡した場合に「検案」をすることになるのだから，診療中の患者の死亡は異状死体の届け出対象にならないと考えられていた。

しかしながら，平成6（1994）年5月の日本法医学会の「異状死ガイドライン」[1]では，診療中の患者についても異状死体届け出の対象とすべきことを明確にし，平成16（2004）年4月の都立広尾病院事件最高裁判決も同様とした。

その結果，医療事故による死亡も異状死体の届け出対象となることが確定している。

異状死体が所轄警察署へ届け出られると，

①明らかな非犯罪死体の場合は，警察官により死体検分（死体取扱規則）が行われ，死体検分調書が作成される。

②犯罪に起因するかどうか明らかでない場合には，（刑事訴訟法第229条による）検視が行われ，検察官（または代行する警察官）によって，検視調書が作成される。

その結果，医療機関が届けた異状死体に犯罪（業務上過失致死罪も含む）の疑いがあると判断されれば，必要に応じて司法解剖や関係者への取り調べ等の捜査が始まる。

捜査が始まれば，捜査機関がダイレクトに医療事故へ介入することになるが，わが国では，業務上過失致死罪の処罰範囲が広汎で，しかも，検察官の訴追裁量や判例法理による処罰範囲の適切な限定がなされていないため，医療者は長期間にわたって刑事訴追の脅威におかれることになる。

もし，司法解剖が実施されれば，主治医と解剖医の接触が禁じられたなかで剖検され，その記録は，主治医のみならず，遺族までもその正確な内容を知ることが困難となる。また，医療的なバックグラウンドのない警察官による取り調べには数年に及ぶ長い時間を要し，弁護人の立ち会いもなく密室で作成される供述調書は捜査官の恣意が入り込んだものとなってしまうおそれがある。強引な理屈で，自白を迫られることもある。弁護費用の負担も少なくない。

このように，異状死体の届け出は過酷な刑事捜査の呼び水となってしまうため，不用意な届け出には慎重とならざるを得ない。

Ⅲ 別件捜査の根拠法

一連のオウム真理教事件において，信者が宿帳に偽名を書いたことをもって私文書偽造罪として逮捕し，より重大な殺人等の捜査を始めたように，重大な犯罪の捜査を遂げる目的で，まずは軽微な罪から捜査を開始することを「別件捜査」と言う。

医師法 21 条は，たとえ実害が生じていなくても，法の命令に反したという形式的な事実をもって罪となる犯罪である（「形式犯」と呼ばれる）。検察官は裁判において，実害が生じたことを立証する必要がないため立証は容易であり，反面，訴追を受けた側は有効な対抗手段がとりにくい。医師法 21 条は，業務上過失致死罪の捜査を遂げるための別件捜査の根拠法として機能している。刑事訴訟法の学者の多くは「別件捜査」を違法とするが，裁判実務上，刑事責任が否定される場合はきわめて限定的である。

Ⅳ 異状死体届け出義務の第三者への拡張

医師法 21 条によれば，届け出義務を負うのは，検案をした医師である。

しかし，医師法 21 条は刑罰法規であることから，届け出義務違反に加担したり，そそのかしたりした者にも適用される。つまり，殺人や強盗に関する罪と罰を定めている刑法は，刑事罰に関する一般原則を定めており（「第 1 編総則」），この部分は他の法令の刑罰法規にも適用され，その結果，医師法 21 条の届け出義務違反に加担したり，届け出義務違反をそそのかしたりした者は「共犯」として，死体の検案をした医師とともに処罰されることになる。都立広尾病院事件では，主治医とともに事故対応に当たった病院長が医師法 21 条の届け出をさせなかったとして，有罪の判決を受けている。

これにより，医師法 21 条は，検案を行う主治医個人の問題ではなく，医療機関の組織の問題として扱われるようになった。このような状況になったのは，医師法 21 条に罰則が付されているからにほかならない。

Ⅴ 異状死体かどうかの判断

異状死体なのかどうか，どのように判断されるのか，次の事例で考えてみたい。

［事　例］

医師 X は，入院患者 Y に処方を指示したものとは異なる薬剤（劇薬）を静脈に注射してしまった。直ちに，容態が急変し，患者 Y は注射から 3 時間後に死亡した。医師 X は死体を検案したが，死体の外表に何の異状も認めなかった。

1. 外表の異状のみで判断する見解

このような事例のケースでは，現在 2 つの見解がある。

1 つ目は，都立広尾病院事件の控訴審判決が，1 審を破棄し，遅くとも遺体の外表面の異状を認めた時点を起点として届け出をすべきであるとし，最高裁もこれを維持したことから，死体の外表面の異状の有無のみで判断すべきであるとする見解である。

この見解は，自己が診療していた患者についても医師法 21 条が適用されるとすれば自己負罪拒否特権と抵触するおそれが生じ，これを可能な限り回避するために，異状とは外表異状に限定して考える。人権感覚に富んだ解釈である。

したがって，この事例においては外表に異状がないため，異状死体としての届け出をしなくても，医師法 21 条で処罰されないことになる。

2. 外表および死亡に至る経緯等を考慮して判断する見解

2 つ目の見解として，下級審の裁判例を挙げる。この事例は，入院患者が裏山の沢で死亡して発見されたが，外表には異状がなく尿毒症による心臓麻痺と判断し，主治医が届け出をしなかったというケースである。昭和 43（1968）年の東京地裁八王子支部は，「死体の異状とは死体自体から認識できる何らかの異状な症状や痕跡が存する場合だけでなく，死体が発見されるに至つたいきさつ，死体発見場所，状況，身許，性別等諸般の事情を考慮して死体に関し異常を認めた場合を含む」と判断した。

この裁判例に従えば，外表に異状がなくとも，薬剤の誤注射による死亡の可能性を認識していれば，死亡に至る経過を考慮して，異状と認めることになろう。

この見解では，届け出をする際に，死亡に至る経緯を併せて説明しなければならず，医師Xが誤注射に関与している場合，医師Xの黙秘権を侵害する可能性が高い。

3. 医師法第21条に関する厚生労働省課長通知と事務連絡

厚生労働省は，平成31（2019）年2月，「『死体外表面に異常所見を認めない場合は，所轄警察署への届出が不要である』との解釈により，薬物中毒や熱中症による死亡等，外表面に異常所見を認めない死体について，所轄警察署への届出が適切になされないおそれがある」として，「医師が死体を検案するに当たっては，死体外表面に異常所見を認めない場合であっても，死体が発見されるに至ったいきさつ，死体発見場所，状況等諸般の事情を考慮し，異状を認める場合には，医師法第21条に基づき，所轄警察署に届け出ること」という医事課長通知を発出した（医政医発0208第3号，平成31年2月8日付け）。

ただし，この通知は，外表の検査のほかに，新たに「死体が発見されるに至ったいきさつ，死体発見場所，状況等諸般の事情」を積極的にみずから把握することを含ませようとしたものではない」（「医師による異状死体の届出の徹底について」に関する質疑応答集（Q&A）について，問4を参照，厚生労働省医政局医事課事務連絡，平成31年4月24日付け）。つまり，外表検査をするに至る過程で知った事実は考慮しなければならないことになるが，その他の事実について積極的に調査する必要はないことになる。

わが国において，法令解釈の最終権限は，裁判所にある。しかし，法は行政（警察等）において一次的に執行され，民事・刑事の事件として，裁判所の手続きに載った場合（訴訟になった場合）に，初めて裁判所の判断が示される。この意味で，裁判所の法令解釈権は補充的であり，実社会においては行政の解釈が一定の存在感をもつ。厚労省の解釈に沿って警察・検察が動くことを想定しなければならない。

4. 現場の医療安全管理者としてどのように考えるべきか

では，現場の医療安全管理者としてはどのように考えるべきであろうか。

まず，日本の刑事裁判において，黙秘権が軽視されてきた最高裁判決を紹介したい。最高裁は，これまで，刑事処罰と黙秘権侵害が問題になった事件で，次の通り判断している。

①麻薬取締法（現麻薬及び向精神薬取締法）で，麻薬取扱者は使用した一切の麻薬の品名，数量，交付の年月日等を麻薬業務所の帳簿に記載しなければならないとされているところ，麻薬を不正使用した場合にも，麻薬取扱者として免許された者は当然に取締法規の命ずる一切の制限または義務に服することを受諾していると考えるべき，として黙秘権の放棄を擬制し，企業義務違反を処罰している（最高裁昭和29年7月16日判決[2]）。

②道路交通法では，交通事故が発生した場合，車両の運転者に警察官・警察署への事故報告義務を課しているところ，交通事故で刑事訴追されるおそれがある場合にも，事故として報告する内容には刑事責任を問われるおそれのある事故の原因その他の事項は含まれておらず行政上の目的に基づくものであることを根拠に黙秘権侵害に当たらないとして，報告義務違反を処罰している（最高裁昭和37年5月2日判決[3]）。

③都立広尾病院事件では，「本件届出義務は，医師が，死体を検案して死因等に異状があると認めたときは，そのことを警察署に届け出るものであって，これにより，届出人と死体とのかかわり等，犯罪行為を構成する事項の供述までも強制されるものではない。また，医師免許は，人の生命を直接左右する診療行為を行う資格を付与するとともに，それに伴う社会的責務を課するものである。このような本件届出義務の性質，内容・程度及び医師という資格の特質と，本件届出義務に関する前記のような公益上の高度の必要性に照らすと，医師が，同義務の履行により，捜査機関に対し自己の犯罪が発覚する端緒を与えることにもなり得るなどの点で，一定の不利益を負う可能性があっても，それは，医師免許に付随する合理的根拠のある負担として許容されるものというべきである」と判示している。

このように日本の刑事裁判における黙秘権保障は貧弱さをきわめており，黙秘権侵害とされて刑事責任を否定されたケースはほとんどない。

この現状に鑑みれば，裁判所は，異状かどうかは外表のみならず死亡に至る経緯まで考慮して判断すべき，とりわけ，後述の平成31（2019）年4月の厚生労働省の「質疑応答」を受けて，検案する医師が「外表検査をするに至る過程で知った事実」について考慮したうえで，「異状」かどうかを判断すべきとする可能性が相当程度に高い。

さらに，警察・検察の捜査機関は，当然のように，外表の異状だけでなく死亡に至る経緯を考慮して判断する見解に依拠して，捜査に乗り出すであろう。検案医が外表検査をする過程で本当に知らなかった事情についても，「状況からして，知らなかったことは不自然であり，検案医は知っていたはずである（つまり，検案医は知らなかったと嘘をついている)」という主張を始めるであろう。

さらに，取り調べ中に捜査側から医師法 21 条での起訴を示唆され，本体である医療事故に関して自白に追い込んでくることも予想される。起訴（有罪）を突きつけられたとき，人の心はもろく弱い。誰もが平常でいられず激しく動揺し，理不尽さに心が折れる。

加えて，医師法 21 条の罰則の上限は 50 万円であるから，50 万円を払えば片が付く，という問題だけではない。罰金判決でも有罪となれば，法務省から厚生労働省に通知され，医師法第 7 条により，通常 2，3 カ月程度の医業停止処分が下されることになる。医師のキャリアに重大な禍根を残すことになる。

したがって，現場の医療安全管理者としては，届け出をしない場合の不利益も十分考慮したうえで，所轄警察に届け出するかどうかを判断し，アドバイスすることになろう。

おわりに

このように医師法 21 条の問題点を掘り下げることは，黙秘権の軽視（自白の偏重），別件捜査など，日本の刑事司法全般が抱える問題点そのものに帰着する。逆に言えば，日本の司法が抱える病理現象が，医師法 21 条に投影されているのであるから，医師法 21 条の問題は根が深い。これを改めるべく不断の国民的努力が必要であろう。

文　献
1) 日本法医学会：異状死ガイドライン．
※毎年，厚生労働省から発行される死亡診断書記入マニュアルは，平成 27 年度版から，「『異状』とは『病理学的異状』でなく，『法医学的異状』をさす。『法医学的異状』については，日本法医学会が定めている『異状死ガイドライン』等も参考にしてください」という文言が削除された。日本法医学会ガイドラインは，学会として一つの解釈を示したものであり，厚生労働省が率先して，私的なガイドラインに従うよう指導することが適切かどうかは評価が分かれる。しかし，削除自体は妥当な判断であろう。
2) 最二小判昭和 29 年 7 月 16 日　刑集第 8 巻 7 号 1151 頁．
3) 最大判昭和 37 年 5 月 2 日　刑集第 16 巻 5 号 495 頁．
4) 畔柳達雄：医療事故と司法判断．判例タイムズ社，東京，2002，pp331-351.
※医師法 21 条の沿革等。
5) 田邉昇：弁護医師® が斬る医療裁判ケースファイル 180．中外医学社，東京，2015，pp191-194.
※外表異状説の詳細について。
6) 井部俊子，相馬孝博，佐伯仁志：日本社会でヒューマンエラーを罰する意味―医療事故加害者は処罰されるべきか．日本医療・病院管理学会誌　2015；52 (1)：27-44.
※東大刑法学者による外表異状説に対する疑問。

参考資料　平成 31 (2019) 年 3 月 29 日医療行為と刑事責任の研究会「医療行為と刑事責任」(座長　樋口範雄) より抜粋

医療事故関係の届け出件数と立件送致数の推移を示す表を以下に掲載する。平成 19 (2007) 年をピークに医療関係者からの届け出は減少している。

刑事医療裁判件数等の推移

	H11	H12	H13	H14	H15	H16	H17	H18	H19	H20	H21	H22	H23	H24	H25	H26	H27	H28	計
	1999	2000	2001	2002	2003	2004	2005	2006	2007	2008	2009	2010	2011	2012	2013	2014	2015	2016	
警察への届け出等総数			105	185	250	255	214	190	246	226	152	141	146	117	114	137	65	68	2,611
被害者関係者届け出件数			17	42	39	43	30	21	43	32	30	24	32	21	34	40	14	19	481
医療関係者届け出件数			80	118	195	199	177	163	194	186	116	105	107	87	75	88	47	45	1,982
その他届け出件数			8	25	16	13	7	6	9	8	6	12	7	9	5	9	4	4	148
立件送致数			51	58	68	91	91	98	92	79	81	75	54	93	81	55	43	43	1,153

（水谷　　渉）

6 医療事故後のメンタルヘルス支援

はじめに

「医療事故情報収集等事業2018年年報」[1]によると，1,502の参加登録医療機関数から報告された医療事故情報の報告件数は4,565件であった。当事者（当該事象に関係したと医療機関が判断した者）の職種の内訳をみると，5,862件数のうち看護職（看護師，准看護師，助産師，看護助手含む）は2,792件でおよそ48％を占めている。看護職は診療補助および療養上の世話を行い，薬剤投与やケアなどにおける最終行為者であることが多いことから，医療事故の当事者となる可能性が高い。そこで医療事故発生後のメンタルヘルスと支援について，主に看護職を対象に考えてみたい。

Ⅰ 当事者の反応

人の生命を守り，安全で良質な医療・ケアを提供するはずの医療従事者が，医療事故などの心的外傷的出来事の当事者となった場合，その人自身のメンタルヘルスは著しくストレスにさらされ，さまざまな心的ストレス反応を呈する。

折山ら[2]の研究によれば，自殺・自殺企図の直面時に自覚した看護師の心的ストレス反応の状況は，「同じことを繰り返し考える」「あのときああすればよかったと自責感をもつ」「無力感をもつ」「緊張や不安が高い」「疲労・めまいを覚える」「不眠になる」などが挙げられる。さらに，中村ら[3]は，自殺に遭遇した看護師は，衝撃，否認，悲しみ，後悔，自責，羞恥，怒り，不安，恐怖，混乱といった気持ちでおり，身体反応・行動では，「考えないようにしようとすると，他のことも手につかなくなる」「故人のことをふいに思い出し，涙が止まらなくなる」「いらいらしてどうしようもなくなる」などの経験をしていると述べている。こうした反応により，個人の生活に支障がみられる場合，急性ストレス障害（acute stress disorder；ASD）として診断される。『DSM-5 精神疾患の分類と診断と手引き』[4]によると，ASDの診断基準は，「実際にまたは危うく死ぬ，重症を負う，性的暴力を受ける出来事への曝露」とあり，出来事の直接的な犠牲者である必要はなく，他人の死や重症を負う出来事に関与することも含む（表Ⅱ-5-8）。

Ⅱ 当事者の心的ストレス対処

ストレスは環境が個人の対処能力を超えて影響を及ぼすときに認知され，人はそのストレスに対処するために認知的，行動的に努力をする。ラザルスはこれをコーピングと呼び，問題に焦点を当てたコーピングと，感情に焦点を当てたコーピングの2つに大別した。福田[5]は，事故当事者の体験している心的ストレスに対する対処行動は，大まかに2通りに分類されると述べている。1つ目は問題中心の対処であり，これにはミスの影響を最小限にとどめるよう周囲の助けを求める，事故を振り返り学習の機会とする，医療安全，再発防止活動に参加する，動機付けの高まりなどが含まれる。2つ目は情動中心の対処であり，これにはミスを報告しない，事故の話題を避けるなどの回避，自分や出来事への見方を変えるなどの認知的努力，他者に話を聞いてもらうなどが含まれる。ミスを報告しない，話題を避けるなどのコーピングは，一見すると個人に対し非効果的な働きだと思われることがある。しかし，それは個人が自分自身を守るための対処行動であると理解しておく必要がある。

Ⅲ 周囲の反応

医療事故は当事者だけでなく，スタッフやチーム全体，部署全体にさまざまな影響を与える。筆者が経験したなかでは，医療事故が発生した際，事故に直接的に関与した看護師だけでなく，同時間帯勤務していた看護師も当事者と同様に，「あのとき気がついていたら」「自分がきちんと指導できていたら」「今後自分はどうしたらいいのか」と，強い自責感や不安を抱えていた。また，当事者の心的ストレス反応に対し，周囲のスタッフはどのような声掛けをしたらよいのか，どう接したらよいのか悩むこともある。当事者のコーピング行動によっては気分の落ち込みやショックを見せないよう，努めて通常通りに，あるいは通常以上に明るく振る舞おうとすることがある。当事者の心内を知らない周囲のスタッフは，「あんなことがあったのに何で平気な顔をしているのか」「自分はこんなに落ち込んでいるのに，あの人は何も感じていない」など，当事者に対し陰性感情を抱く場合もある。また，当事者の心的ストレス反応が強く，業務に支障をきたす場合，業務から一時離れる必要があり，それにより周囲のスタッフが業務調整を行わなければならず，当事者との関係性が悪くなることもある。よって，

表Ⅱ-5-8　「DSM-5 精神疾患の分類と診断と手引きに」よる ASD の診断基準

A	実際にまたは危うく死ぬ，重症を負う，性的暴力を受ける出来事への，以下のいずれかが 1 つ（またはそれ以上）の形による曝露： ①心的外傷的出来事を直接体験する ②他人に起こった出来事を直に目撃する ③近親者または親しい友人に起こった出来事を耳にする ④心的外傷的出来事の強い不安感を抱く細部に，繰り返しまたは極端に曝露される体験をする
B	心的外傷的出来事の後に発現または悪化している，侵入症状，陰性気分，解離症状，回避症状，覚醒症状の 5 領域のいずれかの，以下の症状のうち 9 つ（またはそれ以上）の存在 **侵入症状** ①心的外傷的出来事の反復的，不随意的，および侵入的で苦痛な記憶 ②夢の内容と感情またはそのいずれかが心的外傷的出来事に関連している，反復的で苦痛な夢 ③心的外傷的出来事が再び起こっているように感じる，またはそのように行動する解離症状 ④心的外傷的出来事の側面を象徴するまたはそれに類似する，内的または外的なきっかけに反応して起こる，強烈なまたは遷延する心理的苦痛または顕著な生理的反応 **陰性気分** ⑤陽性の情動を体験することの持続的な不能（例：幸福，満足などを感じることができない） **解離症状** ⑥周囲または自分自身の現実が変容した感覚（例：ぼーっとしている，時間の流れが遅い） ⑦心的外傷的出来事の重要な場面の想起不能 **回避症状** ⑧心的外傷的出来事についての，または密接に関連する苦痛な記憶，思考，または感情を回避しようとする努力 ⑨心的外傷的出来事についての，または密接に関連する苦痛な記憶，思考，または感情を呼び起こすことに結びつくもの（人，場所，会話，行動，物，状況）を回避しようとする努力 **覚醒症状** ⑩睡眠障害 ⑪人や物に対する言語的または身体的な攻撃性で通常示される，いらだたしさの行動と激しい怒り ⑫過度の警戒心 ⑬集中困難 ⑭過剰な驚愕反応
C	障害（基準 B の症状）の持続は心的外傷への曝露後に 3 日～1 カ月
D	その障害は，臨床的に意味のある苦痛，または社会的，職業的，または他の重要な領域における機能の障害を引き起こしている
E	その障害は，物質または他の医学的疾患の生理学的作用によるものではなく，短期精神病性障害ではうまく説明されない

事故後のメンタルヘルス支援は当事者のみならず，周囲のスタッフにも必要となる。

Ⅳ 管理者の反応

管理者も当事者や周囲のスタッフと同様に，医療事故と直面し，さまざまな心的ストレス反応を示す。安井[6]は，「医療事故の発生に対する看護管理者の思いや感情は，看護管理者のもつ価値観やこれまでの経験によって異なる。例えば，悲観的になり落ち込むタイプ，関係者を再教育しているつもりだが実際は相手を攻撃するタイプ，自分の評価が下がるかもしれないことに対して怒るタイプ，部署レベルでの管理や教育が不十分だったのではないかという疑念から信頼関係が崩壊するタイプ，責任感の強さから何でも自分で抱え込み自分が燃え尽きるタイプ，パニックで思考が停止し管理能力が低下するタイプなど，さまざまである」と述べている。また，「いったん医療事故が発生すると患者家族への対応や医療事故の調査，分析，再発防止・是正策の管理などの業務が増えるにもかかわらず，現場の日常管理も滞りなく行わなければならないという超多重課題に対応することが求められる」と述べている。管理者はこのような業務と同時に，前述したような当事者や部署全体へのメンタルヘルス支援も行わなければならず，管理者自身にも強いストレスがかかる。しかし，実際の医療現場においては，管理者自身のメンタルヘルスは管理者自身に委ねられ，適切な支援を受ける機会が少ないのが現状である。

Ⅴ 当事者への支援

では，医療事故が起きた際，当事者にどのような支援が必要なのか。

ロスチャイルド[7]は，心的外傷的出来事に直面した際，初期対応で重要な支援は，感情的側面においてコンタクトとサポートであると述べている。そして，適切で十分な感情的支援を最もよく得られた人々が，最も心的外傷後ストレス障害（posttraumatic stress disorder；PTSD）を発症しにくいと述べている。事故後当事者は前述したようなさまざまな思いを抱えている。しかし，当事者自身から感情的なサポートを求めることは難しい。「大丈夫？」と問われれば，本心では「大丈夫ではない」と思っていても，「大丈夫です」と，とかく答えがちである。そこで，当事者のメンタルヘルス支援には，当事者が安心して自身の思いを十分表出できる場と機会を提供するとともに，その思いに寄り添うことが必要である。ここで注意しなければならないのは，当事者の感情を無理に引き出すのではなく，当事者が希望したときにはいつでも話を聞くこと，その場ではどのような思いも安心して表出できることを伝えることである。そして当事者のことを心配していること，見守っていること，１人ではないことを伝えることである。

当事者のメンタルヘルス支援は主にその部署で行われることが多いが，友人や家族なども当事者が感情を吐き出し，また当事者の気持ちに寄り添うという重要な役割を果たす。さらに，利害関係がない第三者的な立場であるリエゾンナースや，産業医などのリソースも活用される。

当事者の感情的支援とともに，十分な休息の確保，勤務時間や業務内容などの調整も必要となる。睡眠が阻害されると集中力の低下につながり，さらに業務上ミスを引き起こす可能性があり，当事者の自己効力感を低下させる。重大な事故の場合，その事故現場へ行くことに恐怖心を抱くこと，似たような背景をもつ患者を受け持つことに強い不安を抱くことがある。寺岡[8]の研究によれば，看護管理者は自殺に遭遇した看護師に対し，自殺現場となった病棟内でも少しずつ安心して働けるよう周囲に働きかけたり，自殺した患者と似ていない人を担当にしたりするなど，当事者のニーズを見極め，それに応じた支援をしていたと述べている。当事者の業務状況と日常生活に十分気を配り，食事や睡眠などが阻害されていないか，業務に対し不安や困難さはないか確認し，これらが阻害されている場合は早期受診を促すことも必要である。

Ⅵ 周囲への支援

渡邉[9]は，医療事故発生時の支援を必要とする対象者として，当事者だけでなく医療事故に関与した看護師，医療事故に関与はしていないが影響を受ける看護師を挙げている。医療事故に関与した看護師とは，同勤務帯に勤務していた看護師，リーダー看護師，事故発生前勤務時間帯看護師などをさし，当事者以上に自責感をもつ看護師もいるため，中・長期的に事故が与える影響を追う必要があると述べている。また，医療事故に関与はしていないが影響を受ける看護師とは，受け持ち看護師や医療事故の当事者の経験がある者，メンタル不全を抱えている者である。これらの看護師は，医療事故により不安定な感情を呼び起こされやすいと述べている。筆者の経験したなかでは，医療事故に関与した看護師はさまざまな思いを抱きながらも，まずは当事者の不安やショックを受け止めなければと，自身の感情へのケアを後回しにしていた。管理者は当事者へのケアや事故後の対応で手一杯のため，関与した看護師のメンタルヘルス支援を同時に行うことが難しい。精神的支援を実施する際は，当事者だけでなく周囲の看護師のストレス反応にも十分注意を向け，いつもと違う様子がみられれば声を掛け，いつでも話を聞くこと，気にかけていることを伝えることが大切である。

Ⅶ 管理者への支援

医療事故が起こると，ほとんどの管理者は初めて直面する出来事に戸惑いながら，日常業務と事故への対応と通常以上の多重業務を行っていかなければならない。安井[6]は看護管理者への支援には部署レベルと部門責任者レベルがあると述べている。部署レベルでは２つの支援が必要であると述べている。一つは他部署からのリリーフ体制を整えること，入院患者数を減らすなどの業務調整である。これは看護部門だけでなく，医師などの他職種と協力が必要となるため，組織全体での支援体制を整える必要がある。もう一つは管理者への精神的な支援である。組織内では同僚，上司，カウンセラー，リエゾンナース，産業医などを，組織外では精神科医師，職能団体の相談窓口などが支援できることを伝え，適切なタイミングで介入していくことが必要である。

管理者は部署に対する責任感や義務感により，自身の心的ストレス反応への対処を後回しにしがちである。また，自分の部署で起きた事故に対し，羞恥や他者へ迷惑をかけたくない，自分の責任が問われるのではないかなどの思いから，支援を拒み孤独になる可能性がある。当事者，周囲のスタッフへの支援と同様に，管理者に対する支援を組織全体で整備していくことが望まれる。

Ⅷ 組織の体制づくり

医療事故後の当事者，周囲のスタッフおよび管理者へのメンタルヘルス支援を行うに当たり，もともとの関係者同士の信頼関係，人間関係が影響を及ぼす。常日頃から職場において良好な人間関係を形成し，メンタルヘルス支援体制を組織のなかで構築しておくことが重要である。それに加え，メンタルヘルス研修等を通じ，メンタルヘルスの知識，事故後に起こり得る症状，相談窓口を全職員が知っていることも重要である。

筆者の所属する施設では，組織内に職員のメンタルヘルス支援体制を整備している。メンタルヘルスに不調を抱える職員は，リエゾンナースや産業医と面談が可能である。面談内容は個人情報保護のもと，第三者に知られることはない。また，組織外でも専門カウンセラーが電話あるいは面談でカウンセリングを行うことが可能である。しかし，これらのメンタルヘルス支援は，医療安全マニュアルに含まれていない場合が多い。これらのリソースの活用を含めた，医療事故後における関係者のメンタルヘルスフォロー体制について，組織で体制を構築し，医療安全マニュアルに明記し，医療事故が発生した際には関係者が適切な支援を受けられることが望まれる。

文　献
1) 日本医療機能評価機構医療事故防止事業部：医療事故情報収集等事業 2018 年年報．2019．http://www.med-safe.jp/pdf/year_report_2018.pdf
2) 折山早苗，渡邉久美：患者の自殺・自殺企図に直面した精神科看護師の心的ストレス反応とその経過に関する研究．日本看護科学会誌　2009；29 (3)：60-67.
3) 中村創，三上剛人：精神科ならではのファーストエイド．医学書院，東京，2018，pp121-129.
4) American Psychiatric Association，日本精神神経学会監修：DSM-5 精神疾患の分類と診断の手引き．高橋三郎，大野裕監訳，医学書院，東京，2014.
5) 福田紀子：医療事故に関連した看護師のメンタルヘルスに関する文献レビュー．日本精神保健看護学会誌　2009；18 (1)：87-93.
6) 安井はるみ：看護管理者への支援．看護展望　2018；43 (3)：14-17.
7) バベット・ロスチャイルド．これだけは知っておきたい PTSD とトラウマの基礎知識．久保隆司訳，創元社，東京，2015，pp165-173.
8) 寺岡貴子：精神科病院で患者の自殺に遭遇した看護師を看護管理者が支援していくプロセス―看護管理者が周囲との調整を図りながら自殺に遭遇した看護師の支援を構築していく体験―．日本看護研究学会雑誌　2014；137 (2)：49-61.
9) 渡邉香織：リエゾンナースによる医療事故当事者への支援．看護展望　2018；43 (3)：31-35.

（髙村　有加）

7 コンフリクト・マネジメントの概念 ―重大事故が発生した際の対応として―

Ⅰ 対話・合意による解決

重大事故が発生してしまった場合，必ずしも患者側（患者または親族・遺族等）による医療機関側を相手にした訴訟が裁判所に提起されるわけではない。裁判所で争われる訴訟は，患者側が被った損害を塡補する損害賠償請求を中心とするが，患者側の真の要求については後述するように（「Ⅲ 患者側が真に求めているもの」参照），金銭的な賠償に限定されない。重大事故の発生により患者側に不満が生じている場合に，訴訟による損害賠償請求という患者側と医療機関側とが敵対的に主張を尽くし合って紛争を終局させる方法ではなく，両者が対話のうえで合意して解決につなげる考え方のほうが有効な場合は少なくなく，そこにコンフリクト・マネジメントの発想が役立つ。

医療紛争に限らず，コンフリクト・マネジメントの考え方は古くから存在している。一般にコンフリクトとは，「簡単に言うと意見の対立や衝突を意味する言葉です。英語では『物理的な暴力』『考え方や利益についての激しい意見の対立』などを意味する単語です。日本語では『葛藤』『紛争』などとこれまで訳されてきましたが，基本的には事の大小にかかわらず，意見の対立や衝突している状況を『コンフリクト』と言います」と解説される[1)]。そして，「人間は社会的動物であり，他者との関わり合いのなかで生活している限り，コンフリクトは日常生活の一部であって避けては通れません。むしろコンフリクトがあることを前提に，コンフリクトの否定的な側面を最小化し，肯定的な側面を保持して対処していくことが，今日のビジネスの現場にも求められています。それがコンフリクト・マネジメントであり，建設的なコンフリクト解決なのです。建設的なコンフリクト解決は，『協調的問題解決（collaborative problem-solving）』とも言われ，当事者間，あるいは中立的な第三者を含めた協調的な交渉によって行われます」[2)]ともされ，人と人との間に生じた軋轢といえる「コンフリクト」を協調的・対話的に解決しようとする発想は，ビジネスの分野で扱われる機会のほうが多かった。

Ⅱ 医療コンフリクト・マネジメントの活用

コンフリクト・マネジメントの概念を医療紛争の場面に取り入れたのが「医療コンフリクト・マネジメント」である。これは，「医療事故という不幸な出来事をめぐって患者側，医療者側双方に生じた感情的混乱や関係的不信，生活環境の変化などさまざまな問題を，訴訟のように敵対的・限定的にではなく，対話を通してできる限り協働的かつ柔軟に解決していこうとする考え方」をいうと説明される[3)]。重大事故に遭遇した患者（遺族，関係者を含む。以下同様）が医療機関に対して求めるものが，必ずしも金銭による損害の賠償だけではないことは誰も異論なかろう。裁判所に提起された訴訟による金銭的損害賠償という解決以外の，患者側が真に納得した解決を実現するために，コンフリクト・マネジメントの概念が生かされるのである。

医療行為に起因して重大事故が発生した場合の患者側と医療機関側の交渉の段階をみると，まずは両者の直接対話による交渉が最初にもたれるが，これで妥結できないとき，患者側の満足が得られないときに，第三者の介在により話し合いを促進させようというメディエーション[注1]の段階となる。そして，病院内スタッフであるリスクマネジャー等を仲介して話し合いを進めていくメディエーションによる紛争解決がはかられるが，さらに進んで中立な第三者的立場の者の下で話し合いを進める手法がADR（alternative dispute resolution：裁判外紛争解決）であり，医療コンフリクト・マネジメントが最も有効に機能する場であるといえる[注2]。

医療ADRは，弁護士会が設置するもの，医師会によるもの，NPO法人が主催するものなど，その設置機関はさまざまである[注3]。もともとは協働関係にあった患者と医療機関とが，ひとたび重大事故が起こった後とはいえ，協調的に対話していくという姿勢は双方ともに望ましいことであって，医療紛争においてはADRを利用するほうがより良い解決が導かれるとの理解も進んでいる。実際，広く民事事件一般にADRで扱われている事案のうち，医療ADRの事案は相当の割合を占めるようになっている。

Ⅲ 患者側が真に求めているもの

重大事故に遭遇した患者側の真の要求が金銭による損害賠償に限定されないことは，「金の問題ではない」という患者側の発言がよく聞かれることからも明らかであろう。患者側が金銭賠償以外に求めていることとしては，医師に対する反省や謝罪の要求，真相究明，説明・情報開示要求，医療機関における再発防止対策などを挙げることができる。一方で，医療機関としても，真相を究明することや再発防止策を講じることは患者側と同様の願いであり，また，どのような病状をたどりそれに対してどのような治療を施してきたかという経過を患者側に十分に理解してほしいというのも医療機関側の要望である。

ADRには，次のような柔軟な特徴が存しており，裁判所で争われる訴訟とは異なり，患者側，医療機関側の真の要望を実現するために有効となる。ADRでは，両当事者の合意による解決が基本となること，手続きが硬直的でないこと，非公開の手続きであること，費用が低廉であること等が挙げられる。つまり，両者の合意が早期に実現したり，柔軟な手続きにより期日にとらわれずに話し合いが進むとすれば[注4]，より早期に両当事者が納得したかたちでの紛争解決へとつながる。手続きが非公開であることは，双方当事者にとって紛争の内容を他人に知られずにしておきたいという要望があるときに有効である[注5]。そのほかにも，ADRには管轄の制約がなく，全国どこからでもどのADR機関にも申し立てをなすことが可能であり，調停者（仲裁・あっせん人）のリストを公表しているADR機関では，当事者は希望する調停者を指名できる（ただし，他方当事者の合意が必要である）という利点も存する。

注１　和田らは，「メディエーションは，対立する二人以上の当事者がいる場合に，中立第三者としてのメディエーターが当事者を援助し，エンパワーすることで話し合いを促進し，自分たちの手で，合意形成，葛藤の乗り越えへと至らせる仕組みのこと」と述べる[4)]。

注２　裁判所に訴訟が提起されたあとの段階においても，「訴訟上の和解」の可能性があり話し合いの場がもたれないわけではないが，訴訟が金銭的損害賠償を主眼としていることから，「Ⅲ 患者側が真に求めているもの」で述べるような患者側の真の要求の実現につながらないことも多い。

注３　千葉のNPO法人が主催する医事紛争相談センターは平成31年2月で新規受付を停止した。千葉県内では，令和元年10月からは千葉県弁護士会紛争解決支援センターが相談を受け付けている。

注４　裁判所での訴訟が，期日を幾回と積み重ねていくことで長期化の様相を呈することは否定できない。ADRでは，開催日を平日の日中に限定することも，開催場所を定められた場所に限定することも要求はされず，すべての当事者が合意すれば都合の良い日時・場所で話し合いを行うことが可能である。

注５　一方で，医療事故の内容をマスコミ等に公表して再発防止を促す場合や，公表することで賠償額や謝罪要求等の点で交渉を有利に導きたいと考える患者側の考え方もある。

Ⅳ ADRでの解決形態（和解条項について）

患者側と医療機関側でのADRが開かれて両者が合意に到達できた場合，両者間では和解条項が結ばれるが，医療ADRでは一般の民事事件で結ばれる条項注6とは別に，医療過誤紛争に特徴的な条項が加えられることが多い。そうした条項として，謝罪条項，誹謗中傷禁止条項，秘密遵守条項，医療環境整備条項（再発防止条項）が挙げられる。

重大事故が生じたことにつき医療機関側が真摯に遺憾の意を表する文言を記したのが謝罪条項である。両者間ですべての紛争が解決したことに合意し，それ以降は互いに誹謗，中傷を行わないとするのが誹謗中傷禁止条項である。解決の後に当該事案に関して第三者に公表等しないことを約するのが秘密遵守条項である。また，当該事案を教訓としてより安全な医療行為の提供を実現するよう善処することを約するのが医療環境整備条項（再発防止条項）である。これら以外にも，後遺障害留保条項や治療約束条項注7が患者側の要望により結ばれることもある。

このような医療紛争に特徴的な条項は，患者側や医療機関側が金銭の賠償以外に真に求めている内容につき合意したことをまさに表している。損害賠償請求訴訟では実現されにくい両当事者の真のニーズを達成し得るADRの手法，医療事件を協調的・対話的に解決させようとするコンフリクト・マネジメントの発想ときわめて親和的であることが理解できる。

Ⅴ 医療ADRの限界

ADRはコンフリクト・マネジメントを実現し得る多くの長所を有するが，ADR自体に内在する限界も存している。

まず，ADRは患者側と医療機関側との協調および対話に基づいて合意を達成する点が根幹であるから，両当事者が対話により互譲しない限り解決にはつながらないという限界がある。話し合いが中途で決裂することもあり得るが，そもそもADRの申し立てがなされても，相手方がこの手続きに参加（これを「応諾」と言う）しないとの態度をとった場合には，話し合いが成立する余地がなくなることになる注8。この点，医療機関側には，訴訟ではない話し合いの場であるADRであっても，そうした場へ引き出されることは何らかの責任を負わされることに直ちにつながるのではという根強い誤解もあり，こうした誤解を解いてADRの応諾率を高めようとする努力は各ADR機関での一つの課題となっている。また，医療行為に関連した事実関係に先鋭な争いがある場合には，民事訴訟のように証拠調べ手続を行えるわけではなく，事実認定機能という点で限界があるADRでは，やはり話し合いでの合意に到達することは困難となることが多い。

次に，ADRで合意がなされ和解書が作成されたとしても，民事訴訟の裁判所で得られる判決や和解調書とは異なり強制執行を行えないという点も指摘される。しかし，両当事者が納得して合意したことからすれば，たいていの合意内容は任意に実行されるものではあるが，どうしても強制力をもたせたいという場合には，合意内容を公証人によって公証してもらい強制執行認諾文言付の公正証書を作成する（民事執行法第22条5号）という方法等もある。

ADRにより話し合いが成立しなかった後には，患者側は裁判所への訴訟提起を考えることになるであろうから，ADRの手続き内においても不成立となった場合を見越して，両当事者とも資料や証拠を出し控えてしまい，資料不足のために話し合いが熟さずに決裂するという問題点も見受けられる。この弊害を避けるために，資料類を反対当事者には手渡さず，調停者だけに示すという限定の下で提出する手法をとることもできる。ADRは手続きが柔軟でありこうした提出方法を認めることも構わないが，不当に一方当事者が不利となる可能性がないわけではなく，ADRという手続きにも求められる公正・中立性が損ねられれば，制度自体の信用も低下しかねないため，慎重な配慮の下に行われるべきである。

保険会社との関係では，医療機関側が賠償金（または解決金等）を医師賠償責任保険によって支払おうとする場合，保険会社内の稟議で裁判所の出す判決や訴訟上の和解であれば保険金を支払うが，ADR手続きでの合意に基づく賠償金の支払いについては保険金を支払わないという対応もないわけではない。いかに当事者間での合意が成立しても，保険会社が壁となってしまうことがあり得る。

また，ADR機関には裁判外紛争解決手続の利用の促進に関する法律（平成19年4月施行，通称ADR法）により認証された「認証ADR機関」と認証を受けていない機関とが存在し，認証ADR機関へ申し立てた際に認

注6　給付条項，確認条項，放棄条項，清算条項，手続費用負担条項等がある[5)]。なお，医療事件では，給付条項で損害賠償金支払義務と記すことに医療機関側が抵抗を示す場合もあり，解決金（または和解金，見舞金等）の支払義務と表現されることも少なくない。
注7　合意成立の後に新たな後遺症が発生した場合に備えて，後遺症による損害の賠償は含まない旨を記した条項である。
注8　民事訴訟が提起されれば，被告は応訴せざるを得ないという強制作用が働くことと対照的である。

められる時効完成猶予（かつての時効停止）の効果（ADR法第25条）が，非認証機関への申し立ての場合には得られないこととなる。裁判所へ時効完成前に訴訟を提起すれば時効はもちろん完成猶予するが（民法第147条1項1号），ADR手続きを選択して非認証機関へADRを申し立てた場合に，話し合いが長期化して解決に時間を要するようになったときなどには，時効完成にも注意を払う必要が生じる。

おわりに

医療ADRは，損害賠償訴訟にはないさまざまな長所と短所とを併せもつが，重大事故発生という不幸な状況下に置かれても，対話を通じて紛争を協調的に解決していこうという医療コンフリクト・マネジメントの特徴を最もよく体現しているのが医療ADRである。限界点にはよく理解を及ぼしたうえで，敵対構造が主である民事訴訟にはない効用を図ることにより，医療ADRが重大事故発生後の患者側・医療機関側との間の関係を解決へと導く大きな柱となることは確かであろう。

文 献
1) 鈴木有香：コンフリクト・マネジメント入門—人と協調し創造的に解決する交渉術．自由国民社，東京，2008，p12.
2) 前掲書1)，p15.
3) 和田仁孝・中西淑美：医療コンフリクト・マネジメント—メディエーションの理論と技法．シーニュ，東京，2006，p3.
※医療事故により生じた問題を，対話を通して協働的かつ柔軟に解決する考え方を解説する。
4) 前掲書3)，p25.
5) 裁判所職員総合研修所監：書記官事務を中心とした和解条項に関する実証的研究—和解条項記載例集．法曹会，東京，2010.

（大澤 一記）

8 医療メディエーション

Ⅰ 医療メディエーションとは

医療現場では，患者と医師，患者と看護師など一対一の場面が多く，ふとした言葉や態度による誤解や認知齟齬が生まれやすい環境にあり，苦情やトラブル，やがては大きな事故につながっていく。インフォームドコンセント，終末期の意思決定，苦情応対，有害事象発生時など，医療者が誠実に向き合おうとしても，患者の怒りに触れたとたんに緊張し普段通りに接することすら難しくなる。患者もまた，怒りやその他の感情に支配され冷静さを欠いていく。どちらも防御的になることにより，患者側は医療者側の「説得」姿勢に反発して，情報共有どころか感情の溝がますます深まっていく。

インフォームドコンセントのような情報共有が重要な場面において，医師は説明に一生懸命になるあまり，患者が本当に理解できているかわからないまま終了し，後になって「言った・言わない」トラブルや重大な有害事象を引き起こす要因となるなど，双方の認識のズレが大きかったことに愕然とする場面がある。医療メディエーションは，こうした医療者側と患者側双方の認知の齟齬に，対話を通じて関係を調整していくモデルであるといえる。

二項対立にある患者側と医療者側双方に対話を促し，真の情報共有へと進むように支援してくれる第三者的な位置の人がいれば，認知齟齬やコミュニケーションに起因するリスクも抑えられ，相互の関係調整が進むことになる。この対話の促進を通じて患者側と医療者側の間の情報共有を進め，事故防止に役立てたり，事故や苦情時に関係を再構築するのを支援したりするのが医療メディエーター（医療対話推進者）であり，その対話モデルが医療メディエーションである。

メディエーションは，3極構造の対話モデルとなっている。二項対立モデルの医療者側の代表が，病院を背負っているのに対し，第3の極に医療メディエーターが位置し，何も背負うことなく，真摯に患者側，医療者側双方の「橋渡し役」として話を聞き，対話を促進する。患者側は「橋渡し役」に徹する医療メディエーターの真摯な対応に，病院職員ではあっても病院とは別の視点に立ち，話を聞いてくれる存在として，医療メディエーターへの信頼を寄せてくれることになり，二項対立の限界や問題は克服されていく。

Ⅱ 医療メディエーターの役割

医療メディエーターとは，患者側と医療者側双方の語りを，いずれにも偏らない位置で，共感的に受け止め，自身の見解や評価・判断を示すことなく，当事者同士の対話の促進を通じて，情報共有を進め，認知齟齬（認知的コンフリクト）の予防，調整を支援する役割を担う人材をいう。

医療メディエーターの前提として，医療者側に代わって，判断を示したり，説明したりしない。医療メディエーターは，病院を背負わない姿勢で，患者側と医療者側の双方の語りを受け止め，その間をつないでいく役割に徹する。医療メディエーターは，評価，判断，説明，意見の表示などは一切せず，「質問」を通じて，当事者に語ってもらい，患者側・医療者側の当事者同士が，互いの深い思いや背景に気付いていくプロセスを支援する。

「病院を背負わない」位置で，患者側と医療者側の対話を紡いでいく，これが医療メディエーターである。このプロセスを効果的かつ適正に支援していくために，医療メディエーターは，倫理的姿勢や技法を学び身につけていかねばならない。より深く，患者側の思いや背景に目を配り共感的に受け止めていく，医療者側の姿勢そのもののあり方を示すモデルが医療メディエーションである。

Ⅲ 医療メディエーションの目的

医療事故では，患者側はもちろん，医療者側も深く傷つく。事故をめぐる問題が終わったとしても，その苦悩や悲嘆から容易に脱却することはできない。事故の経験を，苦痛と怒りに支配されたまま抱えていくのか，苦痛はあるものの起こったことの状況がいささかでもわかるのとでは大きな違いがある。

医療メディエーションは，単に「解決」「結着」を目指すのではない。単なる「苦情処理」や「紛争解決」ではない。死亡事故では，患者側にとっての「納得」はない。医療者側にとっても，終着点としての「解決」などはなく，あるのは，区切りとしての「結着」に過ぎない。医療メディエーションは，患者側・医療者側双方の関係再構築を目標としている。

Ⅳ 事例紹介

さて，ここからは筆者がかかわった「類似名称薬剤の誤投薬による死亡事故」における医療メディエーション事例について紹介する。

事例の概要

患者は喘息発作のために入院していた70歳代の男性で，症状が改善したため退院が決まっていた。夜の9時過ぎに，患者に39.4℃の発熱を認めた。そのとき，当直していた医師が解熱のために副腎皮質ホルモンの「Y薬」を処方しようとして，電子カルテに「○○○」の3文字を入力したところ，その画面に唯一表示された筋弛緩薬の「X薬」がそのまま薬剤師にオーダーされてしまい，看護師によって筋弛緩薬の投与が実施されてしまった事故である。

夜勤の看護師は，患者のベッドサイドに2回行っている。最初に行ったときは，薬が効いて，熱が下がってよく眠っていると思い込み，細かい確認はしなかった。2回目に行ったときに呼吸をしていないことに気付き，応援を呼び心肺蘇生を行ったが，蘇生に至らず亡くなられた。

病院は過失を認め，直ちに患者家族への説明，謝罪を行った。併せて，当時の院内規定に従って警察への届け出を行った。そして，患者家族に公表の意思を伝えたが，翌日の夜，管理者と当事者の医師で患者宅を訪問し，改めて説明と謝罪を行って「公表させてください」とお願いし，患者家族が了解したことから記者会見を開いた。

翌日には，テレビや新聞などで報道があり，その翌日には病院のホームページでの公表も行った。

事故の詳細

事故の詳細は次の通りである。

看護師Aは，宿直医とともにベッドサイドに行き，「点滴で，熱下げますね」と宿直医の説明を聞いていた。その看護師Aは，宿直医とともにベッドサイドをいったん離れたものの，患者に「点滴の準備をしてきますね」と伝えるために，ベッドサイドに引き返したと記憶していた。そのため，看護師Aは宿直医の「点滴で，熱下げますね」という言葉は記憶していなかった。このことは，看護師Bとナースステーションで話した際に「患者が，熱があるのでX薬という抗生剤が出た」と告げていることからもうかがい知れる。

オーダーを受けた薬剤師は，病棟で気管挿管に使用すると思い込み，用量のみに注意しただけで，受け取りに来た看護師Cに払い出してしまった。

看護師Cは，薬剤師から何も言われず，一般薬と同じく払い出されたことから，特殊な薬剤という認識をもっていなかった。患者が「アスピリン喘息」であると聞いていた看護師Bは，「アスピリン喘息だから，こういう使い方をするんだな」と思ったそうである。

看護師Bは実施に当たり，宿直医に「X薬，どのくらいかけて落としたらいいですか」と聞いたが，宿直医はその時点では「Y薬」としか思っていなかったため，「15～20分くらいで落として」とだけ答えて，薬剤の再確認は行われなかった。スイスチーズのように間違ったことが重なり，止まることなく実施されてしまった。

事故発生直後，亡くなった患者が横にいる状況のなかで，院長からご家族への説明と謝罪が行われた。さらに，「公表」について申し出たが，公表の目的や内容についての説明が足りなかったため，この時点での了承は得られなかった。

過去に同一の事故が起こった際，厚労省（当時）通知や製薬会社からの注意文書などにより，どの医療機関でも類似名称薬剤に対する対策を講じている。この病院と同じように，Y薬を不採用としていた病院，危険薬のX薬のほうを削除した病院，システム上でアラームがかかるようにした病院，などどこの医療機関でも対策は立てていたはずであるが，また起こってしまった。

誤投薬事故調査報告書が公表されたが，この報告では，「システムの不備」「医師不足による過剰業務」「職種間のコミュニケーション不足」「職種間の権威勾配」「職員への教育不足」などが指摘されているが，同じような問題はどこの病院でも抱えている。つまり，どの医療機関でも起こり得た事故だともいえる。

事故の背景

この病院は，電子カルテ上でワーニングや注意喚起などの危険薬に対する対応を行っていなかった。

宿直医は４月に赴任したばかりで，前の病院で使用経験のあった「Y薬」が，この病院で不採用になっていることを知らなかった。この病院では中途採用の医師は即戦力として外来に出され，オリエンテーションを行っていなかった。

また，看護師は，筋弛緩薬の使用に疑問をもったが，質問するチャンスが２度あったにもかかわらず日頃の医師の態度から聞くことができなかった。看護師から医師に言えないという風土は，どこの病院でも抱えている問題だと思われる。

さらに，薬剤師は，その病棟でそれまで一度も使用されていなかった筋弛緩薬の使用に疑問をもたなかった。

事故後の対応

事故後，調査委員会を開催した。これには外部委員として医療事故の被害者遺族（患者側代表委員）に入っていただいたが，この方に入っていただくことは，事故調査委員会の設置を病院長に提案したときから決めていた。

それとは別に最初から決めていたことが３つある。「公表」「遺族の参加」「医療安全の日の設置」である。委員会の設置要項のなかに「遺族の参加」という条項を組み入れて，病院に持ち込んだ。この病院に限らず，事故が起こってからどう対応したらいいのか，そのノウハウはもちろんなかったと思われる。事故から１週間後，院長に「外部委員を入れた事故調査委員会を設置して，しっかりした報告書を作成して公表しましょう」と提案した。

第１回目の事故調査委員会から８カ月で，合計７回にわたる委員会を開催した。患者家族には，発言権のある傍聴人として当初より出席していただいた。

委員会終了後は，その都度，患者家族（実弟，長女）と事故調査委員会メンバー（委員長，患者側代表委員，医療メディエーター）５名で話し合いを行った。いつも３時ぐらいから始まって，終わるのが夜の９時過ぎくらいまでで，時間をかけて事故調査を突き詰め，その後で１，２時間くらいの話し合いを行った。

患者家族は最初から「事故調査委員会で原因究明をしてください」と言っていた。患者家族の希望を聞いていたにもかかわらず，病院は事故調査委員会設置の決定を患者家族に伝えず，患者家族はマスコミから聞くことになった。患者家族は，事故調査委員会を設置する前の説明会の席で，「なぜマスコミより先に自分たちに言ってくれなかったのか」と苦言を呈していた。

何が問題なのか

医療者側と患者側との認知齟齬の１つ目として，この病院のある地域では，四十九日まで７日ごとに法要が行われている。病院はそのたびに患者宅を訪問しご香典等を提示したがすべて断られていた。しかし，この説明会のときに初めてご香典等を受け取っていただけたので，病院はこれを「家族に気持ちを受け入れていただいた」と理解していたが，患者家族は「狭い部屋の中で突きつけられたので，持っていくしかなかった」と言っていた。

２つ目は，最初の委員会に傍聴人として，患者家族が出席されたが，委員会の終わりに患者家族から委員長と患者側代表委員に対して「本当は，思い出してつらいので出たくはなかったが，娘が気丈にも出たいというから来た。出席させてもらってありがとう」という言葉をいただいた。病院はその言葉は自分たちに向けられたと勝手な思い込みをしていた。

また，年末に「法要をしますが，よろしければ」と患者家族から連絡があり，そこで初めて法要への出席が許諾され，病院幹部と当事者である医師が出席したが，当事者の看護師たちは出席していなかった。実は一番大きな心の傷を負っていたのは，点滴を実施した看護師であった。

後日，亡くなられた患者の家族から「今は病院が全面的に非を認めて謝罪をして，補償も約束してもらっているが，司法解剖の結果，何らかの病的な原因があって，薬剤によるものではないとなったら，病院は手のひらを返すように，態度を変えるのではないか」という言葉があった。

8年前の事故のときは，筋弛緩薬を入れる際，横に人工呼吸器を用意したうえで実施していた。亡くなったのは8日後で，精査をしたところ薬害によるものではないという判断になり，病院は過失を否定したという経緯がある。それをインターネットで見て知っていた娘さんが，自分たちも同じ目に遭うんじゃないか，病院は手のひらを変えるんじゃないかというようにすごく強い不安を抱いていた。

また，「病院がホームページに掲載した内容からは“理解力のない無知な遺族だ”としか読み取れなかった。腹立たしかった。公表ではなく，記者会見と言われた。病院の都合の良いように変えている」との発言もあった。

亡くなった患者を横目に「記者会見してよいですか」と病院長から聞かれた。患者家族からすれば，記者会見になったら自分たちも引っ張り出される，と考えて断ったようであった。事故を起こした病院の責任として公表しなければならない，と説明したうえで「公表させてください」と言われたら，私たちは了解したと話されていた。

また，「7日ごとの法要のたびに自宅まで来て香典も上げていたが，焼香して手を合わせて帰っていただくといった形だけで，心が感じられなかった。母はいきなり夫を奪われて，一人きりになった。『お体は大丈夫ですか』といった心からの言葉が一度もない，顔だけ出せばいいと思っている。それから，看護師は止められたと思っている。解熱で筋弛緩剤を使うことに何も疑問を覚えないことがおかしい。それくらいは勉強して看護師になったのではないのか。看護師失格だ」との言葉もあった。「母が一人を怖がっている。家族の生活を狂わせてしまったことも病院は理解をしていない」「こんな病院はつぶれてしまえばいい」とも言われていた。

その後の経緯

この間，医療メディエーターは患者家族と連絡を取り続け，委員会以外は病院の建物も見たくないという患者家族の気持ちを考慮して，病院外で週1回の面会を重ねていた。

委員会の回を重ねるごとに，患者家族からは個人を攻める言葉がなくなり「コンピュータに殺された」「電子カルテのシステムが悪い」と理解をしていただけるようになった。また，危険薬のオーダー時にワーニングをかけるのであれば，全国的に同じような対応をすべてのメーカー，すべてのシステムでとることができればいいとも言われていた。

一方，当事者となってしまった看護師たちは，患者家族からは病院職員の自宅訪問は断られていて，病院幹部からも勝手に行かないようにと止められていたが，看護師たちが自身の判断でご自宅を訪問した。

その後の長女さんからの連絡で「『病院の看護師さんたちがお墓に供えるお花とか全部用意して来てくれて，泣きながらお詫びしてくれたよ』と母も泣きながら電話をくれた。看護師さんたちも辛い思いをしているんだということがわかった」と言っていた。

その後の委員会後には，「今回の件で，事故は減るかもしれないが，ゼロにならないのが悔しい。また，看護師の薬剤知識については，学校から現場までの継続した研修が必要だと思う」，病院への要望は，「今は何もありません。十分に対応していただいています」という言葉をいただいた。

X薬とY薬の事故で薬剤名が見直されることになった。X薬が一般名に変更された。患者側はもちろんのこと医療者側をも苦しめたX薬とY薬の事故は二度と起こらない。医療安全と再発防止が目的だとしても，縦割り行政のなかで薬剤名の変更が簡単にできるはずはない。事故から半年という短期間で変更されたのは，厚生労働省の思いのある人がきちんと動いてくれた結果であった。

この情報が出た後に開催された最終の委員会後，患者家族に通知をお渡しした。そのときに「ありがとうございます。仏壇に上げさせてもらいます」という言葉をいただいた。

「自分の大切な家族が亡くなったことが無駄ではなかった」と知ることが，残された家族に前向きな意味をもたせる。病院に殺されたけれど，父が亡くなったことで薬の名前が変わって，X薬とY薬の誤投薬で亡くなる人はもう二度と出ない。残された家族にとっては，気持ちのうえでプラスになったと思われる。

事故がもたらしたもの

翌年の8月に，事故報告書が公表された。同じ日に事故にかかわった医師が書類送検された。「事故の原因は，個人や職種に特定されるものではなく，組織体制やシステム，つまりは，病院全体の問題として捉えていかなければなりません」という院長のコメントが記載されている。被害を受けた患者家族の心にも響いたようであった。

この事故にかかわった病院関係者5名のうち，看護師2名を含め4名が退職した。

亡くなられた患者の長女さんは，もともと別の仕事をしていたが，季節の変わり目に喘息の発作を起こす父の看病をしたいという一心で看護師になられた。とても看護に対する思いの強い方である。そのため，事故直後は看護師たちに対する疑問が，とても強かった。なぜ看護師が止められなかったのかそれを知りたい。その一心で，気丈に事故調査委員会に出席されていた。委員会に参加し，徐々に疑問が解消されていくに従い，現場や当事者に対する理解を深めていってくれたのだと思う。今回この事故がきちんと終わることができたのも，長女さんの力が大きかったと思う。

病院は当事者たちへの精神的なサポートのために何ができるかを考え，次のように実践する。

①当事者の弁護士相談（外部：日本看護協会ほか）
②当事者の個人カウンセリング・面接
③休暇や夜勤免除などの勤務調整
④院内体制整備（メンタルヘルス支援）

残念ながら，病院幹部のそうした思いは当事者たちに届かず，退職してしまう。当事者たちの心理としては，次のようなものであった。

①事故直後，病院から自宅に帰るように言われた（一人になりたくなかった）
②事故調査が始まったと聞いたが，病院からの連絡がない（自分の知らないところでどんな調査をしているのか）
③亡くなられた患者家族が自分をどう思っているのか（患者家族の気持ちが知りたい）
④病院は患者家族のフォローをしてくれているんだろうか
⑤病院は事故調査委員会に出席している患者家族と自分たちを会わせてくれない（謝罪させてほしい）
⑥自分だけ罪に問われた。病院長からの謝罪がない（病院，システムのせいならなぜ，私だけが罪に問われるのか）

こうした思いを当事者たちは抱えていた。

医療メディエーターの対応

医療メディエーターによる当事者たちへのメンタルサポートの第一歩として，当初から感情を受け止めていた看護師たちに対して，他院で有害事象を経験した看護師との面談を実施した。病院の当事者たちはもちろん，その方自身もフラッシュバックを起こす場合も考えられたため，その対策として，他院の有害事象経験者には外部の医療安全に精通した看護師にフォローを依頼し，病院の看護師たちのフォローには医療メディエーターが付き，個室を用意し，当事者たちだけで話をしてもらった。直後こそ，医療事故を起こした当事者から示された事実に直面しショックを受けていたが，1週間後，当事者たちから自分が進んでいくためのヒントをいただきましたとの言葉を聞くことができた。

次に実施したのは，当事者医師と患者家族との面談である。当事者医師については，事故直後から病院幹部と病院の顧問弁護士が対応していたため，医療メディエーターによるメンタルサポートができずにいたが，事故から10カ月が経過した頃，病院から当事者医師の様子が心配だから話してもらいたいとの申し出があった。その日のうちに当事者医師に連絡したところ，書類送検されたことにショックを受けていて，「医師免許をなくすかもしれない」といった不安やその他の心配ごとを涙声で話してくれたが，とても不安定な精神状態であることがうかがえた。

患者の長女さんに，当事者医師の状況を話したところ，「私が会って話しましょうか」と提案いただいたことから，当事者医師と長女さんとの面談を実施した。

当事者医師は，通夜や葬儀等でお顔は知ってはいるものの，直接話したことがなかったため，会うことへの不安や恐怖感を口にしたが，ご家族がおっしゃっているならと，医療メディエーターと3人で会うこととなった。長女さんに対する，当事者医師の第一声が「このたびは，申し訳ありませんでした」という言葉であった。

事故から11カ月が過ぎようとしている時期に，まるで事故直後のような言葉が発せられた。当事者医師の心は，事故の日から一歩も動けずにいたのだと思う。何度も「すみません」と泣きながら謝り続ける医師に，患者の長女さんが「医師を辞めないでほしい。父はそんなこと望んでいません。今回の事故は誰にでも起こった事故です。それが先生に当たっただけです。先生も被害者だと思っています。先生を待っている患者は大勢います」と涙を流されていた。

2時間ほど話し，別れ際に医師から「ありがとうございました。罵倒されて当然なのに，逆に励ましの言葉をいただいた。とてもありがたく，嬉しかった」と最後は少しだけ笑顔を見せた。医療者の苦しみが解けた瞬間だった。

事故からの教訓

病院は，この事故をいつまでも忘れぬよう，患者が亡くなられた日を「医療安全の日」に設定した。

被害者である患者家族からの直接の言葉が，何よりの精神的ケアとなる。事故直後から，医療メディエーターとして，病院がなくした信頼関係を少しでも修復できればと，当初から事故調査委員会に遺族を入れる（発言権のある傍聴）「隠さない，逃げない，ごまかさない」対応を心掛けた。

患者や家族には真実を知る権利があり，病院には真実を伝える義務がある。相互理解があって初めて信頼関係が結ばれることとなる。

患者が亡くなられ，一周忌を迎える前に示談することができた。その年の暮れ，検察に呼ばれて行っていた当事者医師が「遺族が寛大な処分を検察に求めてくれて，不起訴になりました」と泣きながら連絡をくれた。患者家族の優しさに込み上げてくるものがあった。

この事故では，患者家族は「病院が今後ますます地域に信頼される病院となることを願っています」との言葉で，大切な人を亡くした気持ちに区切りをつけた。病院を退職した当事者医師は地元で医師を続け，看護師たちはそれぞれ看護師を続けている。

ここまでの形で終わることは容易ではない。病院と患者との間に立ち続け，それぞれの声に耳を傾け，気持ちに寄り添う。医療メディエーションにも限界がある。大切な人を亡くして，亡くならせてしまって納得などできるわけがない。双方が気持ちに区切りをつけ，前に進むためのお手伝いが医療メディエーターの役割だと思っている。

文　献　1) 和田仁孝・中西淑美著：医療コンフリクト・マネジメント―メディエーションの理論と技法―．シーニュ，東京，2006.
2) 和田仁孝・中西淑美著：医療メディエーション―コンフリクト・マネジメントへのナラティヴ・アプローチ―．シーニュ，東京，2011.
3) 健康保険鳴門病院誤投薬事故調査委員会：健康保険鳴門病院誤投薬事故調査報告書．2009

（渡邊　両治）

9 重大事故発生後の対応における注意点

はじめに

重大事故発生後に，どのような対応が必要かについては，本章で既に詳しく述べられている。ここでは，当事者や病院がどのような心積もりで対応する必要があるのか，特に社会的な面での配慮や注意点を中心に述べてみたい。また，実際は医療過誤，いや医療事故でさえもないが，遺族側が不満をもっているような場合の対応についても少しふれてみることとする。

ここで述べることは，経験豊かな医師や長い間遺族対応をしてきた事務長等であれば，よくわかっていることかもしれない。だが，若いスタッフのなかにはこういったことが理解できていない者も少なからずいるので，指導をしていくうえで十分心得ておく必要がある。なお，このようなことは医療安全業務自体ではないが，患者や社会の信頼・協調関係を回復し，事故の再発防止に取り組むうえで重要となる。

Ⅰ 重大事故が発生したということ

事故が発生したときに最も重要なことは，当事者は失うものをさらに大きくしてしまわないことである。このことは，事故直後の応急処置だけでなく，社会的な対応においても重要である。うまくやって訴えられずに済めばどうにかなるのではないか，という幻想が頭をよぎる気持ちもわからないではないが，急いで適当に取り繕おうという姿勢はかえって深刻な事態を招きかねない。既に重大な事故という，遺族や社会全体がそう簡単には納得してくれない結果が生じている場合には，「遺族や社会全体から納得が得られるような適正な手続きで，誠実な対応を積み重ねていく」ことによってのみ，信頼を回復し，失うものを最小限にとどめることができる。

Ⅱ 説明と謝罪

説明と謝罪は深く関連しており，説明や謝罪において誠実な態度がみられないと，後に紛争に発展する原因となる。事故自体は意図しなかった不注意や不運によるものであったとしても，死後の不誠実な対応は人為的，意図的なものである。また，遺族にとって，医療の内容は専門的でよくわからなかったとしても，不誠実な態度は医学的な問題ではなく，社会的な問題なので，人としてそれを感じ取ることができ，許し難いものとなる。

1．説　明

死亡直後の遺族には，悲しみと怒りが混在した強い感情が存在しているのが普通である。どのような場合でも，説明を始める前に，まずこの悲しみの部分だけは受け止めることが重要である。医療事故ではないのに遺族の誤解によって強い怒りがみられるような場合でさえも，不当な怒りの部分から切り離して，悲しみの部分だけは共有しておく必要がある。不当な怒りを否定するあまり，悲しみの部分までをも一緒に否定するかたちとなってしまった場合には，後になって医師に対する誤解であったことに遺族が気付いたとしても，当時の医師の応戦的な態度は許せないという理由で，両者の関係が修復されない場合も少なくない。

このような配慮がなされないまま，いきなり論理的な姿勢で，「医療には全く問題はありませんでした」というような内容のことから力説した場合，遺族側は自分た

各論 第5章

ちの感情を否定されたような気分となってしまう。

いずれにしても，初期の段階では，悲しい気持ち，残念な気持ちを共有し，大筋について説明し，細かい論理的な説明は強い感情がいったん落ち着いてからにすべきである。このことは，炎症の急性期には，取りあえず炎症を抑え，痛みを和らげるということが重要であるのとよく似ている。

説明は誠実な態度であると同時に，あやふやでない態度でなされる必要がある。わかっていることとわかっていないことを明確にし，また現時点ではわからないが，いつ頃までにどの程度わかるようになるであろうかなどの見通しを提示する必要がある。死亡直後には，遺族がパニックに陥っている場合も少なくない。そのような極限状態で脳に刻まれた情報は，後になって修正することが大変難しい。したがって，雰囲気に押し流されて，適当な推察で，その場しのぎの説明をしてしまってはいけない。また，誤解されたまま思い込まれないようにも注意する必要がある。

全体を通して重要なことは，あたたかい気持ちで説明するということである。特に，説明が医学的に高度に専門的な内容となってしまい，遺族がよく理解できないような状況では，必死で説明すればするほど，強い口調や，「まだ，わからないのか」といったような気持ちだけが伝わってしまい，遺族が叱られているような気持ちとなる場合がある。あたたかい態度は，口先ではなく，心からそのような気持ちとなっていることが何よりも大切である。遺族は，医学的な知識には疎くても，医師が死亡した事実や遺族のことを軽く考えているのではないかといったような点については，社会的に気付いており，表面的な繕いでごまかせるものではない。

もう一つ大切なことは，安定した気持ちで説明することである。取り乱している遺族に対して，「落ち着いて」というようなことを言う医師もいるが，こういった言葉は相手の現在の感情や態度を否定することになってしまうので，逆効果である。取り乱している遺族であっても，こちらが落ち着いていれば，次第に落ち着いてくる。ただし，こちらが落ち着くことができるためには，自分の身の安全が物理的，社会的に確保できていることが大切である。そのためには，一人では対応しないとか，机を挟んで説明する，また状況によっては何かあった場合に連絡できる人員を入り口付近に配置する，などの配慮が必要である。また，今後自分がどうなるのかといった見通しがつかないと，不安な気持ちになってしまう。そうなると，毅然とした態度をとろうとすればするほど，かえって構えてしまい，憮然とした態度になりがちである。重大事故発生後，あるいは事故がなくても紛争になりそうな場合には，早期に弁護士と相談しておくことが重要である。そうすれば，将来の展開をある程度予想（覚悟）することが可能となり，気持ちの準備をしておくことができるので，より落ち着いて対応できる面がある。

なお，病院側と遺族の間で認識に食い違いがあった内容について，後日調査結果が出て説明するような場合には，いきなりそのような争点から話を始めるのはよくない。そういった場合には，以前から合意が得られているような内容から話を始め，両者の間で気持ちを共有する時間を過ごしてから説明するのがよい。遺族が納得できるか否かには，論理的な面の正しさだけでなく，納得できるムードになっているかということが重要であるからである。遺族は，実は，科学的にではなく，社会的に納得ができていない場合も少なくない。そのような場合に，科学的な論理だけで押し通して無理に納得させようとすれば，うまくいかなくなってしまいがちである。

早く切り上げようとする態度は，相手側の「ゆっくりと話を聞きたい」という気持ちを否定することになる。不要なことを長々と話す必要はないが，まずは「この話し合いは大切なことである」という気持ちを，相手側と共有しておくことが重要である。そうすれば，自ずと早く切り上げようという態度にはならないものである。いくらうまく繕ったとしても，こういった気持ちがなければ，話が終わったときに，「ああ，やっと終わった，（嫌なことが）…」という気持ちが相手側に伝わるものである。扉を無造作に閉めて出て行く姿を見れば，話の内容があまり理解できなかった遺族であっても，そういった医師の心の中を見抜くことは容易であろう。

なお，ムードという点では，説明は整然とした部屋で行うべきである。そうすることによって，死亡した事実が遺族にとって大切なことであり，また病院が厳粛に受け止めているということを暗に伝えることができる。また，粗暴な行動をとるような場ではないという雰囲気にすることができる。ただし，丁寧に対応するのはよいが，院長室や応接室などで行えば，重大な問題があったのではないかと思われたり，大きな補償をしてもらえると期待されたりしてしまうことがあるので注意が必要である。

説明は論争の場ではないので，相手を論破する必要はない。相手の失礼な質問も，「そういうこと（質問）であれば，少し説明が足りなかったかもしれませんが，～ということです」というかたちで受け止めたうえで，「気になる」のはしかたないが，その点は「心配ない」というかたちで説明するのがよい。「それはすでに説明していますが…」というような言い方をすれば，相手の理解度が悪いということになるが，「先ほど説明させていただきましたことと関係するのですが，いまご質問いただいたのは～ということなのです」と言えば，質問した相手の顔を立て，建設的なやり取りがあったということになる。また，場合によってはいい質問をしたという満足感を与えることもできる。

なお，遺族に対する説明をするときは，生前の患者や家族に対する説明とは異なる状況にあることも忘れてはならない。生前では，医師の説明が不十分であっても，患者側はできるだけ理解しようというスタンスである。しかし，医師に疑念を抱いている遺族は，自分が納得できない限り，医師を否定するスタンスになっていることも少なくない。「医師は，日常診療のなかで慕われている人に手際よく説明するのは得意であるが，疑われている人，つまり納得したくない人に辛抱強く説明するのは，実は得意ではない」ということをよく心得ておく必要がある。

2. 謝　罪

遺族と意外に揉めている交通事故に，加害者に非がほとんどないものがあるという。近年，ドライブレコーダーが普及して状況も変わりつつあるが，交通事故では事故状況が遺族によくわからない場合も少なくない。そのようななかで，「被害者が亡くなったという事実」と「加害者が謝らないという事実」だけが遺族に突きつけられると，揉めることになるという。医療関連死の場合には，何が起こったかが遺族にとってさらにわかりにくい場合も少なくない。したがって，医師が謝らないと，「亡くなっているのに，謝らないのか」となってしまう場合がある。一方，謝ればうまくいくかと言うと，遺族は，状況がわからないときには，謝罪の程度からしか医師の責任を推察することができない。したがって，過度な謝罪をすれば，「相当悪いことをしたのだろう」と思われてしまうことになる。実は，適切な謝罪をすることは大変難しく，必要以上に謝っても，「おつり」は返ってこないということを心得ておかねばならない。

医師の多くは，日常業務のなかで責められることがあまりないため，責められると弱い面があり，適切な程度に謝罪する能力は高くない。糾弾されると自虐的になってしまい，「すべて私が悪かった」というような状況に陥ってしまう医師がいるが，「誠実な謝罪」とは，謝罪すべき点について責任を認めて心から丁寧に謝罪することである。このような謝罪は「責任承認謝罪」（apology）と呼ばれるもので，過失がある場合にはできるだけ早い時期に行う必要がある。もっとも，不要な謝罪を責任の有無や程度がはっきりしない段階で行ってしまうと，後に問題がなかったことが判明しても，取り消すことが難しくなる場合があるので，いまだ事実が明らかでない場合には慎重である必要がある。

一方，どのような場合にも必要な謝罪がある。これは，「一生懸命頑張りましたが，助けられず，誠に申し訳ございません」という謝罪であり，亡くなった患者や遺族の心情をくみ取って共感するものである。このような謝罪を「共感表明謝罪」（regret）と呼んでおり，医師に過失がないような場合や，まだ過失の有無がはっきりしていないような場合には，特に重要となる。

共感表明謝罪は，一言で言えば，「精一杯やったが，力及ばず申し訳ない」という気持ちの表明であるが，その表現や相手の理解度に気をつけて行わないと，「医師としての能力がなかった」，すなわち「過失があったことを認めた」と誤解されてしまうこともあるので，注意が必要である。

Ⅲ 遺族との紛争回避・対応

紛争は「医学的な問題」ではない。医事紛争は，医学的な内容に関係した，「社会的な問題」である。医師は，「医学的な論争」の専門家であったとしても，「社会的な紛争」の専門家ではない。それゆえ，紛争になる可能性がある場合には，早期から紛争の専門家である弁護士に相談しておく必要がある。

ここでは，法律の専門的な話ではなく，医師が心得ておくべき感覚的な話を述べることとする。

1. 紛争になる可能性

法的な紛争になりやすい条件としては，①複数の可能性があり，それが②大きな利害に関係している場合である。例えば，交通事故では，死亡の原因が，事故による損傷か既存の疾病か，あるいは医療過誤によるものか，といったように複数の可能性が考えられる場合には，それが争点となる。一般に，法的な紛争は弁護士に依頼するため，大きな利害とは金銭的な利害ということになるが，時として，大きな憎悪と関係して多額のお金をつぎ込んでも，「この医者は仕事ができないように」といったような気持ちに基づく訴訟もないではない。

当たり前ではあるが，紛争が長引くのは，両者の認識に大きなずれがある場合である。誰がみても医療側に大きな責任があり，重大な結果が生じたことに議論の余地がないような場合には，「許し難い」という点から厳しい糾弾がなされるという面はあるが，紛争が長引くという点に限って言えば，むしろ医療側にほとんど責任はなく，何の損害も与えていないのに遺族側が大きな被害にあったと思い込んでいるような場合のほうが問題となる。

なお，感覚的に紛争になる可能性が高いのはどんなときかと言うと，それは「何かが普通でないとき」である。

1) 経緯が普通でないとき

家族が期待していたよりも悪い結果となった場合や，予想していたよりも急な経過で死亡したような場合には，家族はすぐには納得できない。それゆえ，主治医は常に医師と家族の間で期待値が乖離しないように気をつけておく必要がある。これには，普通でないと遺族が思い込んでしまっている場合もあるので，注意が必要である。例えば，疾病の病期によっては，主治医が交代した時期に一致して悪化することもあるが，そのような場合には，医師のせいだと思われることがある。

2) 医師と患者・遺族の関係が普通でないとき

生前から家族が不満をもっていたが，死亡後は我慢しなくなるために顕性化してくる場合や，死後の病院の対応が悪かったために関係が悪化する場合などがある。なお，生前，過度な期待から家族があまりにも従順で，関係が「必要以上に」良かったと思われるような場合にも，「必要以上の」見返りを求めるかたちで，反動が生じる可能性を考慮しておく必要がある。次項3）とも関係するが，特に思い込みの強いタイプの者は，医療側との間で利害や考えが完全に一致している間は，真面目な「良い患者や家族」となるが，いったんずれが生じると修復は困難となる。

なお，人間関係であるので，多くの臨床医が診療のなかで感じ取っていることと思われるが，「好き嫌い」「相性」といったことも関係してくる面がある。

3) 患者・遺族が普通でないとき

素行不良の者や借金などで困っている者は，比較的揉める可能性が高い。悪いことではないが，普通でないという点では，お金持ちや医療関係者もまた普通でない展開となる場合がある。ただし，最も重要なのは，こういったことよりも本人の社会性である。

また，稀ながら，クレーマーである場合のように，紛争を避けることが誰が対応してもかなり難しい場合があり，病院は紛争になったからと言って，主治医や担当者に問題があったと安易に判断してしまわないように注意する必要がある。

4) 医師が普通でないとき

このような場合も実際にはあるが，ここでは省略する。

2. 遺族は何を求めて紛争になるか

法的な紛争はお金が目的であると思われがちであるが，必ずしもそうではない。

遺族には，家族が死亡したこと自体やそれに伴って始まる苦しい生活，医療の内容，医師や病院の生前・死後の態度など，我慢できないことやつらいことがいろいろとあるであろう。そして，遺族が「自分のつらい気持ちを認めさせたい」「何か自分の大事なものが脅かされている」と感じたときに紛争が起こる。この大事なものとは，人間としての「尊厳」や「生活」である。

大切な家族を亡くしたのに医師から謝罪が全くないとか，払われるべき（と思っている）賠償金が払われないことは，本人の「尊厳」が脅かされることになる。また，後者は経済的に「生活」が脅かされることにもなる。

3. 紛争の回避と対応

尊厳が脅かされることによって紛争になる場合があることについて述べたが，尊厳が脅かされたままの状態では後には引けないという面がある。

実際に法的な紛争となって裁判で負けるかは別として，初期の段階では相手側の尊厳を守る，つまり面子を潰さないということが大切である。

「私は医者の娘だから，医学のことはよく知っています」と言って，親族を代表してやってきているような相手に，「でも，あなた自身は医者じゃないでしょう」と言い返すような対応は，論理的で頭の切れることが自慢である医師にみられる。確かに，医師はすっきりするかもしれないが，相手側はそう言われると引き下がるわけにはいかなくなってしまう面がある。一方，こういうときにでも，「であれば，今からする説明もよくわかっていただけるかもしれません」と，相手側の気持ちを汲だ対応をすれば，相手側はやはり「この私だから理解できる」という気持ちになることができ，社会的にも納得してもらいやすい状態になる。

また，反社会的な人物が悪態をついてきたような場合に怒鳴り返せば，相手側も素人に怒鳴られて引っ込んで帰るわけにはいかなくなってしまう。しかし，警察を呼べば，「警察が来たから帰ってやる」というかたちで，それなりの面子が立つわけである。

遺族の面子を立てながら対応することは，不要な紛争を招かないためにも常に大切である。それは，うまくあしらうということではなく，家族を失い人生の岐路に立たされた遺族に対する思いやりでもある。このことは，相手の不当な主張を認めることとは別である。むしろ，相手の面子を立てることによって，間違った主張自体は訂正しやすくなる面がある。

遺族が辛辣な態度で攻撃してきているような場合であっても，病院自体は常に紳士的に対応し，遺族への反撃や批判は避けるべきである。必死になって対応するあまり，客観的にみて，思いやりや誠実さを欠くような行動をとってしまわないように注意しておく必要がある。遺族個人から非難されることは病院にとって大きな負担となるが，さらに大きな痛手となるのは，社会全体から非難を受けるようになってしまうことである。したがって，たとえ一部を切り取られても，常に客観的にみて正しい対応をする必要がある。医療側は，誤解を解くための説明はしても，相手の非を指摘するような行動はできるだけ避ける必要がある。明らかな「クレーム」や「文句」と思われるものであっても，そのような言い方は相手側を非難していることになってしまう。一方「～ではないかという苦情」や「～ではないかというお話」をいただいたという表現にすれば相手を非難することにはならず，第三者がみれば大方の内容は察しがつくこととなる（万一，不当なクレームではなく事実であったような場合にも，その後の対応が容易になるであろう）。

遺族が頻繁に突然やってきて困るような場合でも，「業務妨害はやめてください，帰ってください」といったような遺族を直接非難することになるような対応ではなく，「診療に支障が出るので，改めてお話の機会を設けさせていただきます」といった，「他の患者を適切に診療するためにお願いしている」というスタンスで対応すべきである。

遺族の態度にあまりにも大きな問題がある場合には警備員や警察に連絡することとなるが，それは病院の秩序を守るために，「そのような場合は，そうすることになっている」ということを暗に示すことが重要であり，決して反撃をしたという雰囲気を出さないのがよい。後日，通告が必要な場合には，弁護士に担当してもらうのがよい。なぜならば，弁護士はそういったことを扱う専門家であるということと，もう一つは，医療自体を担った当事者ではないので，遺族に対する通告だけが一人歩きした場合にも，「患者を死なせておきながら主治医には反省がない」というような話にすりかわって社会的非難を受けるようなことにはなりにくいからである。

病院のホームページや記者会見のような社会に対する発信・説明についても，弁護士と相談すべきであるが，その場合も誠実で心の通った冷たい感じのしないメッセージを発信することが重要である。たとえ不当な攻撃であっても，病院が冷淡な態度で反撃してしまえば，「病院に誠意がない」という印象を社会全体に発信してしまうことになるからである。

4．紛争の展開

紛争は通常急性期には感情的な怒りが中心であるが，やがてそれは論理的な非難や要求へと移行していく。感情的なもつれが遷延する一部の危険な場合を除いて，遺族側の要求は時間経過とともに法的な相場に近づいていくことになる。

本格的な治療は急性期を乗り切ってからすべきであるのと同じように，紛争を無理に早く解決しようとしてもうまくいかない。しかし，逆に急性期に適切な治療をすれば，早く退院できるという面もある。弁護士は法律を楯に闘う人たちだと思われがちであるが，実は，法律的な知識を活かして，先を見越しながらできるだけ闘いにならないようにする専門家である。急性期に敏腕弁護士に担当してもらうことができれば，早い時期に紛争が終結することもあるが，そのためには医療側が紛争を招かないような誠意のある配慮で対応していることが大切である。

なお，紛争の当事者となった医師が初期対応において最も注意しなければいけない点は，相手側の土俵に引きずり込まれないようにすることである。紛争はそれぞれの土俵において力関係やルールが異なる面がある。裁判所ではまかり通らないような遺族の要求であっても，反社会的な交渉の場では，こちらもその要求に応じざるを得ないような展開もあり得る。「院外で会ってもらいたい」とか，「先生一人とお話がしたい」と言われたような場合には，「大切なことですので，病院全体で対応させていただくことになっています。病院から改めて連絡させていただきます」といったような対応をするよう，若い医師に指導しておく必要がある。

5．裁　判

裁判については，その専門家である弁護士に担当していただくこととなるので，素人が知っておくべき重要なポイントのみを幾つか簡単に述べることとする。

当事者の医師としてはできるだけ裁判にならないようにしたい気持ちがあるが，裁判は，感情や地域の力関係などではなく，法律という社会的なルールで仕切られる紛争であるという点では，良い面もある。ただし，医局のカンファレンスのように医学的な考え方が中心ではなく，また必ずしも一生懸命診療に従事している医師の苦労をくみ取ってもらえるというわけではない。例えば，「当日は，学会（あるいは症例検討会）の準備で病棟に頻繁に顔を出す時間がなかった」というような証言は，医局のカンファレンスであれば「大変だったね」というような声も上がるかもしれないが，裁判所では「適切な診療を怠ったことは間違いない」という厳しい評価となる。

医師の多くは裁判官が「何でもわかってくれる神様」のような人であることを期待しているが，裁判官は「公平な神様」でしかない。民事裁判では，「弁論主義」と言って，出された証拠だけで判断されることになっている。なぜならば，裁判官がたまたま知っていた，一方の当事者に有利なことを判断の材料にすることは「不公平」だからである。しかしながら，医学的な紛争においては，医師の間では当たり前だと思っていたこと，つま

図Ⅱ-5-6　民事裁判における判決
判決を出すということは，いろいろな「主張」の枝からなる盆栽を，あれこれ工夫して社会的な丸い箱に収めるようなものである。丸く収めるのに都合の悪い枝は，重要でないと判断されれば，少し曲げられたり，鋏で切り詰められたり，場合によっては切り落とされてしまうことがある。当事者は，そうならないように，大切な枝には，しっかりと針金を巻いておく必要がある。

り院内のカンファレンスではあえて強調しなくてもわかってもらえるようなことであっても，しっかりと主張していないと証拠として全く採用されない場合がある。

このことは，医師が証人として出廷した場合にも重要である。医師が常日頃から熱心に診療に従事していたとしても，裁判所ではそういった姿を見てもらえるわけではない。したがって，裁判所で原告の弁護士に触発されて怒ったり，相手をバカにしたりしながら証言をすれば，「公平な神様」には「態度の悪い」医師と判断されてしまう場合がある。

また，医師は，裁判所では主治医のような主体的立場ではなく，事件の一当事者に過ぎない。自分の医学的な証言も，患者への説明のときのように，専門家の意見として素直に受け入れてもらえるわけではないということを自覚しておく必要がある。

一言で言えば，裁判所は，医師が日頃一生懸命仕事に取り組んでいる病院とは違う土俵だということである。

医局のカンファレンスや学会のような「医学的論争の解明」の場では，科学的に正しい意見が採用され，医学的な常識に基づいて，みんなが「正しい結論」を目指す構図になっている。一方，裁判のような「社会的紛争の解決」の場で原告や被告が目指しているものは，実際は「正しい結論」というよりも，各々の当事者にとって「自分に有利な決定」である。したがって，そこでは誰から出された意見かによって社会的に採否の方向性が検討されるため，自分に有利な意見は自分で証明する必要がある。言い換えれば，科学的に証明されたと認定された証拠だけでなく，双方で社会的に合意のあった証拠や，最終的には裁判という場で社会的に採用された証拠に基づいて，社会的に判決が出されるということである。

判決を出すということは，例えて言うならば，いろいろな「主張」の枝からなる盆栽を，「双方が納得あるいは我慢でき，社会的に妥当であり，不都合な波及効果のない丸い箱に収める」ようなものである。したがって，丸く収めるのに都合の悪い枝は，重要でないと判断されると，少し曲げられたり，切り詰められたり，場合によっては切り落とされてしまう可能性さえあるということである（図Ⅱ-5-6）。

弁護士は，社会的紛争において，どの枝が，判決が出されるうえで重要か，また切り落とされやすいかをよく心得ている。一方，素人である医師の多くは，自分が正しいことはすべて認めてもらわないと我慢できないところがあるので，小さな枝にも心を奪われがちである。だが，裁判に勝つためには，医師は弁護士とよく話し合ったうえで，重要な枝の部分をいかに守るかということにエネルギーを集約すべきである。

このように，裁判は「科学的な論争の決着をつける場」ではなく，「社会的な紛争を終結させる場」である。裁判は「お湯に浸かって議論し合うようなもの」であり，正しい主張をしていても，熱さに耐えられなくなれば負けることになる。したがって，実際には医療過誤がなくとも，医事紛争が生じて手術から外されるとか，患者が減るなどの状況が続けば，早期に解決金を払って和解せざるを得ない場合がある。

このように，紛争の当事者は社会的に重いものを背負わされることになる。加えて，多くの市民は裁判では正しいほうが勝つと思っているので，いったん裁判に負けると，「医療過誤を起こしているのに謝ってもいない」というように，遡って非難を受けることになる。

人にとって最も負担となるのは，厳しい批判ではなく，不当な批判である。院内の者は，このような構図をよく理解し，当事者を社会的な面からもサポートする必要がある。

Ⅳ 事故原因の究明と再発防止における注意点

事故原因を究明し再発防止につなげるために，どのように対応していくかについては既に述べた通りであるが，実際に適正に運用していくためには，その方法だけでなくこれらの業務の特殊性を十分に理解しておく必要がある。

1．事故原因の究明

1）事故原因を究明する視点

「医療関連死の問題に取り組むうえで，最も大切なことは死因究明である」とよく言われるが，これは事実を解明して科学的なアプローチによって再発防止につなげるという一つの流れを示している言葉である。ここで言う「死因究明」は，「死因究明（広義）」であり，実際には「死因究明（狭義）」と「事故原因の究明」からなる。

死因究明（狭義）は，事故発生後，臨床的に対応をしたが，最終的には死亡したという点について探究するものであるから，臨床的な視点，つまり治療のための視点にかなり近い視点で検討されるべきものである。

一方，「事故原因の究明」においては，「治療のための視点」以外の視点も必要となる。例えば，ベッド脇で高齢者が倒れて頭を打ち，後日死亡したような場合を考えてみることとする。臨床医が治療をするという観点からは，「（意識を失って）倒れるような原因となる疾患」があったかとか，「頭部を打撲したことによる損傷」はないかというような点が気になるところであろう。しかし，このような状況で，「看護師が転倒させたのではないか」とか，「ベッドから落としたのではないか」というような可能性も検討せざるを得なくなってきた場合には，どのように倒れたかを詳細に知る必要が出てくる。そうなると，頭部の損傷以外に，治療は不要な程度の，肘や腰背部あるいは膝の打撲傷，手などの擦過傷などについても検討するという，「事故原因を究明する視点」が重要になってくる。

多くの臨床医は日常診療のなかで，あまり細かい原因にとらわれずに，現実に体に生じている問題に対していかに取り組むかという点に重点を置いて仕事をしている。そのため，「死因究明」においても，所見の取り方や検討内容が治療のための視点に偏りがちである。

カテーテルの挿入時の事故などについて検討する場合においても，損傷部以外に，穿刺痕がどのような場所に幾つあったかというようなことは，後に事故発生の背景や誘因を検討するうえで重要になってくる。また，担当者からの情報に対して疑念が向けられた場合にも事実を裏付けるための大切な所見となる。

2）死因究明における社会的背景

日常診療では，医師も患者も今後の治療に役立つ「正しい診断結果」を求めている。

医療関連死の死因究明においても，「正しい診断結果」を求めているという点は同じであるが，実際にはそれぞれの気持ちは微妙に異なっている面がある。社会全体は心の底から「正しい診断結果」を求めているであろうが，担当医は，自分には過失がなかった，あるいは過失があったとしても死因には直接関係がなかったというような診断結果が出てほしいという気持ちがある。また，医療に対して疑念を抱いている遺族には，それとは反対の内容を認めてほしいという気持ちがある。

医療関連死の死因究明は再発防止を目的として行われるものではあるが，こういった背景がある以上，調査においては，その結果に対して異議が唱えられる，あるいは意図的な批判がなされる可能性さえもあることを認識したうえで，科学的な信頼性だけでなく，社会的な客観性も高めて進める必要がある。

3）事故調査における注意点

経験豊かな専門家によって調査委員会が構成され，慎重な討議を重ねて最終報告書が作成されることになる。このような状況で注意しなければならないのは，それぞれの委員は，集められた情報をもとに，確かに一生懸命問題に取り組むが，討議の大前提となるこれらの情報自体が正しいか否かというようなことについてはあまり関心をもたない場合も少なくない。それぞれの委員は，出された課題をいかに鋭い考察や明快な論理で解決するかという点では，頭の良さを発揮しようとするが，課題そのものが間違っていないかという点には疑問を抱かない傾向にある。

このような点をふまえると，事故調査で最も重要なことは現場の保全である。

「どうして，当日いつもと違うことをしたのか」という理由を検討するためには，現場の状況を常識的に把握するのではなく，実際の物の配置などを記録しておくことが重要となる。また，死因究明における社会的背景を考えた場合，現場全体やモニター画面の写真撮影などの客観的資料の保存が重要となる。血の付いたシーツなどが写り込んだ写真は学会などではあまり歓迎されないであろうが，「客観的資料（証拠）」という点では信頼性の高いものとなる。

検討の大前提という点では，関係者のヒアリングも重要であるが，事実と異なる証言や勘違いを排除するためには，関係者から個別に，具体的な聴取を行い，他のスタッフの証言との整合性を確認する必要がある。

関係者の心理的負担や，その後の人間関係のことを考えると，事故調査に不要な部分に対して，事細かく聞くことについては配慮が必要であるが，動線などを検討するうえでは，誰が見ていたかだけでなく，その人は左側にいたのか，右側にいたのかというような点も重要となってくる。また，このような点は，具体性，信頼性という点でも重要である。事故に潜む問題点を明らかにするという点では，「誰から指示を受けたか」「どのような指示を出したか」だけでなく，「なぜ，そうしようと思ったか」「いつもはどうしているか」「他の人はどうしているか」「これまでもうまくいかなかったことはあったか」「どのような点に気をつけていたか」などについて聞くことも重要である。

状況を詳しく調べずに,「なぜ, 間違ったのか」という理由を本人の反省の弁に基づいて「不注意だったから」として, 解決方法を単に「チェック体制を強化する」としたのでは, 大きな進展は望めない。事故が起こりやすい環境を改善するためには,「色が似ていたから」「同じ場所に置いていたから」間違ったといったような, 具体的な理由が当事者から挙がってくるようにして, それを改めることが重要である。

4) 調査結果の解釈における注意点

調査結果は再発防止に利用されることを前提としているが, それは, 社会全体に, そして遺族にも発信されるという点をふまえ, 配慮のある表現や説明が必要である。

例えば, 何度も会議を重ねてようやく到達した解決方法が, 問題発生当時の限られた時間や, 限られた情報で明らかにできなかったような場合には, 誤解のないように「今回の事例において検討を重ねた結果, ～ということが明らかになった」というような建設的な記載によって, 今回の事例を教訓に新しい事故防止体制が確立されたことが伝わるように記載する必要がある。

また, 解剖によって死後初めて明らかにできた事実については, 当時の臨床情報で判断できたことと混同されないように注意する必要がある。

なお, 記載に当たって, 簡潔でわかりやすいからといって,「注意不足」「確認不十分」などの, 4字ないし5字熟語を安易に用いないことも重要である。なぜなら, そういったかたちで発信すれば, 問題が起こるに至った複雑な事情や背景がくみ取られずに, これらの熟語だけがすべての原因として一人歩きし, 糾弾材料に変貌するからである。

また,「今回の事例は救命できない事例であり, 特段医療自体には問題がない」というような表現ではなく,「特段, 医療に問題はなかったことが明らかになったが, 医療をさらに発展させて, このような事例も救命できるように取り組んでいくことが望まれる」などの表現も, 程度問題ではあるが, 遺族の心情への配慮という点では重要である。

5) 死後診断の特性にかかわる注意点

臨床診断は「医学的に出された診断が, 今後の治療に, 医学的に利用される」が, 死後に出される診断 (生前の診断の是非も含めて, 患者の死後に検討される診断) は「医学的に出された診断が, 今後は社会的に利用される」という特性を持っている。

診断が医学的に利用される場合には, 医学的に正しくないと都合が悪い。したがって, 当然ながら診断は医学的に評価される。

死後診断も当然ながら, 医学的に評価されなければいけないはずであるが, 社会的に利用されるために, 社会的な都合の良さで評価されてしまう危険性を孕んでいる。

医療過誤を疑っている遺族側の声が大きい場合には,「正しい」医療事故調査報告書が,「間違っている」という社会的評価に追い込まれることがある。なぜなら, そのほうが遺族側にとって,「社会的に」都合が良いからである。

こういったことは想像に難くないであろうが, 実は正しくない報告書が病院にとっても患者にとっても都合が良いために, 直接関与した医療当事者にとっては大変酷な結果となる場合がある。例えば, 実際は誤薬をしていないが, 院内の体制が誤薬の起こりやすい状況であったような場合を考えてみると, 状況によっては,「誤薬事故が起こった」という間違った報告書が「病院が事故を認めたため厳しく糾弾していた遺族の態度が緩和」して事態終結に有用であり, また「誤薬を避けるシステムの導入」の契機となり医療体制までも改善されるというかたちとなり都合の良い場合がある。

死後診断のこういった特性を理解しておかないと, 間違った診断が社会的に正しいとされてしまい, 力の弱い現場の当事者を苦しめることになる。もちろん, この力の弱い当事者は, 状況によっては, 遺族となる可能性もあれば, 病院となる可能性もある。

いろいろと述べてきたが, 医事紛争における医療スタッフの戸惑いの最大の原因は,「医学的に出された診断が社会的に利用 (評価) される」ことが十分に認識 (覚悟) できていないところにある。日常診療における臨床診断の評価は, もっぱら医療チームのなかでの医学的評価であるが, いったん医事紛争となると, 医療スタッフはこの世界から「社会的な論理や都合で評価を受ける (可能性がある)」という別世界に連れ出されることになるわけである。

2. 再発防止における注意点

事故が起こると, 再発防止策の検討が行われるが, 単にチェックリストの追加をするといった方法は, 時として担当者の負担を増加し, 現実的でない場合がある。また, その行程での事故は減っても, 別の行程に歪みが出て, 全体としては事故が増える可能性もある。

安全な方法に切り替えても, なかなか浸透しない場合があるので, 最後にその点について考えてみたい。

1) 安全な方法が浸透しにくい理由

安全な方法があるのに, 浸透しない主な理由としては, 以下のようなものがある。

①安全でない方法の恩恵を受けている

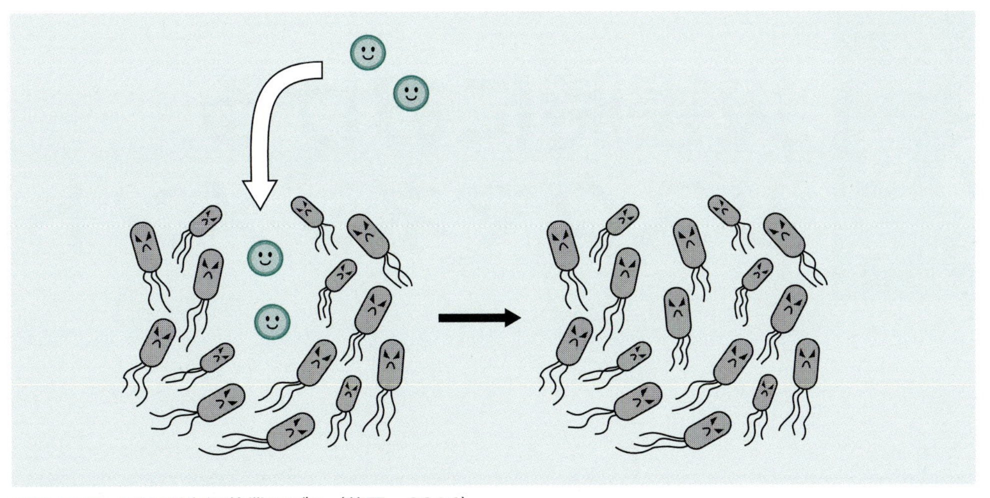

図Ⅱ-5-7 悪玉腸内細菌叢モデル（藤田，2016）
低い安全意識・知識の者（）からなる集団に，安全意識の高い人材（）が入って，安全な方法を実践していこうとしても，その集団に定着した低い安全意識は，悪玉腸内細菌叢のように，そう簡単には変わらない。

〔文献1のp171より引用〕

一般に，安全でない方法でも，簡単で早くでき楽で安いという方法は，なかなか改められにくい。そのような方法が長い間継続されてきている部署では，安全意識の高い人材が新たに入って，詳細な確認を履行し始めても，「時間のかかる困った人」として扱われ，これまで通りの「安全でない早い方法」で済ますように転じなければ排除されてしまうことがある。また新しい方法の導入は，元からいたメンバーがこれまでつくり上げてきた，彼らにとって「都合の良い」環境の崩壊につながるため，なかなか受け入れられない場合がある。これは，「悪玉腸内細菌叢が形成されていると小数の善玉菌を入れても細菌叢に変化は起こらず改善されない」というのによく似ている（図Ⅱ-5-7）。

安全でない方法でどうにかしのいで動いているような状況では，システム全体の改善が求められる。

②事故が起こったときの大きな損失がイメージできていない

大きな事故自体は稀であり，また大きな事故を起こした当事者は，その後職場を変わる場合も少なくなく，大きな事故の怖さを本当にイメージできている者が少ない。

③安全に行うことができるということは高い技術であるが，そうは思われていない

例えば，100人に与薬して一度も間違えないということは，単に注意深く業務を行っているということではなく，信頼性のある高い技術をもっているということにほかならない。しかしながら，現在の医学教育のなかでは，そういったことが学生に十分伝わっていない。高度なスキルであるという認識が高まれば，より積極的な取り組みが期待できる。

事故における対応や再発防止は，大きなエネルギーを要する業務であるが，一人ひとりが高い意識をもって取り組む必要がある。そのためには，実際に資格をとって実務に就く前に，学生時代からそういった知識や意識を十分に浸透させておくことが重要であろう。

文 献
1) 藤田眞幸：医療関連死―医事紛争をめぐる法医学者の視点．医歯薬出版，東京，2016
2) A Consensus statement of the Harvard Hospitals：When things go wrong：responding to adverse event. Massachusetts Coalition for the Prevention of Medical Errors, 2006

（藤田 眞幸）

第6章 災害時におけるリスクマネジメント

1 病院火災発生時の実践的初動対応について

Ⅰ 過去の火災事故からの教訓

1. 火災発生時の初動対応

病院建物には，一般に防火管理者を選任して消防計画を作成し，定期的に同計画に基づく消火・避難等の訓練が実施されている。病院の消防計画では，火災を発見した者は大声で火災を周囲に知らせ，付近にある者と一致協力して初期消火，119番通報，避難誘導を行うことが期待されている。

火災発生時の発見，通報，初期消火，避難誘導を火災発生時の初動対応という。前述の消防計画に基づく定期の訓練において，初動対応は錬磨されることが必要で，特に病院における休日・夜間の少数勤務体制下での初動対応は，対応する職員一人ひとりに多大な負荷がかかることとなる。

24時間，365日にわたり支援を必要とする患者がいる病院火災事故をみると，事故拡大要因として119番通報，初期消火，避難誘導等の初動対応が不適切であったり，実施されなかったことが指摘されている（表Ⅱ-6-1）。

2. 実践的な初動対応

病院の消防計画をみると，火災を発見した職員および付近の職員に，的確な初動対応をすることを求めており，過去の火災事故をみると職員が期待通りの初動対応ができなかった場合には，「消防計画通りの対応がなされなかった」と報道されている例がある。

そもそも病院職員は医療のプロではあっても消火・救助等のプロではない。また，プロと同様の対応を可能とするための訓練を重ねることが現実的であるとも思えない。したがって，火災時に初動対応として病院職員にどのような行動を求めるかを十分に検討し，火災時の対応計画を作成する必要がある。すなわち，火災時のリスクマネジメントを現実的なものとするためには，病院職員にとって，どのような初動対応が実践的であるかを検討し，消防計画を定める必要がある。

火災時のリスクマネジメントの目的は，患者および職員の人命確保であり，この意味から火災時初動対応で最も重要な行動は「避難および避難誘導」である。早期の発見は避難に必要な時間の確保を可能とし，初期消火の成功は，被害拡大を遅延または防止することで，避難時間および避難そのものの確保につながる。さらに，早期の119番通報は，消火のプロである消防隊の迅速な消火，救出による被害拡大防止による逃げ遅れ者の防止（避難の確保）につながる。

このように火災時の初動対応は，すべて避難および避難誘導を可能とするための行動，すなわち人命の確保にあるといえる。そして，実践的な初動対応とは，火災時の避難および避難誘導をいかに効果的・効率的に実現させるかということであり，特に勤務人員が少数となる休日，夜間における初動対応の実践化は重要である。

3. 火災時のリスクマネジメントと初動対応の実践化（効果・効率化）

重ねて述べるが，病院職員は医療のプロであっても，消火，救助のプロではない。プロでない病院職員が火災時の初動対応を実践的に行うためには，多くの職員との一致協力はもちろん，建物の防火・避難施設，消防用設備との三位一体となった活動が必要である。特に，夜間，休日における少数勤務体制下においては，初動対応の目的である患者の避難誘導とみずからの安全確保のためには，建物の防火・避難施設等と三位一体となった活動が不可欠となる。

以下，病院火災の特性，実践的初動対応に活用すべき病院建物の防火・避難施設，消防用設備，水平避難によ

表Ⅱ-6-1　過去の主な病院火災とその事故拡大要因

火災日時	所在地	病院名	死者	傷者	出火原因	事故拡大要因
1970年6月29日 20：07頃	栃木県 佐野市	秋山会両毛病院	17	1	放火	①精神疾患患者病棟に放火 ②119番通報は12分後 ③病棟看護師による避難誘導が全くされなかった
1971年2月2日 19：45頃	宮城県 岩沼町	小島病院	6	0	不明	①精神疾患重症患者保護室から出火 ②119番通報は18分後 ③火災発見が遅れ，避難誘導ができなかった
1973年3月8日 3：21頃	福岡県 北九州市	済生会八幡病院	13	3	蚊取り線香	①自動火災報知設備ベルが鳴動したが，現場確認せずベル停止 ②119番通報は30分後 ③避難誘導開始が遅かった
1977年5月13日 22：50頃	山口県 岩国市	岩国病院	7	5	ろうそく	①119番通報なし（付近住民が通報） ②入院患者の多くが自力で避難困難 ③火点周辺病室の入院患者の避難誘導が行われなかった
1984年2月19日 10：45頃	広島県 尾道市	宏知会青山病院	6	1	不明	①精神疾患患者病棟から出火 ②119番通報は7分後 ③病室は施錠管理され，延焼状況から避難誘導が間に合わなかった
2013年10月11日 2：20頃	福岡県 福岡市	安部整形外科	10	5	トラッキング	①入院患者12名に当直看護師1名の体制 ②当直看護師1名が火災確認後，通りかかったタクシーに通報依頼 ③初期消火，避難誘導なし

〔文献1）より引用〕

る効果，効率的な避難誘導方法を明示した「避難誘導マップ」の作成について述べていくこととする。

Ⅱ　病院火災の特性と火災時初動対応の実際

一般社団法人日本病院会では，昭和40（1965）年以降の会員病院（2,480病院）における火災発生の有無をアンケート調査し，回答（回答率21.7%）を得た火災事例に基づき「病院火災発生時の対応行動アンケート調査結果報告」[1]としてまとめているので，この結果報告に基づき病院火災の特性を解説する。

1．出火原因

放火が最も多く，次いでたばこである。病院の火災予防上，最も留意すべきは放火とたばこである（図Ⅱ-6-1）。

たばこは失火であり，病院内の喫煙管理の徹底等の火災予防により出火を防止できるが，放火は失火でなく犯罪であり，リスクマネジメント上，病院における火災発生危険が潜在していることを認識し，火災発生時の実践的な初動対応の徹底を期す必要がある。

2．火災の発見

病院火災は，火災を自動的に感知する消防用設備である自動火災報知器よりも早く，病棟看護師等の病院関係者により発見されている（図Ⅱ-6-2）。

病院においては，看護師等病院職員の勤務形態等から，火災の発見が早期になされる可能性があり，火災発生時における患者等の避難時間を確保することが可能な状況にあるといえる。

3．119番通報

火災が発生した病院の75%が119番通報し，24%が通報していない（図Ⅱ-6-3）。

119番通報をしなかった理由として，火災の規模が小火（ぼや）程度で，すぐに消火できたので通報を要しないと判断したことがうかがえる。しかし，火災は，消火できたと判断した後に再燃する可能性がある。再燃火災を防止するには消火のプロである消防隊の現場処理・判断を仰ぐ必要があり，119番通報は，再燃のリスクを排除するという意味から，火災発生時の危機管理行為と認識する必要がある。

また，119番通報の時期であるが，多くは「火災発見後直ちに」，もしくは「初期消火後」に通報されている

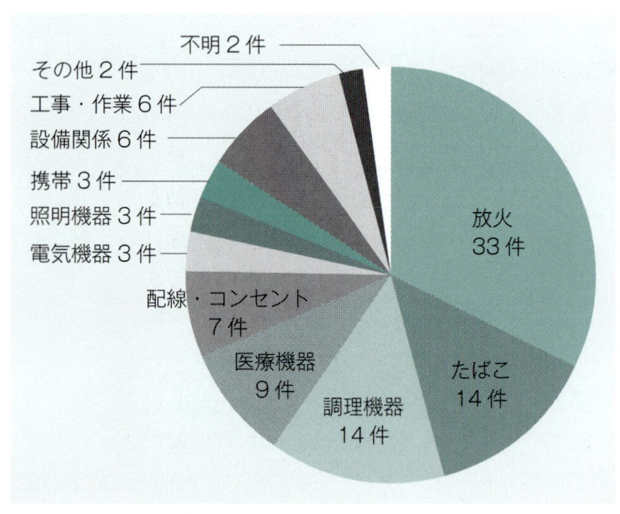

図Ⅱ-6-1 病院火災出火原因（102件）

〔文献1）より作成〕

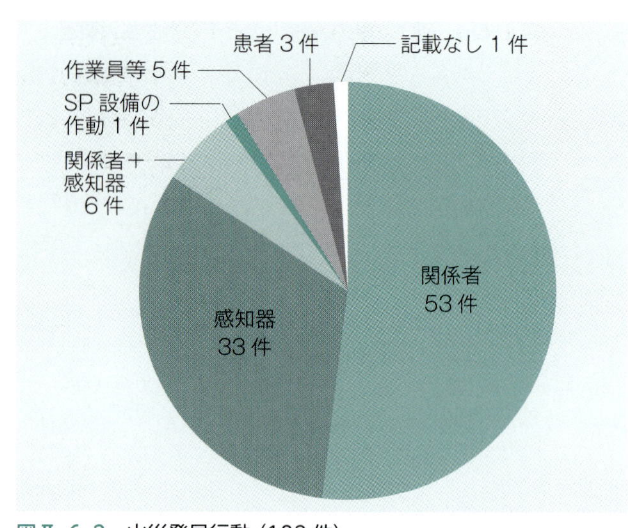

図Ⅱ-6-2 火災発見行動（102件）

〔文献1）より作成〕

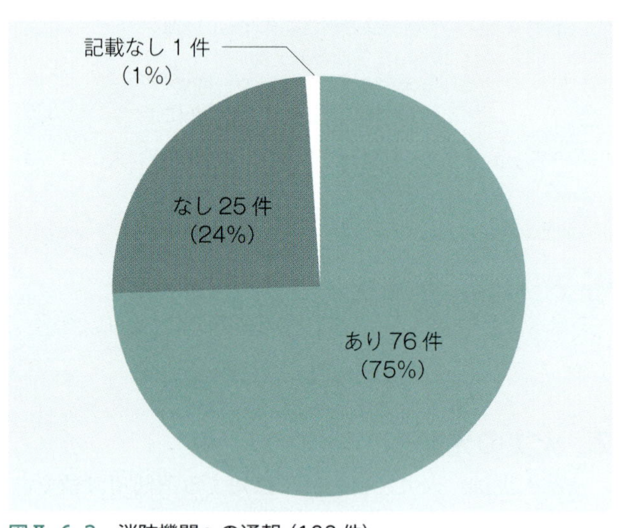

図Ⅱ-6-3 消防機関への通報（102件）

〔文献1）より作成〕

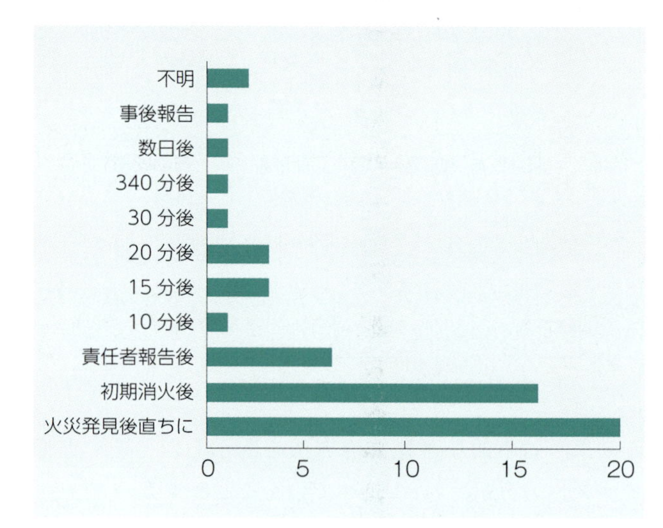

図Ⅱ-6-4 通報時期（非通報の９件を除く54件）

〔文献1）より作成〕

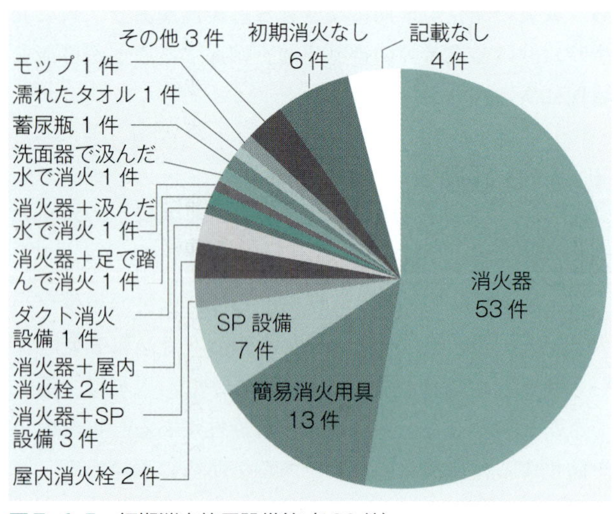

図Ⅱ-6-5 初期消火使用設備等（102件）

〔文献1）より作成〕

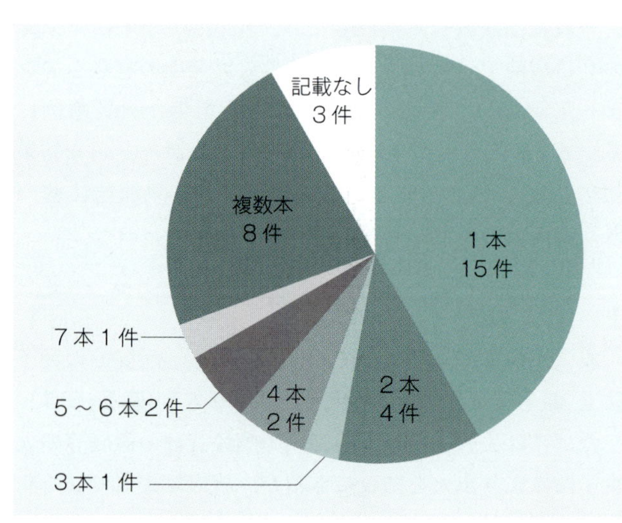

図Ⅱ-6-6 消火器使用本数（36件）

〔文献1）より作成〕

が，「責任者報告後」など間隙を生じるような通報がある（図Ⅱ-6-4）。

前述の通り，迅速な119番通報は，消火のプロである消防隊の迅速な消火，救出による被害拡大防止により逃げ遅れ者の防止（避難の確保）を実現するための手段であり，特に休日・夜間における少数勤務体制下での実践的初動対応を具体化するものであることを十分に認識する必要がある。

4. 初期消火

消火器を使用した初期消火が最も多く，バケツ等の簡易消火用具，スプリンクラー設備（以下，SP設備），屋内消火栓等の消防用設備を活用した初期消火も行われている（図Ⅱ-6-5）。また，初期消火効果を高めるため，消火器＋SP設備，消火器＋屋内消火栓を使用した複合的初期消火も行われている。

さらに，初期消火で使用した消火器数は，1本が15件に対し，2本以上が18件であり，実火災では，消火効果を確実なものとするため複数の消火器を使用した初期消火が行われている（図Ⅱ-6-6）。

病院の火災訓練では，消火器の取り扱いを主とした単独での使用訓練が一般的であるが，実火災における初期消火事例をふまえると，消火効果を確実なものとするためには消火器複数本を使用した複数人による訓練を実施すべきである。

5. 避難誘導

実際の火災事例から避難誘導の実施に当たった職員数を正確に把握することは緊急時の対応であることから困難であるが，おおむね患者1名に対して職員2名で誘導が行われている。避難誘導等の火災時の初動対応においては，2人1組で行動することは相互監視による職員の安全管理の徹底を図るうえで重要なことである。

避難方法をみると，1事例が垂直避難，他の事例は水平避難により避難誘導が行われている。

火災による危難から逃れる避難方法としては，建物の避難階段を使用して下階に避難する垂直避難が一般的である。しかし，垂直避難は，避難者が自力避難可能者である場合は有効であるが，避難者が要避難支援者の場合，介助者を多数確保する必要があること，少数で垂直避難しようとすると多くの時間を要し，誘導者の体力的な問題もあり，緊急時の避難方法として課題が多い。

したがって，要避難支援者が多い病院および老人介護施設等の避難誘導方法としては，火災階において火災発生場所から消防隊の到着まで避難可能なエリアまたは場所に一時的避難する水平避難が避難方法として妥当であり，表Ⅱ-6-2のように現実の病院火災における避難方法として水平避難が行われている。

水平避難については，実践的初動対応として後述する。

表Ⅱ-6-2　要避難支援者が多い病院および老人介護施設等の避難誘導方法

	避難誘導対象者	避難誘導従事者	避難場所	避難方法	避難介助方法
1	全自力避難可4名	看護師等複数名	火災発生階の外来待合	水平避難	記載なし
2	全自力避難不可88名	看護師等複数名	火災発生階の別区画内	水平避難	ベッド，車椅子
3	全自力避難可4名	医師等4～5名	他の病棟	水平避難	歩行
4	一部自力避難不可約100名	医師等50名	火災発生階指定避難場所に一次避難 病院敷地内指定避難場所に最終避難	水平避難 垂直避難	ベッド，車椅子
5	一部自力避難不可記載なし	医師，看護師2名	火災発生階ナースステーション	水平避難	車椅子
6	一部自力避難不可記載なし	医師等複数名	火災発生階の中央ホール（事前指定避難場所）	水平避難	車椅子
7	一部自力避難不可4名	医師等8名	火災発生階の火元と反対側の談話室	水平避難	歩行介助
8	全自力避難可5名	医師等複数名	火元から離れた病室	水平避難	車椅子，歩行介助
9	一部自力避難不可3名	看護師等複数名	火災発生階の他病室等	水平避難	ベッド
10	一部自力避難不可30名	看護師，面会者，入院患者等4～5名	火災発生階ナースステーション	水平避難	ベッド
11	全自力避難可4名	看護師2名	火災発生階の他病室等	水平避難	歩行介助
12	避難行動力不明4～5名	看護師等複数名	出火階1階のため病院敷地内	水平避難	不明
13	避難行動力不明約50名	看護師等複数名	1階待合と隣接クリニック	垂直避難一部エレベーター使用	ベッド，車椅子，ストレッチャー

〔文献1）より引用〕

各論 第6章

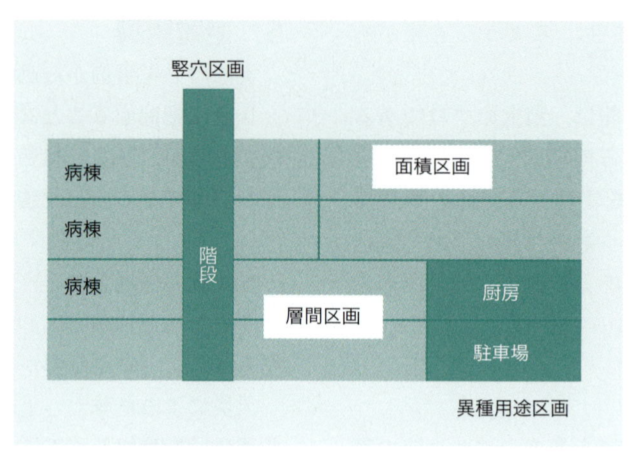

図Ⅱ6-7 防火区画の種別

〔文献 2）より作成〕

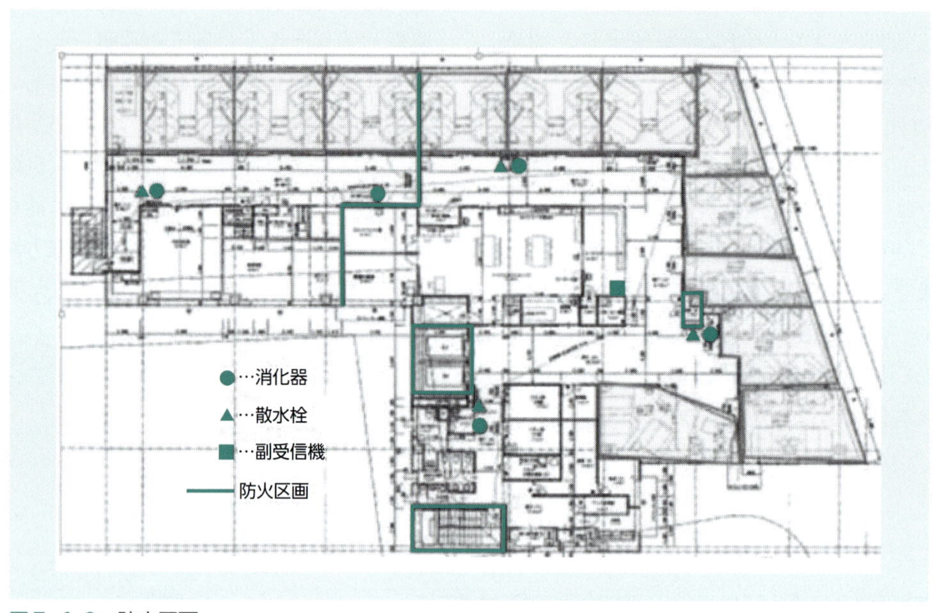

図Ⅱ-6-8 防火区画

〔文献 2）より作成〕

Ⅲ 実践的初動対応に活用すべき防火・避難施設・消防用設備

1．防火・避難施設

1）防火区画

建築基準法（以下，建基法）では，火災時の建物倒壊による避難障害を排除するため，病院建物の構造を耐火構造（鉄筋コンクリート造等）または準耐火構造（鉄骨造等）とすべきことを定めている。さらに，建物の内部構造として図Ⅱ-6-7のように，面積，用途ごとに他の部分と壁，天井，床を鉄筋コンクリートで区画し，扉を特定防火設備（防火戸）として他の部分と防火区画することを定め，建物内部での延焼防止および避難エリアの確保を図っている。また，階段，エレベーター，パイプシャフト等の建物を上下に貫通する部分についても防火区画（竪穴区画）とすることを定めている。同一階の病棟で，ほぼ二分するように防火区画が設置された例を図Ⅱ-6-8に示す。

防火区画は，火災発生時の避難方法として，火災発生防火区画から非火災発生防火区画へ水平避難することを可能にする施設である。さらに，防火戸を閉鎖するだけで火災を防火区画内に隔離し，防火区画外への延焼拡大防止措置が完了することから，火災時初動対応としての初期消火と同等の効果を発揮することとなる。

2）防煙区画

建基法では，延べ面積 500 m^2 を超える病院建物には，500 m^2 ごとに防煙区画を設置し，火災時の煙の拡散による避難障害を防止することを定めている（図Ⅱ-6-9）。

病棟での防煙区画設置例を図Ⅱ-6-10に示す。火災

図Ⅱ-6-9　防煙区画

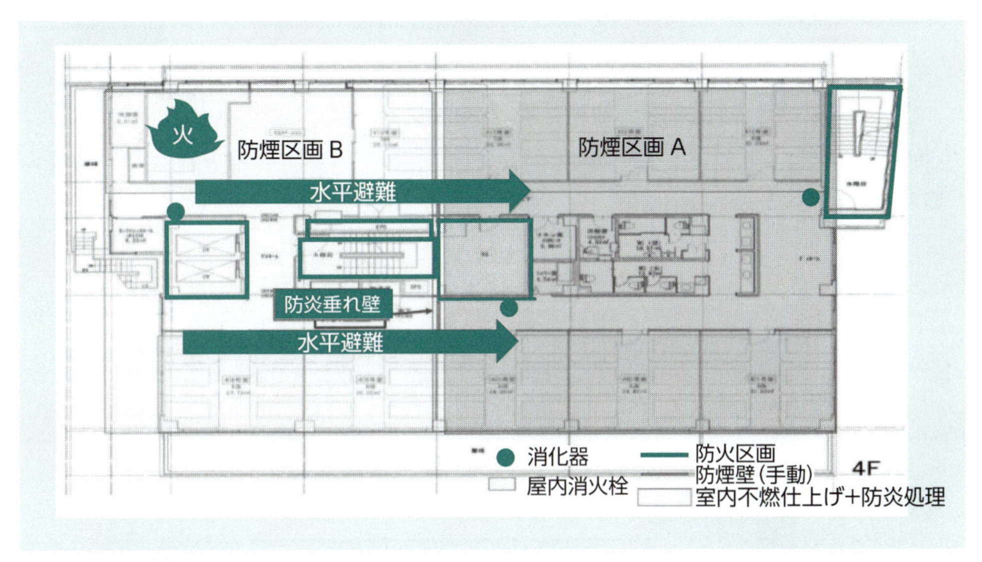

図Ⅱ-6-10　防煙区画

〔文献2）より作成〕

発生時に火災発生防煙区画から非火災発生防煙区画への水平避難による一時避難を可能にする施設である。

3）防火上主要な間仕切壁と内装制限

建基法は，病院建物の病室について，火災時の延焼拡大を防止すること，火災時の煙の発生を抑制し，避難時間を確保するため，防火上主要な間仕切壁と内装制限を定めている。

①防火上主要な間仕切壁（図Ⅱ-6-11, 12）

病室の場合，100 m^2 以内ごとに（図Ⅱ-6-11 では3室ごとに）病室間の壁および避難路となる廊下に面する壁を耐火または準耐火の壁で小屋裏または天井裏に達するまで仕切るように定められている。

②内装制限（図Ⅱ-6-12）

建基法は，病室で火災が発生した場合に避難時間を確保するため，原則として，煙を屋外に排出する排煙設備を設けるよう定めるとともに，特例を定めている。

特例とは，病室内の壁，天井を不燃の材料で内装した病室（内装制限）には，排煙設備の設置が免除されるものである。すなわち，壁，天井を不燃化することで，病室内で火災が発生しても病室を囲む壁，天井は延焼せず，煙の発生を抑制し有効な避難時間を確保するものである。

以上から，主要な間仕切壁と壁，天井を不燃化した病室は，火災発生時に防火区画と同様に火災と煙を隔離し，延焼を遅延する効果がある。

したがって，病室から火災が発生したときの初動対応として，火災病室から患者を救出して水平避難で安全なエリアに誘導し，火災病室の扉を閉めて火災を隔離し（火災室区画形成という），通報による消防隊の到着を待つという対応が可能となる。さらに，他の病室の患者については，病室が同様の構造であれば，あえて避難誘導はせず，病室内で消防隊の到着を待つという，「籠城避難」も可能である。

2. 消防用設備等

病院における消火器等の消防用設備は，消防法で規制

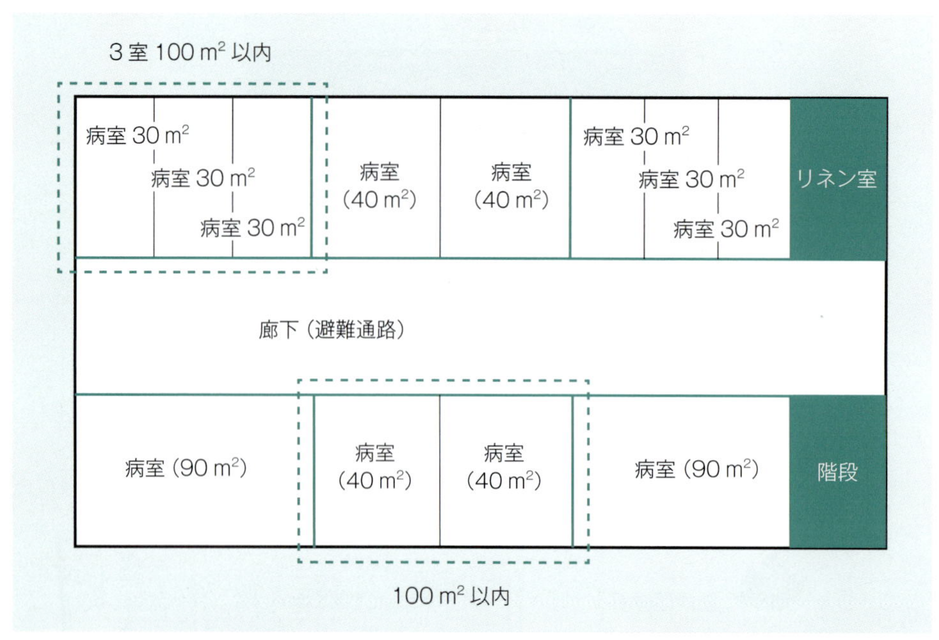

図Ⅱ-6-11 防火上主要な間仕切壁

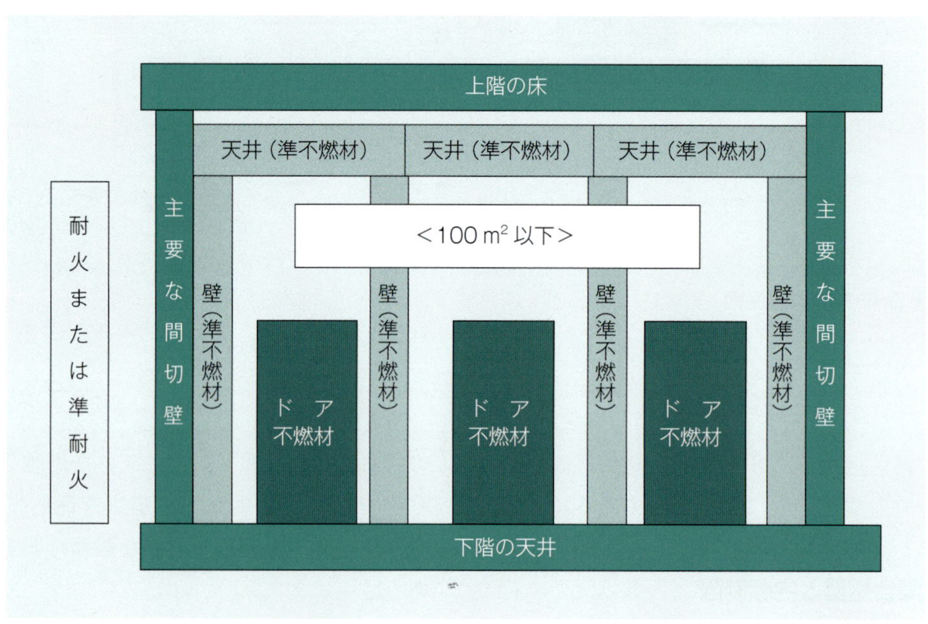

図Ⅱ-6-12 防火上主要な間仕切壁

されている（図Ⅱ-6-13）。過去の病院火災事故（表Ⅱ-6-1）をふまえ，消防法では火災時に初動対応として期待される，発見，通報，初期消火，避難誘導の各活動について，避難誘導を除きすべて自動化し，かつ基本的に病院建物に設置義務が課せられている。したがって，休日，夜間における少数勤務体制時の初動対応として，通報，初期消火については，自動火災通報装置および SP 設備を使用することとし，自動化されていない避難誘導に注力することが可能である。

しかしながら，平素の防火訓練では，これら自動化された消防用設備を活用した訓練がなされておらず，すべてを職員が対応する訓練内容となっているのが現状である。訓練内容を実践的な初動対応とし，職員の実践的初動対応能力を向上させる必要がある。

Ⅳ 休日・夜間等少数勤務体制における実践的初動対応

1．病棟・職場単位の初動体制確保

病院の休日，夜間における指揮命令体制は，図Ⅱ-6-14のような体制が一般的である。

この場合，災害対策本部長代行の指揮，命令権を留保しつつ，火災時の初動対応は各病棟，職場単位での実施体制とすべきである。緊急時の指示，命令は平素の職務

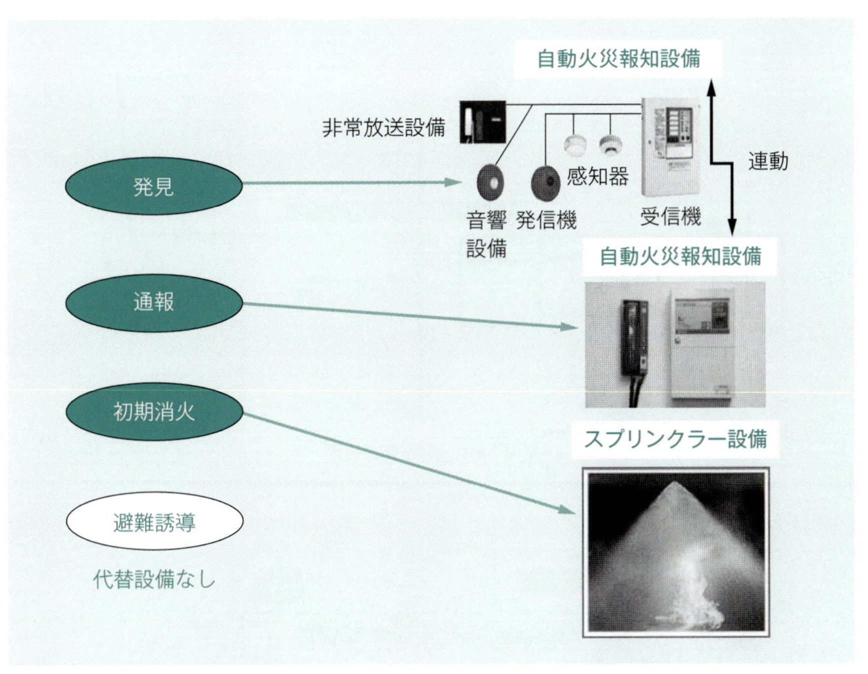

図Ⅱ-6-13 消防用設備等

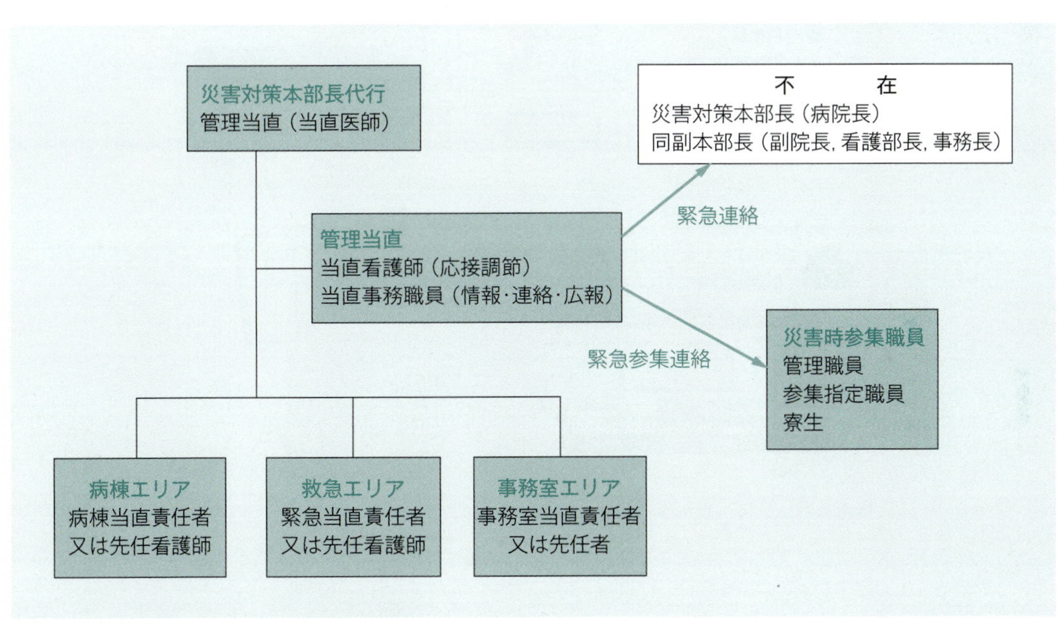

図Ⅱ-6-14 病棟・職場単位の初動体制確保

〔文献2）より作成〕

遂行上の指揮命令（上司と部下の関係）に基づくのが最も妥当である。例えば，勤務表から先任順で職場責任者が決まる場合，先任職員がリーダーとして初動対応を行うことが最も妥当である。

病院の消防計画では，自衛消防組織を編成し，自衛消防本部の指示により初期消火班等が活動する。平日の昼間帯のように，病院全体で対応可能な人員体制が確保されている場合は効果的であるが，少数勤務体制のなかでは，あえて初期消火班等の役割を分担し，対応することは困難である。

2. 実践的初動対応

1）自動化された消防用設備を活用した実践的初動対応

休日，夜間における火災時の初動対応体制は，病棟等の職場単位で少数職員による対応体制となることから，対応の目標を明確にし，対応する全員が共有し活動することが必要である。「Ⅰの2. 実践的な初動対応」で述べたように，火災時のリスクマネジメントの目的は，患者および職員の人命確保であり，火災時初動対応で最も重要な行動は避難および避難誘導である。少数職員による初動対応が，患者等の人命確保を目的とした避難誘導等に注力できるように計画することが重要である。

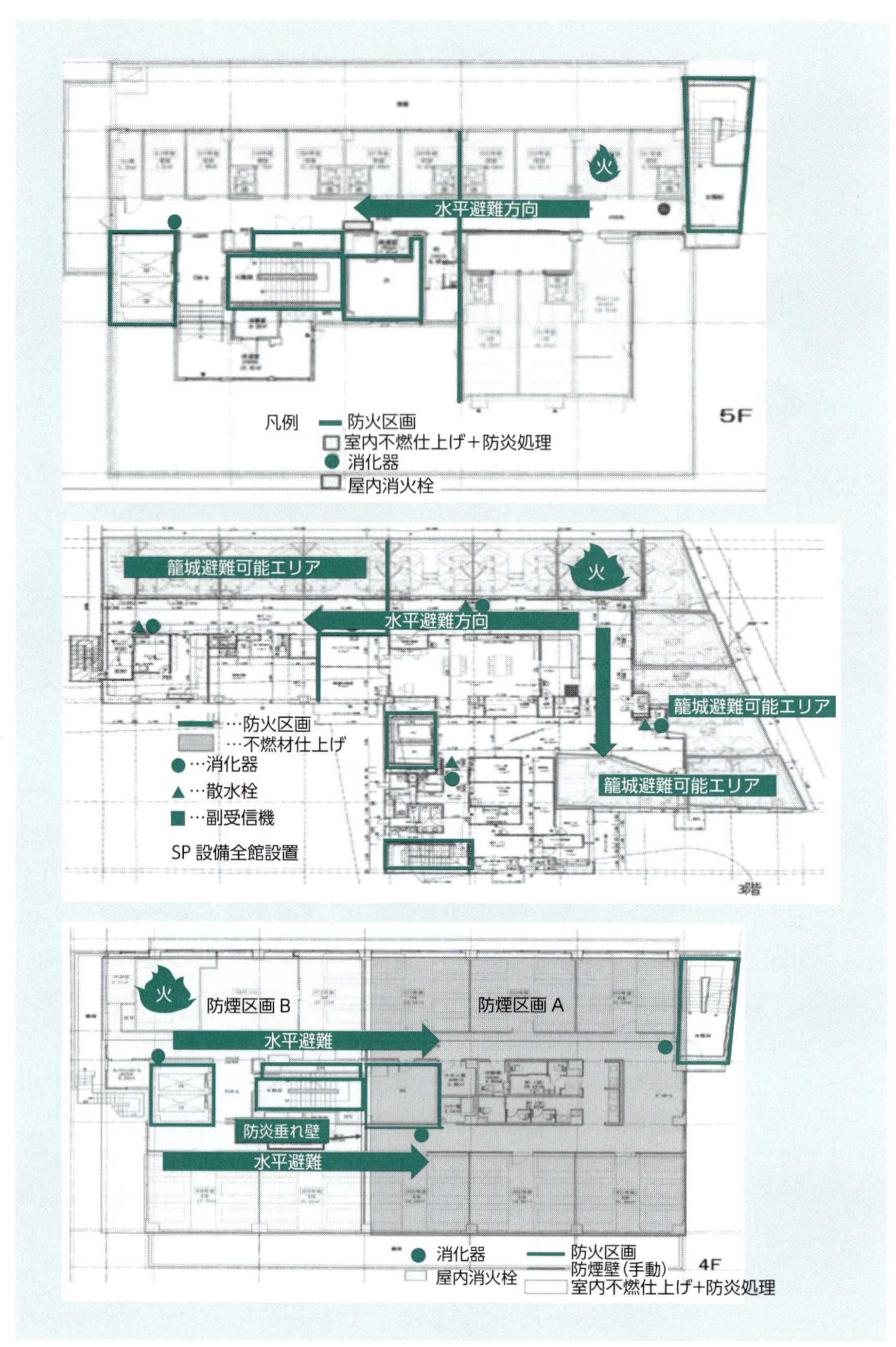

図Ⅱ-6-15　実践的初動対応における避難誘導マップの活用

〔文献 2）より作成〕

このことは，火災時に火災発見者に期待されている 119 番通報および初期消火を実施せずに避難誘導だけを実施するということではない。「Ⅲの 2. 消防用設備等」で述べた通り，避難誘導以外は，発見，通報，初期消火についてすべて自動化されており，病院建物には，当該自動化された消防用設備の設置が義務化されている。したがって，火災時の初動対応としては，これら自動化された消防用設備の活用により，避難誘導等に注力することが可能となる。

もちろん，状況により消火器等を活用して初期消火を実施することを否定するものではないが，少数で火災時の初動対応を確実に行おうとする場合，対応目的である人命確保を最優先として行動することが重要であり，初期消火は，火災の燃焼状況等から避難時間を失することがなく，かつ短時間での活動で消火効果を確保できる場合に限るべきである。

2) 実践的初動対応における避難誘導マップの活用

前記の通り，少数勤務体制下での初動対応の実践化は，患者等の人命確保を最優先目的として，自動化された消防用設備等の活用により避難誘導に注力した活動を行うことが重要である。

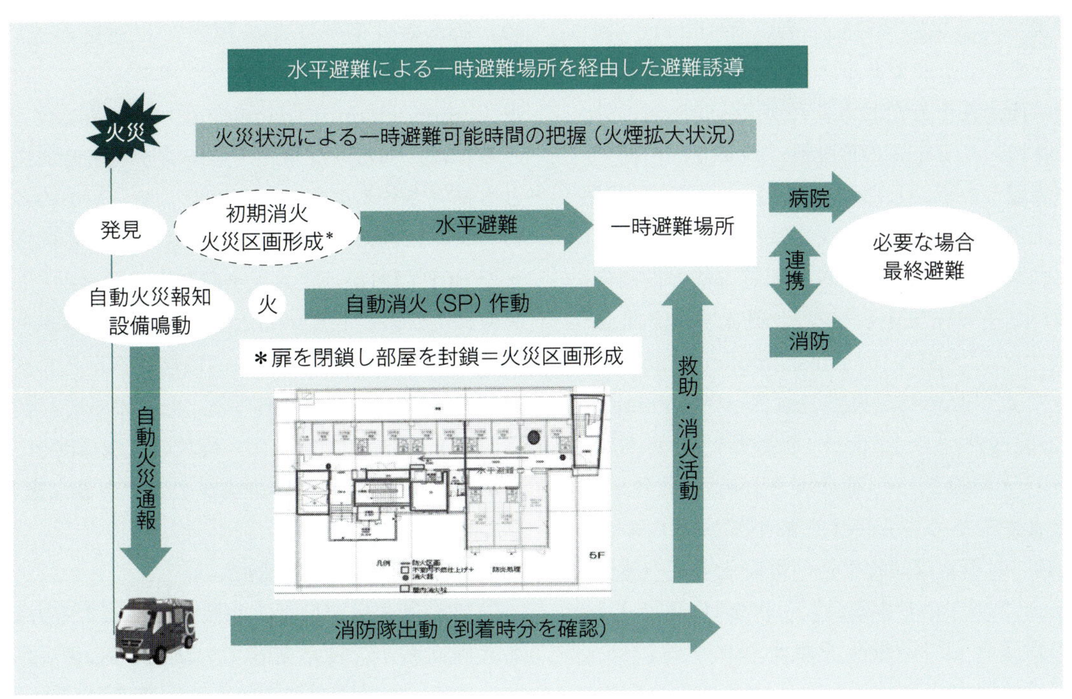

図Ⅱ-6-16　三位一体となった初動対応

さらに，避難誘導に当たっては，入院患者等の特性に配意し，要避難支援者が多い場合には，「Ⅲの1. 防火・避難施設」で述べた防火区画，防煙区画，病室の内装制限等の建物の防火・避難施設を活用し，火災階に消防隊が到着するまでの一時避難場所を設け，当該避難場所に水平避難または籠城避難することにより，効果的，実践的な火災時対応としての避難誘導を具体化することができる。

一時避難場所は，火災発生時に判断するのでなく，病棟，勤務場所ごとに「避難誘導マップ」を作成し，火災時の避難誘導の迅速，確実性を確保することが重要である（図Ⅱ-6-15）。

おわりに

繰り返しになるが，実践的な初動対応，換言すれば病院職員が確実に対応可能な初動対応は，職員と病院の防火・避難施設ならびに自動化された消防用設備の三位一体となった活動を計画化することが重要であり，対応を火災発見者の判断に委ねるような初動対応を計画することは，過去の火災事故が示すように，十分な効果を期待することはできないことが明確になっている。

図Ⅱ-6-16に三位一体となった初動対応を図式化したものを示す。有機的な連携により効果的，かつ実践的な連携が可能となることをご理解いただけると思う。

これら三位一体の活動の道標として「避難誘導マップ」が作成されることとなる。防火訓練において，避難誘導マップに基づく，形式ではない実践的訓練を推進していただきたい。

文　献　1）有賀徹，神野正博，猪口正孝，他：病院火災発生時の対応行動アンケート調査結果報告．日本病院会雑誌　2019；166（8）：872-911.
2）日本病院会災害医療対策委員会：病院等における実践的防災訓練ガイドライン；全国消防長会推薦．2018.

（野口　英一）

2 病院のBCP・HICS

Ⅰ BCPの概念

本来，欧米の産業界においてBCP（business continuity plan）は，甚大な災害被害があった場合に従業員や顧客の利益を守る目的で作成され，結果的に社外に対して事業体の信頼性を高めることになるものである。BCP

の概念は，予測される災害に対して高いResilience（回復力）を準備しておくことである。しかし，混乱する災害時には業務に優先性をもたせることがResilienceの効率を高める。特に，リソースの再配置，つまり部門間での優先配置が課題となる。したがって，同一組織内の部門ごとに独立したBCPがあるわけではない。その主構成は，優先すべき事業の抽出，人員再配置方法と役割分担，データのバックアップからなる[1)]。優先すべき業務の決定ツールとして，BIA（business impact analysis）がある。BIAでは，「Impact（災害の強さ）」×「Vulnerability（活動の脆弱性）」＝「Affect（悪影響）」を基本に考えるとよい。「矛の強さ」×「盾の弱さ」＝「犠牲者数」と言い表すことができる。Affectを最小にするためには，災害発生前には例えば建物構造の耐震化などの備えによってImpactを小さくできるかもしれない。しかし，災害発生後の対策としてAffectを最小限にするには，Vulnerabilityに対抗する物的・人的リソースの再配置が大きく影響する（表Ⅱ-6-3）。根拠のあるリソースの再配置方法の確立が課題として残る。

Ⅱ 病院のBCP

1. 欧米と日本の差異からみた医療型BCPへの提言

アジアでは自然災害が多いが，欧米では火災，テロ活動などの人為災害に主眼が置かれている。人為災害では，被災エリアが限定され社会機能は維持される。生き残った被災地内の個々の企業や組織は，被災していない地域への脱出，または支援を受けることが可能であるため，組織ごとにBCPが作成されることが基本である。

しかし，わが国においては自然災害に主眼が置かれ，広い地域が被害を受け，社会機能が壊滅してしまうため，個々の事業所によるBCPでは対応が追い付かず，関連する他業種も含めたサプライチェーン・マネジメント（supply chain management；SCM）が欠かせない。さらには，あるサプライチェーンが災害時に成立しなくとも補完されるように，サプライチェーンの多重化も求められる。例えば医療領域において，ある医療機関が優れたBCPのおかげで大災害時に生き残ったとしても他の医療機関が破綻していると，多数の傷病者がその医療機関に集中して来院し，結果的に物資不足と大混乱に陥り機能不全となることであろう。したがって，個々の医療機関のもつBCPのほかに，複数の医療機関とSCMを含んだ医療型BCPの課題解決が必要である[2)]（表Ⅱ-6-4）。

2. BCPの基本的構造

BCPの基本構造は，①病院執行部による方針の表明，②計画立案，③日常業務での実施・運用，④職員の教育・訓練，⑤計画の修正である[3)]（表Ⅱ-6-5）。

これを受けて，医療における事業インパクト分析（business impact analysis；BIA）例を示す[2)]（表Ⅱ-6-6）。災害対応時相，組織・部門から担当する業務内容を決定し，①最小事業継続目標（minimum business continuity objective；MBCO，部門によって異なるが例えば，薬品，人員，医療機器など），②環境影響分析（例えば，電力，通院患者数，入院患者数，地域医療との関係性など），③BIAの評価要素〔目標復旧時間（recovery time objective；RTO），最大業務停止許容時間（maximum tolerable period of disruption；MTPD）までのRLO（recovery level objective）の決定，MTPDの2倍が達成されるまでのRLO）〕から優先度を決定できるように工夫している[2),4)]。なお，ここで述べた用語については表Ⅱ-6-7に解説を示すので参照されたい。

ではここで，大地震発生時でのBCPを想定してみよ

表Ⅱ-6-3 Impact × Vulnerability = Affect

「矛の強さ」 災害種別	「盾の弱さ」 リソース	「犠牲（悪影響）」 業務・患者
強さ 発生頻度 誘発確率	・人←人数，職種，経験年数（レベル），訓練， Key Staff level ・物資←供給体制，物資循環，外部接触 ・施設，備品，装備←整備 ・情報 Tools，評価体制，収集能力 ・財政 ・対策 BCP，災害対策マニュアル，内容検討体制 ・法的 ・多組織との連携	重症度・診療種別 入院・外来別 新規・通院別
一時的 （緊急性） 継続的 （長期戦）	備蓄 備蓄＋追加救援 備蓄 備蓄＋追加救援	備蓄量に依存 追加時期に依存 消耗 追加時期と持続性 （急性期の補充も必要）

表Ⅱ-6-4　本邦における医療型 BCP の課題

1	災害対応にかかわる目的の不明瞭
2	医療機関幹部の協力体制
3	組織全体の認識不足と協働性
4	職員の任期が短期間
5	組織化された活動の不慣れ
6	権限移譲による活動の不慣れ
7	形式的な訓練
8	平時における地域災害対応計画に関する多機関連携の不足

〔文献 2）より引用〕

う。災害初動期では，災害対策本部の立ち上げと災害対策本部要員への連絡が中心になるであろう。外来，病棟は組織的には動きがとれない時相である。この時相では，MBCO は暫定災害対策本部要員人数，災害対策本部用備品，通信機器であり，環境影響因子は電力であり 5 段階評価のうち最高の 5（表記は 5/5）である。暫定災害対策本部の MTPD は 30 分間以内，災害対策本部の立ち上げ体制は，指揮命令系統と決定権限のため 80% 達成する必要があると想定する。したがって，この業務の優先度は最高となる。一方，この時相において病棟では，MBCO は看護職員，医師，事務職員であり，環境影響因子は入院患者数とその重症度となる。被害（人員と建物）の調査が主な目的となる。MTPD は 45 分間で RLO は 100% と想定する。外来部門，検査部門，事務部門なども同様に設定を行う。次の時相では災害対策本部が立ち上がっており，指揮命令系統が確立し，各部署からの情報収集と集計がなされる。災害対策本部の MBCO は病院首脳陣数名，中級幹部 15 名，情報処理係としての事務員 20 名，文具，通信機器であり，環境影響因子は変わらない。MTPD は 1.5 時間，RTO 1 時間，RLO 80% と設定する。この間各部署では，災害対策本部への情報の伝達と負傷者や損傷箇所の復旧が主な業務となる。災害対策本部が被害状況を把握して，対応を指示し，各部署において本部からの指示もしくは権限移譲された現場判断によって対応が行われる時相以降では通常業務の回復が始まる。この時期における対応は，同一地域の他医療機関，行政機関，SCM などの対応力の影響を大きく受け，その選択肢も多彩であることから，あらかじめ計画を立てておくことは困難である。仮に想定されていても，災害の基本情報が違えばその計画は使用不可となってしまう。災害対策本部の指揮は，初動においては強制力があるべきであり，初動対応後は各部署から挙げられた問題点を解決するための指示となる。

3. 地域複合型 BCP の運用に向けて

BCP は，本来医療向けではなく一般企業を対象に，業務の優先性を評価して早期再開をするために開発されたものである。企業では医療領域と違い，特に初動期には安全を最優先とし，企業体の収益や信用維持のための活動を行うのはある程度の安定化がなされてからでもよい。さらに，わが国と欧米では災害想定が異なるため，欧米のように単独施設用の BCP を作成するだけでは不

表Ⅱ-6-5　BCP の構造

1. 事業目的	目的範囲，対象範囲，資源の適応範囲の明確化
2. 組織化	職員数の維持と結束力 統括部門（災害対策本部など）の統率力と情報集約化
3. 評価・分析	BIA（ビジネスインパクト分析） 1）組織環境分析 ①標的事業範囲の設定（ステークホルダー分析） ②MTPD を考慮した業務・リソース設定（BIA） ・業務を支える部門の洗い出しと業務への影響を評価 ・復旧優先度の評価と復旧目標値（RTO，RLO）の設定 ・復旧するのに必要な資源（職員，医薬品，資機材，作業場所，情報）配置（MBCO） ・情報管理分析 ③回復作業にかかわるリスクアセスメント（RA）：リスクの種類，発生頻度，大きさの評価 ④想定外事象が発生した場合の資源補充のための分析 2）損害回復のための方略策定 3）BCP 作成（方略の文字化） ①組織における役割分担と権限移譲範囲の制定および全部門統括のための系統の明確化 ②回復後維持のためのロジスティクス計画 ③組織化の分散と集約
4. 教育・訓練（方略の周知）	
5. 評価・BCP の改訂（方略の問題点抽出）	

〔文献 3）より改変して作成〕

各論 第6章

表Ⅱ-6-6 医療型 BIA の例

組織	部門	業務内容	関連部署	リソース (MBCO)				環境影響度分析					BIA				優先度
				人員	薬品	医療機器	設備	通院患者影響度	入院患者影響度	地域医療影響度	研究部門影響度	SCM	MTPD	RTO	MTPDまでのRLO	2×MTPDまでのRLO	
初動対応	救急部門	災害対策本部立ち上げまでの初動対応		3	救急外来備蓄	救急外来備蓄	救急外来	1/5	4/5	1/5	1/5	1/5	2h	10min	80%	—	高
災害対策本部	病院執行部	指揮命令系統		10	—	—	大会議室，通信機器	5/5	3/5	2/5	1/5	3/5	2h	1h	15%	50%	高
	総務課（情報収集）	被害の集計と対応依頼受付		20	—	—	大会議室，通信機器	5/5	5/5	2/5	1/5	3/5	2h	1h	15%	50%	高
	総務課（情報評価）	情報のグレード分け		10	—	—		5/5	3/5	2/5	1/5	3/5	2h	1h	15%	50%	高
	総務課（職員管理）	招集と安否確認		10	—	—		5/5	5/5	2/5	1/5	3/5	2h	1h	15%	50%	高
	看護部	情報収集と指示，再配置		35	—	—		5/5	5/5	2/5	1/5	3/5	2h	1h	15%	50%	高
	財務	不足品の調達		15	—	—		5/5	5/5	2/5	1/5	3/5	2h	3h	10%	50%	低
	広報	外部機関との情報交換		10	—	—		5/5	5/5	2/5	1/5	3/5	2h	2h	10%	50%	低
診療部門	トリアージ部門	患者重症度選別		35	200	5		5/5	5/5	2/5	1/5	3/5	2h	10min	80%	80%	高
	搬送	患者輸送		20	—	—		5/5	3/5	2/5	1/5	3/5	2h	30min	50%	50%	中
	一般病棟管理部門	入院患者管理		5	100	5		5/5	4/5	2/5	1/5	3/5	2h	20min	70%	50%	高
	重症患者病棟管理部門	入院患者管理		15	20	5		5/5	5/5	2/5	1/5	3/5	2h	15min	90%	50%	高
	手術部			20	20	3		1/5	3/5	2/5	1/5	3/5	2h	15min	80%	50%	高
	入退院センター	入退院管理		10	—	—		1/5	3/5	2/5	1/5	3/5	2h	1h	60%	50%	高
	一般外来	一般外来患者管理		20	100	3		5/5	—	2/5	1/5	3/5	2h	5h	10%	50%	低
	検視	死亡者管理		10	—	—		3/5	3/5	2/5	1/5	3/5	2h	2h	20%	50%	低
	院外派遣チーム			10	5	2		1/5	—	2/5	1/5	3/5	2h	30min	70%	90%	高
	栄養管理部門	職員・入院患者食事供給		8	—	—		1/5	4/5	2/5	1/5	3/5	2h	2h	40%	50%	中
	薬剤部			5	1000	3		4/5	4/5	2/5	1/5	3/5	2h	1h	60%	50%	中
	医療情報部門	電子カルテ・オーダーシステムの復旧		3	—	—		3/5	4/5	2/5	1/5	3/5	2h	90min	50%	50%	低
検査部門	血液検査部門	緊急検査		6	—	5		3/5	4/5	2/5	1/5	3/5	2h	30min	60%	50%	高
	放射線検査部門	緊急検査		6	—	2		3/5	3/5	2/5	1/5	3/5	2h	30min	50%	50%	高
	輸血部門	緊急検査		4	—	2		2/5	3/5	2/5	1/5	3/5	2h	1h	50%	50%	高
ロジスティクス	材料部門	物資調達と運搬		5	—	—		3/5	4/5	2/5	1/5	3/5	2h	2h	50%	50%	中
	医療機器管理部門	物資調達と運搬		5	—	20		3/5	3/5	2/5	1/5	3/5	2h	1h	40%	50%	中
	警備部門			3	—	—		2/5	3/5	2/5	1/5	3/5	2h	30min	80%	50%	中
	施設課	破損の保守点検		10	—	—		2/5	3/5	2/5	1/5	3/5	2h	30min	60%	50%	中

〔文献2）より引用〕

表Ⅱ-6-7 BCPにかかわる用語

用語	説明
BIA (business impact analysis)	業務影響分析：業務に対する影響の強さを幾つかの因子から分析する方法
MBCO (minimum business continuity objective)	最小事業継続目標：あるレベルに復旧させるに必要な最低必要人数，資源
MTPD (maximum tolerable period of disruption)	最大許容停止時間：事業停止のデッドライン
RA (risk assessment)	リスクアセスメント：リスク特定，リスク分析およびリスク評価のプロセス
RLO (recovery level objective)	復旧レベル：復旧の程度（例えば，初動では50%，〇〇日目までに75%復旧）
RTO (recovery time objective)	目標復旧時間：業務が停止してから一定のレベルに復旧するまでの目標時間
SCM (supply chain management)	サプライチェーン・マネジメント：物流に関して複数の経路を有し，業務の効率化を図るためのシステム構築

〔文献2）より改変して作成〕

十分である。しかし，医療においては，初動期でも安全性を図りつつ医療行為が展開されるため，医療分野でBCPを応用するのであれば，各医療機関の院内向けBCPの作成だけではなく，地域複合型BCPを作成する必要があると考える。ここが企業向けBCPとの違いである。地域複合型BCPでは，院内向けBCPにおける災害対策本部を災害拠点病院とし，診療部門を一次または二次救急医療機関，ロジスティクス部門を地域のSCMに関連するインフラ関連企業や薬種/医療機器問屋，その他行政機関と置き換えて運用することが可能ではないだろうか。

地域複合型BCP運用の利点は，地域におけるMBCO，環境影響因子（被災者，通院患者，入院患者，地域医療，SCMなど）の調整を行い，リスクの分散化が可能となることである。

Ⅲ HICS (hospital incident command system)

1. BCPとICS (incident command system)

米国の災害時対応は，ICSに則っている。これは，連邦緊急事態管理庁（Federal Emergency Management Agency；FEMA）が危機管理業務を一元化し，医療分野を含む15のESF（Emergency Support Function）で構成されている[5]。ICSは，情報を共有し複数の組織（内部組織も含む）の指揮命令系統を調整・連携することによって，目的に向かって1つのチームとなり，人力で対応が困難な「インシデント」に対応するためのものである。ここでいうインシデントとは，人命に限らず自然災害や人為災害で損傷が生じる危険のある状況をさす。

ICSの基本構成は，指揮本部の下，実働部門，経理部門，物資など後方支援部門，企画部門からなり，この基本構造がインシデントの大きさに応じて，「フラクタル（fractale）様構造：全体と部分の自己相似構造」を形成しており，随時組織規模を拡張することが可能であるばかりか，事態の収束に応じて組織を縮小して通常業務に少しずつ移行することが可能である。その他，広報担当，安全管理，渉外担当も規模に応じて設置される。また，活動においては，組織化の形成，記録などのための用紙様式の決定，人員の役割分担を明確にするビブス着用，担当部門別に行動をまとめたカード（job action sheet；JAS）を4つのツールとして用いる。これらを十分に活用するためには，情報収集とその視覚化，リーダーシップが重要である。したがって，BCPは業務継続・回復のために重要度の高い業務を業務全体の総観から優先して配分し対応に当たるが，ICSでは組織の形成と指揮系統の確立を重視している。さらに，BCPでは時間軸と業務量軸で測られて業務再配分がなされるため，変化に富む対応が求められる場合での修正には，BIA，MTPD，RTOなどによる評価がなされるため即自的な対応には不向きかもしれない。逆にBCPは長期間に及ぶ対応計画に適している。ICSでは，災害に応じた組織編成と命令系統の確立，現場対応での権限移譲が特徴であるため，特に臨機応変な対応が必要な場合に適している。

ICSでの成否は，各組織層でのリーダーシップ力と意思決定プロセスに依存している。このためには，過去の経験を重視して，日頃からの他組織間との連携力を養う必要がある。

2. HICSの概要

HICSは，ICSの基本構成に準じて作成された医療分野における危機管理体制プログラムである。ICS同様，米国で作成されFEMAによって認証されている。ICS自体には医療分野はほとんど含まれておらず，FEMAでの研修プログラムでも医療分野はHICSが使用されている。HICSもICS同様に改訂が現在までに3回行われている[6]。このプログラムは，病院だけでなく福祉施設でも共通認識として活用されている内容である。災害対

表Ⅱ-6-8 COOPの基本構成要素

1	計画と手順
2	骨格となる機能
3	権限代行
4	権限代行順位
5	活動拠点の代替
6	情報通信の確保
7	記録とデータベース作成
8	人員確保
9	研修と訓練
10	指揮命令の権限移譲
11	再構成

〔文献11）より改変して作成〕

非常時優先業務とは？

■ 災害時に優先して実施すべき業務
■ 応急業務と通常業務が対象
■ 業務影響分析を基に選定

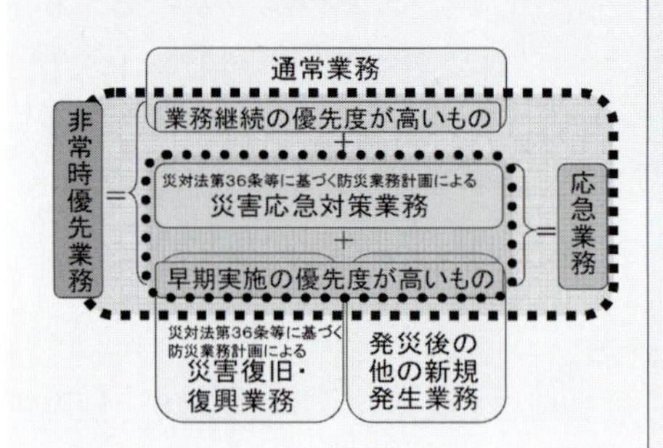

表：非常時優先業務の選定例

内閣府：緊急災害対策本部事務局の運営
警察庁：警察広域緊急援助隊等の派遣
消防庁：緊急消防援助隊による応援の指示・調整
防衛省：自衛隊部隊派遣の開始
文科省：原子力災害対応業務
農水省：被災地への応急用食料等の調達
経産省：電力、都市ガスに関する被害状況把握
国交省：被災建築物応急危険度判定士の調整
国土地理院：災害対策用図データの作成と提供
気象庁：被災地に係る一般気象予報、警報の発表
海上保安庁：流出油等防除活動
環境省：環境放射線モニタリングの緊急時体制
財務省：為替市場の動向把握と激変への対応等
金融庁：海外当局、国際機関等への対応
宮内庁：天皇陛下および皇族方の安全確保
等

図Ⅱ-6-17 非常時優先業務 〔文献9）より引用〕

応対象は，自然災害，人為災害だけに限らず，医療に多大な影響を及ぼす（例えば，大停電による病院内システムダウンなど）危機管理に使用されており，JCAHO（The Joint Commission on the Accreditation of Healthcare Organizations，http://www.jointcommission.org/）基準にも整合しているという。

先に述べたBCPは営利団体に適応されるものであるが，米国行政機関では緊急時の重要業務継続のための計画〔業務継続計画（continuity of operation plan；COOP，呼称：クープ）〕がある[7]（表Ⅱ-6-8）。COOPでは，緊急対応業務と通常業務のうち，優先して対応が必要な業務を分析・選定し，ライフラインなどの資源を優先配分する。

HICSのなかでもCOOPについて簡単に記載されている。わが国ではこれを受けて，「中央省庁業務継続ガイドライン」の作成が進められている。非営利性の強い医療分野においては事業継続よりも業務継続のほうが適するであろう[8),9)]（図Ⅱ-6-17）。

HICSの特徴は，非災害時にもリスクマネジメントのツールとして有用であることだが，それには米国同様にわが国の危機管理システムの基本構造が統一されている必要がある。なお，このシステムでは病院を取り巻くさまざまな団体や組織とのつながりについても記載されているが，日本の社会体制に適合するとは必ずしも限らない。

3. HICSの構成と流れ

第二次世界大戦で，戦争作戦の改善のためにPDCAサイクルが考案された。しかし，ベトナム戦争では戦術の変化によって，状況に応じた即応する必要が出てきた。これに対応できる新たな意思決定の概念として，OODAループが考案された。これは，**観察（Observe），適応（Orient），意思決定（Decide），行動（Act）**からなり，常に状況の変化によって立ち返る〔ループ（Feed-forward/Feedback）〕ことによって作戦を変更することで臨機応変に対応できる。PDCAサイクルでは1周する必要があるところとの大きな違いである。このOODAループをもとにHICSを整理した（図Ⅱ-6-18）。

まず，院内に災害管理計画（emergency management program；EMP）作成のための委員会設置と委員長の選任が必要である。おおむねわが国における院内災害対策委員会に当たるものと考えられる。このEMPが院内の災害時対応の根本を示すものとなる。そして，委員会では具体的な災害時対応計画として，災害活動手順（emergency operation plan；EOP）が作成される。わが国では災害対策マニュアルに当たるものと考えられる。これは，職員に対する平時からのEMP教育がなされていないと効果が十分に発揮されず，また，外部機関（警察，消防，行政，軍，他医療機関，コミュニティ，企業など）との平時からの連携関係の構築も必要である。これを支援するシステムとして，多機関連携システム（multi-agency coordination system；MACS）がある。MACSによって緊急時には，①業務優先性の決定，②効率的な人員配置，③情報共有体制がなされる。そして災害発生の危険性が起これば，警報を発する。

災害発生後は，その通告を職員に行い，EOPに基づく発動によって，災害評価，被害報告，監視体制が敷かれる。評価には災害発生性分析（hazard vulnerability analysis；HVA）がなされ，JAS（わが国におけるアクションカードのように緊急時の対応手順が部署別・時相

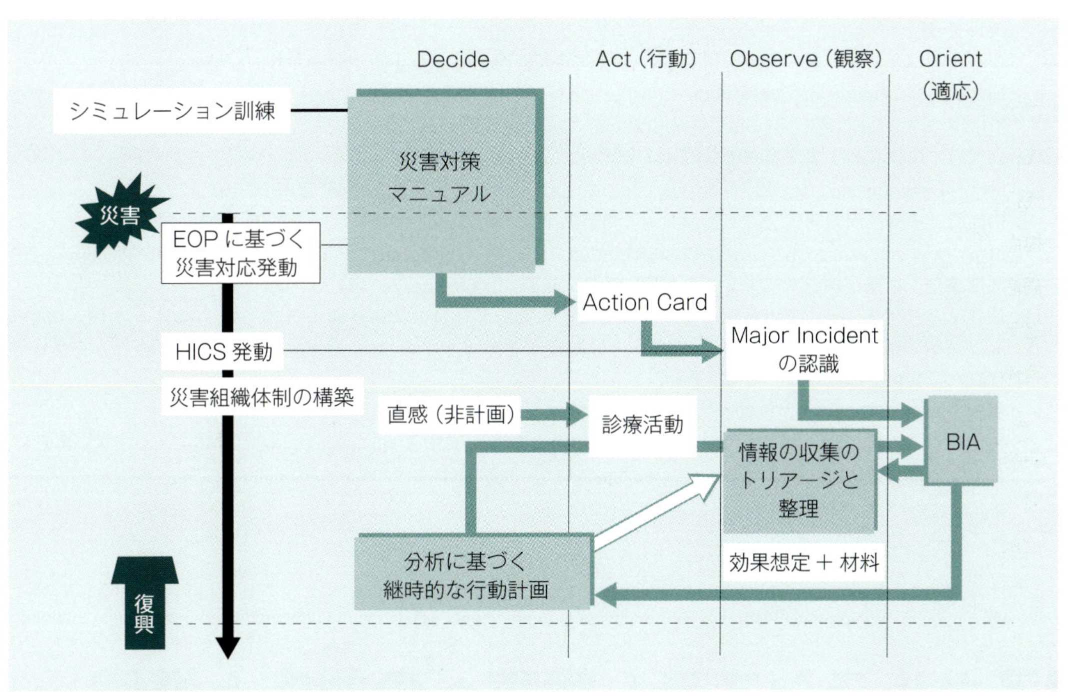

図 II-6-18　OODAループによるHICSの構成

別に記載されている）に従って活動が開始される。報告に関しては，必ず記録することが義務付けられ，各種報告書があらかじめ作成されている。また，災害時に専任で院内全体に対応する病院偶発事故調整チーム（hospital incident management team；HIMT）が結成される。彼らが中心となって，組織編成が行われ，病院災害対策本部〔hospital command center；HCC（臨時本部も含む）〕が設置される。この本部で，以降の災害活動計画（incident action plan；IAP）の策定がなされる。このIAPの格子は，災害の本格的・随時の評価と対応策の策定から目標を明確にし，部署別活動内容，各部署の責任者の選任と権限付与を行う。これはさまざまな災害状況に対し，初期対応以降に関してはあらかじめ決まった手順を立てておくことが不可能であるため，状況に応じてHCC設置後に計画されるものである。一方では，情報網を確立し各種情報収集を行い，同時に職員の安全管理体制を敷く。

IV 病院における災害時の危機管理体制

本稿では，BCPとHICSを中心に述べてきた。しかし，文中にも一部紹介したように米国ではCOOPも存在している。その他欧米をはじめとして東南アジアなどでも同様のシステムが存在する。これらのなかで最もシステムとして発達しているのは巨大な軍事組織を有する米国であるといわれている[10]。救急医学，災害医学はその発祥が戦陣医学にあることからしても危機管理体制の平和的利用は米国の制度を参考にしながら，わが国の実情に合わせて修正することが最も効率がよいと考えている。その米国では，BCP，HICS，COOPなどのシステムが，非医療の危機管理体制であるICSに絡み合った巨大な体制の一部として形成されている。特定の独立したシステム形成ではなく，他の関連するシステムと連携がとられたものがつくられることが重要であろう。わが国においては，これらのシステム構築は米国に比べて遅れているため，手本をよく調査することから始めなければならない。

文　献
1) 昆正和：実践BCP策定マニュアル．第2版，オーム社，東京，2012.
2) 中尾博之：災害への備えと災害医療；被災した病院の機能存続計画（BCP）．Pharma Medica　2015；33（3）：37-40.
3) 川上義明：事業継続計画（BCP）に関する基礎的考察（Ⅰ）．福岡大学商学論叢　2013；57（3/4）：183-206.
4) ニュートン・コンサルティング：用語集　BCM Navi.
http://www.newton-consulting.co.jp/bcmnavi/glossary/（Accessed 2015-1-1）
5) FEMA：Incident Command System Resources.
https://www.fema.gov/incident-command-system-resources（Accessed 2015-6-10）
6) The California Emergency Medical Services Authority：Disaster Medical Services Division Hospital Incident Command System Resources；HICS.
http://www.emsa.ca.gov/disaster_medical_services_division_hospital_incident_command_system_resources（Accessed

2015-6-10)
※英文ではあるが，表・図を使用して，実際の危機管理対応が具体的に解説されている。
7) FEMA：Continuity of Operations.
https://www.fema.gov/continuity-operations (Accessed 2015-6-10)
8) 内閣府　防災担当：省庁業務継続ガイドライン．第１版，2007.
http://www.Bousai.go.jp/kaigirep/chuobou/20/pdf/shiryo4.pdf (Accessed 2015-6-10)
9) 内閣府：中央省庁業務継続ガイドライン（概要版）.
http://www.bousai.go.jp/taisaku/chuogyoumukeizoku/pdf/gyoumu_guide_gaiyou070621.pdf (Accessed 2015-6-10)
10) 江畑謙介：軍事とロジスティクス．日経BP社，東京，2008，pp175-424.
11) 新谷洋人，阿部浩一，下田雅和：地域社会での情報共有と行政の業務継続．FUJITSU　2006；57 (5)：482-488.
12) 丸谷浩明，指田朝久：中央防災会議「事業継続ガイドライン」の解説とＱ＆Ａ；防災から始める企業の事業継続計画(BCP)．日科技連出版社，東京，2006.
※わが国のBCPについて，モデルを用いて基礎から解説されている。
13) 永田高志，石井正三，長谷川学，他訳：緊急時総合調整システム Incident Command System (ICS) 基本ガイドブック．日本医師会，東京，2014.
※ICSについて，基本概念が丁寧に解説されている。

（中尾　博之）

3 電子カルテシステム障害への対応と準備

Ⅰ 電子カルテシステムの概念

電子カルテシステムとは，狭義には医師法および歯科医師法で規定された医師の診療録自体を電子情報化しデータベースとして保存したものである。平成11(1999)年には厚生省の通達にて，電子カルテのガイドラインとして真正性，見読性，保存性の３要件が定められた。一方わが国では，電子カルテの普及に先立ち，検査のオーダーや結果参照，入退院，食事，会計などの帳票（伝票）のやり取りを電子化したオーダリングシステムや，フィルムレス化の推進による高精細画像配信システムが普及しており，これに狭義の電子カルテを統合するかたちでの広義の電子カルテシステムが現在大学病院などの大規模病院を中心に普及している。本稿では，この広義の電子カルテシステムの障害（システムダウン）時への緊急対応とそのための準備について詳述する。

電子カルテシステムの大まかな構成を図Ⅱ-6-19に示す。相互に接続された主従２系統のサーバー（データ処理・通信を行うソフトウェアが稼働しているコンピュータ）と記憶装置（データストレージ）が，検査，画像診断，医事会計，手術室など中央化された各部門のオーダリングシステム（部門システム）と診療の現場である各部署の端末（クライアント）との間のネットワークを介したデータのやり取りおよび各部署で入力された診療記録をすべて系統的に記録するシステムである。さらに多くの電子カルテシステムでは，この基本的な構成に加えて，サーバーおよび主記憶装置に問題が発生した場合に備えて過去データの参照専用のサーバーを設置する。

Ⅱ 電子カルテシステム障害発生（システムダウン）時の対応

1．障害発生の通報

電子カルテシステムに障害が発生あるいは疑われる場合の通報は，各部署の端末（クライアント）や各部門システムの操作者，そしてネットワークの監視担当者よりシステム管理部門に寄せられる。クライアントや各部門システムの操作者からの通報の大部分は，電子カルテシステムの応答（レスポンス）の異常に基づくものであるが，ネットワークの監視担当者からのものはネットワーク上でやり取りされる情報量（トラフィック）の異常な減少あるいは増加に基づくものである。一般的には前者に比較して，後者では障害の原因や範囲の特定が困難なことが多い。電子カルテシステムの障害の通報を受ける窓口は，通常当該時間帯のシステム管理者である。電子カルテシステムの障害が，ネットワークの機器の故障など物理的な障害である場合には，院内PHSなどの情報通信機器にも障害が発生している可能性が高いことから，障害通報窓口には携帯電話や公衆回線など院外を経由した通報手段を確保しておくことも重要である。

2．障害のレベルの判断

通報によって電子カルテシステム障害発生（システムダウン）と判断した当該時間帯のシステム管理者は，必要に応じてさらに情報を収集し，障害の範囲と復旧までの時間に応じて障害のレベル（程度）を判断し宣言しなければならない。障害のレベルは，一般的には後述する

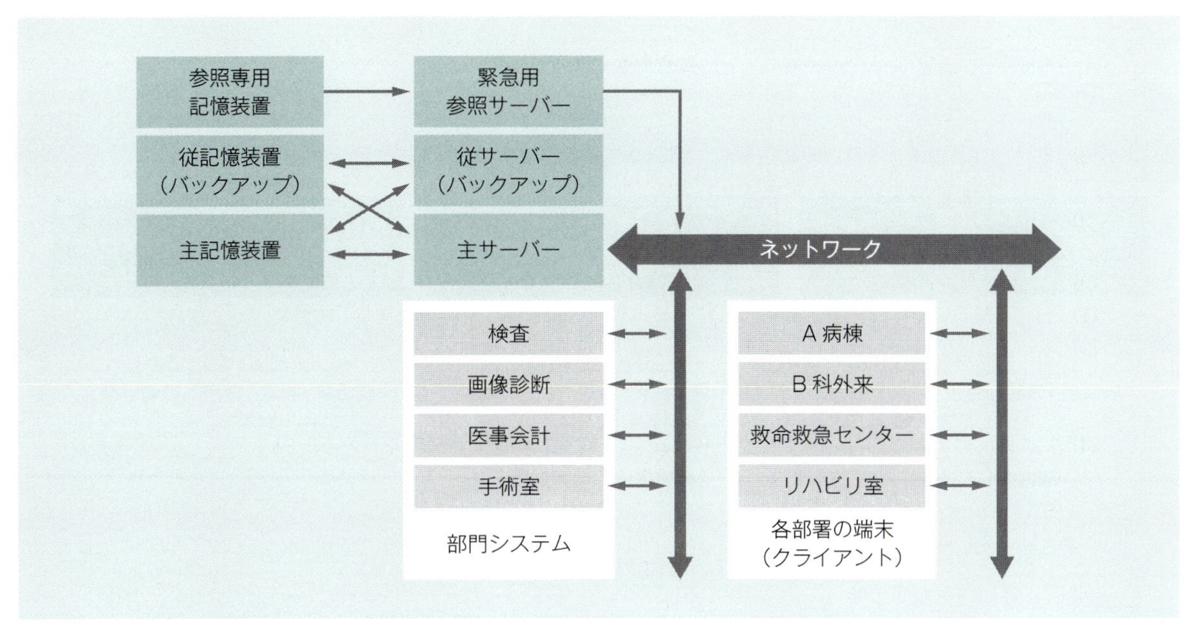

図Ⅱ-6-19　一般的な電子カルテシステムの構成

レベル0（ゼロ）～2までの3段階にて判断する。図Ⅱ-6-20に，各レベルの障害の範囲と復旧までの時間のめどを示す。

レベル0は，障害が主サーバー，主記憶装置あるいはその両者に限定され，従（バックアップ）サーバー，従（バックアップ）記憶装置あるいはその両者にネットワークの接続を切り替えることによって短時間（15分以内）に復旧できる状況である。部門システムに限局した障害は，電子カルテシステム全体に及ぼす影響がないかあるいはきわめて限定的なことから，復旧までの時間とは無関係にレベル0と判断される。

レベル1は，主サーバーおよび従（バックアップ）サーバーの両者，あるいは主記憶装置および従（バックアップ）記憶装置の両者に障害が発生し，短時間での復旧が不可能な状況である。

レベル2は，ネットワーク通信全体に影響を及ぼす障害であり，復旧が不可能までの時間が想定できない状況である。

3. 障害への対応

システム管理者は，障害レベルを判断し次第，これを必要な範囲に情報提供（アナウンス）する。レベル0では，影響を受ける部署への障害の通知のみで十分である場合も多いが，レベル1以上は外来などの診療待ち患者への院内放送などによる情報提供も必要である。

続いてシステム管理者は，「電子カルテシステムダウン時マニュアル」などに様式としてあらかじめ定められた紙伝票（帳票）での運用へ，切り替えの指示を出す必要がある。レベル0では，部門システムに限局した障害ならば当該部門にかかわる範囲のオーダーおよび結果参照を紙伝票（帳票）での運用への切り替えを指示する。一方，障害の影響を受ける範囲は広いが，短時間（例えば15分以内）で復旧する見込みの場合には，あらかじめ定められた遅延が許容されない部署（手術室や救急部門など）に限定して紙伝票（帳票）での運用への切り替えを，他の部署は復旧を待つよう指示をする。レベル1および2の場合には，全部署において紙伝票（帳票）での運用への切り替えを指示する。

最も重要な点は，各部署で紙伝票（帳票）での運用への切り替えを独自に判断しないことである。すなわちシステム管理者が具体的に指示した時点，範囲，部署でのみ一斉に切り替え，それをシステム管理者が完全に把握していることが肝要である。以上のような指示の伝達に関しても，院内情報伝達ネットワークの障害に備え，システム管理者と各部門・部署との間で携帯電話や公衆回線など院外を経由した通報手段を確保しておくことも必要である。

4. 障害復旧後の処理

システム管理者は障害復旧を確認し次第，紙伝票（帳票）での運用への切り替えを指示した部門・部署に対して電子カルテシステムでの運用への切り替えを指示する。この場合も，各部署で切り替えを独自に判断しないことが肝要である。次いでシステム管理者は，紙伝票（帳票）での運用中の伝票（帳票）の保存をあらかじめ定められた手順にて行うよう該当部署に指示・確認する。この場合，紙伝票（帳票）での運用中のオーダーなどを各部署（診療現場）で個々に電子カルテシステムに事後

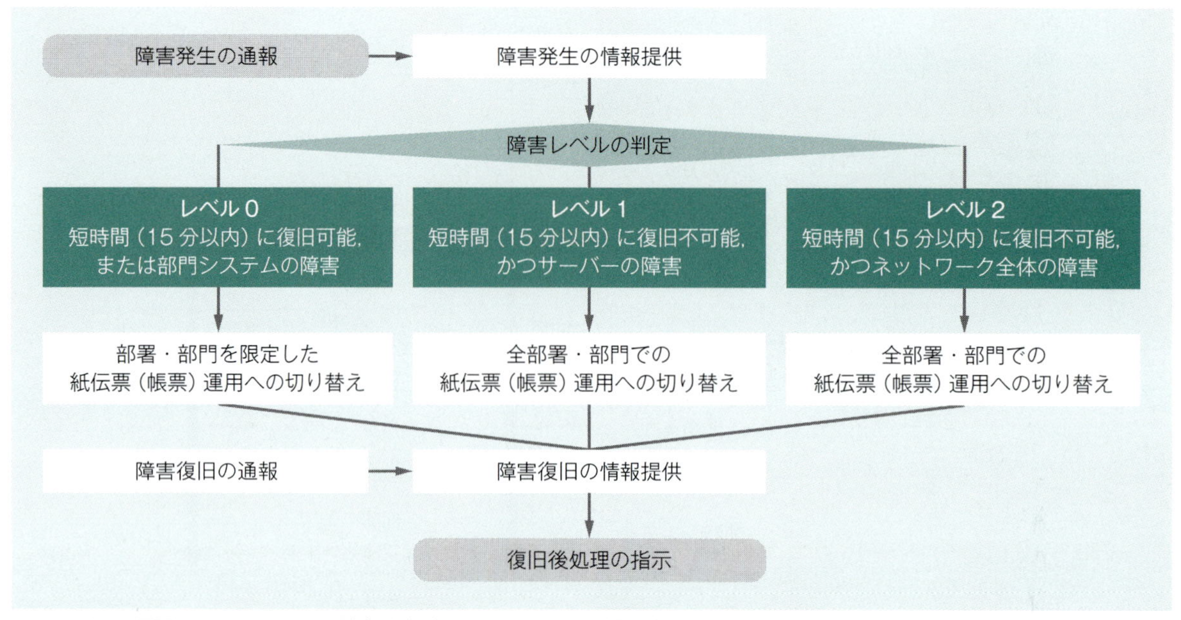

図Ⅱ-6-20 電子カルテシステムの障害発生時におけるシステム管理者の対応フローチャート

入力することは絶対しないように指示する。事後入力は，電子カルテシステムあるいは各部門システムの管理者が計画的・系統的に行う場合を除き，電子カルテシステムにおける時系列ならびに患者属性や検査結果とのひも付けの整合性を修復不可能なかたちで損ない，前述の3要件を毀損する危険が大きい。

Ⅲ 電子カルテシステム障害への準備

電子カルテシステムの障害（システムダウン）は，医療事故や労働災害と同様に「ハインリッヒの法則」で述べられた通り「階層化された確率にて発生する」事象である。すなわち，医療機関全体に影響を与えるようなレベル2の重大障害も「遅かれ早かれ」発生すると考えるべきである。したがって，図Ⅱ-6-20に示したような一連の流れ（障害発生の通報→障害レベルの判定→情報提供→紙伝票（帳票）運用への切り替え→障害復旧→電子カルテシステム運用への切り替え→復旧後処理）を簡潔に記載した「電子カルテシステム障害対応マニュアル」を整備し，全職員が必要時にすぐ参照できるように準備することが求められる。

参考文献
1）岐阜県立多治見病院「医療総合情報システムの運営保持に係る検討委員会」：医療総合情報システム障害対応マニュアル．2014.
2）済生会松山病院：情報システム運用管理規程．第3版，2011.

（澤野　誠）

索 引

改訂第２版 医療安全管理実務者標準テキスト

定価（本体価格 5,700 円＋税）

2016年８月１日 第１版第１刷発行
2019年７月５日 第１版第２刷発行
2021年２月25日 第２版第１刷発行

監　修／一般社団法人日本臨床医学リスクマネジメント学会
編　集／日本臨床医学リスクマネジメント学会テキスト改訂編集委員会
発行者／佐藤　枢
発行所／株式会社 へるす出版
〒164-0001 東京都中野区中野２－２－３
Tel. 03 (3384) 8035［販売］ 03 (3384) 8155［編集］
振替 00180-7-175971
https://www.herusu-shuppan.co.jp
印刷所／永和印刷株式会社

ISBN978-4-86719-013-5